Het Lexicon

Het Lexicon

Steve Vander Ark

In samenwerking met:

John Kearns

Lisa Waite Bunker

Belinda Hobbs

Spectrum

Uitgeverij het Spectrum
Postbus 97
3990 DB Houten

Oorspronkelijke titel: The Lexicon – An Unauthorized Guide to Harry Potter Fiction and Related Materials
Uitgegeven door: RDR Books, Michigan

Vertaald door: Femke Brouwer, Tessa Ferwerda, Vera de Jong, Jon-Ruben van Rhijn & Samantha Stroombergen

Omslagontwerp: Martin van Keulen / Spectrum
Zetwerk: studio Xammes, Vijfhuizen

Eerste druk 2009

ISBN 978 90 491 0232 6
NUR 530
www.spectrum.nl

Inhoudsopgave

Voor Katie en Chris, mijn favoriete Harry Potterfans. – Steve Vander Ark

Voor Trish... mijn Ginny, die bevriend raakte met een weesjongen genaamd Harry, even oud als zij, en zijn wereld in de onze bracht. – Belinda Hobbs

Voor Caroline (die me kennis liet maken met Harry), en alle prachtige hoofdstukken in ons verhaal – vooral degene die nog geschreven moeten worden. – John Kearns

Voor Carey, je bent de beste! En voor mijn nichtjes en neefjes Devin, Torin, Isabel, Reed, Ruby, Eli en Sophia, een nieuwe generatie die de vreugde en het soelaas van het lezen zal ontdekken. Hey Arrow, tijd om uitgelaten te worden! – Lisa Waite Bunker

Inleiding & dankwoord

Welkom bij het Lexicon. Zoals sommigen van jullie weten werd in 2007-2008 een rechtszaak gevoerd rond het oorspronkelijke boek met deze titel en werd het uiteindelijk verboden door de rechter. Na de uitspraak in april 2008 heb ik aan een nieuw, ander boek gewerkt, een boek met een nieuw focus en doel. Hierbij hield ik de richtlijnen van de rechtbank voor ogen. Ik ben trots op het resultaat dat nu voor je ligt.

Ik had bij het schrijven twee doelen voor ogen. Ik wilde voorkomen dat alles verklapt werd én ik wilde voorkomen dat we J.K. Rowlings taalgebruik letterlijk overnamen. Er zullen altijd nieuwe lezers zijn die de magie van de Harry Potterboeken willen ontdekken. Deze nieuwe lezers hebben er recht op om misleid, verrast en verheugd te worden terwijl ze de serie lezen en het plot zich aan hen ontvouwt zoals de auteur het bedoelde. Dit is hoe ik als Potterfan de serie gedurende de afgelopen tien jaar ervaarde. Ik verslond elk boek, wachtte vervolgens gretig op het volgende deel, terwijl ik me afvroeg en probeerde te raden wat er zou gebeuren. Ik wil zeker niet dat dit Lexicon die ervaring voor wie dan ook verknoeit.

Dit Lexicon is een handig naslagwerk dat hoofdstukcitaten geeft als je J.K. Rowlings Harry Potterboeken verder wilt verkennen. Als je meer onderzoek wilt doen, raadpleeg dan J.K. Rowlings *Fabeldieren en Waar Ze te Vinden* en *Zwerkbal door de Eeuwen Heen*, of duik in de Lexiconwebsite (http://www.hp-lexicon.org).
Je zult merken dat door dit boek heen sommige dingen met een hoofdletter worden geschreven en andere niet. Dit kan een beetje chaotisch overkomen. Ik heb geprobeerd om de woorden die in de boeken met een hoofdletter worden geschreven ook hier met hoofdletters te schrijven. Het probleem is dat dit zelfs in de boeken niet altijd een vaste lijn volgt. Ik heb echter m'n best gedaan om het zo dicht mogelijk bij de werkelijkheid te houden, omdat we weten dat fans het leuk vinden om dit soort dingen te weten, vooral fanfictieschrijvers, die tot onze grootste supporters behoren.

Tenslotte wil ik mijn familie bedanken, Brenda, Katie en Chris Vander Ark, die door de jaren heen een voortreffelijke steun zijn geweest. Ik kan jullie niet vertellen hoe blij ik ermee ben dat ik dit boek in jullie han-

den kan leggen. Mijn beste vriend en klankbord, Rodney Te Slaa, verdient een grote dankbetuiging omdat hij mij aanhoorde terwijl ik dooren doorkletste over Harry Potter en het Lexicon, langer dan hij zich zou willen herinneren; misschien kan ik het eindelijk voor elkaar krijgen dat hij de boeken leest. Heel erg bedankt aan Rachael Livermore voor haar steun aan het Lexicon en voor alles wat ze voor dit boek heeft betekent. Bedankt aan Roger Rapoport en Richard Harris, samen met Megan Trank, Colleen Weesies, Jeremy Nash, Louis Jeannot, Amanda Grycki, Sarah Sheehan, Abbey Schmeling, Sarah Ferriby, Kellie Norman en Zach Trank, allemaal van RDR Books. Ik ben de advocaten David Hammer, Lizbeth Hasse, Tony Falzone, Julie Ahrens en de rest van het team van het Fair Use project van de universiteit Stanford ook dankbaar, net als Robert Handelsman en Craig Monette. Ook een speciaal bedankje aan Peter Tummons en Helen Zaltzman van Methuen Books voor hun onbetaalbare assistentie en aanmoediging.
De Lexiconwebsite begon als een eenmansproject, maar dat is het nu zeker niet meer. Dus, aan mijn websitestaf – Belinda Hobbs, John Kearns, Lisa Waite Bunker, Michele L. Worley, Penny Linsenmayer, Clint Hagen, Paula Hall, Kip Carter en Denise Proctor – uit de grond van mijn hart, bedankt. Zonder jullie zou zowel de website als het boek niet kunnen bestaan. En natuurlijk moeten mensen die vele uren hebben gewerkt om dit boek werkelijkheid te laten worden ook speciaal worden vermeld. Lisa, John en Bel, ik houd van jullie allemaal.
Ik wil ook een welgemeende dankbetuiging uitspreken aan alle mensen die gedurende de maanden dat we aan dit project werkten ons bleven steunen. Door jullie hebben we de ware betekenis van het woord 'vriend' leren kennen. Er zijn geen woorden waarmee we onze dankbaarheid volledig kunnen uitdrukken.

Steve Vander Ark

Lijst met afkortingen

Alle informatie in het Harry Potter Lexicon is afkomstig van J.K. Rowling, hetzij uit de boeken, uit de 'schoolboeken', uit haar interviews of uit materiaal dat zij zelf ontwikkeld of geschreven heeft. De boektitels worden afgekort zoals hieronder is weergegeven, met daarna een hoofdstuknummer. Er worden geen paginanummers gebruikt omdat dit per editie verschilt.

De Harry Potterboeken door J.K. Rowling
SW *Harry Potter en de Steen der Wijzen*
GK *Harry Potter en de Geheime Kamer*
GA *Harry Potter en de Gevangene van Azkaban*
VB *Harry Potter en de Vuurbeker*
OF *Harry Potter en de Orde van de Feniks*
HBP *Harry Potter en de Halfbloed Prins*
RD *Harry Potter en de Relieken van de Dood* (RD/e verwijst naar de epiloog)
FD *Fabeldieren en Waar Ze te Vinden*
ZE *Zwerkbal door de Eeuwen Heen*
VBB *Vertelsels van Baker de Bard*
/f uit de filmversie van het boek (bijv. GA/f)
/s uit het computerspel van het boek

Andere bronnen die tot de canon behoren
AOL 'America Online chat transcript', AOL.com, 19 oktober 2000.
BFT 'The Noble and Most Ancient House of BLACK', een met de hand getekende stamboom die J.K. Rowling doneerde aan Book Aid International in januari 2006 en die op 22 februari 2006 werd geveild.
BLC 'J.K. Rowling and the Live Chat', Bloomsbury.com, 30 juli 2007.
BN 'Barnes and Noble & Yahoo! chat with J.K. Rowling', barnesandnoble.com, 20 oktober 2000.
BP Blue Peter (CBBC), 12 maart 2001.
Con J.K. Rowling interview transcript, The Connection (WBUR Radio), 12 oktober 1999.
CR 'Comic Relief live chat', maart 2001.
DP *Daily Prophet* (*Ochtendprofeet*) nieuwsbrieven, door J.K. Rowling geschreven voor de Harry Potterfanclub van Bloomsbury (eind 1990).

EBF 'J.K. Rowling at the Edinburgh Book Festival', 15 augustus 2004.
GA/dvd Interview met David Heyman, Steve Kloves, Mark Radcliffe, Alfonso Cuaron, en J.K. Rowling, *Gevangene van Azkaban* DVD 'Extra',23 november 2004.
HPM 'Harry Potter and Me' (BBC Christmas Special, British version), BBC, 28 december 2001.
ITV Edinburgh 'cub reporter' persconferentie, ITV, 16 juli 2005
ITV-YIL 'J.K. Rowling, A Year in the Life', ITV1, 30 december 2007
JKR J.K. Rowlings officiële website
Mac Bethune, Brian. 'The Rowling Connection: How a young Toronto girl's story touched an author's heart', *Maclean's*, 6 november 2000
NPC National Press Club author's luncheon, NPR Radio, 20 oktober 1999.
Nr op BBC *Newsround*, 27 april 2001
OBT/CH 'Open Book Tour: Carnegie Hall', 19 oktober 2007.
PC-JKR1 J.K. Rowling's first interview on the Pottercast podcast 17 december 2007
PC-JKR2 J.K. Rowling's second interview on the Pottercast podcast, 24 december 2007
RAH Fry, Stephen, 'J.K. Rowling at the Royal Albert Hall', 26 juni 2003.
Sch1 Online chat transcript, Scholastic.com, 3 February 2000.
Sch2 'About the Books: transcript of J.K. Rowling's live interview on Scholastic.com', Scholastic.com, 16 oktober 2000.
SDNY transcript van de rechtszaak van *JKR/WB v. RDR Books* 14-16 april 2008 in het Federal District Court, Southern District of New York.
SFC Chonin, Neva. 'Harry Potter's Wizard: Creator of children's book series tours Bay Area', *The San Francisco Chronicle*, 30 oktober 1999.
SN 'World Exclusive Interview with J.K. Rowling', South West News Service, 8 juli 2000.
TK Tovenaarskaarten, door J.K. Rowling gemaakt voor de EA computerspellen.
TLC Anelli, Melissa, and Emerson Spartz. 'The Leaky Cauldron and MuggleNet interview Joanne Kathleen Rowling', The Leaky Cauldron, 16 juli 2005.
Today1 Vieira, Meredith. 'J.K. Rowling One-On-One: Part One.' *Today Show* (NBC), 26 juli 2007.
WBD 'J.K. Rowling's World Book Day Chat', 4 maart 2004.

Er zijn veel andere bronnen gebruikt voor onderzoek. Aan het einde van het boek is een lijst daarvan te vinden. Uit die bronnen zijn in elk geval geen letterlijke citaten zonder verwijzing opgenomen.

Standaard indexafkortingen
verg. vergelijk met
m.n. met name
e.v. en verder
dwz. met andere woorden
c. circa
Eng. Engels
Br. Brits
L. Latijn
Gr. Grieks
Sp. Spaans
It. Italiaans

Informatie over personages
Waar mogelijk, staat er onder elke naam een lijst van belangrijke data uit het leven van dat personage. Zo staat er in het lemma van Hannah Albedil het volgende:

(geb. c. 1980; Huffelpuf, 1991; Klassenoudste 1985; Strijders van Perkamentus)

Dit geeft aan dat ze ergens rond 1980 is geboren, dat ze in 1991 op Zweinstein kwam en in Huffelpuf werd Gesorteerd, dat ze in 1995 klassenoudste werd en dat ze lid was van de Strijders van Perkamentus.

Data
De data van de Harry Potterverhalen en personages zijn vastgesteld aan de hand van hints uit de boeken en informatie van J.K. Rowling. Volgens deze informatie werd Harry in 1980 geboren en ging hij in 1991 naar Zweinstein. Dit zijn de data die in dit boek te vinden zijn. Van een aantal personages kan de geboortedatum niet precies worden vastgesteld omdat we alleen weten dat ze in hetzelfde jaar zaten als andere personages. Leerlingen beginnen aan Zweinstein in september als ze elf jaar oud zijn, dus er zijn twee mogelijke jaren waarin ze geboren zijn.

De volgende afkortingen worden gebruikt voor het dateren van gebeurtenissen:
geb. geboren
† gestorven
v. Chr. betekent letterlijk 'voor Christus' en wordt gebruikt om de jaren voor het arbitraire jaar nul aan te geven. Hoewel er neutralere varianten

van deze afkorting zijn, gebruiken we hier v. Chr. omdat J.K. Rowling dat ook in de boeken gebruikt.

Over de Tovenaarskaarten, *Zwerkbal Door de Eeuwen Heen* en *Fabeldieren en Waar ze te Vinden*:
Het meeste materiaal dat beschikbaar is over de Harry Potterwereld, is in verhaalvorm geschreven. Enkele bronnen zijn echter al in encyclopedieformaat beschikbaar. Dit zijn onder andere de alfabetische lijst van magische beesten in *Fabeldieren* en de lijsten van teams en overtredingen in *Zwerkbal door de Eeuwen Heen*. We verwijzen lezers naar deze boeken omdat hierin een schat aan informatie over fabeldieren en Zwerkbal te vinden is. De beschrijvingen op de Tovenaarskaarten bestaan over het algemeen uit een enkele zin en zijn dus vergelijkbaar met wat iemand in een encyclopedie aan zou treffen. Wederom geven wij alleen het hoognodige in plaats van de informatie simpelweg te reproduceren. We verwijzen lezers door naar de computerspellen, waar de volledige tekst van de kaarten beschikbaar is. Ze zijn ook online op diverse locaties te vinden, zoals het Harry Potter Lexicon en in sommige gevallen op J.K. Rowlings eigen website (als de Tovenaar van de Maandserie).

Noot bij de Nederlandse vertaling
Dit Lexicon is bedoeld als naslagwerk bij de Nederlandse edities van de boeken, films en andere vertaalde bronnen over de Harry Potterwereld, en is dus niet bedoeld als naslagwerk bij de Engelse edities. Als je geïnteresseerd bent in een naslagwerk bij deze Engelse edities raden we je aan om de Engelse editie van dit Lexicon (*The Lexicon*) te raadplegen. Sommige 'officiële' uitgaven over Harry Potter zijn echter nooit vertaald, zoals de *Daily Prophet* nieuwsbrieven die J.K. Rowling schreef voor de Harry Potterfanclub van Bloomsbury. In dat geval zijn zowel de oorspronkelijk Engelse term als een door de vertalers van dit Lexicon voorgestelde Nederlandse vertaling opgenomen.*
Bij sommige namen en begrippen legt de auteur van het Lexicon uit wat de herkomst volgens hem is. J.K. Rowling gebruikt bijvoorbeeld regelmatig namen uit legenden, of uit haar eigen verleden. In de Nederlandse vertaling is dit verband niet altijd even duidelijk. Daarom is bij deze namen en begrippen de Engelse variant van een term gegeven door *(Eng. 'het desbetreffende woord')*.

* Een volledige vertaling van deze bronnen is te vinden op http://www.accio-quote.org/nederlands/index.html

Aardmannetjes
(Eng. 'Pixie')
Komen van nature voor in Cornwall. Deze ondeugende wezens zijn felblauw van kleur (GK6).
In de folklore komen aardmannetjes vooral voor in Devon en Cornwall. Hun uiterlijk verschilt en ze worden beschreven als liefhebbers van muziek en dans. Over het algemeen zijn het aardige en behulpzame wezens die helpen bij het huishouden. Soms wordt hun zelfs toegeschreven dat ze dikke room maken op Dartmoor voor huisvrouwen die dit verdienen. Aan de andere kant zullen de aardmannetjes deze room eerder zelf opeten, omdat ze ondeugend zijn en van grappen en trucs houden. Ze brengen reizigers die over de heide reizen in de war, en worden ervan beschuldigd dat ze kinderen stelen. Aardmannetjes dragen groene kleding om minder op te vallen in de natuur. Ze hebben schuinstaande ogen en puntige oren, maar ze hebben zeker geen blauwe huid. Ze lijken op veelkleurig geklede mensen, en zeker niet op de felblauwe kabouters uit de Harry Potterboeken of -films.

Aardveil, Sextus
(Ravenklauw, 1994)
Zweinsteinleerling (VB12).

Abeel, Eelco
(geb. 1984; Griffoendor, 1995)
Een klein jongetje met flaporen; er wordt gesuggereerd dat hij aan het begin van zijn eerste jaar in de lastercampagne van de *Ochtendprofeet* geloofde (OF11).

Aberdeen
Een stad aan de oostkust van Schotland met ongeveer 100.000 inwoners. Tijdens Harry's eerste ritje met de Collectebus versprong de bus plotseling naar Aberdeen, waarbij hij zijn warme chocolademelk morste (GA3).

Abergavenny
Een dorp in het zuidoosten van Wales op de grens met Engeland waar de Collectebus op 6 augustus 1993 madame Teutel afzette (GA3).

Abessinië
Een andere naam voor Ethiopië en waarschijnlijk het land waar de Abessijnse Schrompelvijg vandaan komt (GA7).

Het gebruik van de ouderwetse naam voor dit land komt overeen met het gebruik van andere archaïsche plaatsnamen in de boeken, wat er op wijst dat tovenaars niet altijd op de hoogte zijn van de recentste politieke ontwikkelingen.

Abessijnse Schrompelvijg

Tweedejaars Kruidenkundestudenten werken met deze planten, ze leren om ze te snoeien (GK15). Geschilde schrompelvijgen worden als ingrediënt gebruikt in Slinksap (GA7).

Accio

(AK-ie-oo, AK-sie-oo of AH-sie-oo)
'Sommeerspreuk'

Zorgt ervoor dat een object naar de uitspreker vliegt, zelfs van een behoorlijke afstand; van het doelobject wordt dan gezegd dat het Gesommeerd is. De persoon die de spreuk uit spreekt moet in elk geval de globale locatie van het te Sommeren object kennen. Harry leerde de Sommeerspreuk voor het eerst voor de Eerste Opdracht van het Toverschool Toernooi. (VB20).

Een object kan met tegenbezweringen worden betoverd om te voorkomen dat het wordt gesommeerd (RD10, RD26).

'accio' = L. 'ontbieden, laten komen'

De uitspraak van deze spreuk is het onderwerp van discussie geweest onder fans. De 'officiële' uitspraak van Scholastic is 'A-sie-oh'. Dit is de uitspraak die werd gebruikt in de (Amerikaanse) luisterboeken. In de Britse versie is de uitspraak 'AK-sie-oo'. De correcte Latijnse uitspraak zou echter 'A-kie-oo' zijn, omdat de letter c nooit als een 's' werd uitgesproken. Dubbele medeklinkers kregen gewoon meer nadruk. Een vierde mogelijkheid is 'A-tjie-oo', hoewel het klassiek Latijn geen 'tj'-klank kent.

Ackerly Town Hall

Dit stadhuis werd beschadigd door een uitvoering van de beruchte 'Tovenaarssuite' (TK).

aconiet

Extreem giftige plant (vandaar zijn andere naam, alsem). Hij wordt ook wel monnikskap genoemd omdat de vorm van de bloemen enigszins lijkt op een monnikskovel (bepaald gewaad) (SW8).

Acromantula

Een gigantische zwarte spin die in staat is tot menselijke spraak. Terwijl hij een leerling op Zweinstein was, bracht Hagrid een Acromantula genaamd Aragog in het kasteel. Uiteindelijk liet hij hem vrij in het Bos (GK15). Er werd ook een Acromantula gebruikt voor de Derde Opdracht van het Toverschool Toernooi (VB31, OP16; *zie ook* DH32).

'acro' = L. 'hoogste punt, piek' + 'mantula', wat op 'tarantula' wijst, de naam voor een soort grote harige

spin; de naam kan vrij worden geïnterpreteerd als 'de grootste harige spin', wat zeker past.

Acromantula (rune)
Een rune voor het getal 8, volgens het boek *Oude Runen Eenvoudig Verklaard*. Een verwijzing naar de acht ogen van de reuzenspinnen (JKR).

Acromantulagif
Zeer nuttig toverdrankingrediënt. Het is om voor de hand liggende redenen onmogelijk om van een levende Acromantula te verkrijgen. Het gif droogt snel uit nadat het beest is gestorven. Hierdoor is het vergif erg zeldzaam en kan tot honderd galjoenen per 'pint' kosten (HBP 22).

adelaar
Het symbool, in het brons op een blauwe achtergrond, dat de afdeling Ravenklauw vertegenwoordigt (VB15).

Administratieve Dienst Wikenweegschaar
Dit ondersteunende orgaan van de Wikenweegschaar valt onder het Departement van Magische Wetshandhaving op het Ministerie van Toverkunst. Het kantoor ligt op de tweede verdieping van het Ministerie, samen met de Taakeenheid Ongepast Spreukgebruik en het Schouwershoofdkwartier (OF7).

Aeaea
Het legendarische eiland Aeaea was de woonplaats van de beroemde tovenares Circe (TK).
Er zijn een aantal mogelijke locaties van dit eiland gesuggereerd, maar er is geen enkele die de doorslag geeft. Het verhaal van Circe en Odysseus kan in Homerus' Odyssee *worden gevonden.*

Aesalon, Falco
Een Faunaat uit de Griekse Oudheid; zie de Tovenaarskaarten voor meer informatie (TK).
Een ondersoort van de valkachtigen heeft de Latijnse naam Falco Aesalon.

A

Afdelingen (Zweinstein)
Zweinsteinleerlingen worden onderverdeeld in vier afdelingen: Griffoendor, Ravenklauw, Huffelpuf en Zwadderich, elk vernoemd naar één van de stichters van de school. Elke leerling heeft met zijn afdeling les en brengt zijn vrije tijd door met andere leerlingen uit zijn of haar afdeling. De afdelingen strijden ieder jaar om de Afdelingsbeker en de Zwerkbalcup (bijv. SW7). Elke afdeling heeft ook zijn eigen leerlingenkamer en slaapzalen. Als aanvulling op het schoolhoofd van Zweinstein heeft elke afdeling een afdelingshoofd, een afdelingsgeest en een dierenmascotte.
Zie de aparte afdelingen voor meer informatie.

Afdelingsbeker
Wordt uitgereikt aan de afdeling die het Afdelingskampioenschap heeft gewonnen, wat afhangt van welke afdeling de meeste afdelingspunten in een jaar heeft verdiend (SW7). De Afdelingsbeker wordt uitgereikt tijdens het Eindfeest (SW17, GK18, GA22).

afdelingspunten
Punten die gebruikt worden om het gedrag van studenten te belonen of te bestraffen. Er komen telkens meer punten bij in de loop van het schooljaar en aan het einde wordt de Afdelingsbeker uitgereikt aan de afdeling met de meeste punten. De punten worden bijgehouden door gigantische zandlopers in de hal, die iedereen kan zien; als de leraar hardop punten geeft of juist aftrekt, dan worden de juiste zandlopers automatisch bijgewerkt (SW15, OF28, 38). Het aantal punten dat voor verschillende overtredingen wordt afgetrokken ligt niet vast en ligt aan de wispelturigheid van de leraar, wat de wedstrijd haast betekenisloos maakt. De punten die op het Zwerkbalveld worden verdiend, tellen ook als afdelingspunten (GA22).

Affodil
Gemalen affodilwortel wordt gebruikt in de Drank van de Levende Dood (SW8).
Van de affodil werd in de Griekse mythologie gedacht dat zij het favoriete voedsel van de doden was. Oude Grieken plantten vaak affodil rondom begraafplaatsen.

afgesloten kamer
Een mysterieuze kamer die verbonden is met de ronde entreekamer van het Departement van Mystificatie. Hij bleef op slot, alle inspanningen ten spijt. Zelfs Harry's magische zakmes van Sirius kon de kamer niet openen (OF34, 37).

Agnes
Patiënt in de Charles l'Atanzaal voor permanente spreukschade van St. Holisto's Hospitaal. Agnes' hele hoofd was overdekt met vacht en ze kon niet praten, alleen maar blaffen (OF23).

Agrippa, Cornelius
(1486-1535)
De volledige naam van deze tovenaar was Heinrich Cornelius Agrippa von Nettesheim. Agrippa staat op een Chocokikkerplaatje (TK, SW6). 'Agrippa' is één van de Chocokikkerplaatjes die Ron nog mist in zijn verzameling (SW6).
Cornelius schreef over magie in zijn boek De Occulta Philosophia *(1531). Hij geloofde dat het bestuderen van magie de beste manier was om meer over God te weten te komen. Zijn geschriften waren tijdens zijn leven controversieel. Na zijn dood ontstonden er geruchten en legenden over hem, waaronder*

verhalen dat hij demonen opriep en hij een grote zwarte hond als metgezel had.

Aguamenti

(A-gwa-MEN-tie)

Bezwering die een fontein of straal water uit de toverstok van de uitspreker doet verschijnen. Deze spreuk kan worden gebruikt om branden te blussen (HBP11, 17, 26, 28, RD12, 31).

'agua' = Sp. 'water' (van het Latijnse 'aqua') + 'menti' = L. 'geest'.

Alarmisthoorn

Kleine, toeterachtige apparaatjes op korte beentjes die een eindje weg rennen wanneer je ze laat vallen. Vervolgens produceren ze een geluid dat op een ontploffing lijkt en laten ze zwarte rook vrij (HBP6, RD13).

Ze doen me denken aan een oude goudgroenige AMC Gremlin die ik had in de jaren '70.

Albanië

Een klein Europees land aan de Adriatische Zee met banden met Helena Ravenklauw, de dochter van één van de stichters van Zweinstein (RD31). Voldemort vluchtte naar Albanië toen hij in 1981 zijn lichaam verloor (VB33).

Albanië was in de jaren '80 een gesloten staat. Er werden weinig toeristen toegelaten in het land en deze werden gevolgd door de geheime politie. Toen J.K. Rowling in de jaren '90 de boeken schreef, koos ze dit mysterieuze, verborgen land als een goede plek voor Voldemort om zich voor de buitenwereld te verbergen.

Albedil

Achternaam op een grafsteen op de begraafplaats in Goderics Eind, waarschijnlijk van voorouders van Hannah omdat tovenaarsfamilies de gewoonte hadden om dicht bij elkaar in bepaalde dorpen te wonen nadat het Statuut van Geheimhouding in 1692 van kracht was geworden (RD16).

Albedil, Hannah

(geb. c. 1980; Huffelpuf, 1991; Klassenoudste 1995; Strijders van Perkamentus)

Een blond meisje dat haar haar in vlechten draagt (SW7). Hannah is goed bevriend met Ernst Marsman (GK11, 15), die net als zij het verzamelen van Chocokikkerplaatjes als hobby heeft (VB19). Hannah en Ernst werden in augustus 1995 allebei klassenoudste en sloten zich in oktober dat jaar aan bij de Strijders van Perkamentus (OF16, RD36). De moeder van Hannah werd tijdens haar zesde jaar op Zweinstein door Dooddoeners vermoord (HBP11) waarna Hannah de school verliet (*zie ook* OBT/CH).

Albedil, mevr.

(† 1996)

De moeder van Hannah. Ze werd in de herfst van 1996 dood aangetroffen, vermoord door Dooddoeners (HBP11).

alcoholvrij

Nadat ze teveel gedronken had tijdens de kerstvakantie, besloot de Dikke Dame dat 'alcoholvrij' het nieuwe wachtwoord voor de leerlingenkamer van Griffoendor zou worden (HBP17).

Aldoor, Benjamin

(Zweinstein, jaren '70)

Zweinsteinleerling, een tijdgenoot van de 'Marauders'. James Potter en Sirius Zwarts kregen ooit strafwerk voor het vervloeken van Aldoor (HBP24).

Alfons Avenants Snel-Reparatie Winkel

Deze winkel is dé plaats waar je heen moet als je een bezemsteel hebt die een 'afschuwelijke neiging naar links heeft' (BLC).

Alfred, oudoom

Familie van Marcel Lubbermans en naar verluidt een nogal rare persoonlijkheid. Alfred probeerde Marcel als kind tekenen van magische vermogens te laten zien, ook al was dat soms gevaarlijk. Alfred kocht Wilibrord de Pad (SW7) en een Mimbulus Mimbeltonia (OF10) voor Marcel.

Alfred de Altijdkwade

(Eng. 'Ethelred the Ever-Ready')

Een middeleeuwse tovenaar die er om bekend stond dat hij zo snel boos werd (TK).

De naam lijkt erg op die van Aethelred II, 'The Unready', een koning van Engeland die erom bekend stond dat hij telkens probeerde om zijn problemen af te kopen in plaats van deze met agressie op te lossen.

Alihotsy

Magische plant (JKR)

Het woord 'alihotsy' wordt gebruikt in sikidy, een vorm van geomantie, voor één van de zestien geomantische figuren die voor waarzeggerij worden gebruikt; het staat ook wel bekend als Aquisitio en betekent 'winst'. J.K. Rowling zei dat het ook 'lichtheid van geest' betekent (SDNY).

All-England Best-Kept Suburban Lawn Competition

Zie JAARLIJKSE INTERNATIONALE TOVERTUINIERWEDSTRIJD

All-England Wizarding Duelling Competition

Zie ENGELSE KAMPIOENSCHAP DUELLEREN

Alohomora

(ALO-ho-MOR-a)

Bezwering die een deur die op slot zit opent (SW9). Sommige deuren zijn op zo'n manier betoverd dat deze spreuk niet werkt (OF34).

De term 'alohomora' komt van sikidy, een waarzeggerijvorm van het Malagasyvolk uit Madagaskar. Het is de naam van een magisch symbool dat 'gunstig voor dieven' betekent (SDNY).

'alternatieve geneeswijzen'
Patiënten behandelen door naast de magische aanpak ook Dreuzeltechnieken te gebruiken. Deze praktijken worden door tovenaars erg vreemd gevonden (OF23).

Amata
Een personage uit het verhaal 'De Fontein van het Fantastische Fortuin' uit *De Vertelsels van Baker de Bard*. Amata zoekt een geneesmiddel uit de fontein tegen verdriet en verlangen. Onderweg ontmoet ze twee andere heksen, Asha en Altheda, en redt een Dreuzelridder genaamd Heer Pechtol (VBB).
'Amata' = It. 'geliefd'

Amnesia Completa
(Am-nee-sia com-plee-ta)
(Eng. 'Obliviate')
'Vergetelheidsspreuk', 'Herinneringsslot'
Deze spreuk wijzigt of verwijdert delen van iemands geheugen. Het Ministerie van Toverkunst heeft een team van Revalideurs in dienst die het geheugen van Dreuzels wissen als ze bewijzen van magie hebben gezien (SW14). Vergetelheidsspreuken kunnen teruggedraaid worden (RD6), hoewel dit in sommige gevallen niet zonder hersenbeschadiging gaat (GK16, VB33).
'Oblivisci' = L. 'vergeten'

Volgens J.K. Rowling zijn er twee soorten Vergetelheidsspreuken. Eentje verandert het geheugen, de ander wist het (BLC). Dit verklaart waarom Hermelien zegt dat ze nooit een Vergetelheidsspreuk heeft uitgesproken (RD9) terwijl ze een paar weken daarvoor het geheugen van haar ouders gewijzigd had. Ze zei dat ze nooit een spreuk uit had gesproken die het geheugen compleet wist.

Amortentia
(a-mor-TEN-tie-a)
De krachtigste liefdesdrank ter wereld, te herkennen aan de glans en de patronen in de stoom die van de ketel afkomt. Het verschilt per persoon hoe de toverdrank ruikt omdat het afhangt van wat ze aantrekkelijk vinden (HBP9).
'amor' = L. 'liefde' + 'tempto' = L. 'proberen te beïnvloeden of verleiden'

Amuletten
Eén van de vele objecten waarvan gedacht wordt dat ze geluk brengen. Smalhart beweerde dat hij een geval van Metamorfotiaanse Marteling in Ouagadougou oploste door de dorpsbewoners beschermende amuletten te geven (GK9). In 1992, toen er in de gangen van Zweinstein gevaar op de loer lag, ontstond er een levendige zwarte handel in magische remedies en verdedigingen, waaronder beschermende amuletten.

Anapneo
(an-ap-nee-o)
Spreuk die de luchtwegen van het doel vrijmaakt als ze geblokkeerd waren. Kan worden gebruikt als iemand zich heeft verslikt (HBP7).
'anapneo' = Gr. 'ademhalen'

Anderling, Minerva
(geb. ± 1925; Griffoendor c. 1937; lerares Gedaanteverwisselingen sinds december 1956; Afdelingshoofd van Griffoendor; Orde van de Feniks)
Meer dan veertig jaar Gedaanteverwisselingendocent aan Zweinstein, evenals het Vervangend Schoolhoofd. Anderling is een krachtige heks en Faunaat (SW1, 4). Anderling stond erom bekend dat ze uitdagende lessen gaf (GK6). Ze brak de regels nooit (GA8) en tolereerde ook geen misdragingen (GK5, GA14). Hoewel ze over het algemeen respectvol was over haar collega's, gebruikte Anderling haar scherpe geest om hen die ze als oplichters zag te bespotten, met name Smalhart (GK16) en Zwamdrift (GA11). Maar toen ze met Omber werd geconfronteerd, verdedigde ze Zwamdrift (OF26) en Hagrid (OF31).
Minerva was in de Griekse mythologie de godin van de wijsheid. Het is makkelijk te begrijpen waarom deze naam bij het personage past. Haar achternaam (McGonagall in het Engels) komt uit een onverwachte bron. De Schot William Topaz McGonagall was eind 19e eeuw een dichter met een eigen stijl. Zijn stuntelige gerijm en niet kloppende ritmes, samen met zijn voorliefde voor onderwerpen als treinongelukken, hebben hem de titel van slechtste dichter aller tijden opgeleverd.

Anderlings kantoor
Gelegen op de eerste verdieping van Zweinstein (SW15) met een raam dat uitkijkt over het Zwerkbalveld (GA9). Anderlings kantoor heeft een haard met een schouw (GK18) die aangesloten kan worden op het Haardrooster (HBP18). Ze heeft een blik met koekjes op haar bureau (OF12, OF19), versieringen met Schotse ruit en tegenwoordig vaker wel dan niet de enorme zilveren Zwerkbalcup (OF19).

Andorra
Andorra is één van de kleinste landen ter wereld. Het ligt in de bergen tussen Spanje en Frankrijk. Het heeft echter een Ministerie van Toverkunst (VB28) en onderhoudt diplomatieke betrekkingen.
J.K. Rowling lijkt het leuk te vinden om extra aandacht te geven aan landen die in onze wereld behoorlijk klein en onbelangrijk op het wereldtoneel zijn. Ze noemde Liechtenstein bijvoorbeeld als een van de belangrijkste Zwerkballanden. Zwerkbalteams worden in het

Verenigd Koninkrijk in kleine dorpen zoals Tutshill geplaatst, waarbij ze de grote steden helemaal negeert. Dit versterkt het idee dat de Tovenaarsgemeenschap van de Dreuzelwereld is afgescheiden.

Andros de Onwankelbare

Een tovenaar uit het oude Griekenland die bekendstond om de afmetingen van zijn Patronus. Zie voor meer informatie de Tovenaarskaarten (TK).
'andro-' = Gr. 'man'

Anglesea

Een eiland aan de westkust van Wales, bijna pal ten oosten van Dublin in de Ierse Zee. Anglesea is één van de plaatsen die de Collectebus aandeed toen Harry voor de eerste keer meereisde (GA3).

Anti-Diefstal Zoemer

Een magisch apparaat of spreuk. Ze zoemen als iemand het object probeert te stelen waar ze aan vast zitten (VB8).

Anti-Spiekspreuk

Wordt op Zweinstein over de ganzenveren uitgesproken voor examens (SW16).

Anti-Verschijnselbezwering

Voorkomt dat iemand Verschijnselt. Volgens Albus Perkamentus zijn de meeste tovenaarswoningen op magische wijze beschermd tegen ongewenste Verschijnselaars. Hij bevestigde dat je 'niet kunt Verschijnselen of Verdwijnselen binnen de gebouwen of op het schoolterrein' van Zweinstein (HBP4). Het schoolhoofd kan de beperking echter tijdelijk opheffen voor een specifiek gedeelte van de school, zodat iemand die zich daar al bevindt naar een andere plaats binnen dezelfde ruimte kan verschijnselen. Men kan dat gebied echter niet helemaal verlaten (HBP18).

Anti-zwaartekrachtmist

Een onschuldig uitziende magische mist die boven de grond zweeft. Een persoon die in deze mist stapt, merkt onmiddellijk dat boven en beneden zijn omgedraaid en dat hij of zij vanaf de grond in de eindeloze lucht hangt (VB31).

Aparecium

(a-pa-ree-sie-um)
Maakt onzichtbare inkt zichtbaar. Hermelien probeerde dit op het mysterieuze dagboek, maar het had geen effect (GK13).
'appareo' = L. 'verschijnen'

Apekool

(Eng. 'Balderdash')
Het wachtwoord om in de Leerlingenkamer van Griffoendor te komen (VB12,14).
Eng. 'balderdash' = 'onzin'

Apothekerij

Een winkel aan de Wegisweg waar toverdrankingrediënten worden

A

verkocht (SW5).
Een apotheker is een persoon die kruiden, medicijnen en andere medische voorwerpen verkoopt; hij is de voorloper van de hedendaagse apotheek. In de film heet deze winkel Slug & Jiggers.

Appeal Against House-Elf Slavery
Zie BEROEP TEGEN HUIS-ELFSLAVERNIJ

Appleby Arrows
Zwerkbalteam uit het kleine dorpje Appleby in het noordoosten van Engeland, ten zuidoosten van York (DP1-4).

A

Aquaviriusmaden
Wezens, die er waarschijnlijk mooi uit zien, die Loena Leeflang dacht te hebben gezien in het Departement van Mystificatie (OF34).
'aqua' = L. 'water' + misschien 'virus' = L. 'slijm, vergif'
Een made is een vliegenlarve die rottend vlees eet.

Aragog
(c. 1942-1997)
Een Acromantulamannetje dat als ei door Hagrid van een reiziger is bemachtigd. Hagrid verborg Aragog in een kast in het kasteel en voedde hem met kliekjes totdat omstandigheden hem ertoe dwongen om het wezen in het Bos vrij te laten (GK15). Aragog stierf van ouderdom in de lente van 1997 (HBP22).
'ara' van 'aranea' = L. 'spin' + 'gog' van 'Gog' = een legendarische reus die samen met zijn medereus Magog in de Bijbel verschijnt, evenals in de folklore van veel culturen.

Arcus
Eén van de twee tovenaars in de geschiedenis waarvan gedacht werd dat hij de Zegevlier van Simon had afgenomen (RD21).

Arduin
(geb. eind jaren '20)
Een vriend en volgeling van Marten Villijn terwijl hij op Zweinstein zat (HBP17). Arduin maakte deel uit van de eerste groep Dooddoeners medio 1950 (HBP20). Hij is mogelijk de vader van de Arduin die naar Zweinstein ging met Severus Sneep in de jaren '70.

Arduin
(geb. c. 1960; Zwadderich c. 1971)
Tijdgenoot van Severus Sneep op Zweinstein (VB27, RD33). Een Dooddoener die nadat Voldemort in 1980 verdween beweerde dat hij onschuldig was door te zeggen dat hij onder de invloed van de Imperiusvloek had gehandeld (VB27); later werd hij met de Cruciatusvloek door Voldemort gestraft (VB33). Mogelijk de zoon van de Arduin die met Voldemort naar Zweinstein ging.

Argat de Afschuwelijke
Kobold met een probleem met betrekking tot zijn lichaamsgeur. Zie voor meer informatie de Tovenaarskaarten (TK).

Arkie Alderton's Kwik-Repair Shop
Zie ALFONS AVENANTS SNEL-REPARATIE WINKEL

Armando Wafelaar: Meester of Minkukel?
door Rita Pulpers
Een zeer goed verkopende biografie over één van Zweinsteins schoolhoofden (RD13).

Armethea
Een personage uit het verhaal 'De Fontein van het Fantastische Fortuin' uit *De Vertelsels van Baker de Bard*. Armethea reist naar de fabelachtige fontein voor een geneesmiddel voor haar gevoelens van hulpeloosheid en komt onderweg veel meer tegen (VBB).
De naam Armethea is mogelijk afgeleid van 'Althos' (Gr. 'genezing') en is verwant aan de vrouwennamen Althea/Althaea.

Arnold
Een paarse Ukkepulk die Ginny Wemel bij de winkel van haar broers in de Wegisweg heeft gekocht. Ze noemde hem Arnold en nam hem met haar mee naar Zweinstein in een kooi (HBP6, 7, 11, 14).

Arnout
Ministerietovenaar, die een kilt en een poncho draagt in een poging zich te kleden als een Dreuzel. Hij werkte bij het Viavia-eindpunt bij het WK Zwerkbal (VB7).

Arrendam, Archibald
(1568-1623)
Tovenaarsbakker die een ongeluk veroorzaakte; zie voor meer informatie de Tovenaarskaarten (TK).

Assyrië
Assyrië is waar zijn oudoom Alfred Marcels Mimbulus Mimbeltonia vandaan haalde (OF10).
Assyrië is een oude naam voor een keizerrijk dat niet meer bestaat en dat grotendeels bestond uit het tegenwoordige Irak, Syrië en Libanon, nog een voorbeeld dat de Tovenaarswereld niet helemaal op de hoogte is van de stand van zaken in de Dreuzelwereld.

astrologie
Het bestuderen van de bewegingen van de sterren en planeten en hun invloed op mensenlevens. Astrologie vereist het zorgvuldig bestuderen van sterrenkaarten die te maken hebben met de datum waarop iemand is geboren. De leerlingen in Zwamdrifts Waarzeggerijklas moeten ingewikkelde kaarten maken en bepalen welke planeten waar waren en hoe dat hun leven allemaal be-

invloed heeft. Zwamdrift was, zo bleek, niet bijzonder goed in het interpreteren van deze vorm van waarzeggerij (VB13).

Astmalia

(Eng. 'Asha')

Een personage uit het verhaal 'De Fontein van het Fantastische Fortuin' uit de *Vertelsels van Baker de Bard*. Astmalia is een heks die aan een pijnlijke, ongeneeslijke ziekte leidt en die gezondheid bij de fontein zoekt (VBB).

Asha = Hindi 'wens, verlangen, hoop' of Swahili 'leven'

Astrale Verkenningen

Een van de wetenschappelijke tijdschriften van de Tovenaarswereld; Albus Perkamentus heeft er minimaal één artikel in gepubliceerd toen hij nog behoorlijk jong was (RD2).

Astronomie (vak)

Een vak dat 's nachts rond middernacht bovenop de Astronomietoren door professor Sinistra wordt gegeven (m.n. SW8, OF14, 31).

In het Harry Potteruniversum hebben de maan, sterren en planeten rechtstreeks invloed op de effecten en sterkte van magische spreuken en toverdranken. Het vak Astronomie is niet hoofdzakelijk een vak waarin feiten over de hemelen uit het hoofd geleerd moeten worden, maar een vak waarin één van de onderliggende fundamenten van tovertheorie worden aangeleerd. Daarom is het merkwaardig dat ze over dingen zoals de oppervlaktekenmerken van de manen van Jupiter zouden moeten leren (OF14).

Astronomietoren

De hoogste toren van Zweinstein. Hier krijgen de leerlingen Astronomieles en doen ze hun S.L.I.J.M.B.A.L.-astronomie-examen (OF31). De top van deze toren bevindt zich min of meer direct boven de hoofdingang van het kasteel (OF31). Een steile wenteltrap leidt naar de top van de toren (SW14, OF31). De Strijd van de Toren werd in, boven en aan de voet van deze toren gestreden (HBP27).

astronomische modellen

Miniatuurversies van sterren en planeten, nuttig voor het bestuderen van astronomie. In de Wegisweg waren een model van het heelal in een glazen bal en globes van de maan te koop (GA4). Zwamdrift gebruikte een miniatuurmodel van het zonnestelsel om Waarzeggerij te onderwijzen (VB29). Orchidea Smid had hemelbollen in haar collectie (HBP20). Een groot kamervullend model van het zonnestelsel kan in het Departement van Mystificatie gevonden worden (OF35).

Atmosferische Bezwering

Een spreuk die de weereffecten

creëert die te zien zijn in de magische ramen van het hoofdgebouw van het Ministerie van Toverkunst in Londen, en waarschijnlijk de spreuk die verkeerd ging waardoor het in de kantoren van mensen ging regenen (OF7).

Atrium

Een grote entreehal op de achtste verdieping van het hoofdgebouw van het Ministerie van Toverkunst, omgeven door haarden die aangesloten zijn op het Haardnetwerk. Eens bevond zich de Fontein van Magisch Broederschap in het Atrium. Later werd die fontein vervangen door een massief zwart beeld van een heks en een tovenaar die zitten op tronen gemaakt van honderden naakte Dreuzels, met de woorden TOVERKRACHT IS MACHT op de voet. Aan het eind van het Atrium bevinden zich gouden poorten waarachter de liften zich bevinden (OF7, RD12).

Augurei

Een kleine magische vogel (JKR).
Augury = Eng. 'in het algemeen de kunst van het waarzeggen maar meer specifiek de kunst van de augur (iemand die voortekenen interpreteert die gebaseerd zijn op het gedrag van vogels)'

Australië

Australië is zowel het kleinste continent als een land, gelegen op een groot eiland dat helemaal in het zuidelijk halfrond ligt. Een personage stuurde haar ouders naar Australië om ze tegen de Dooddoeners te beschermen (RD6).

auto, betoverde

Hoewel het bepaald is dat auto's Dreuzelvoorwerpen zijn en het daarom bij Tovenaarswet verboden is ze te beheksen, zijn er toch een paar betoverde auto's in Groot-Brittannië. Het Ministerie van Toverkunst heeft auto's die met magisch gemak door het verkeer manoeuvreren (GA5, HBP6, OF23). Arthur Wemel, die persoonlijk de wet schreef die dit soort zaken verbood, bezat een auto die hij behekst had zodat hij kon vliegen (m.n. GK3).

Avada Kedavra

(a-VA-da ke-DA-vra)
'Vloek des Doods'
Veroorzaakt plotselinge dood door een flits van groen licht. Het is één van de Onvergeeflijke Vloeken (VB14) en lijkt niet af te weren te zijn en geen tegenbezwering te hebben. Deze spreuk produceert een straal (OF36) of flits (VB14) van groen licht en een geluid alsof een enorm onzichtbaar ding naar het doel vliegt (VB1, 14). Harry is de enige bekende persoon die de Vloek des Doods heeft overleefd (m.n. SW1, VB14, ook VB34, RD17, RD34).
'adhadda kedhabhra' = *Aramees 'laat het ding vernietigd worden'*

Er zijn een aantal alternatieve afleidingen voor deze spreuk bediscussieerd. Abracadabra *is een kabbalistische bezwering in de Judaïsche mythologie die helende krachten zou moeten hebben. Er wordt verondersteld dat één van de bronnen het Aramese* avada kedavra *is, een andere bron is het Poenisische alfabet dat begint met de volgorde van letters* a-bra-ca-dabra.

De Avada Kedavraspreuk, of de Vloek des Doods, werd lukraak door Voldemort gebruikt. Zijn herhaalde gebruik van de spreuk tegen Harry mislukte echter altijd. Harry bewees ook dat hij in staat was om deze verschrikkelijke wapens te gebruiken. Hij gebruikte op diverse momenten zowel de Imperiusvloek als de Cruciatusvloek. Hij koos er echter voor om deze spreuk van ultiem kwaad niet tegen Voldemort te gebruiken.

Avalon

Een eiland behorend tot de Britse Eilanden dat door Morgana wordt geregeerd, een beroemde heks en tijdgenote van Koning Arthur en Merlijn (TK).

Avalon is een legendarisch eiland ergens uit de kust van Engeland dat een rol speelt in de Arthurlegende. Hier werd het zwaard Excalibur gesmeed en volgens sommige versies van de legende werd Koning Arthur op dit eiland begraven.

Avenant

Een veronderstelde Dreuzeltelg die wordt beschuldigd van het 'stelen van magie' door de Dreuzeltelgen Registratie Commisie. Beweert dat hij zoon is van Alfons Avenant, een tovenaar (RD13).

Avenant, Alfons

Bekende bezemsteelontwerper (RD13). Waarschijnlijk is hij (of een naamgenoot) de uitbater van 'Alfons Avenants Snelreparatie Winkel' voor magische bezemstelen (BLC).

Averechtse Vloek

De afdeling voor de Opsporing en Inbeslagneming van Vervalste Verdedigingspreuken en Beveiligende Voorwerpen onderzocht het gebruik van deze illegale spreuk (HBP5).

Avis

(A-vies)

Een spreuk die een zwerm kleine kwetterende vogeltjes doet verschijnen (VB18).

'avis' = L. 'vogel'

Avondprofeet

De late editie van de *Ochtendprofeet* (GK5).

De avondeditie van de Profeet *deed binnen een uur of twee nadat het had plaatsgevonden verslag van een Dreuzel in Smurry die een vliegende auto had gezien en Sneep had kort daarna een exemplaar. Dit wijst erop dat de krant op ma-*

gische wijze werd afgeleverd, aangezien zelfs een snelle uil niet binnen een uur van Londen, waar de kantoren van de Profeet *zijn, naar Schotland kan vliegen. De avondeditie is misschien geen aparte krant maar gewoon de standaard ochtendkrant, waarin de tekst op elk moment van de dag magisch ge updatet kan worden om belangrijk nieuws te melden.*

Avonturen van Martin Mummels, de Dolle Dreuzel

Een stripboek dat Ron op zijn slaapkamer in het Nest heeft wanneer Harry hem voor de eerste keer bezoekt (GK3).

Azkaban, Fort

Tovenaarsgevangenis die op een klein eilandje ver in de ijzige wateren van de Noordzee ligt (GA3, Sch1.). Azkaban is een afschuwelijke plaats. Gevangenen worden jarenlang bewaakt door Dementors, vreselijke wezens die wel beschreven worden als 'oogloze, zielenverslindende schepsels'(VB2, 27). (*zie ook* OF25, HBP1, RD5, BLC).

De naam 'Azkaban' doet denken aan Alcatraz, een beruchte gevangenis op een eiland in het midden van de baai van San Francisco in Californië. Alcatraz stond bekend als één van de ergste gevangenissen van de Verenigde Staten, en de zwaarste criminelen zaten daar hun straf uit. Door zijn locatie op een eiland dat door ijzige, verraderlijke stromen werd omringd had het de reputatie dat je er niet van kon ontsnappen. Alcatraz had een paar jaar een stiltebeleid. Er zijn verhalen over gevangenen die gek werden door deze vreselijke afgedwongen stilte.

Babayaga

Russische feeks: zie voor meer informatie de Tovenaarskaarten (TK).

Baba Yaga is een bekend personage in Slavische volksverhalen, en wordt meestal afgebeeld als boosaardig en bloeddorstig. Baba Yaga woont in een huis dat op kippenpoten staat. Ze vliegt door de lucht in een gigantische vijzel, waarbij ze de stamper gebruikt om te sturen en een bezem om haar sporen weg te vegen. 'Baba' betekent 'grootmoeder' in het Russisch en andere Slavische talen; 'Yaga' is een verkorte vorm van de naam 'Jadwiga'.

Babbling, Bathsheda

Professor op Zweinstein van de Leer der Oude Runen (JKR).

'babble' = Eng. 'brabbelen of onzin uitkramen'

De naam van deze leraar komt van een vroeg concept voor Gevangene van Azkaban, *en staat op J.K. Rowlings website. De voornaam is onduidelijk op het handgeschreven manuscript en zou ook 'Bathsheba' kunnen zijn.*

Badkamer van de Klassenoudsten

Deze badkamer is te vinden achter 'de vierde deur links na dat standbeeld van Boris de Beteuterde, op de vijfde verdieping' (VB23). Binnen staat een enorm wit marmeren bad, ongeveer zo groot als een zwembad en ook net zo diep, met een duikplank. Bij dit bad hangen ook honderd kranen, waar verschillende soorten geparfumeerd badschuim uit komen (VB25).

Badwater Bats

Zwerkbalteam uit Badwater, een stad aan de noordkust van Noord-Ierland. De kapitein van het team is Finbar Quigley (DP1).

Baker de Bard

Auteur van Tovenaarssprookjes waaronder: 'De Fontein van het Fantastische Fortuin', 'De Tovenaar en de Hinkelpan', 'Knabbeltje Babbeltje en de Schaterende Stronk', 'De Heksenmeester met het Harige Hart' en 'Het Verhaal van de Drie Gebroeders' (RD7, RD21, VBB).

Bakzijl
(Eng. 'Bole')
(geb. 1977; Zwadderaar, 1988; Zwerkbal Drijver c. 1993-1995)
Lid van het Zwerkbalteam van Zwadderich, hij vindt het niet erg om oneerlijk te spelen (GA15).
'Bole' = Eng. 'boomstam', wat misschien aangeeft dat hij erg groot is of zo dom is als een stuk hout.

Ballings
Exclusieve Dreuzelschool, Herman Duffelings *alma mater* en nu de school van Dirk Duffeling. De uniformen op Ballings omvatten een roodbruin jacquet, een oranje drollenvanger, een platte strohoed en een knoestige wandelstok om dingen (en mensen) mee te slaan (SW3).

Ballonbruisballen
Magische, gevulde wijnballen die ervoor zorgen dat je zweeft zodra je ze eet (GA5, 10, VB23). Een wachtwoord om in het kantoor van Perkamentus te komen (OF22).

ballonnen
Ballonnen kunnen worden betoverd om magische effecten te produceren wanneer zij uit elkaar knappen (RD8), of juist om helemaal niet kapot te gaan (SW12).

Balsemio
(Eng. 'Episkey')
Een heelspreuk die beschadigingen heelt, zoals een gebroken neus (HBP8) of een bloedende mond (HBP14).
'Episkeyazo' = Gr. 'helen/repareren'

Ban
(Eng. 'Bane')
Een zwartharige, onvriendelijke centaur die een hekel aan mensen heeft en ze niet vertrouwt (OF33). Ondanks zijn houding en tegenzin om betrokken te raken, heeft Ban uiteindelijk meegevochten tegen de Dooddoeners (RD36).
'Bane' = Eng. 'iets wat ellende of dood veroorzaakt'
In de mythologie waren centauren altijd mannelijk en hadden zij een reputatie om menselijke vrouwen mee te nemen om mee te paren. J.K. Rowling zegt niet wat er precies gebeurt met Omber als ze wordt weggedragen door Ban, wat waarschijnlijk maar beter is ook, het is niet fijn om over die mogelijkheid na te denken.

Bananensplit
Een wachtwoord om in de Toren van Griffoendor te komen (VB25).

Banning, Filius
(Eng. 'Flitwick, Filius')
(geb. 17 oktober, jaar onbekend; Ravenklauw, Afdelingshoofd)
Leraar Spreuken en Bezweringen op Zweinstein, Afdelingshoofd van Ravenklauw. Hij is heel klein, heeft witte haren, een pie-

B

perige stem en moet op een stapel boeken staan om over zijn bureau te kunnen kijken (SW8). Hij is een volleerde tovenaar en was, volgens de geruchten, een duelleerkampioen toen hij jonger was (GK11). Banning heeft sinds ten minste de jaren '70 aan Zweinsteinleerlingen geleerd hoe ze soepele zwaaibewegingen moeten uitvoeren. Hij wordt door iedereen gerespecteerd, zelfs door Dorothea Omber (OF15).
'filius' = L. 'zoon'
Flitwick is de naam van een dorp in Bedfordshire, Engeland. De naam van het dorp wordt uigesproken als 'FLIT-ick'. J.K. Rowling heeft deze naam mogelijk gekozen omdat het tot zekere hoogte past bij het karakter van dit personage: 'flit' = 'flutter'; Eng. straattaal voor 'een verwijfde man'.

B

Bannings kantoor
Gelegen op de zevende verdieping; Bannings kantoor is het dertiende raam van rechts in de Westertoren (GA21).

Banvloek
Tegenovergestelde van Sommeerspreuk
Depulso (GA/s)
Stuurt een voorwerp weg van de 'uitspreker'; van het voorwerp wordt dan gezegd dat het is Verbannen (VB26).

Barbaar, Halewijn
(geb. 1974)
Een van de Witte Wieven; zie voor meer informatie de Tovenaarskaarten (TK).

Barnabas de Onbenullige
(Eng. 'Barnabas the Barmy')
Tegenover de ingang van de Kamer van Hoge Nood op de zevende verdieping van het Kasteel Zweinstein is er een wandtapijt van deze tovenaar te vinden. Het wandtapijt toont zijn ondoordachte poging om trollen te leren dansen (OF18, HBP20).
'barmy' = Eng. straattaal 'gek'.

Barnsley
Barnsley is een stadje in Zuid-Yorkshire. De Vijf Veren in Barnsley is waar Pietje het waterskiënde kanariepietje woont, waarover Harry een verhaal hoorde toen hij naar het Dreuzelnieuws luisterde (OF1).

Barsing
Een Schouwer die samen met Tops, Ongans en Donders op Zweinstein gestationeerd was in Harry's zesde jaar (HBP8).

Baruffio
Een tovenaar die de nare gevolgen van een verkeerd uitgesproken spreuk ondervond (SW10).

Baruffio's Breinelixer
Gedurende de weken voor de S.L.IJ.M.B.AL.len probeerden oudere studenten geld te verdienen door hulpmiddelen ter bevorde-

ring van de concentratie en het geheugen aan naïeve vijfdejaars te verkopen, zoals Baruffio's Breinelixer (OF31).
We weten niet veel over de raadselachtige figuur Baruffio, maar het is wel opmerkelijk dat iemand die een spreuk niet correct kon uitspreken zijn naam geeft aan een oppepmiddel.

Basilisk
Een door tovenaars gefokt Duister Wezen met enorme krachten, een gigantische slang met zeer giftige giftanden. Alleen een Sisseltong kan een Basilisk beheersen (GK17). Zijn blik kan doden. Spinnen vluchten weg van de Basilisk, maar hij vreest het kraaien van een haan (GK16).
De Basilisk van J.K. Rowling is niet precies dezelfde als degene die voorkomt in verschillende legendes en middeleeuwse dierenboeken. Die beschrijvingen gaan van een kleine giftige slang tot een groteske kip. Van de Basilisk wordt gezegd dat hij uit een slangenei komt dat onder een haan wordt uitgebroed. Naast de dodelijke blik zijn vele andere krachten aan de Basilisk toegeschreven, waaronder vuurspuwen en het verschrompelen van planten met één blik.

Basiliskengif
Een van de krachtigste magische substanties die bekend zijn. Basiliskengif blijft lang nadat het dier is gestorven giftig. Het is een van de weinige substanties die een Gruzielement kunnen vernietigen (GK17). Het enige tegengif tegen het gif van een Basilisk zijn de tranen van een Feniks (GK17, RD6).

Bath
Gelegen in Zuidwest-Engeland nabij Bristol. De naam van het plaatsje komt van het Romeinse openbare bad, waarvan de ruïnes nog steeds te vinden zijn. Ron vertelde Harry een verhaal dat hij had gehoord over een heks uit Bath die een boek bezat dat zo was betoverd dat je niet meer kon stoppen met lezen (GK13).
Veel fans vermoeden dat de Harry Potter boeken op dezelfde manier zijn betoverd…

Bazuyn, Ludovicus 'Ludo'
(Eng. 'Bagman')
Beroemde Beuker voor de Winterpaync Wasps (c. 1980) die was aangeklaagd voor het doorspelen van informatie naar de Dooddoeners (VB30). Ludo ging bij het Departement van Magische Sport en Recreatie (c. 1993), en deed dienst als het hoofd tot zijn ontslag eind juni 1995 door zijn eigen onverantwoordelijkheid en stommiteiten (VB37). Ludo was altijd al meer geïnteresseerd in het plezier van sport dan zijn positie bij het Ministerie.
'ludo' = L. 'spel'
In Amerika is een Bagman 'iemand die geld verzamelt voor op-

B

lichting', in Engeland betekent het 'rondreizende verkoper'.

Bazuyn, Otto

Kwam in de problemen met de Afdeling Misbruikpreventie van Dreuzelvoorwerpen vanwege een 'aparte' grasmaaier, maar Arthur Wemel loste het voor hem op. Uit dankbaarheid regelde Otto's broer Ludo de kaartjes voor het WK Zwerkbal van de Wemels (VB5).

Dit was dus in essentie omkoperij. Het blijkt dat Arthur Wemel niet boven wat louche handel staat, tenminste, wanneer het over Zwerkbal gaat. Dit zou ons niet moeten verbazen, aangezien we weten dat hij expres een maas heeft gelaten in de wet die hij had geschreven, zodat hij zelf een Dreuzelauto kon veranderen in een magisch voertuig dat kon vliegen (GK3).

Bazuyn (senior)

Vader van Ludo en Otto, een vriend van de Dooddoener Ravenwoud (VB30).

Beatrijs ('Bea')

De beste vriendin van de Dikke Dame, een bleke verschrompelde heks wier schilderij in de zijkamer van de Grote Zaal hangt (VB17).

Beautifying Potion / Beautification Potion

Zie SCHOONHEIDSDRANKJE

'Beautifying Robes'

Zie SCHOONHEIDSGEWADEN

Beauxbatons Academie voor Toverkunst

Een van de tenminste drie magische scholen in Europa. Beauxbatons is een Franse school wiens leerlingen samen met de leerlingen van Zweinstein en Klammfels deelnamen aan het Toverschool Toernooi. Zowel mannelijke en vrouwelijke leerlingen dragen hemelsblauwe gewaden. Het schoolhoofd is Madame Maxime (VB15 e.v.).

'beaux' = Fr. 'knap, mooi' + 'batons' = Fr. 'stokken, toverstokken'

De filmversie van VB laat Beauxbatons zien als een meisjesschool, maar dit is niet zo in de boeken.

Beheksing

(Eng. 'jinx')

Een spreuk met als doel om schade te veroorzaken of een ander negatief resultaat te bereiken. Hij lijkt op een vervloeking, maar hij is minder sterk en wordt met minder kwade bedoelingen uitgesproken (OF12).

Beheksing tegen klikkers

Een vertraagde bezwering die het woord 'klikspaan' in puisten op iemands gezicht schrijft als ze zich niet aan een afspraak houden waarvoor ze getekend hebben (OF16, HBP7).

Beker van Huffelpuf

Een eeuwenoud reliek dat ooit

eigendom was van Helga Huffelpuf. Het is een kleine gouden beker met twee oren waar een das op gegraveerd is. Het is generaties lang in de familie van Orchidea Smid geweest (HBP20, RD26).

Belangrijke Moderne Magische Ontdekkingen

Nicholaas Flamel wordt niet in dit boek vermeld (SW12).

Bell, Katja

(geb. 1978; Griffoendor, 1990; Jager 1991-1997; Strijders van Perkamentus)

Een van de drie Jagers van het Griffoendorteam tijdens de meeste jaren die Harry op Zweinstein doorbracht. Olivier Plank was van mening dat zij een uitstekende Jager was (GA8). Katja heeft aardig wat verwondingen opgelopen tijdens haar jaren aan Zweinstein, zowel op het Zwerkbalveld als er buiten (SW11, HBP12). Ze was lid van de SvP (OF17) en heeft dapper gevochten tegen de Dooddoeners (RD30, SW11).

Belladonna, Mathilda

(Eng. 'Bagshot, Bathilda)

(geb. mid-19e eeuw - † 1997)

Auteur van het beroemde boek *De Geschiedenis van de Toverkunst.* Belladona woonde in Goderics Eind en was een buurvrouw van de familie Perkamentus. De zoon van haar neef was Gellert Grindelwald, die vrienden werd met Albus Perkamentus tijdens een bezoek aan Mathilda's huis in de zomer van 1899 (RD18, 32, 35). *Bagshot is de naam van een stadje in Surrey, ten westen van Londen, ongeveer in de buurt waar Klein Zanikem zou moeten liggen.*

Belladonna's Huis

Nu gevuld met 'de geur van ouderdom, stof, ongewassen kleren en bedorven eten'. Mathilda Belladonna heeft hier vele jaren doorgebracht. Het huis staat in Goderics Eind, tussen het dorpsplein en het huis van de Potters in (RD17). Hier verbleef Grindelwald toen hij naar Goderics Eind kwam en bevriend raakte met Albus Perkamentus (RD18, 35). Harry en Hermelien bezochten dit huis ook in december 1997.

Benevelingsbrouwsel

Een toverdrank die de derdejaars op hun examen moesten maken (GA16).

Beoordelingen van Examens

Er zijn drie voldoende en drie onvoldoende beoordelingen voor de S.L.I.J.M.B.A.L.len (OF15, JKR). De mogelijke beoordelingen zijn:

Voldoende:

- * Uitmuntend (U)
- * Boven Verwachting (B)
- * Acceptabel (A)

Onvoldoende:

- * Slecht (S)
- * Dieptreurig (D)
- * Zwakzinnig (Z)

Berber
Een soort tapijt. De familie Krenck had een vliegende Berber voor twaalf personen – uiteraard voordat vliegende tapijten verboden werden (VB7).

Bergtrol
De grootste en naarste trollensoort (SW10, OF31, DP2).

Bermudadriehoek
Een gebied van de Atlantische Oceaan waar veel schepen en vliegentuigen schijnbaar zijn verdwenen onder mysterieuze omstandigheden. Het Tovenaarsreisbureau Terrortours regelt excursies voor heksen en tovenaars om de wrakken daar te bezoeken (DP3).
De Bermudadriehoek is een denkbeeldige driehoek die wordt gevormd door lijnen te trekken tussen Miami, Bermuda en San Juan. Deze plek staat bekend door onverklaarbare verdwijningen van schepen en vliegtuigen. In het echt is er weinig bewijs dat er echt vreemde gebeurtenissen plaatsvinden in deze regio, maar de legende die de mysterieuze verdwijningen omhult bestaat nog steeds. J.K. Rowling schept er plezier in om in de boeken naar verschillende legenden en volksverhalen te verwijzen, waarmee ze suggereert dat ze eigenlijk voorbeelden zijn van dieren en gebeurtenissen in de Tovenaarswereld.

Bernage, Libatius
(c. jaren '40)
(Eng. 'Libatius Borage')
De auteur van *Toverdranken voor Gevorderden.*
'libatio' = L. 'het schenken van wijn als onderdeel van een religieuze ceremonie'; 'borage' = Eng. 'een prikkend kruid met blauwe of paarse stervormige bloemen'

Bernsteen & Sulferblom
(Eng. 'Dervish and Banges')
Een winkel met magische werktuigen en instrumenten in de Hoofdstraat van Zweinsveld (GA5, VB27)
'Dervish' = Een vorm van ascetisme bij Sufi moslims; een bepaalde groep derwisjen staat bekend om hun wervelende rituele dans. Dit houdt mogelijk verband met de naam van de winkel, want een winkel met magische instrumenten zal waarschijnlijk spullen hebben die ronddraaien of anderszins bewegen door magie.
'bang' = Eng. 'boem'. Redelijk logisch waar het een winkel gespecialiseerd in magische instrumenten betreft. In bijvoorbeeld Het Nest werden 'kleine explosies die hoorbaar waren uit de slaapkamer van Fred en George als geheel normaal ervaren' (GK4).

Beroep tegen Huis-Elf Slavernij
Deze campagne mislukte helaas in 1973 (JKR).

Bertha het Buitenbeentje
Middeleeuwse heks die er zo van hield om op de brandstapel verbrand te worden dat ze vele keren toeliet dat heksenjagers haar vingen (GA1, TK).

Betoverde slaap
Deze spreuk brengt het doelwit in een diepe slaap; de persoon is bijna schijndood en ademt gedurende de spreuk niet (VB27).

Betoverende Baksels
De Wemels hebben een exemplaar van dit boek in hun keuken (GK3).

Betoverende Beestenbazaar
De dierenwinkel van de Wegisweg waar Hermelien Knikkebeen heeft gekocht. De muren zijn bedekt met kooien en het is er lawaaierig door de geluiden van alle dieren. De eigenaar is een heks met een dikke zwarte bril. Ze geeft advies en verkoopt dingen zoals rattentonicum (GA4).

Betoverende Bezweringen
Een soort liefdesbezweringen (GK13).

Betweterveren
Deze magische veren zijn verboden tijdens de S.L.I.J.M.B.A.L.examens (OF31).

Beuker
Een ronde zwarte ijzeren bal, met een doorsnede van ongeveer 25 centimeter (iets kleiner dan een Slurk). Er worden twee Beukers gebruikt in een partij Zwerkbal. Beukers zijn betoverd om de dichtstbijzijnde speler aan te vallen en te proberen om hem van zijn bezem te gooien. Daarom proberen de Drijvers dan ook om de Beukers in de richting van de tegenpartij te slaan (SW10).

Beukwilg
Een zeer waardevolle en gewelddadige boom die alles wat binnen zijn bereik komt aanvalt, van auto's (GK5) tot bezemstelen (GA10) en mensen (GA17). Een van deze bomen werd in 1971 op Zweinstein geplant. De boom is te gevaarlijk voor leerlingen om er bij in de buurt te komen, hoewel hij verstijft als je met een tak op een bepaalde knoest drukt (GA17).

Beulsvreugd, Melchior
(Zwadderaar, 1994)
Leerling van Zweinstein (VB12).

Beuzel, Betty
Dreuzel die in Norfolk woont; op 1 september 1992 was ze er zeker van dat ze een vliegende auto zag toen ze de was aan het uithangen was (GK5).
Betty zal de auto rond het middaguur over hebben zien vliegen, toen Harry en Ron de Zweinsteinexpress volgden ten noorden van Londen. Norfolk ligt echter een redelijk eind ten oosten van elke normale

B

route naar Schotland. Misschien nam de Zweinsteinexpress een magische omweg om een Dreuzeltrein te omzeilen en volgde Ron hem. Hoe dan ook, Betty's bericht belandde, helaas voor Ron en Harry, in de avondeditie van de Avondprofeet *(GK5).*

Beuzelvocht

Toverdrank die de drinker ervan onzin laat uitkramen (OF32).

beveiligingstrollen

Trollen worden in de toverwereld vaak als bewakers ingeschakeld, aangezien hun hersencapaciteit weinig andere taken toelaat. Het trainen van beveiligingstrollen was één van de carrières die op de pamfletten voor de vijfdejaars gesuggereerd werden toen ze moesten beslissen welke P.U.I.S.T.-vakken ze zouden kiezen (OF29, DP1, GA14).

Bezemkampioen, De

(Eng. 'Which Broomstick')

Een tijdschrift dat vooral populair is onder de geobsedeerde Zwerkbalfans onder de Zweinsteinleerlingen. Harry leende een exemplaar van Olivier Plank toen hij moest bedenken welke bezem hij zou kopen om zijn gebroken Nimbus 2000 te vervangen (GA10).

De Engelse titel van het tijdschrift verwijst naar het werkelijk bestaande Which, *een maandelijkse gids in Engeland over producten en beste koopjes.*

bezemkast onder de trap

Tien jaar lang Harry's 'slaapkamer' bij de Duffelingen. De bezemkast bevatte spinnen en elke ochtend als Harry wakker werd keek hij op tegen de onderkant van de trap (SW3, RD4).

Bezems die Dwarsliggen, Een Spreuk voor

Deze spreuk staat op pagina twaalf van het Handboek voor Bezemonderhoud (GA2).

bezemsteel

Het meest gebruikte vliegende transportmiddel in de Tovenaarswereld. De meeste Tovenaars en Heksen hebben minstens één bezem. Een vliegende bezemsteel is geen normale bezemsteel die als vervoermiddel dient; het is echter een magisch voorwerp met ingebouwde bezweringen (vooral SW9, 10, GA4).

Er is waarschijnlijk geen beeld dat meer wordt geassocieerd met heksen dan de vliegende bezem. Het eerste verslag van een aangeklaagde heks die op een bezem zou vliegen stamt uit 1453.

bezemstelen, school

Oudere bezems die in de bezemschuur van school worden bewaard. Ze vliegen niet bijzonder goed (SW9, GA10, HBP11). Deze bezems worden voornamelijk gebruikt voor vlieglessen, die eerstejaars van Madame Hooch krijgen (SW9).

Bezemschuur
Een klein gebouwtje dat wordt gebruikt om bezems in te stallen. De bezemschuur van Zweinstein bevindt zich dicht bij het Zwerkbalveld (SW11). De Wemels hebben een bezemschuur dicht bij hun huis, deze wordt omschreven als een kleine stenen schuur en zit vol met spinnen (HBP4).

bezetenheid
Een erg krachtig en mysterieus magisch vermogen. Een ziel of een deel van een ziel dat geen lichaam heeft kan in andere levende wezens huizen (SW17, OF36). Gruzielementen kunnen ook bezit nemen van mensen die er te sterk emotioneel aan verbonden raken (GK17, RD7).

bezoar
Een verschrompelde nierachtige 'steen' (HBP18) die uit de maag van een geit komt; hij beschermt tegen de meeste giffen (SW8, HBP18, 19).
Bezoars komen eigenlijk best vaak voor in dieren; zelfs mensen kunnen ze krijgen. Ze lijken erg op een haarbal, een harde brok van onverteerbaar materiaal die in de maag blijft. In de folklore werden er magische krachten aan bezoars toegeschreven, onder andere dat ze een universeel tegengif waren tegen gif.

bezoekersingang (Ministerie van Toverkunst)
Een vervallen telefooncel in een straat die omgeven is door sjofele kantoren en een kroeg. Als een tovenaar 6-2-4-4-3 (waarmee MAGIE gespeld wordt) draait en zijn naam zegt, krijgt hij een bezoekersbadge en gaat de telefooncel naar beneden de grond in en zet de bezoeker af in het prachtige Atrium van het Ministerie van Toverkunst (OF7, 34).

Bezweringsclub
Een leerlingenvereniging op Zweinstein (OF13).

Bezwering
Een spreuk die iets toevoegt of verandert aan een voorwerp. Bezweringen zijn iets minder wetenschappelijk en meer artistiek en creatief dan Transfiguratiespreuken (JKR). Ze laten dingen van kleur veranderen of de lucht in vliegen. Sommige bezweringen laten een persoon lachen of dansen, of maken zelfs een bubbel van lucht om iemands hoofd, zodat deze kan ademen. Geheugenbezweringen kunnen zo sterk zijn dat ze iemands geheugen compleet kunnen laten verdwijnen, of iemands geest permanent kunnen beschadigen. Banning geeft Spreuken en Bezweringen op Zweinstein (SW8, etc.).

Bezweringenlokaal
Het lokaal waar Banning lesgeeft in Spreuken en Bezweringen (SW10, etc.). Omdat de effecten van de pogingen tot magie van

B

de leerlingen nogal willekeurig en op goed geluk zijn, accepteert Banning het gelaten dat hij regelmatig iets op zijn hoofd krijgt of door het lokaal gesommeerd wordt met als resultaat dat hij bont en blauw is. Het lokaal ligt aan de Bezweringengang op de derde verdieping (SW9) en heeft een raam dat over de oprijlaan uitkijkt (OF30).

Bibberbenenbezwering
Spreuk waardoor iemand moeilijk gaat lopen (VB31, JKR).

B

bibliotheek, de
De bibliotheek van Zweinstein, op de vierde verdieping, bezit tienduizenden boeken op duizenden planken (SW12). Onder de vele afbeeldingen bevinden zich onder andere een afdeling over Onzichtbaarheid (GK11), Draken (SW14) en een Verboden Afdeling (SW12, GK9, 10, VB26, HBP18). De bibliotheek sluit om acht uur 's avonds (VB20). Madame Romella is de bibliothecaresse.

bijgeloven
Ron zegt dat zijn moeder hen 'constant om de oren sloeg' met tovenaarsbijgeloof, zoals 'Heksen geboren in mei trouwen vaak met een Dreuzelpartij', 'Vervloekingen bij zonsondergang werken over 't algemeen niet lang' en 'Vlierhouten toverstokken brengen tegenspoed en brokken' (RD21).

Bijlhout, Waldemar
Een grote blonde Dooddoener die betrokken was bij een schermutseling met Harry, Ron en Hermelien (RD9) en tegen de Orde van de Feniks vocht (HBP28).

Bijverschijnselen
Een vorm van Verschijnselen waarbij de Verschijnselaar iemand anders aanraakt, zoals een kind dat te jong is om te Verschijnselen, en met die persoon als 'passagier' Verschijnselt (HBP3, 4, 25, RD3, 11).

Bijvulbezwering
Een behoorlijk moeilijke maar handige bezwering van P.U.I.S.T.niveau die lege glazen bijvult (HBP22).
Aangezien J.K. Rowling heeft gezegd dat voedsel niet door magie gecreëerd kan worden, zouden we kunnen aannemen dat de Bijvulbezwering het voedsel (of drank, in dit geval) van ergens anders transporteert. Dit komt overeen met de spreuk die Anderling over een leeg bord uitsprak om het zichzelf te laten hervullen met sandwiches toen Harry en Ron betrapt werden op het vliegen naar Zweinstein in de Ford Anglia en niet naar het feest voor hun avondeten mochten gaan (GK5).

Bijziendheidsbezwering
(Eng. 'Conjunctivitis Curse')
Een spreuk die de ogen en het gezichtsvermogen van het slachtof-

fer beïnvloedt (VB23).
'conjunctiva' = L. 'verbinding (zoals bij membraam van het oog)' + '-itis' = L. 'ontsteking'

Bind- en Vastmaaktoverkunst
Spreuken die kettingen of touwen om iets of iemand heen doen om hem vast te binden. Voorbeelden hiervan zijn onder andere magische kettingen die iemand vastbinden in de stoel van de gevangene in de rechtszaal van het Ministerie (VB30, OF8, RD13) en de spreuk *Detentio* (OF33), welke magische touwen maakt om het doelwit vast te binden (verg. SW17, 19).
Zie ook TOUWEN, MAGISCHE *en* KETENEN, MAGISCHE

Bingel, Clothilde
(Eng. 'Burbage, Charity')
(† 1997; Dreuzelkundeprofessor, c. 1990-1997)
Professor van Dreuzelkunde aan Zweinstein. Ze schreef tijdens de zomer van 1997 een stuk ter verdediging van Dreuzeltelgen in de *Ochtendprofeet,* waarna ze onder mysterieuze omstandigheden verdween (RD1, 2).
De scène aan het begin van het zevende boek is angstaanjagend, maar het is ook een beetje een teleurstelling. Hij zou veel effectiever zijn als het slachtoffer iemand was die we kende zoals bijvoorbeeld Stronk. Of iemand die we in ieder geval al een keer hadden gezien? Aan de andere kant is dit wel een boek voor alle leeftijden. De scène is krachtig, vooral wanneer Bingel Sneep smeekt om hulp om niets te zeggen over het gruwelijke einde. Maar misschien was de keuze van Rowling eigenlijk wel logisch, omdat de lezers nu emotioneel op afstand konden blijven. De naam 'charity' betekent 'liefde', wat toepasselijk is voor een vrouw die gepassioneerde beweringen doet om anderen te verdedigen.

Binkie
Konijn van Belinda Broom dat in de herfst van het jaar 1993 werd gedood door een vos (GA8).

Binnenplaats achter de Lekke Ketel
Onopvallende binnenplaats achter de Lekke Ketel, met bakstenen muren en een paar vuilnisemmers. Deze onlogische plaats is één van de belangrijkste poorten tussen de Dreuzel- en Tovenaarswerelden. Het aantikken van de juiste combinatie bakstenen in de muur opent een magisch portaal naar de Wegisweg (SW5).

Birch, Brevis
Aanvoerder van de Tutshill Tornado's die excuses probeerde te maken voor zijn team dat verloor van de Badwater Bats (DP2).

Birmingham
Birmingham ligt ten westen van het midden van Engeland en is na Londen de dichtstbevolkte

B

stad van het land. Tijdens een van de reizen sprong de Collectebus volgens Sjaak Stuurman van Grimboudplein naar 'vlak buiten Birmingham' (OF10).

Biter, Har
(1312 – 1357)
Een scheidsrechter uit Norfolk die werd vermoord tijdens een Zwerkbalwedstrijd (TK).

Blackpool, Pier in
Bekende vakantiebestemming aan de noordwestelijke kust van Engeland aan de Ierse Zee. De familie Lubbermans heeft Blackpool bezocht, omdat Marcel hier als kleine jongen van het einde van de pier af werd geduwd door zijn oudoom Alfred om te proberen de toverkunst uit hem te drijven; Marcel is toen bijna verdronken (SW7).
Er zijn eigenlijk drie aparte pieren in Blackpool. Ze zijn alle drie in het midden tot laat in de 19e eeuw gebouwd, en hebben theaters, restaurants, achtbanen, en andere amusementsgelegenheden. In 1990 werd er een reuzenrad op de middelste pier gebouwd.

'bladvak'
Woord dat 'houweel' betekent in Koetervlaams, de taal van de Kobolden (VB24).

Bladel, Barend van
(1566 – 1629)
Bekende Ministerietovenaar; zie voor meer informatie de Tovenaarskaarten (TK).

Blafstra, Musidora
(1522 – 1666)
(Eng. 'Barkwith, Musidora)
Tovenaarscomponist; zie voor meer informatie de Tovenaarskaarten (TK).
'Musidora' van Eng. 'music'; 'Barkwith' = is misschien verbonden met het idee dat honden blaffen wanneer zij horen dat er muziek slecht wordt gespeeld of gezongen. Deze naam suggereert dat 'het waard is om op te blaffen'.

Blauwe plekken genezende pasta
Medische Toverkunst. Dit is een dikke gelige pasta die wordt gebruikt om blauwe plekken mee te genezen. Waarschijnlijk is deze pasta uitgevonden door de Wemeltweeling (HBP6).

Blenkinsop, Barnabus
Zijn overlijdensadvertentie in de *Ochtendprofeet* loofde een beloning uit voor informatie over hoe hij was gestorven, want dat was namelijk onder zeer mysterieuze omstandigheden waarbij een blikje ansjovis en een leeg bed een rol speelden (DP2).

Blenkinsop, Timothy
Pullover United supporter die naar een wedstrijd tegen de Holyhead Harpies ging en werd overvallen door de rellen die daarop

volgden. Hij heeft daardoor nog steeds een staart (DP4).

Blijvend-Beukende Boemerangs
Dit was het vierhonderdzevenendertigste voorwerp dat op Zweinstein verboden werd aan het begin van Harry's vierde jaar (VB12).

Blikscha, Goof
(Eng. 'Prang, Ernie')
Bejaarde, bebrilde chauffeur van de Collectebus (GA3).
Ernie is vernoemd naar de grootvader van J.K. Rowling. Zijn achternaam, ' prang' is een populaire term in het Engels voor een autoongeluk, zoals in de zin 'I missed a turn and pranged the Rolls Royce...'.

Blinde Vlek
Tijdens een concert van de Spookrijders in 1980 in de dorpszaal van Blinde Vlek werd Stef Blinker op zijn oor door een suikerbiet geraakt, waarna hij zich uit het artiestenleven terugtrok (OF10).

Blinker, Stef
De hoofdzanger van de 'Hobgoblins' die c. 1980 het artiestenleven vaarwel zei nadat hij op zijn oor was geraakt door een suikerbiet bij een concert in de dorpszaal van Blinde Vlek (OF10).

Bloedband
De bloedband is een zeer oude en zeer krachtige magische band die wordt gevormd als een persoon zichzelf uit liefde opoffert voor een familielid. Deze opoffering creëert een latente bescherming in het bloed van de persoon die werd gered. Hij wordt echter niet geactiveerd totdat de spreuk wordt uitgesproken, en functioneert pas als een familielid de persoon die gered is accepteert als haar of zijn eigen bloed. Zoals met de meeste oude magie, is de bloedband erg mysterieus, heel erg sterk en begrijpen de meeste tovenaars het niet helemaal (vooral OF37, RD3).

B

Bloedbroeders: Mijn Leven Tussen de Vampiers
door Elias Mier
Mier, de auteur van dit autobiografische boek, kwam naar Slakhoorns kerstfeestje met een vriend die vampier was (HBP15).

De Bloederige Baron
(Zwadderaar c. 1000; nu spook van Zwadderich)
De Bloederige Baron is een streng, stil en angstaanjagend spook bedekt met bloedspetters. Men hoort hem nooit spreken (SW16). De Baron is het spook van een man die een eeuw geleden een vrouw op wie hij verliefd was vermoordde toen ze hem afwees. Hij pleegde daarna zelfmoord met hetzelfde mes (RD31). Peeves respecteert de Baron om een onbekende reden, en noemt

hem 'uwe Bloederigheid' en 'Meneer de Baron' (SW16).
In de filmversie van het eerste boek is de Bloederige Baron om de één of andere reden te zien als 'behoorlijk frivool en dom', helemaal niet zoals het personage in het boek.

Bloedhonden
Bende van afvallige tovenaars die voor het Ministerie op vluchtelingen jaagden. Bloedhonden probeerden deze mensen te vangen vanwege de vijf Galjoenen die ze per vangst als beloning kregen (RD19, 23).

B

Bloedverraders
Een puurbloed die niet zo bevooroordeeld is zoals de puurbloed families, die anderen meestal buiten sluiten en neerkijken op halfbloeden en Dreuzeltelgen. De familie Wemel werd tot 'bloedverraders' verklaard, maar het lijkt hun niet zoveel uit te maken (OF6).

Bloedverversend Elixer
Medische toverkunst. Deze toverdrank compenseert verloren bloed (OF22).

Bloedzuigende Brombeer
De veronderstelde boosdoener toen er op Zweinstein hanen werden gedood. Het is begrijpelijk dat Hagrid bezorgd was (GK11).
De Brombeer is in de Engelse volksverhalen een gigantische beer, die zich verscholen houdt in de bossen en kinderen aanvalt die niet om hun ouders geven.

bloedzuiger
Een klein naaktslakachtig wezen dat in het water voorkomt. Bloedzuigers maken zichzelf aan andere dieren vast en zuigen hun bloed op. Bloedzuigers worden zowel gesneden als in de vorm van bloedzuigersap als toverdrankingrediënt gebruikt (GK10,11, GA7).

Bloemlezing van Achttiende-eeuwse Bezweringen, Een
Een van de boeken die Harry, Ron en Hermelien bestudeerden als voorbereiding voor de Tweede Opdracht van het Toverschool Toernooi (VB26).

Bloemlezing van Veelgebruikte Vervloekingen en Hun Tegenvloeken, Een
De Kamer van Hoge Nood bevatte een exemplaar van dit boek gedurende de eerste samenkomst van de SvP aldaar (OF18).

Bloet, Balthazar
(geb. 1923)
Staat bekend als 'de Vampier van de dalen'. Zie voor meer informatie de Tovenaarskaarten (TK).

Bloxam, Beatrix
(1794-1910)
Auteur van de veel beschimpte boekenserie; zie voor meer informatie de Tovenaarskaarten (TK).
Dit is misschien een verwijzing

naar Beatrix Potter, die eigenaardige boeken schreef voor kinderen. Er leek een tegenstelling te zijn tussen het beeld van Bloxam op de kaart (als een oudere dame) en haar geboorte en sterfdatum, die werden gegeven als 1794-1810, wat zou betekenen dat ze stierf op de leeftijd van 16 jaar. In Vertelsels van Baker de Bard *werd dit probleem opgelost door de correcte datum van 1910.*

Blusbezwering

Spreuk die de eigenschappen van vuur verandert zodat de hitte als een warm windje aanvoelt. Werd in de Middeleeuwen door heksen en tovenaars gebruikt die op de brandstapel werden gezet; ze spraken de spreuk uit, vervolgens schreeuwden ze en deden ze alsof ze verbrand werden (GA1).

Blusspreuk

Een spreuk die wordt gebruikt door drakenoppassers om onopzettelijke vuren te doven.

boa constrictor

Grote slang die in een dierentuin in Surrey woonde. Hij ontsnapte onder verdachte omstandigheden in juni 1991 toen Harry Potter de dierentuin bezocht met zijn neefje Dirk (SW2).

Bob

Werkt bij het Ministerie, waarschijnlijk op het Departement van Toezicht op Magische Wezens aangezien hij in de lift een kip droeg die vuur spuwde (OF7).

Bobbin, Melinda

(Zweinstein '1990s')

Zweinsteinleerling die in 1996 werd aanbevolen als lid van de Slakkers, omdat 'haar familie een grote keten apotheken bezat' (HBP11).

Bobo, Ali

Een handelaar in Vliegende Tapijten, die zijn waren koste wat kost wilde importeren al zou het via smokkelen moeten (VB7, 23).

Bocht, Betty

Een journalist van de *Ochtendprofeet* die een exclusief interview met Rita Skeeter had over haar toen aankomende boek, *Het Leven en de Leugens van Albus Perkamentus* (RD2).

Bodrig de Schele

(Eng. 'Bodrig the Boss-eyed')

Bodrig is de spreekkobold van de 'Broederschap der Kobolden' (BDK). Hij vertelde op een minachtende toon aan de *Ochtendprofeet* dat de BDK geen geweld aanmoedigt (DP3).

'boss-eyed' = 'scheel, loensend'

Bodrod de Behaarde

Wellicht de naam van een Koboldenrebellenleider. Maar omdat hij alleen maar door Ron wordt genoemd die een lijst met namen

B

probeert te herinneren voor een examen, weet je het maar nooit (VB31).

Boekhouder

De achterneef van Molly Wemel. Dit alledaagse beroep brengt de rest van de familie in verlegenheid. Ron zegt dat ze nooit over hem praten (SW6).

Rowling bespreekt de achterneef op haar website. Ze beschrijft hem als een beurshandelaar die met een Dreuzel trouwde (wat erop wijst dat hij zelf geen Dreuzel was). In vroege versies van boek vier was deze achterneef erg onbeleefd tegen de Wemels en was hij de vader van een meisje, Mafalda, dat net zo onbeleefd was als haar vader. Toen hij ontdekte dat zijn dochter een heks was, stuurde hij haar naar Het Nest om daar te wonen gedurende de zomer voor haar eerste jaar aan Zweinstein. Dit deel van het verhaal verviel uiteindelijk (JKR).

Boeman

Een magisch wezen zonder een natuurlijke vorm. Als een Boeman een mens tegenkomt dan verandert hij zijn vorm in wat die persoon het meest vreest (OF9). Een Boeman lijkt zichzelf te voeden met de emotie angst, vandaar zijn classificatie als een Duister Wezen (GA7).

In de Engelse folklore is de Boeman een gemene geest in het huishouden. Hij wordt omschreven als klein, donker en harig. Hij hecht zich aan een familie, en zal voor jaren bij ze blijven om ze te kwellen zelfs als ze naar een nieuw huis gaan. Van sommige Boemannen wordt gezegd dat ze onder bruggen leven.

Boembox voor Beginners

Een van de vuurwerkproducten die worden aangeboden door de Tovertweelings Topfopshop (OF28).

Boemerangs, Blijvend-Beukende

Een van de voorwerpen op de uitgebreide lijst van magische voorwerpen die door Vilder op Zweinstein zijn verboden (VB12).

Boerende Plimpies

Plimpies zijn een magische vissoort. Loena gebruikt Snotwortel om de Boerende soort af te weren (HBP20).

Boerpoeder

Nog een heerlijk product dat je bij Zonko's Fopmagazijn kan kopen om Filch mee te treiteren (GA8).

Bogrod

Kobold van Goudgrijp die in de lente van 1998 een zeer ongewone dag had wat te maken had met de zwaarbewaakte kluizen (RD26).

Bolster, Annie

Een Dreuzelkind uit het weeshuis waar Marten Vilijn opgroeide. Ze werd op een uitje geterroriseerd, maar niemand kon er achter komen wat er nou echt met haar gebeurd was (HBP13).

Bond Tegen de Zwarte Kunsten
Een organisatie die vecht tegen de Zwarte Kunsten (GK6, VB31).

Bonkel, Emilia Susan
(† 1996)
Tot haar dood hoofd van het Departement van Magische Wetshandhaving en een erg krachtige heks (HBP1). Bonkel was een kortharige heks die een ooglas droeg. Ze stond bekend als erg eerlijk (OF7, 8).

Bonkel, Edgar
Volgens Dwaaloog een geweldige tovenaar. Hij was de broer van Emilia Susan Bonkel, oom van Suzanne Bonkel en in de jaren '70 lid van de Orde van de Feniks (OF9).

Bonkel, Suzanne
(geb. c. 1980; Huffelpuf; 1991; Strijders van Perkamentus)
Een leerling uit Huffelpuf in Harry's jaar. Suzanne draagt haar haar in een 'lange vlecht'. In oktober 1995 werd Suzanne lid van de Strijders van Perkamentus (OF16, m.n. 38). Een aantal familieleden van Suzanne is door de jaren heen gedood in de strijd tegen Dooddoeners (BN, OF9, 25, HBP1).

boomslang
Afrikaanse slang waarvan de huid een ingrediënt is in de Wisseldrank. Sneep heeft de huid van de boomslang in zijn privévoorraad (GK10,11, VB27).
De boomslang, Dispholidus typus, *leeft in Afrika ten zuiden van de Sahara, waar hij leeft in bomen. Zijn huid doet goed dienst als camouflage; mannetjes hebben een groene huid en vrouwtjes een bruine. Boomslangen zijn erg giftig maar vormen geen ernstige bedreiging voor mensen omdat ze erg schichtig zijn en alleen aanvallen als ze worden bedreigd. In het Engels heet deze slang ook 'boomslang', en het is Afrikaans en Nederlands voor 'boomslang'.*

Boomtrul
Een klein insectenetend diertje met lange scherpe vingers, kleine ogen, en het uiterlijk van een klein stokpoppotje met een plat gezicht dat gemaakt is van boomschors en twijgjes. Normaal zijn ze erg vredelievend, maar Boomtrullen zullen mensen aanvallen als ze worden geïrriteerd. Een tovenaar of heks die blaadjes of hout van een boom waarin Boomtrullen leven wil halen, zou pissebedden of feeëneitjes aan de Boomtrullen kunnen geven om ze tevreden te stellen en af te leiden (OF13).

Bootsman, Terry
(geb. c. 1980; Ravenklauw, 1991;

B

Strijders van Perkamentus)
Leerling in Harry's jaar die lid werd van de Strijders van Perkamentus in oktober 1995 (OF16, RD31).

Bor de Bloeddorstige
Een reus uit de Middeleeuwen die in een kasteel op de top van een betoverde bonenstaak woonde; zie voor meer informatie de Tovenaarskaarten (TK).
De verwijzing op de Tovenaarskaarten is duidelijk een vingerwijzing naar het sprookje 'Jaap en de Bonenstaak'. Maar Bor is ook een bekende gewelddadige reus in de Keltische folklore. Volgens de legende leidde hij de reuzen van Wales bij hun invasie van Ierland, maar werd hij door een giftige pijl gedood.

B

bord, magisch
Het WK Zwerkbalstadion had een gigantisch zwart bord waar gouden letters op verschenen alsof een enorme hand erop schreef. Het bord liet vóór de wedstrijd reclames zien, maar tijdens de wedstrijd functioneerde het als scorebord (VB8).

Boris de Beteuterde
Standbeeld op de vijfde verdieping van Zweinstein nabij de badkamer van de klassenoudsten (VB23).

bos in de buurt van Chepstow
Een van Europa's laatste oerbossen (RD19). Hagrid is afkomstig uit dit bos bij Chepstow (RAH).
J.K. Rowling groeide op aan de rand van dit bos, in Tutshill.

bosnimfen
Fleur zei tegen iedereen aan haar tafel tijdens het diner van het Kerstbal dat de kerstversieringen op Beauxbatons onder andere bestonden uit bosnimfen. Deze wezens zingen voor de leerlingen wanneer ze aan het eten zijn (VB7).
Staan ook bekend als dryaden. De bosnimfen uit volksverhalen en mythen zijn verlegen wezens die in bomen leven en hen verzorgen en beschermen.

Boterberg, Milène
Minister van Toverkunst vóór Droebel, van 1980 tot 1990 (OF5, JKR).

Boterbier
Een erg populair drankje dat koud wordt geserveerd in flesjes (GA12 etc.) of warm in een beker in de Drie Bezemstelen (GA8 etc.). Huiselfen kunnen dronken worden van boterbier, maar op mensen heeft het dat effect niet (VB28).

Botterik, Barnabas
Hoofdredacteur van de *Ochtendprofeet* (HBP4).

Bouwmeester, Meneer en Mevrouw
(Eng. 'Mason, mr and mrs')
Aannemer en zijn vrouw die op

Harry's twaalfde verjaardag bij de Duffelingen kwamen dineren – een onfortuinlijke avond voor iedereen die erbij betrokken was (GK1).
De naam verwijst naar iemand die met bakstenen en steen werkt, wat erg toepasselijk is voor een aannemer.

Boven-Botelberg
(Eng. 'Budleigh Babberton')
Een klein Dreuzelstadje met een oorlogsmonument op het plein en een kerk. Hildebrand Slakhoorn bewoonde een week lang een Dreuzelhuis toen de eigenaren op vakantie waren op de Canarische Eilanden. Harry en Perkamentus bezochten hem in dit huis (HBP4).
In de Dreuzelwereld bestaat er geen dorpje met de naam 'Budleigh Babberton'. Er is wel een stadje met de naam 'Budleigh Salterton', een kuststadje ten zuidwesten van Exeter. In de buurt liggen ook Chudleigh en Ottery St Mary, twee stadjes waarvan J.K. Rowling de namen veranderde in Chudley en Greenwitch.

Bozo
Een man met een bierbuik die als fotograaf voor de *Ochtendprofeet* werkte en samenwerkte met Rita Pulpers (VB18, 19, 24).

Braafjens, Lena
(geb. c. 1983; Huffelpuf, 1994)
Leerling aan Zweinstein (VB12).

Braakbabbelaars
Waarschijnlijk het meest theatrale snoepje van de Spijbelsmuldozen die verkocht worden door Tovertweelings Topfopshop. Als je het oranje uiteinde eet, ga je onophoudelijk braken, tot je het paarse uiteinde opeet, waardoor je direct stopt met overgeven.

Braakbals Uilenboetiek
Een donkere winkel in de Wegisweg waar ze, volgens het opschrift, bos-, kerk-, veld-, oor- en sneeuwuilen verkopen (SW5). De winkel verkoopt snoepjes voor uilen, uilennootjes (HBP6).

B

Braakwater, Hudibras
Een tovenaar die onterecht dacht dat een toverketel van kaas een goed idee zou zijn (HBP10).

Braam, Frank
(1917-augustus 1994)
Bejaarde Dreuzelhuisbewaarder van Huize Vilijn in Havermouth. Woonde het grootste deel van zijn leven in Havermouth behalve tijdens zijn diensttijd gedurende de Tweede Wereldoorlog (waarin hij gewond raakte, hij hield daar een permanente handicap aan over). Na de oorlog werkte hij als tuinier voor de familie Vilijn. Nadat de familie Vilijn was gestorven bleef hij nog vijftig jaar de tuin verzorgen (VB1).

Brabbelvloek
Het precieze effect wordt niet

vermeld, maar je kan aannemen dat het slachttoffer er onzin door gaat uitkramen (GK10).

Bral, Barberus

(Eng. 'Bragge, Barberus')

Hoofd van de Tovenaarsraad die in 1262 begon met de gewoonte om een levende Gouden Smiecht te vangen als onderdeel van het spel Zwerkbal (TK).

'Barberus' lijkt erg op 'barbaric', wat 'barbaars' betekent; 'brag' betekent 'over jezelf opscheppen'. Beide woorden illustreren zijn karakter: wreed en treiterig.

B

Brandstof

Zilverachtig poeder dat in de 13e eeuw werd uitgevonden door Iganatia Wildsmid (TK). Je kunt er op magische wijze mee reizen en communiceren tussen haarden die verbonden zijn aan het Haardrooster (GK4).

Brandwond-helende pasta

Medische toverkunst: een oranje zalf die wordt gebruikt door Madame Plijster om brandwonden mee te behandelen (VB20).

Brazilië

Het grootste land in Zuid-Amerika (en ook het enige Zuid-Amerikaanse land met Portugees in plaats van Spaans als hoofdtaal). De boa constrictor die Harry in de dierentuin bevrijdde komt voor in Brazilië, maar hij was geboren in gevangenschap (SW2). Bill Wemel heeft er ooit een penvriend gehad (VB7).

Breibezwering

Spreuk die breinaalden zo behekst dat ze elfenmutsen breien (OF17).

Britse en Ierse Zwerkbalbond

De vereniging van professionele Zwerkbalteams in Groot-Brittanië. Er zijn dertien teams lid van de Bond (DP1-4). Het Hoofdkwartier van de Bond bevindt zich op de zevende verdieping van het Ministerie van Toverkunst in Londen (OF7).

Broederschap der Kobolden (BDK)

Een groep die aandringt op rechten voor kobolden, waaronder het recht om toverstokken te dragen en te gebruiken, wat ophef veroorzaakte in Chipping Sodbury. De leider van de organisatie is Bodrig de Schele (DP3).

Brokdalbrug

De Brokdalbrug was minder dan tien jaar oud, toen hij in de zomer van 1996 door toedoen van Dooddoeners instortte (HBP1).

Brokkeling, Amanda

(geb. c. 1980; Ravenklauw, 1991)

Werd samen met Harry Gesorteerd. (SW7).

Brokking, Dennis

Een Dreuzelkind uit het weeshuis waar Marten Vilijn woonde. Dennis werd samen met Annie Bolster tijdens een uitje geterroriseerd, maar niemand kon erachter komen wat er nou echt met hem was gebeurd (HBP13).

broodjes bunzing

Een klein zoogdier, vergelijkbaar met een wezen dat te vinden is in Groot-Brittannië en Ierland. Het wordt door mensen gewoonlijk niet gegeten op brood of in een andere vorm. Toch maakt Hagrid broodjes bunzing en biedt hij ze aan zijn gasten aan (SW14).

Broom, Belinda

(geb. c. 1980; Griffoendor, 1991; Strijders van Perkamentus)

Een Griffoendor in Harry's jaar en de beste vriendin van Parvati Patil. Belinda heeft de neiging om veel te gillen en te giechelen en wekt daardoor een domme indruk. Ze is erg geïnteresseerd in Waarzeggerij (GA8). Belinda had een paar maanden verkering met Ron in hun zesde jaar, een relatie die vooral bestond uit zoenen (HBP21, RD7). Belinda was lid van de Strijders van Perkamentus (vooral OF16, RD31).

Brulbrief

Een onaangename brief die verstuurd wordt om iemand een reprimande te geven. Hij arriveert in een rode envelop, die lichtjes rookt en ontploft als hij niet meteen wordt geopend. Na het openen schreeuwt de Brulbrief naar de ontvanger met een stem die magisch versterkt is voor maximaal effect (GK6).

Bruinrood, Jolanda

(geb. 1911)

Een beroemde Jager voor Pullover United (TK).

Bubbelbolbezwering

Omringt het hoofd van de uitspreker met een bubbel van adembare lucht, wat handig is als je naar de bodem van het meer wilt zwemmen (VB26) of de stank van Stinkkorrels of Mestbommen wilt vermijden (OF29).

bubbels, magische

Bubbels kunnen op vele manieren worden betoverd. Er zweefden magische bubbels gevuld met licht bij het plafond in het St. Holisto (OF22). Een *Sanitato*spreuk die over een persoon wordt uitgesproken, wast hun mond uit met zeep zodat er roze zeepbellen uit hun mond komen (OF28). Magische bubbels kunnen ook dienen ter decoratie (SW11). Er was ook een kapotte toverstok die paarse bubbels maakte (GK13).

Builenpestpoeder

(Eng. 'Bulbadox Powder')

Een substantie die ervoor zorgt dat iemand zweren ontwikkelt als hij haar aanraakt (OF12). *'Bulbous' = Eng. 'uitpuilend, gezwollen', 'dox', wellicht om te klin-*

B

ken als 'toxisch' wat giftig betekent.

Buitengewone Vereniging van Toverdrankbrouwmeesters
Opgericht door Hector Goud-Griffel (HBP9).

Buitenzintuiglijke Bezwering
Een spreuk waardoor degene die hem uitspreekt dingen buiten zijn gezichtsveld kan waarnemen. Ron zegt dat hij deze spreuk kan gebruiken in plaats van in de buitenspiegels te kijken als hij in een auto rijdt (RD/e).

B

Bulck, Quirinus
(geb. 1920)
Bulck is een bekende Dreuzelexpert die veel boeken over het onderwerp heeft geschreven (TK).

Bulgarije
Een land in Oost-Europa. Het nationale Zwerkbalteam van Bulgarije speelde tegen Ierland tijdens het WK. De Bulgaarse Minister van Toverkunst is meneer Obalonsk (VB8).

Bullemans, Margriet
(geb. c. 1980; Zwadderaar, 1991; Inquisitiekorps)
Meisje uit Zwadderich in Harry's jaar. Ze had een vierkante bouw en een grote kaak. Margriet was 'geen elfje' in haar tweede jaar; in haar vijfde jaar was ze fysiek nog steeds sterker dan Hermelien. Ron en Harry vinden haar allebei lelijk; en ze doet Harry aan een feeks denken (GK11, OF32).

Bullemans, Violetta
Haar man was de zoon van Firminus Nigellus Zwarts en Ursula Hork (BFT). Waarschijnlijk een voorouder van Margriet, een Zwadderaar uit Harry's jaar (SW7).

Bundimun
Magisch ongedierte (JKR).

Bureau voor de Bezemveiligheid
Het Bureau voor de Bezemveiligheid maakt onderdeel uit van het Magisch Verkeersbureau (OF7).

Burkina Faso
Een land in West-Afrika. Een van de zogenaamde avonturen van Gladianus Smalhart vond plaats in de hoofdstad van Burkina Faso, Ouagadougou (GK9).

Buitenwijk-Binnen
(Eng. 'Gaddley')
Dorpje waar in 1998 een vermoorde Dreuzelfamilie werd gevonden. De Dreuzelautoriteiten hielden het op een koolmonoxidevergiftiging, maar het was eigenlijk het werk van Dooddoeners (RD22).
Gaddley bestaat niet echt in Engeland, maar er is wel een dorp dat Gaddesby heet in Leicestershire.

Caerphilly Catapults
Een professioneel Zwerkbalteam uit het stadje Caerphilly in Wales (DP1-4).

Café op Tottenham Court Road
Een klein, sjofel koffiezaakje dat de hele nacht open is en beschadigd raakte in een tovenaarsgevecht op de avond van 1 augustus 1997 (RD9 verg. RD20).

cafetaria (St. Holisto)
Volgens de wegwijzer in de wachtruimte van St. Holisto is dit cafetaria gelegen op de vijfde verdieping, samen met de ziekenhuiswinkel (OF22). Harry, Ron, Hermelien en Ginny besluiten tijdens hun bezoek aan St. Holisto in de kerstvakantie van 1995 om het cafetaria te bezoeken (OF23).

Caïro
Caïro is de hoofdstad van Egypte. Eind 1800 won Perkamentus de gouden medaille voor 'Baanbrekende Bijdragen aan het Internationaal Alchemistensymposium in Caïro' (RD18).

Callisto
Een maan van Jupiter die bestudeerd wordt tijdens Astronomie op Zweinstein. Ron werkte een tijdje aan een opstel voor professor Sinistra over de manen van Jupiter. Hij noemde Callisto de grootste maan van Jupiter, in plaats van Ganymedes (OF14).

Campagne voor Meer Vrijheid voor Tovenaars
(Eng. 'Campaign for Greater Freedom for Wizards')
Glinda Crook sprak namens deze groep in de *Ochtendprofeet*, waarbij ze de acties van het Ministerie van Toverkunst om de activiteiten van tovenaars op Halloween in te tomen hekelde (DP4).

Campaign for Greater Freedom for Wizards
Zie CAMPAGNE VOOR MEER VRIJHEID VOOR TOVENAARS

Campbell, Angus
Jager voor de Caerphilly Catapults. Hij verving Alasdair Maddock (DP3).

Campbell, Lennox
Zoeker voor de Montrose Magpies (DP2).

Cambridge Cannons
(*Eng. 'Chudley Cannons'*)
Een Zwerkbalteam uit Cambridge. De Cannons zijn Rons favoriete Zwerbalteam ook al hebben ze de neiging om nogal vaak te verliezen (GK3, etc.). De Cannons dragen oranje gewaden met een voortsnellende kanonskogel en een dubbele letter C erop (GK4). Een aantal beroemde (en niet zo beroemde) spelers van de Cannons zijn Zoeker Galvin Gudgeon (DP1), Drijver Jaap Juttemis (VB22) en Jager Dragomir Stavrov, die een transfer maakte in 1995 en die sindsdien een recordaantal Slurken heeft laten vallen (RD7). De manager is Ragmar Dorkins (DP1).
Hoewel er in Groot-Brittannië geen stad met de naam Chudley bestaat, is er wel een stad met de naam Chudleigh. Het ligt in Devon, niet ver van de waarschijnlijke locatie van Greenwitch en het Nest.

Canisius
Oom van Magnus Stoker. Canisius was een favoriete leerling van Hildebrand Slakhoorn. Hij is een kundig Jager en Boudewijn Hilarius en Rufus Schobbejak behoren tot zijn jachtmaatjes. Hij heeft een hoge post in het Ministerie van Toverkunst (HBP7).

Caput Draconis
Het wachtwoord om Griffoendors leerlingenkamer binnen te komen (SW7).
'Caput Draconis' = L. 'hoofd van de draak'
Deze term wordt gebruikt voor een van de 16 figuren van Sikidy, een vorm van geomantie die gebruikt wordt in Madagaskar. J.K. Rowling ontleende meerdere andere termen aan dezelfde bron, zoals 'Fortuna Major', ook een wachtwoord van Griffoendor.

Catalaanse Vuurbaldraak
(*Eng. 'Catalonian Fireball Dragon'*)
Een soort draak die te vinden is Catalonië, een regio in het noordoosten van Spanje (JKR).
Hoewel hij niet genoemd wordt in Fabeldieren en Waar Ze te Vinden, *kan je een schets vinden op de pagina's van* Drakenfokken als Broodwinning en Tijdverdrijf, *zoals op J.K. Rowlings website te vinden is. De Vuurbaldraak wordt samen met de Portugese Langsnuit getoond en dat maakt dat er twaalf drakensoorten bekend zijn.*

Catalonian Fireball Dragon
Zie CATALAANSE VUURBALDRAAK

Cave Inimicum
(*kah-ve ie-NIE-mie-koem*)
Een van de beschermende spreuken die Hermelien gebruikte (RD14, 22).
'cave' = L. 'opgepast' + 'inimicum' = L. 'voor vijanden'

Cecilia
Het mooie, snobbige dreuzelmeis-

je op een grijs paard dat met Marten Vilijn mee was toen hij langs het huis van de Mergels reed. 'Hemel, wat een lelijk krot!' is een uitspraak van haar (HBP10).

Centaur

Magisch wezen, een paard met een menselijk hoofd en bovenlichaam, dat in afzondering leeft. Centauren bekijken en lezen de tekenen in de sterren en planeten. Ze blijven onpartijdig bij gebeurtenissen die zich om hen heen afspelen, ze observeren liever alles (SW15). Een kudde centauren leeft in het Verboden Bos, met onder andere Ronan (SW15), Ban (SW15), Magorian (OF30) en tot aan Harry's vijfde jaar Firenze (SW15, OF27). De centauren vochten in de Slag om Zweinstein tegen de dooddoeners (RD36).

Centauren komen voor in de Griekse mythologie. In veel gevallen vertonen centauren dierlijk gedrag – menselijke vrouwen roven bijvoorbeeld – maar ze komen ook voor als wijze leraren. De centauren in de Harry Potter boeken vertonen beide eigenschappen. Ban draagt Omber weg wanneer ze de kudde beledigt en aanvalt. Firenze daarentegen wordt een leraar op Zweinstein, zelfs als hij uit de kudde wordt verbannen vanwege het werken met tovenaars.

Centre for Alchemical Studies

Zie CENTRUM VOOR ALCHEMISTISCH ONDERZOEK

Centrum voor Alchemistisch Onderzoek

(*Eng. 'Centre for Alchemical Studies'*)

Het meest vooraanstaande hiervan ligt in Egypte (JKR).

Chang, Cho

(*Ravenklauw, 1990; Zwerkbal Zoeker, 1993-?; Strijders van Perkamentus*)

Een populaire en knappe leerlinge van Ravenklauw die een tijdje Harry's vriendinnetje was (m.n. OF21, 26). Ze houdt van Zwerkbal – ze is al vanaf haar zesde een fan van de Tutshill Tornado's – en was Zoeker voor het Zwerkbalteam van Ravenklauw (GA13 etc.). In haar zesde jaar wordt ze samen met Marina Elsdonk lid van de Strijders van Perkamentus (OF16).

Charing Cross Road

Een drukke winkelstraat gelegen in het centrum van Londen. De Lekke Ketel ligt aan Charing Cross Road (SW5, GA3, HBP6).

Het is waar dat Charing Cross Road een normale straat vol met Dreuzels is, maar aan de andere kant is er ook wat magie te vinden. Boekwinkels en platenzaken in overvloed. Denmark Street, die verbonden is met Charing Cross Road dicht bij de kruising met Oxford Street, staat bekend als de 'British Tin Pan Alley'. Hier heeft Elton John zijn eerste hit 'Your Song' geschreven en zijn legendarische optredens zoals van de Beatles en Jimi Hendrix opgenomen. Verder de straat in ligt het 'London Hippodrome' waar 100 jaar geleden uitgebreide circusoptredens werden gehouden, waaronder een act in een enorme watertank die het hele podium in beslag nam. Dreuzels die de magie van de Wegisweg willen proeven kunnen door Cecil Court wandelen, vlakbij Charing Cross Road, en kunnen alles kopen van antieke kaarten tot kristallen bollen en opgezette uilen.

Charles l'Atanzaal

(Eng. 'Janus Thickey Ward')

Een zaal voor patiënten met spreukschade wordt nu naar deze meelijwekkende tovenaar vernoemd die zijn vrouw probeerde te laten denken dat hij dood was. Het gebruik van deze naam suggereert dat hij niet geheel ongeschonden uit dit incident kwam (OF23).

'Janus' is de godheid met twee gezichten waar de maand januari naar is vernoemd, een passende naam voor een man die feitelijk gezien een dubbelleven leidde.

Chimaera

Een vals, bloeddorstig wezen met het hoofd van een leeuw, het lijf van een geit en de staart van een draak. Duivelsvuur neemt soms de vorm aan van een Chimaera (RD31).

De Chimaera is een monsterlijk wezen dat in de Griekse mythologie voorkomt. Homerus beschrijft het als 'een ding van onsterfelijke makelij, niet menselijk, met de voorkant van een leeuw, de achterkant van een slang, in het midden het lijf van een geit en die bovendien vreselijke vlammen van fel vuur ademt.' In Turkije bestaat een vulkaan genaamd Chimaera die, volgens schrijvers uit de Oudheid, leeuwen op de top had, weides met geiten in het midden en aan de voet nesten met slangen, overeenkomstig met het uiterlijk van de Chimaera.

China

Het meest dichtbevolkte land in de wereld met meer dan een miljard inwoners. Twee belangrijke Chinese tovenaars waren de in fabeldieren gespecialiseerde Quen Po en de alchemist Dzou Yen (TK). China is ook het land waar Kaukasische Knauwkool (Eng. 'Chinese Chomping Cabbage') vandaan komt (OF16).

Chinese Zenger

Een soort draak die uit China komt. De Zenger is een helderrode draak met dunne gouden stekels op zijn hoofd (VB19, 20).

Chipping Clodbury

In deze plaats werd 's avonds laat een ontmoeting gehouden tussen afgevaardigden van het Ministerie en de Broederschap van Kobolden, met als doel om de rechten van Kobolden in de grondwet vast te leggen. De zaken liepen

een beetje uit de hand (DP3).
Chipping Clodbury bestaat niet echt in de Dreuzelwereld. De naam is gebaseerd op de naam van de plaats waar J.K. Rowling opgroeide, Chipping Sodbury.

Chocoballen
Snoepgoed dat wordt verkocht bij Zacharinus' Zoetwarenhuis (GA5).

Chocoketels
Chocolaatjes die meestal gevuld zijn met Oude Klares Jonge Borrel, alhoewel gewetenloze heksen de Borrel wel eens door liefdesdrankjes hebben vervangen (HBP18).

Chocokikkerplaatjes
Deze kaarten, die elk het gezicht van een bekende tovenaar of heks tonen, zitten bij het Chocokikkersnoepgoed (samen met een echte kikker van chocolade) (SW6). Leerlingen van Zweinstein verzamelen en ruilen ze (bijv. SW13, VB19, OF10). De gezichten op sommige kaarten zijn zelfs bij Dreuzels bekend, alhoewel de magische eigenschappen niet altijd onderkend worden.

chocolade
Chocolade heeft speciale eigenschappen. Het is niet alleen een heerlijke traktatie, het werkt ook als een zeer krachtig middel tegen het verkillende effect dat contact met Dementors met zich mee brengt en ook bij andere nare vormen van Duistere Magie (GA5, 21).
Het magische effect van chocolade is niet alleen bij heksen en tovenaars bekend. Chocolade zorgt dat wij Dreuzels ons daadwerkelijk beter gaan voelen omdat het kleine hoeveelheden van een stof bevat die zorgt dat endorfinen af worden gegeven aan de hersenen. Een deel van de aantrekkingskracht van chocolade komt ook van het feit dat het bijna precies bij lichaamstemperatuur smelt. Daardoor geeft het eten van een stukje chocolade als resultaat het heerlijke smeltende effect waar iedereen zo dol op is.

C

Circe
Een beroemde tovenares uit het oude Griekenland; zie voor meer informatie de Tovenaarskaarten (SW6, TK).
Circe woonde volgens de Griekse mythologie op het eiland Aeaea. In de Odyssee *nam ze de bemanning van Odysseus gevangen en veranderde haar in varkens. Odysseus gebruikte een tegengif dat aan hem bekend was gemaakt door de god Hermes om te voorkomen dat hij zelf vergiftigd werd en redde zijn mannen.*

Citroenzuurtje
Een zuur snoepje dat de vorm heeft van een klein citroentje (SW1). Een wachtwoord voor Perkamentus' kantoor (GK11).
In de Amerikaanse editie wordt

het citroenzuurtje 'Lemon drop' genoemd. In de Engelse editie wordt het 'sherbet lemon' genoemd.

Clapham

Clapham is een gedeelte van Zuidwest-Londen waar, op Rozenhof 2, Severijn Zonderland woont (OF14).

Clapham wordt in de Nederlandse editie niet genoemd, er staat simpelweg Zuid-Londen.

Cliodna

Bekende Ierse druïde; voor meer informatie zie de Tovenaarskaarten (SW6, TK).

In de Ierse mythologie was Cliodna een godin van liefde en schoonheid. Ze werd vergezeld door drie vogels wier liederen helende eigenschappen hadden.

C

Cockatrice

Een magisch wezen, een combinatie van een haan en een draak. Een Cockatrice heeft in het Toverschool Toernooi van 1792 amok gemaakt (VB15).

Het legendarische wezen dat bekend staat als de Cockatrice is feitelijk bijna een tweelingbroer van de Basilisk. Een paar van de eigenschappen van de Basilisk uit de Harry Potterboeken zijn zelfs die van de Cockatrice, zoals de eigenschap om mensen in steen te veranderen door ze aan te kijken. Sommige middeleeuwse boeken over dieren zeggen dat alleen de wezel immuun is voor zijn verstijvende blik.

(In de Nederlandse boeken ontterecht vertaald als Basilisk).

Cokeworth

De plaats waar hotel Spoorzicht staat, waar Herman Duffeling de familie heenreed in een hopeloze poging om aan de brieven van Zweinstein te ontsnappen (SW3).

De naam van de plaats Cokeworth is mogelijk afgeleid van de grimmige industriële stad Coketown in Charles Dickens' boek Hard Times. *'Coke' verwijst in dit geval naar een brandstof die uit kolen gewonnen wordt en die men gebruikt in de hoogovens waar ijzer wordt gemaakt.*

Collectebus, De

(Eng. 'Knight Bus')

Een magische paarse bus die 'noodvervoer voor de gestrande heks of tovenaar' verzorgt (GA3). Het is ook mogelijk om een plaats op de Collectebus te reserveren voor een tochtje door Groot-Brittannië (GA14). Het ritje is behoorlijk oncomfortabel (bijv. OF24). De bus gaat overal heen waar je maar wilt 'zolang het maar op vaste wal is' volgens de conducteur, Sjaak Stuurman (GA3). De bestuurder is Goof Blikscha, een oudere tovenaar met een bril met jampotglazen (GA3). Overdag is de bus gevuld met leunstoelen voor de passagiers (OF24), 's nachts worden deze zitplaatsen vervangen door

een half dozijn koperen ledikanten op elke verdieping (GA3).
De oorspronkelijk Engelse naam is een woordspeling. Bussen die in Londen de hele nacht rijden worden 'Night Buses' genoemd. Het woord 'knight' doet echter denken aan een heldhaftige redder. Aangezien de Collectebus overal in Engeland vandaan kan worden geroepen door enkel een zwiep van je toverstok, kan het tovenaars en heksen zeker uit een benarde positie redden.

Colloportus
(ko-lo-POR-tus)
Verzegelt een deur, waarbij het een merkwaardig, zuigend geluid maakt (OF35).
'colligo' = L. 'samenbinden' + 'portus' = L. 'deuropening, doorgang, opening'

Comité voor de Vernietiging van Gevaarlijke Wezens
Een comité van het Ministerie dat zich over zaken van agressie door magische wezen buigt. Ze houden een hoorzitting en nemen de feiten in overweging, waarna ze uitspraak doen (GA11, 16, 21).

Comstock, Magenta
(1895-1991)
Comstock was een magische kunstenares. Ze stond bekend om het schilderen van portretten met vreemd betoverde ogen (JKR).
Magenta is een paarsrode kleur, een toepasselijke naam voor een kunstenaar. De achternaam zou kunnen verwijzen naar Anna Botsford Comstock, een Amerikaanse kunstenares en lerares, uit het begin van de 20^e^ eeuw.

Confringo
(kon-FRIN-go)
'Dondervloek'
Zorgt dat het doel ontploft (TK, RD4, 17).
'confringo' = L. 'kapot slaan, verpletteren, vernietigen, ongedaan maken'

Confundo
(kon-FUN-do)
'Waanzichtsspreuk'
Veroorzaakt verwarring. Een persoon die onder invloed van deze spreuk staat wordt Waanzichtig genoemd (GA21, HBP11, 14, RD1, 15, 16, 26, 33, /e). De Waanzichtsspreuk kan zowel over een magisch object als over een persoon worden uitgesproken.
'confundo' = L. 'door elkaar halen, verwarren, versteld doen staan'.

Connolly
Drijver voor het Ierse nationale Zwerkbalteam (VB8).

Contorting Cereals
Zie VERDRAAIDE GRANEN

contract, magisch
Deze spreuk of spreuken maken een contract magisch onverbreekbaar. Een naam in de Vuurbeker doen was verbonden aan een magisch bindend contract. De mensen

van wie de namen gekozen waren, waren gedwongen om aan de wedstrijd deel te nemen (VB16).
Zie ONBREEKBARE EED

Cools, Rick
(*Griffoendor ±1990; Zwerkbal Drijver 1996-?*)
Cools is een 'tenger ogende' jongen, maar hij 'kon heel goed mikken'. Hij komt samen met Postelijn bij het Griffoendor Zwerkbalteam (HBP11).

Cooper, Buckley
Schreef een brief naar de *Ochtendprofeet* om juridisch advies in te winnen vanwege de vete die hij heeft met zijn broer, waarin hij zich afvroeg of hij ermee weg zou kunnen komen als hij zijn neefjes en nichtjes in dieren veranderde (DP3).

Coopey, Howland
Schreef een brief naar de problemenpagina van de *Ochtendprofeet*, waarin hij om medisch advies vroeg vanwege zijn alarmerende en nogal kleurrijke symptomen (DP3).

Cornfoot, Stephen
(geb. rond 1980; Ravenklauw 1991)
Leerling in Harry's jaar (HPM).
Stephens naam komt voor in het concept van de klassenlijst van Harry's jaar dat Rowling liet zien tijdens het 'Harry Potter and Me' TV interview (HPM). Volgens de lijst is hij een puurbloed. Stephen is nooit in de boeken voorgekomen, maar zijn naam staat op de lijst omdat hij blijkbaar bestond in de vroege plannen van de boeken.

Cornwall
Een graafschap in het zuidwesten van Engeland. In Cornwall ligt Vonkeveen, een Dreuzel kustplaatsje, waar een behoorlijk aandeel van de bevolking magisch is (o.a. het huis van Bill en Fleur Wemel, de Schelp) (RD21). In Cornwall ligt ook Falmouth, thuishaven van het Falcons Zwerkbal Team, en Bodmin Moor, waar een Zwerkbalstadion staat (DP2, 3, 4). Keltische Aardmannetjes (*Eng. 'Cornish Pixies'*), het soort dat in het lokaal werd losgelaten door Galdianus Smalhart (GK6), komen hier vandaan en in de 17^{e} eeuw had Dymphna Voorburg een 'onfortuinlijk voorval' met aardmannetjes toen ze in Cornwall op vakantie was (TK).

Corvers, Hebert
Een Dreuzel en onderminister van de Britse (Dreuzel) Minister-President. Corvers moest een tijdje vrij nemen toen hij zich erg vreemd begon te gedragen (HBP1).

Cotswolds
De Cotswolds is een klein gebied in Engeland dat bekend staat vanwege de prachtige glooiende heuvels. Het stadje Bath ligt in de

Cotswolds. Volgens de geschiedenis hebben hier trollen geleefd; Gondolien Elefant was gespecialiseerd in trollen. Ze werd in 1799 in de Cotswolds doodgeknuppeld toen ze aan het schetsen was (TK).

Cotton, Gregory

Zoeker van de Appleby Arrows (DP3).

Cromer

Cromer is een kleine stad aan de oostkust van Engeland, bijna op de oostelijke lijn vanaf Londen, in Norfolk. Vroeg in de 18^{e} eeuw leefde hier de gevreesde zeeslang van Cromer (TK).

Crook, Glinda

Werkt voor de Campagne voor Meer Vrijheid voor Tovenaars. Wordt geciteerd in de *Ochtendprofeet* omdat ze de acties van het Ministerie van Toverkunst om de activiteiten van tovenaars op Halloween in te tomen, hekelde (DP4).

Glinda was de naam van de Goede Heks van het Noorden in de verhalen van de Tovenaar van Os.

Cruciatusvloek

Zie CRUCIO

Crucio

(Kru-sie-o)

Deze Onvergeeflijke Vloek is de extreemste manier van martelen in de Tovenaarswereld. Hij veroorzaakt bijna ondraaglijke pijn (m.n. VB14, 34, RD23, 29).

'crucio' = L. 'Marteling, foltering'

Crup

Een magisch wezen dat op een kleine hond lijkt, behalve dat een Crup een gevorkte staart heeft (OF25).

Curd, Gerda

Schrijfster van *Zelf Kaas Maken zonder Heksentoeren* (mogelijk een pseudoniem, aangezien de naam van de schrijfster op de Tovenaarskaart Gerta Grijpkerker is) (JKR).

Cycloop

Een eenogige Griekse reus; zie de Tovenaarskaarten voor meer informatie (TK).

De cycloop uit de Odyssee *is Polyfemos. Hij behoort tot de eenogige reuzen die op het eiland der Cyclopen leven. Wanneer Odysseus per ongeluk Polyfemos' grot in gaat, doodt de reus meerdere van zijn mannen. Op zijn beurt voert hij de reus dronken en steekt zijn ene oog uit. Om aan de greep van de reus te ontsnappen binden de mannen zich aan de onderkant van de schapen van Polyfemos vast. Wanneer de nu blinde reus de schapen naar buiten laat om te grazen is hij achterdochtig en hij voelt aan de rug van elk schaap om er zeker van te zijn dat de mannen van Odysseus er niet op rijden. Hij voelt alleen maar wol en laat de schapen gaan.*

Dagboek van Marten Asmodom Vilijn
Een eenvoudig dagboek, door Marten Vilijn gekocht in een Dreuzelwinkel in Londen. Het dagboek dook jaren later op en bleek veel ongewone magische krachten te bezitten (bijv. GK13, 17).

Damocles, Oom
De oom van Alfons Gasthuis en de uitvinder van de Wolfsworteldrank. De vader van Alfons en Oom Damocles konden de afgelopen tijd niet echt goed met elkaar opschieten (HBP4).

Darmuitdrijvende vloek
Deze vloek, die in de 17e eeuw werd uitgevonden door Alonzo Grauwsluier, zorgt er blijkbaar voor dat de ingewanden van het slachtoffer uit zijn lichaam treden. Ja, dat lees je goed. Bah. (OF22).
Wellicht vraag je je af waarom zo'n spreuk überhaupt noodzakelijk was, maar het verwijderen van de organen was een deel van 'vierendelen', een extreme straf voor hoogverraad in die eeuw. Aangezien Grauwsluier in het Engels 'Rackharrow' heet en daar het woord 'rack' in is verwerkt, een vorm van middeleeuwse folteringsstraf, is het mogelijk dat J.K. Rowling hier het idee vandaan heeft. Geloof het of niet, 'vierendelen' is in Engeland pas afgeschaft in 1870.

Das
De das is het dierensymbool voor de afdeling Huffelpuf van Zweinstein (SW3, VB15).

Daslook, Edgar
Een tovenaar die door Rita Pulpers geïnterviewd werd voor het boek *Het Leven en de Leugens van Albus Perkamentus*. Hij beweerde dat hij 'al acht toepassingen van drakenbloed ontdekt had voor Perkamentus zijn papieren leende' (RD2). Hij is van mening dat Mathilda Belladonna seniel is (RD18).

Dastaard, Barnabas
Een van de mensen die de Zegevlier in zijn bezit hebben gehad (RD21).

Davids, Robbie
(geb. c. 1978; Ravenklauw c. 1989; Zwerkbal Jager en Aanvoerder c. 1993-1996)

Een populaire, atletisch gebouwde leerling in Ravenklauw, ongeveer twee jaar ouder dan Harry (VB22, 23, OF 25, 30).

Davis, Tracey

(geb. c. 1980; Zwadderich 1991)

Leerling op Zweinstein in hetzelfde jaar als Harry (HPM).

De naam van Tracey Davisnaam is enkel te zien in 'Harry Potter and Me'. *Hierin staat haar naam op een blad met Harry's klassenlijst (HPM). Uit deze lijst valt op te maken dat ze een halfbloed heks is (HPM). Ze is nooit in een van de boeken van de canon verschenen.*

Deadmarsh

Zie DOODSVEEN

d'Eath, Lorcan

(geb. 1964)

Een populaire zanger die deels vampier is (JKR).

Deemster, Diederik

Lid van de Orde van de Feniks in de jaren '70 (OF9).

'De draken zijn nu toch aan het dansen'

Dit is een equivalent van de Dreuzeluitdrukking 'de poppen zijn aan het dansen' en betekent dat de problemen nu toch echt begonnen zijn.

Defodio

(dee-FOO-die-oo)

'Gruizelvloek'

Een spreuk die door grond of steen graaft (RD26).

'defodio' = L. 'afgraven, uithollen'

Delacour, Apolline

Getrouwd met Monsieur Delacour en de moeder van Fleur en Gabrielle Delacour (VB31, RD8). Mevrouw Delacour is op zijn minst deels Glamorgana. Ze wordt omschreven als een mooie blonde vrouw die erg goed is met huishoudelijke spreuken (RD6).

'Apolline' = komt waarschijnlijk van de mannennaam Apollo. Dit was in de Griekse mythologie de god van de schoonheid en andere zaken.

D

Delacour, Fleur

(geb. c. 1977; Beauxbatons 1988)

Een getalenteerde, zelfverzekerde meid en de kampioen van het Toverschool Toernooi voor Beauxbatons. Ze is deels Glamorgana, erg mooi, en heeft lang blond haar (VB16). Nadat ze de school had verlaten ging ze bij Goudgrijp werken om haar Engels te verbeteren (OF4; *zie ook* HBP29, RD8).

'Fleur Delacour' betekent volgens J.K. Rowling 'bloem van het hof' *in het Frans (AOL).*

Delacour, Gabrielle

(geb. 1986)

Fleurs jongere zusje (VB26). Volgens Fleur praat Gabrielle de hele tijd over Harry Potter (HBP6, RD6, 8).

Delacour, Monsieur
Getrouwd met Apolline Delacour en de vader van Fleur en Gabrielle Delacour. Was aanwezig bij de Derde Opdracht van het Toverschool Toernooi (VB31). Meneer Delacour wordt omschreven als kort, mollig, en hij heeft een kort, zwart, gepunt baardje (RD6).

Deletrius
(deh-LI-tri-us)
Wist de spookbeelden van spreuken die door *Priori Incantato* zijn opgeroepen. Kan mogelijk ook gebruikt worden om de gevolgen van andere spreuken uit te wissen (VB9).
'deletrius' = L. 'vernietig, wis uit'

Delfstoffer
(Eng. 'Niffler')
Een '[p]luizig, zwart wezen met een lange snuit', dat in de grond graaft. Ook al zijn Delfstoffers zachtaardig en zelfs liefhebbend, ze voelen zich sterk aangetrokken tot alles dat glimt. Dit maakt dat ze soms lastig te beheersen zijn (VB28). Ze kunnen erg handig zijn voor het zoeken naar schatten (OF31).
De Engelse naam komt waarschijnlijk van het woord 'sniff' (opsnuiven in het Engels), omdat Delfstoffers hun neus gebruiken bij het zoeken naar schatten.

Dementorkus
Het 'laatste en verschrikkelijkste' wapen van een Dementor (GA12). De Dementor doet zijn kap af en zet zijn kaken op de mond van het slachtoffer. Hierbij verwijdert hij de ziel van het slachtoffer, zodat het slachtoffer enkel nog als een leeg omhulsel overblijft, wel levend, maar totaal en onherroepelijk 'weg' (GA12, 20).

Dementors
Verschrikkelijke, spookachtige wezens, met een kap op en een gewaad aan. Ze voeden zich met menselijke emoties. Dementors zuigen volgens Lupos 'vrede, hoop en geluk uit hun omgeving weg' (GA10). Al voordat je een Dementor kunt zien, is het duidelijk dat hij aanwezig is; ze worden omgeven door een onnatuurlijke duisternis en een verschrikkelijke, ijzige kou (GA5). Zelfs Dreuzels kunnen worden beïnvloed door Dementors, hoewel ze de verschrikkelijke, zwarte wezens niet kunnen zien. Ze waren de bewakers van Azkaban, en door hen werd dat een verschrikkelijke plaats. Het Ministerie gebruikte ook Dementors als bewakers in haar rechtszalen (VB30, RD13). Wanneer Dementors zich voortplanten creëren ze een koude mist die door merg en been gaat (HBP1).
J.K. Rowling heeft Dementors bedacht als een verpersoonlijking van depressie. Ze heeft dit als volgt omschreven: 'Het was geheel opzettelijk, en geheel vanuit mijn eigen

ervaringen. Depressie is het meest onplezierige gevoel dat ik ooit heb meegemaakt (...) Het lijkt op de afwezigheid van het kunnen bedenken dat je ooit weer gelukkig zult zijn. De afwezigheid van alle hoop. Dit geestdodende gevoel, dat zo erg verschilt van gewoon ongelukkig zijn. Ongelukkig zijn doet wel pijn, maar het is wel gezond. Ongelukkig zijn heb je soms nodig. Depressie is iets heel anders.' Treneman, Ann. 'J.K. Rowling, the interview.' The Times (UK), 30 juni 2000.

Demiguise
Een vredelievende, plantenetende primaat die zichzelf onzichtbaar kan maken. Het haar van dit wezen kan in Onzichtbaarheidsmantels worden verweven (RD21).
'demi' = Fr. 'half' + '-guise' = vanuit het Engelse woord 'disguise', 'vermommen, je identiteit vermommen of verbergen'

Demiguise (rune)
De rune voor het cijfer nul, volgens het boek *Oude Runen Eenvoudig Verklaard.* Het is een verwijzing naar het feit dat een Demiguise zichzelf geheel onzichtbaar kan maken (JKR).

Demiguise Derby
Een evenement dat door de beruchte kobold Og de Onbetrouwbare georganiseerd werd (TK).

Dennis
Een Dreuzeljongen die in Klein Zanikem woont. Hij maakt deel uit van Dirks vriendengroep (SW3).

Densaugeo
(Den-sah-OE-gi-oh; alternatief: Dens-AU-gee-oo)
Zorgt ervoor dat de tanden van het slachtoffer enorm worden vergroot (VB18).
'dens' = L. 'tand' + 'augeo' = L. 'groeien'

Deprimo
(de-PRI-mo)
Een spreuk die iets met kracht naar beneden duwt (RD21).
'deprimo' = Sp. 'onderdrukken of naar beneden duwen'

Descendo
(deh-SEN-dOO)
Spreuk die ervoor zorgt dat iets afdaalt of naar beneden gaat (RD6, 31).
'descendo' = L. 'afdalen, naar beneden komen'

Detentio
(Dee-ten-tie-oo)
(Eng. 'Incarcerous')
Een spreuk die het slachtoffer vastbindt met touwen. Omber gebruikte deze spreuk op de centaur Magorian, wat niet bijzonder slim was (OF33).
'in' = L. 'in, naar' + 'carcer' = L. 'gevangenis'

van Detta
(Eng. 'Lestrange')
(geb. eind jaren '20, Zwadderich eind jaren '30)
Eén van de eerste (c. 1955) leden van de Dooddoeners (HBP20); ging naar Zweinstein met Marten Villijn (HBP17). Waarschijnlijk verwant aan Rabastan en Rodolphus van Detta die naar Zweinstein gingen met Severus Sneep.
Bellatrix trouwde in een oude en aristocratische familie. De familielijn ontsprong bij Roland van Detta gedurende de Normandische verovering van Engeland. ('de vreemdeling' omdat hij Frans was). Het familiewapen van de van Detta's heeft als motto 'mihi parta tueri' ('ik zal vechten voor wat van mij is'). Dit motto misstaat de Dooddoeners en Zwadderaars niet.

van Detta, Bellatrix (Zwarts)
(1951-1998; Zwadderich c. 1962)
Fanatiek lid van Voldemorts binnenste kring van Dooddoeners, een lid van de puurbloedfamilie Zwarts (RD33). Bella, zoals ze wordt genoemd, ging naar Azkaban voor haar misdaden als Dooddoener in de jaren '70 (VB27, 33). Bella was lang, had zwart haar en zware oogleden; ze beleeft er plezier aan om pijn te veroorzaken met de Cruciatusvloek (bijv. OF35). Hoewel ze eens mooi was, is haar uiterlijk voor altijd geschonden door de verschrikkingen van Azkaban (VB30, OF25; *zie ook* RD36).
'Bellatrix' = L. 'vrouwelijke strijdster'; ook de naam van een felle ster in het sterrenbeeld Orion die soms de 'Amazonester' wordt genoemd. Bellatrix is in zekere zin de 'anti-Molly'. Waar Molly toegewijd is aan haar echtgenoot en kinderen, verlaat Bellatrix haar echtgenoot en houdt alleen maar van Voldemort. Ze is verre van verzorgend en barmhartig, zoals Molly is – Bella beleeft er plezier aan om anderen, inclusief kinderen, pijn te doen. Het is dus passend dat deze twee vrouwen in een memorabel duel tegenover elkaar kwamen te staan.

van Detta, Rabastan
(Zwadderich, begin jaren '70)
Een Dooddoener; broer van Rodolphus van Detta (VB30, OF6). Rabastan en zijn broer Rodolphus werden veroordeeld tot levenslang in Azkaban (VB27, 33) maar ze ontsnapten in januari 1996 (OF25).

van Detta, Rodolphus
(Zwadderich, begin jaren '70)
Een Dooddoener, broer van Rabastan, echtgenoot van Bellatrix (VB27, 30, OF6).

Deugendetector
(Eng. 'Probity Probe')
Een magisch beveiligingsapparaat dat wordt gebruikt om tovenaars te scannen op het bezit van Duistere voorwerpen wanneer ze

Goudgrijp binnengaan (HBP6, RD26).
'probity' = Eng. 'eerlijkheid'

Deuren-openende spreuk
Zendt een straal van vonken uit de toverstaf, die de deur waar je deze op richt opent (GA7).

Deverill, Philbert
Manager van Pullover United (DP1, 2).

Devon
Een graafschap dat in het westen van Engeland ligt. Nicolaas Flamel en Perenelle Flamel wonen hier (SW13). De Cambridge Cannons *(Eng. 'Chudley Cannons')* komen uit Chudleigh, een stad die in Devon ligt. Het Nest ligt ook in Devon. Ilfracombe, de plek waar in 1932 het beroemde Incident van Ilfracombe plaatsvond, ligt aan de noordkust van Devon (TK).
Volgens de boeken ligt het Nest (Eng. 'the Burrow') in Greenwitch (Eng. 'Ottery St Catchpole), aan de zuidkust van het westelijke gedeelte van Engeland. Op een kaart van dit gebied kun je een aantal aanwijzingen vinden omtrent de locatie van het Nest waaruit geconcludeerd kan worden dat het Nest in Devon ligt. Het stadje Ottery St Mary ligt dicht bij de kust van Devon. Het woord 'Ottery' in de naam komt doordat de stad aan de rivier de Otter ligt. Zelfs als Ottery St Catchpole niet dezelfde stad is als Ottery St Mary, dan moet de stad wel aan de rivier de Otter liggen om die naam te kunnen hebben. Een interessant feit is dat de stad Chudleigh in de buurt van Ottery St Mary ligt. En natuurlijk zijn de Cannons Rons favoriete Zwerkbalteam. Om het allemaal af te maken, er ligt zelfs een boerderij die 'The Burrow Hill Farm' heet net een mijl ten zuiden van Ottery St Mary.

Diadeem van Ravenklauw
Een magische diadeem die gedragen werd door Rowena Ravenklauw. Volgens de legende zou deze diadeem wijsheid aan de drager schenken. De diadeem was een dunne tiara waar de woorden 'Wijsheid zonder grens is ieders liefste wens' in gegraveerd stonden. De diadeem was al vele eeuwen zoek, en sommigen twijfelden zelfs aan het bestaan (RD29, 31).

Didsbury
Dit is een voorstad van Manchester, in het noordwesten van Engeland. Hier woont in de Engelse versie van de boeken D.J. Spork, een tevreden Snelspreukcursist die in hun advertenties wordt geciteerd (GK8).

dierencolumn
De *Ochtendprofeet* heeft elke woensdag een dierencolumn (VB21). Dit was Rita's voorwendsel om Hagrid tijdens zijn lessen

D

Verzorging van Fabeldieren te interviewen, om negatieve verhalen over hem los te krijgen.

dierentuin

Een plaatselijke dierentuin waar de Duffelingen Dirk voor zijn elfde verjaardag mee naartoe namen samen met Pieter en, hoewel ze het eigenlijk niet wilden, Harry. In de dierentuin kochten ze ijsjes, zagen ze een gorilla, aten ze in het restaurant van de dierentuin, en gingen ze naar het reptielenhuis (wat Dirk saai vond omdat geen van de dieren bewoog) (SW2).

De film van het eerste boek laat Harry en de Duffelingen foutief zien in de dierentuin van Londen. Daar kan de dierentuin niet zijn geweest, omdat er wordt gezegd dat Harry nog nooit in Londen is geweest als hij voor de eerste keer naar de Wegisweg gaat (SW5). Welke dierentuin zou het dan geweest kunnen zijn? Er is een dierentuin/attractiepark in Surrey die overeenkomt met de omschrijving. Het heet Chessington Worlds of Adventure en heeft zowel een reptielenhuis als een gorillafamilie. Maar het is vooral een attractiepark en waarschijnlijk zou Dirk dan eerder in de achtbanen gezeten hebben en de dieren totaal vergeten.

Dier-in-Dier Transformaties

Classificatie bij Gedaanteverwisselingstoverkunst waarbij het ene type wezen wordt veranderd in een ander (VB22). Blijkbaar is het makkelijker om de spreuk uit te voeren als de namen van de dieren op elkaar lijken (bijv. Vlaamse gaaien in Vlaamse reuzen), ze uiterlijke kenmerken delen (bijv. egels in speldenkussens) of beide (bijv. kevers in knopen).

Diffindo

(di-FIN-doo)

'Tornspreuk'

Een handige spreuk die iets open of in stukken kan snijden (VB20, 23, 35, RD9).

'diffindo' = L. 'splijten, openmaken'

Diggel, Dedalus

Lid van de Orde van de Feniks, in de jaren '70 en ook in de jaren '90 (OF3, 9). Hij was aanwezig in de Lekke Ketel toen Hagrid Harry op 31 juli 1991 meenam (SW5). Diggel boog een keer voor Harry in een winkel (SW5), wat Petunia verschrikkelijk vond. Hij woont in Kent, en heeft volgens Minerva Anderling nooit veel hersens gehad (SW1). Diggel is ooit een begeleider geweest voor de Duffelingen, die hem niet bepaald vertrouwden, wat ook niet verwonderlijk is (RD11).

Dikke Dame

Portret van een stevig gebouwde dame met een roze zijden jurk die voor het ronde deurgat van de leerlingenkamer van Griffoendor hangt. Om naar binnen te mogen moet je het goede wachtwoord aan de Dikke Dame geven, waarna ze haar lijst uit de muur zwaait (SW8). Ze staat erom bekend dat ze wat geïrriteerd raakt als mensen haar wekken zonder goede reden en ze is soms geneigd om laat op de avond uit haar lijst te wandelen om iemand te bezoeken, zodat het onmogelijk is om de Toren van Griffoendor in te komen (SW9). Ze is bevriend met Beatrijs, een portret in de achterkamer van de Grote Zaal (VB17, 23, HBP17).

Dikke Monnik, de

(Huffelpuf, Middeleeuwen)

Een tovenaar die ooit een Huffelpuf was en nu hun afdelingsgeest is. Hij is een jolige, vriendelijke geest die de eerstejaars vrolijk begroet en hoopt dat ze in Huffelpuf geplaatst worden (SW7).

Het beeld van een dikke, joviale monnik die iets te veel geeft om de pleziertjes van eten en drinken is bekend in de literatuur, vooral voor iedereen die het personage Broeder Tuck uit de legenden van Robin Hood kent. De religieuze ordes die de naam 'Monnik' of 'Broeder' aannamen dateren van rond 1200, zodat de Dikke Monnik geen afdelingsgeest geweest kan zijn tot in dat tijdperk. Van de vier Ordes van de Katholieke Kerk lijken de Augustijnse idealen het meest overeen te komen met die van Huffelpuf en het is aannemelijk dat de Dikke Monnik een volger van Augustinus was. Augustijnen zoeken niet naar de uitzonderlijken en sluiten de gemarginaliseerden van de samenleving niet buiten. Ze willen een gemeenschap opbouwen die gebaseerd is op liefde en respect voor iedereen .

Dimitrov

Jager uit het Bulgaarse Nationale Zwerkbalteam (VB8).

Dina Deuvekater

(1722-1741; Heler in St. Holisto; schoolhoofd van Zweinstein tussen 1741 en 1768)

Een van de eerdere schoolhoofden van Zweinstein; ze heeft lang, zilverkleurig, krullend haar. Er hangt niet alleen een exemplaar van haar portret in de kamer van het schoolhoofd, maar er hangt er ook een in de wachtruimte van St. Holisto (OF22).

Dissendium

(dis-EN-di-um)

Opent de geheime deur in het standbeeld van de gebochelde heks. Harry leerde deze spreuk van de Sluipwegwijzer. Het wordt hardop gezegd terwijl de uitspreker het beeld met zijn toverstok aantikt (GA10).

'dissocio' = L. 'splitsen of uit elkaar halen'

Dobby

'Een Vrije Elf'

(geb. 28 juni, jaartal onbekend; † maart 1998)

Een huiself die voor de Malfi-

dussen werkte. Hij wilde graag zijn lot in dit leven veranderen (GK2). Nadat hij ontsnapt was aan zijn gedwongen slavernij onder de Malfidussen (GK18), ging Dobby werken op Zweinstein (VB21). Hij greep elke kans aan om Harry te helpen (bijv. VB26, OF18). Dobby hield erg van sokken en gebruikt zijn verdiensten als een vrije elf om wol te kopen en voor zichzelf sokken te breien (VB23; *zie ook* RD23, 24).
Een 'dobby' is een 'brownie' – een huiself – uit volksverhalen uit Yorkshire en Lancashire. Dobbies waren dun en ruwharig, en ze waren hulpvaardige kleine wezentjes.

D

Dodderig, Daisy
(1467-1555)
Bouwer en eerste eigenares van de Lekke Ketel. Zie voor meer informatie de Tovenaarskaarten (TK).

Doedijns, Walter
(geb. 1983; Huffelpuf, 1994)
Zweinsteinleerling (VB12).

Dolochov, Antonin
(† 1998?)
Eén van Marten Vilijns vrienden toen hij van school ging, en een Dooddoener van de eerste orde (HBP20, RD9, 36). Dolochovs 'specialiteit' was een straal van paars vuur met een zigzagpatroon die ernstige inwendige verwondingen veroorzaakte (OF31).

Dolleman, Alastor 'Dwaaloog'
(† 1997; Orde van de Feniks)
Gepensioneerde Schouwer, wordt gezien als een van de beste ontmaskeraars van Duistere Tovenaars die het Ministerie ooit heeft gehad. Dwaaloog stond bekend om zijn paranoïde aard, specifiek op het gebied van eten en drinken, maar ook op het gebied van veilig toverstokgebruik; dit laatste zou iets te maken kunnen hebben met zijn eigen missende been (VB13, OF3), maar dat is pure speculatie. Dolleman nam de leiding van elke taak waar hij mee te maken kreeg. Hij was bruusk en efficiënt (OF3, RD4, 5, ook RD15). Dollemans favoriete uitdrukking was 'Wees waakzaam!'
De naam 'Alastor' werd soms aan de Griekse God Zeus gegeven in de mythologie ('Zeus Alastor'). De naam verwees naar Zeus' taak als wreker van slechte daden.

Domski, Dragomir
Een pseudoniem dat Ron gebruikt bij een van zijn avonturen (RD26).

Donders, John
(Eng. 'Dawlish, John')
Een Schouwer, die erg zelfverzekerd en kundig is. Hij heeft Zweinstein verlaten met enkel Uitmuntend voor zijn P.U.I.S.T.en. Donders wordt beschreven als een tovenaar met een hard gezicht en stekeltjeshaar (OF27, 31, 36, HBP8, 17, RD1, 15, 29).

De naam Dawlish komt van de naam van een stadje aan de kust in Devon, een graafschap in Engeland. Het stadje ligt in de buurt van Exeter, waar J.K. Rowling naar de universiteit ging. J.K. Rowling gaf hem zijn voornaam in een gesprek met fans. Dit gesprek was tijdens de lancering van deel zeven. Hij is vernoemd naar 'John Noe' van de Harry Potterwebsite 'The Leaky Cauldron'.

Dondervloek

Zie CONFRINGO

Dood, de (persoon)

In het kinderverhaal 'Het Verhaal van de Drie Gebroeders', sprak de Dood met drie broers die hem overhaalden om hun drie zeer sterke magische voorwerpen te geven: een onverwoestbare toverstaf, een steen die de doden op kon wekken, en een onzichtbaarheidsmantel (RD21).

Dooddoeners

Voldemorts volgelingen. De eerste groep Dooddoeners bestond uit leerlingen van Zweinstein (HBP17). Nadat ze de school hadden verlaten, noemde Voldemort zijn volgelingen Dooddoeners (HBP20) en brandde het Duistere Teken op hun linkeronderarm. Nadat Voldemort verdwenen was, werden veel Dooddoeners gevangen genomen (VB30). Sommige Dooddoeners zeiden dat ze onder de invloed van de Imperiusvloek waren geweest (VB27; *zie ook* VB33, OF25, RD1, 30, 31, 36).

Doodsstok

Legenden verhalen over een krachtige toverstok die de Doodsstok wordt genoemd. Sommige mensen geloven dat deze toverstok dezelfde toverstok is als de Zegevlier, een van de Relieken van de Dood (RD21).

Doodsveen

(Eng. 'Deadmarsh')

De lelijke heks Annis Zwarts woonde in een grot in Doodsveen (DP1).

'Don Juan'

(Eng. 'Royal')

Op *'Met het Oog op Potter'* was dit de codenaam voor Romeon Wolkenveldt (RD22).

De Engelse naam is een verwijzing naar zijn voornaam, Kingsley. Het is aannemelijk dat zijn herkenbare basstem hem zou verraden, ondanks zijn codenaam.

Dop, Engelbert

(geb. c. 1881; Orde van de Feniks)

Bejaarde tovenaar met een amechtige stem en zilverkleurig haar (RD8). Hij is een speciale adviseur bij de Wikenweegschaar en zijn hele leven lang bevriend met Albus Perkamentus (RD2). Dop maakte deel uit van de eerste Orde van de Feniks, en meldde zich weer in de jaren '90. Hij maakte tevens deel uit van

D

de Voorhoede in 1995 (OF3). Rita Pulpers noemde hem 'engeltje Dop' (RD2) en dwaallicht (RD18).

Dora

Inwoner van Havermouth, die zich Frank Braam kon herinneren als kind, en haar mening over hem niet onder stoelen of banken stak (VB1).

Dorkins, Ragmar

Manager van de rampzalige Cambridge Cannons (DP1, 2, 3, 4)

Dorset

Dorset is een graafschap in het westen van Engeland, aan de zuidkust. Onder andere Wimbourne ligt hier, waar het Winterpayne Wasps Zwerkbalteam huist. Hier woont Newt Scamander, de schrijver van *Fabeldieren en Waar Ze te Vinden*, samen met zijn vrouw Porpentina en zijn tamme Kwistels (FD).

Doxy

Een klein feeachtig wezen dat geheel bedekt is met zwart haar. De beet van een Doxy is giftig. Het is ongedierte dat in huizen kan gaan zitten. Om hen weg te krijgen heb je Doxycide nodig. Het is ook een goed idee om tegengif tegen Doxygif bij de hand te hebben (OF6). Hun eieren en ontlasting kunnen gebruikt worden als toverdrankingrediënten, alsmede in andere magische uitvindingen (bijv. OF6). Doxyeieren zijn het lievelingsvoedsel van Boomtrullen (RD28).

Doxycide

Een zwarte vloeistof, die bewaard wordt in een spuitbus. Het wordt gebruikt om Doxy's uit te schakelen zodat ze gemakkelijk verwijderd kunnen worden. Het effect houdt redelijk lang aan (OF6).

Draaisma, Wilco

Verschijnseldocent van het Ministerie van Toverkunst (HBP18).

Draak

Draken zijn vuurspuwende reptielen met grote vleugels. Ze behoren tot de ongelooflijkste magische wezens ter wereld. Dreuzels kennen ze enkel als mythologische wezens, wat te danken is aan het feit dat het Ministerie van Toverkunst er alles aan doet om deze wezens verborgen te houden. Mensen die met draken werken worden drakenoppassers genoemd (VB19). Bij Goudgrijp worden draken gebruikt om de kluizen te bewaken (SW5, RD26). Zie het boek *Fabeldieren en Waar Ze te Vinden* voor meer informatie over verschillende soorten draken.

'Draco Dormiens Nunquam Tittilandus'

De lijfspreuk van Zweinstein die op het wapen staat. Het betekent 'kietel nooit een slapende draak'.

J.K. Rowling wilde dat de lijfspreuk van Zweinstein van praktisch nut zou zijn, niet een of andere hoogdravende uitspraak als 'reik naar de sterren' of 'zet door en hou vol' (CR). Het is niet verrassend dat deze 'praktische spreuk' ook een voorbeeld is van haar prikkelende humor in de boeken.

drakenbloed

Een sterk magische stof. Albus Perkamentus heeft de twaalf toepassingen van drakenbloed ontdekt (SW6, RD2). Een van deze is om de oven schoon te maken (SFC).

drakendealer

Een enigszins zwart beroep, omdat het handelen in draken bij wet verboden is (SW14, 16).

drakendrollen / drakenmest

Drakendrollen worden per vat verkocht in de Verdonkeremaansteeg (GK4) om te worden gebruikt als compost bij de Kruidenkundelessen. Drakendrollen kunnen ook gebruikt worden om ze anoniem naar Percy Wemel te sturen op het Ministerie van Toverkunst, gewoon om hem te pesten (VB5). Drakenmest wordt gebruikt als meststof bij de lessen Kruidenkunde (OF25).

drakeneieren

Een duur ingrediënt voor toverdranken (vooral de eierschalen van de Chinese Zenger). De handel in drakeneieren is echter illegaal, dus is het nogal lastig om eraan te komen (SW16).

Drakenfokken als Broodwinning en Tijdverdrijf

Boek uit de bibliotheek van Zweinstein dat door Hagrid wordt geraadpleegd, omdat hij altijd al een draak wilde hebben (SW14). Op de bladzijden in dit boek staan onder andere 'Essentiële benodigdheden', 'Hoe Drakeneieren te herkennen', een kaart waarop 'Alle Draken van de Aarde' te zien zijn, en een 'A-Z van Drakenkwalen'.

D

Draken van Groot-Brittannië en Ierland, De

Boek dat werd geraadpleegd door Hagrid, die altijd al een draak wilde hebben (SW14).

drakenhouder

Een redelijk gevaarlijk beroep, maar een beroep dat mensen als Charlie Wemel aanspreekt. Hij werkt als drakenhouder in een reservaat in Roemenie (SW8, VB19).

Drakenpest

Een ziekte die heksen en tovenaars kunnen krijgen. De symptomen van deze ziekte zijn nogal bizar, waaronder een groene en paarse uitslag tussen de tenen en het niezen van vonken (DP3). Engelbert Dop doet verslag van het krijgen van Drakenpest toen

hij nog een kind was, waarbij hij zegt dat de ziekte zeer besmettelijk is in de eerste fase. Zelfs nadat hij de ziekte had doorlopen bleef zijn huid nog een aardige tijd groen en pokdalig (RD2). De beroemde Gunhilda van Goormeer heeft rond 1600 een geneesmiddel voor Drakenpest uitgevonden (TK). Drakenpest wordt behandeld op de tweede verdieping van het St. Holisto (OF22).
Er zit een kleine continuïteitsfout in de gegevens die te maken hebben met de Drakenpest. Volgens de Tovenaarskaarten was het eerste slachtoffer van de Drakenpest Gerard Oudzand in de 13ᵉ eeuw (TK). Maar in Zwerkbal door de Eeuwen Heen *staat een brief die in de 11ᵉ eeuw geschreven is door een tovenaar genaamd Diederik Knar. In deze brief zegt hij dat zijn vrouw, Gunhilde, een Zwerkbalwedstrijd heeft gemist doordat ze de Drakenpest opgelopen had (ZE3).*

drakenreservaat
Om hun draken te beschermen, en ze uit het zicht van Dreuzels te houden, hebben veel landen reservaten gemaakt waar deze dieren in kunnen leven. Meestal liggen deze reservaten hoog in de bergen. Charlie Wemel werkt bij een drakenreservaat in Roemenie (bijv. SW6, VB19).

drakenvoerder
Een baan waarvoor het, zoals wellicht begrijpelijk is, lastig is om iemand te vinden. Wellicht moest Goudgrijp hierdoor voor deze baan adverteren in de *Ochtendprofeet* (DP2).
We krijgen eigenlijk geen Goudgrijpdraak te zien tot RD26, maar Hagrid zegt al in het eerste boek tegen Harry dat Goudgrijp draken gebruikt om de kluizen te bewaken (SW5).

Drakenvuur
Een magisch effect dat Arthur Wemel aan de vliegende motorfiets toevoegde. Het lijkt een beetje op een straalmotor, om de motorfiets bij haast sneller vooruit te laten gaan (RD4).

Drakul, Graaf Vlad
(geb. 1390)
Een beruchte vampier geïnspireerd op het verzonnen personage Graaf Dracula, bedacht door Bram Stoker. Zie voor meer informatie de Tovenaarskaarten (TK).

Drank van de Levende Dood
(Eng. 'Draught of the Living Death')
Een zeer sterke slaapdrank (SW8, HBP9, TK) met als ingrediënten: Affodil in een aftreksel van Alsem, Valeriaanwortel, Sodejusboon.
Wordt in de Nederlandse editie van HBP9 ook wel het 'Vocht van de Levende Dood' genoemd, hoewel het om dezelfde toverdrank gaat.

Dreuzel
'Lui die niet kunnen toveren' (SW4). Dreuzels hebben helemaal geen idee van het bestaan van magie, waarin ze zo ver gaan dat ze niet-magische redenen gaan bedenken om magische gebeurtenissen uit te leggen. Veel tovenaars kijken op Dreuzels neer, zien ze als mindere wezens (RD12), terwijl anderen zoals Arthur Wemel ze vooral nogal aandoenlijk lijken te vinden (GK3). De meeste heksen en tovenaars weten vrijwel niets van de Dreuzelwereld. Zweinstein biedt les aan in Dreuzelkunde (GK14). Tovenaars zijn desondanks ontzettend onwetend en hun pogingen om zich als Dreuzels te gedragen zijn erg lachwekkend (VB7).

Dreuzelafwerende Spreuk
Zie REPELLO DREUZELANDUS

Dreuzelbeschermingswet
Een wet die deels door Arthur Wemel is geschreven; Lucius Malfidus zag deze wet als een bedreiging van de superioriteit van tovenaars (GK4, 12, 18).

Dreuzelkunde
Een vak op Zweinstein dat recentelijk door Quirinus Krinkel (BLC), Clothilde Bingel (RD1) en Alecto Kragge (RD12 e.v.) werd gegeven. Het lesboek is *Gezinsleven en Gewoonten der Britse Dreuzels.* Het huiswerk bestond onder andere uit het maken van een overzicht dat laat zien hoe Dreuzels hefbomen gebruiken om iets op te tillen, het belang van elektriciteit bij de Dreuzeltechnologie leren begrijpen, enzovoort (m.n. GA13).

Dreuzeltelgen
Een term die gebruikt wordt voor mensen met toverkracht wier ouders Dreuzel waren, zoals Hermelien Griffel en Lily Evers (HBP4, RD13).

Dreuzeltjepesten
Wordt door sommige tovenaars als spelletje gezien, maar Arthur Wemel veracht het. In principe bestaat het uit het expres in de war brengen van Dreuzels door middel van magie, bijvoorbeeld het laten slinken van sleutels zodat ze die niet kunnen vinden (GK3).

Dreuzelwaardige Uitvluchten, Onderzoeksinstelling voor
Een afdeling van het Departement van Magische Rampen en Catastrofes, dat in geval van een magisch ongeluk of ramp verantwoordelijk is voor het maken van geloofwaardige verklaringen die onder Dreuzels verspreid moeten worden.

Dreuzelwacht
Een magisch apparaat dat alarm slaat als het wordt aangeraakt door een niet-magische hand; een voorbeeld hiervan is een 'Dreu-

zel-afweerder' (*Eng. 'Muggle-deterringgate'*) (DP2, JKR).

Drijvers
Zwerkbalspelers die een betoverde knuppel gebruiken om Beukers mee te slaan om hun eigen team te beschermen en de tegenspelers aan te vallen (vooral SW11).

Drie Bezemstelen, de
Een bekende herberg in Zweinsveld en een plaats waar Zweinsteinleerlingen vaak rondhangen. Het is er warm en comfortabel, elke keer dat Harry er naar binnen gaat erg druk en een geweldige plek om Boterbier te drinken (GA10), hoewel ze ook Oude Klares Jonge Borrel (VB25), violierwater, rodebessenrum en zelfs kersensiroop met soda, ijs en een parasolletje serveren (GA10). Volgens de traditie was de herberg oorspronkelijk het huis van Hengist de Heksenziener, de stichter van het dorp (TK).

'Drie B's'
Manier om Verschijnselen te leren, tenminste, zoals het door Wilco Draaisma wordt onderwezen. Tovenaars moeten zich richten op de gewenste Bestemming, Besluitvaardig zijn en met Bedachtzaamheid ronddraaien. Aangezien Wilco's onderwijs hier ongeveer ophield, kreeg hij een paar onaardige bijnamen die ook met 'b' begonnen (HBP18).

Drillings
Een Dreuzelbedrijf dat boormachines maakt. Herman Duffeling is een directeur van het bedrijf (SW2). Daarom rijdt hij in een bedrijfsauto (GA1) en vermaakt hij potentiële klanten thuis (GK2). Zijn kantoor bevindt zich op de negende verdieping. Hij zit altijd met zijn rug naar het raam en schreeuwt vaak naar mensen door de telefoon (SW2).

Droebel, Cornelis Oswald
Minister van Toverkunst van 1990 (OF10) tot juni 1996 (HBP1). Droebel werd Minister van Toverkunst toen Milène Boterberg met pensioen ging. Aan het begin van zijn vaste aanstelling stuurde hij Perkamentus regelmatig uilen om advies te vragen over wat hij moest doen (SW5). Droebel is enigszins zwak, te beïnvloeden met geld, verslaafd aan zijn eigen positie en privileges en onder de indruk van puurbloed tovenaarsfamilies (OF9). Hij negeerde Voldemorts terugkeer meer dan een jaar. Toen zijn dwaze gedrag aan het licht kwam, werd hij ontslagen (HBP1). Droebel droeg gewoonlijk een groen pak met krijtstreep, een lange, zwarte mantel of een pak met krijtstreep en een lindegroene bolhoed (GK14, GA3).
J.K. Rowling zei dat ze Droebel baseerde op de Britse minister-president Neville Chamberlain. Hij probeerde, voordat de Tweede

Wereldoorlog begon, zichzelf en de Britse natie ervan te overtuigen dat een oorlog op grote schaal voorkomen zou kunnen worden door tegemoet te komen aan een aantal eisen van de Duitse dictator Adolf Hitler. Wat nog meer overeenkomt is dat Chamberlain ervan beschuldigd werd dat hij tegen het parlement loog over de kracht van Hitlers bewapende krijgsmacht en dat hij zich van mensen in de regering ontdeed die het niet eens waren met zijn beleid tegen Duitsland.

Droebel, Rufus

De neef van Cornelis Droebel, die op het kantoor van de Taakeenheid Ongepast Spreukgebruik werkte, maar betrapt werd op een schandaal dat onder andere te maken had met een verdwenen Dreuzelmetro (DP2).

dromen verklaren

Een manier van waarzeggerij, waar les in gegeven werd door professor Zwamdrift op Zweinstein. Het lesboek *Het Droomorakel*, geschreven door Inigo Imago, is hierbij nodig (OF12, 13).

Dromen werden in de Oudheid door mensen gezien als een bovennatuurlijke of goddelijke wijze van communicatie. Van sommige mensen werd gezegd dat ze de gave tot droomverklaring hadden. Heden ten dage gebruiken sommige psychologen nog steeds de dromen van mensen als een manier om hun onderbewustzijn te begrijpen. Het was misschien slim geweest als Harry meer aandacht aan dit gedeelte van de lessen Waarzeggerij had geschonken. Zijn dromen hadden namelijk vaak verborgen betekenissen.

Droomorakel, Het

door Inigo Imago

Zwamdrift gebruikte dit boek tijdens de lessen in het vijfde jaar van Harry; het lijkt erop dat het boek enkel tijdens de lessen gebruikt werd. Het boek gaat over het verklaren van dromen (OF12, 15, 17).

Dropslakken

Een snoepje dat in Zacharinus' Zoetwarenhuis verkocht wordt. De winkel raakt deze snoepjes in weekenden dat Zweinsteinleerlingen Zweinsveld bezoeken snel kwijt (GA10).

Droptoverstokken

Snoep dat wordt verkocht bij het snackkarretje op de Zweinsteinexpress (SW6). Het bevond zich tussen de soorten snoep die Harry noemde terwijl hij het wachtwoord voor Perkamentus' kantoor probeerde te raden (VB29).

Dr. Trubbels Traumatrekzalf

(Eng. 'Ubbly's Oblivious Unction')

Een plaatselijke behandeling voor littekens die veroorzaakt zijn door gedachten, een type verwonding dat Madame Plijster be-

schrijft als 'moeilijk om te helen' (OF38).
'oblivious' = Eng. 'onbewust, vergeetachtig' + 'unction' = Eng. 'zalf of smeersel'

Druilerige Berg
Ligt iets buiten Greenwitch. Het is een onopvallende berg met wat afval eromheen (VB6).

Dr. Vleermans Voortreffelijk Natstartend Nietschroeiend Vuurwerk
Magisch vuurwerk dat te koop is in Guichel & Slemps Magische Fopshop (GK4). Fred en George Wemel waren erg op dit vuurwerk gesteld. Het is waarschijnlijk dat dit een inspiratiebron vormde voor hun eigen vuurwerkassortiment, dat Wemels Wonderbaarlijke Pyropakketten heet.

Dubbelveer, Maria
Dreuzelnieuwsverslaggever die verslag deed over een waterskiend kanariepietje (OF1).

Dubbers, Henk
(Zweinsteinleerling in de jaren '90)
Heeft geprobeerd om waarvan hij zei dat het gemalen drakenklauw was aan leerlingen te verkopen als hulp bij het studeren (OF31).

Duelleerclub
Buitenschoolse activiteit op Zweinstein. Hierbij leren leerlingen een Tovenaarsduel uit te vechten als sport. Perkamentus stond in het schooljaar 1992-1993 Smalhart toe om een Duelleerclub te beginnen op Zweinstein (1992-1993).

Duelleerkampioenschap
In 1430 door Alberta Tandsteen gewonnen. Zie voor meer informatie de Tovenaarskaarten (TK).

Duffeling, Dirk
(Eng. 'Dudley Dursley')
(geb. 23 juni 1980)
De Dreuzelneef van Harry Potter en de enige zoon van Herman en Petunia Duffeling. Dirk werd heel erg verwend door zijn ouders, in tegenstelling tot Harry (HBP3). Petunia knuffelt en koestert hem, en knijpt een oogje toe om zijn pestgedrag. Zijn vader Herman moedigt daarentegen het manipulerende, gewelddadige en hebzuchtige gedrag van zijn zoon enkel aan (bijv. SW2, OF1). Dirk gaat naar een particuliere school genaamd Ballings en vermaakt zich in de vakanties door Harry en de jongere kinderen uit de buurt te pesten (OF1).
De naam 'Dursley' komt van een stad in Gloucestershire, Engeland. J.K. Rowling koos deze naam omdat de naam 'saai en verbiedend' klonk.

Duffeling, Herman
De man van Harry's tante Petunia. Hij is zo ongeveer de meest 'Dreuzelachtige' Dreuzel die er bestaat. Hij heeft geen enkel ge-

voel voor fantasie. Hij is de directeur van Drillings, een bedrijf dat boormachines maakt (SW1, 2). Herman vond magie 'gevaarlijke onzin' (SW3) en beschouwde Harry als iemand die genegeerd, gecontroleerd en opgesloten moest worden (bijv. GK2). Herman spoorde zijn zoon Dirk aan om lomp en hebzuchtig te zijn, net zoals hij (bijv. SW2).

Duffeling, Petunia

(geb. eind jaren '50)

De oudere zus van Lily Potter en de vrouw van Herman Duffeling. Als kinderen waren zij en Lily erg goed bevriend; maar toen Lily de tekenen ging vertonen die erop wezen dat ze een heks was, was Petunia erg jaloers. Als volwassene was Petunia een bemoeizuchtige roddeltante die helemaal weg was van haar zoon Dirk. Tevens had ze een ongelooflijk brandschoon huis en luisterde heel gedwee naar haar zelfvoldane en zeurende man. In 1991 ging ze akkoord met Perkamentus' verzoek of ze Harry in huis wilde nemen toen hij een wees was geworden, wetende dat hierdoor de sterke beschermende spreuk bezegeld zou worden. Terwijl ze Dirk ontzettend verwende, behandelde ze Harry erg slecht, als een stuk huisvuil (GK2).

Duffeling, Tante Margot

Herman Duffelings walgelijke zus. Ze woont op het platteland in een huis waar ze bulldogs fokt (GA3). Margot lijkt heel erg op haar broer Herman: 'groot, dik en met een paars gezicht'; ze heeft zelfs een snor (GA2).

Duisterdetectoren

Magische apparaten, zoals de Gluiposcoop of een Vijandvizier, die waarschuwen wanneer er vijanden of zwarte magie in de buurt is (VB20). Hoewel deze apparaten nuttig kunnen zijn, laat Harry al snel zien dat ze voor de gek gehouden kunnen worden (OF18).

Duistere Dieren uit de Diepzee

Een van de boeken die Harry, Ron en Hermelien lazen toen Harry zich voor moest bereiden op de Tweede Opdracht van het Toverschool Toernooi.

Duistere Teken (spreuk)

Zie MORSMORDRE

Duistere Teken, Het

Het symbool dat door Voldemort en zijn Dooddoeners wordt gebruikt. De spreuk laat een gigantische groene zwevende schedel en een gigantische slang die licht geven verschijnen. Deze spreuk spreken ze uit over een huis waar ze een moord gepleegd hebben (VB9, HBP27). Voldemort liet alle Dooddoeners die het dichtst bij hem stonden een afbeelding van het Duistere Teken op henzelf tatoeëren.

Duistere Voorwerpen

Magische voorwerpen die gevuld zijn met zwarte magie. Hieronder vallen bijvoorbeeld vervloekte voorwerpen zoals de halsketting (HBP16), of voorwerpen die voor zwarte rituelen gebruikt worden, zoals de Gruzielemenen (m.n. HBP23). Duistere voorwerpen kunnen de mensen waar ze bij in de buurt zijn op negatieve wijze beïnvloeden (bijv. RD15).

Duistere Wezens

Magische wezens die pijnigen of doden, niet als onderdeel van hun natuurlijke levenswijze (zoals bijvoorbeeld een roofdier, dat doodt om te eten) maar enkel als kwade opzet. Een Zompelaar leidt bijvoorbeeld mensen niet in het moeras om ze op te eten, maar enkel om kattenkwaad uit te halen (GA9).

Duistere Wezens zijn niet slechts dieren met magische krachten. Fabeldieren *verwijst naar veel van deze wezens als 'demonen'. Niet in de religieuze zin van het woord, maar omdat het een belangrijk aspect van de wezens benadrukt: ze bestaan enkel om pijn te doen en te beschadigen. Duistere Wezens zijn niet slechts roofdieren, hoewel sommige van hen zich voeden met angst of andere negatieve emoties. Ze vallen aan om iemand pijn te doen, niet zozeer om te eten. Een manier om erover na te denken, is om te zeggen dat ze een fysieke representatie zijn van een kwade wil. Een fysieke representatie van zwarte magie. Daarom worden Duistere Wezens bestudeerd bij de lessen Verweer Tegen de Zwarte Kunsten en niet bij Verzorging van Fabeldieren.*

Duistere Zijde, De

Een naam voor Voldemorts volgelingen.

De term Duistere Zijde wordt gebruikt in boek één tot en met vier, maar niet in de boeken vijf, zes en zeven. Toen Voldemort terugkwam en de nadruk van het gevecht meer kwam te liggen op de Orde van de Feniks en de Dooddoeners werden persoonlijkere termen gebruikt.

Duivelsstrik

Een gevaarlijke plant die zijn ranken en uitlopers gebruikt om iedereen die de plant aanraakt bij de handen en benen vast te binden en hen uiteindelijk laat stikken. De Duivelsstrik houdt van vochtige, donkere ruimtes, en is bang voor vuur. Dus een goedgerichte vuurspreuk kan de plant van zijn slachtoffers verdrijven (SW16, OF22, 25). Duivelsstrik wordt genoemd in de advertentie voor het 'Toots, Shoots 'n' Roots radioprogramma dat zich bevindt in het 'Geruchtenonderdeel' van de website van J.K. Rowling (JKR).

Duivelsvuur

(Eng. 'Fiendfyre')

Zeer gevaarlijk vervloekt magisch vuur dat bestaat uit vlammen van

abnormaal formaat en hitte die vrij substantiële objecten door een enkele aanraking tot roet kunnen vergruizelen, zelfs magische artefacten. Als het vuur lang genoeg blijft branden, neemt het de vormen aan van gigantische vurige beesten (zoals serpenten, chimaera's, draken en roofvogels) die alle mogelijke mensen zullen aanvallen (RD31).
'fiend' = Eng. 'een onmenselijk, gemeen persoon' + 'fyre' van het Oudeng. 'fyr' = 'vuur'

Duizend Magische Kruiden en Paddesntoelen
door Philippa Zwam
Een studieboek dat verplicht is gesteld door Sneep voor de Toverdranklessen van alle jaren (SW5, HBP25).

Dukelow, Mathila
Een fan van de Holyhead Harpies, die zich afvroeg wat er werkelijk was gebeurd toen Wilda Griffiths, de Jager van Pullover United, tijdens een wedstrijd verdween (DP4).

Duplicatus
(du-pli-KA-tus)
(Eng. 'Geminio')
Spreuk die het doelobject kopieert (RD13).
'geminare' = L. 'verdubbelen'

Duro
(DUUR-oh)
Verandert het doelwit in steen (RD32)
'duro' = L. 'harden, stijf worden'

duvelskater
(Eng. 'oddsbodikins')
Een van de vreemde wachtwoorden van heer Palagon om in de Toren van Griffoendor te komen (GA12).
Een ouderwetse Engelse kreet, van 'Gadsbodikins' = 'Gods lichaam', een bastaardvloek.

dwergen
Kleine, nors kijkende gasten die door Smalhart werden ingehuurd om postrondbrengende cupido's te zijn en valentijnskaarten rond te brengen voor de leerlingen. Ze waren nogal doortastend met hun manieren om leerlingen naar hun berichten te laten luisteren. Soms tackelden ze leerlingen, en gingen ze op hen zitten, zodat ze naar liefdesberichten moesten luisteren (GK13).
Wanneer iemand een dwerg is in de wereld van Harry Potter is niet helemaal duidelijk. Dit is de enige plek in de boeken waar ze genoemd worden. De tekst suggereert dat ze een apart soort magisch wezen zijn, en niet zomaar een soort klein uitgevallen tovenaars.

Dzou Yen
(4e eeuw v.Chr.)
Chinese Alchemist (TK).
Sommige mensen denken dat China het eerste land is waar alchemie als leer en traditie begonnen is. Dit

D

ging meer samen met het beoefenen van geneeskunde dan met het veranderen van de eigenschappen van metaal. Het 'Levenselixer' wat soms het 'drinkbare goud' genoemd werd, was een mengsel gemaakt van verschillende stoffen. Het bevatte onder andere arsenicum en kwik. Deze elixers waren echter zeer giftig, in plaats van de beoogde onsterfelijkheid te geven. Een aantal Chinese keizers stierf blijkbaar door deze elixers nadat ze die van hun alchemisten hadden gekregen.

Edele Geslachten: Een Overzicht van Alle Tovenaarsfamilies

De familie van Sirius bezat dit boek (OF6, RD22).

Edna, oudtante

Een familielid van Marcel Lubbermans, mogelijk getrouwd met oudoom Alfred (SW7).

eenhoorn

(Eng. 'unicorn')

Een wit wezen dat op een paard lijkt met één hoorn op het hoofd. Vierdejaars moeten eenhoorns bestuderen bij Verzorging van Fabeldieren (VB24, 26). Verschillende lichaamsdelen van de eenhoorn – de hoorn en de staart in het bijzonder – kunnen gebruikt worden als toverdrankingrediënten (SW15) en als toverstokkernen (SW5). Zilveren eenhoornhorens kosten bij de Apothekerij in de Wegisweg eenentwintig Galjoenen per stuk (SW5) en de staartharen zijn tien Galjoenen waard per stuk (HBP22). Het bloed van de eenhoorn kan gebruikt worden om het leven tot het oneindige te verlengen, hoewel je leven volgens Firenze vervloekt zal zijn omdat je iets dat zo puur is hebt gedood (SW15). Zie voor meer informatie het boek *Fabeldieren en Waar Ze te Vinden.*

'unus' = L. 'één' + 'cornu' = L. 'hoorn'

De eenhoorn wordt voor het eerst beschreven in Oudgriekse teksten, maar niet als deel van mythologische vertellingen. De eenhoorn werd omschreven als een bestaand wezen dat in India voorkwam, met een hoorn waarvan ze dachten dat het beest er vergif mee kon detecteren. De enige manier om een eenhoorn te vangen was door een jonge maagd mee te laten gaan met de jagers. De eenhoorn zou direct naar de vrouw toe komen en volledig bedaard aan haar voeten gaan liggen. J.K. Rowling leent dit idee wanneer ze zegt dat eenhoorns aardiger zijn voor meisjes dan voor jongens. Eenhoorns komen door de eeuwen heen voor in volksverhalen en middeleeuwse dierenboeken.

Eenhoorn (Rune)

Volgens het boek *Oude Runen Eenvoudig Verklaard* staat de Eenhoorn voor het getal 1, wat te danken is aan de enkele lange, rechte hoorn van het dier (JKR).

Eerste Tovenaarsoorlog
(c. 1970 tot 1981)
In de vroege jaren '70 werd Voldemort zo angstaanjagend dat maar weinigen zijn naam uit durfden te spreken. Ook verbond Voldemort zich, behalve met zijn Dooddoeners, met weerwolven en Dementors en had hij de macht over een leger van Necroten (HBP3). Gedurende deze tijd vielen Voldemort en zijn volgelingen iedereen aan die zich verzette of de rechten van Dreuzels en Dreuzeltelgen verdedigde. De plaats van de moord markeerden ze met het Duistere Teken (VB9). Hele families werden uitgeroeid en vele anderen moesten onderduiken. Het Ministerie kon de situatie niet bolwerken, waarna Perkamentus het verzet begon te organiseren en de Orde van de Feniks oprichtte (OF6, 9). De Oorlog eindigde met de mysterieuze verdwijning van Voldemort in Goderics Eind (SW1).

Eetbare Duistere Tekens
Een product dat verkocht wordt in de Tovertweelings Topfopshop. Volgens het opschrift is het 'Om Van Te Kotsen!' (HBP6).

Eeuwigdurende Elixers
Wordt in het zesde jaar tijdens het vak Toverdranken bestudeerd; informatie over deze toverdranken is te vinden in *Toverdranken voor Gevorderden* (HBP15).

Eeuwigdurende Inkt
Door de jaren heen is er een aantal bezoekers van Goderics Eind geweest die deze inkt gebruikt heeft om op het monument te schrijven dat de val van Voldemort in 1981 herdenkt (RD17).

Egidius
(Eng. 'Errol')
Een oude, afgeleefde grijze uil van de familie Wemel. Hij raakt vaak buiten bewustzijn na verzendingen, zodat het gemakkelijk is om hem met een veren stoffer te verwarren (GK4).
Zijn naam is waarschijnlijk afgeleid van de Engelse woorden 'error' (vergissing) en 'errant' (niet onder controle).

Egypte
Een land met een rijke magische geschiedenis, waar Bill Wemel als een vloekbreker voor Goudgrijp werkte. De Wemels hebben hem daar bezocht en ze gingen naar de piramides waar ze ongelofelijke vloeken zagen die oude Egyptische tovenaars over de tombes hadden uitgesproken (GA1). Egypte is het thuisland voor het Centrum van Alchemistisch Onderzoek, het grootste onderzoeksinstituut van de wereld op dat gebied (JKR).

Ehwaz
Een oude rune die 'verbond' betekent (OF31).

ei, gouden

Een zwaar, magisch object in de vorm van een drakenei dat gebruikt werd als prijs in de Eerste Opdracht van het Toverschool Toernooi (VB20, 25).

Van Ei tot Inferno: Een Praktisch Handboek voor Drakenfokkers

Bibliotheekboek van Zweinstein dat door Hagrid werd geraadpleegd omdat hij altijd al een draak wilde hebben (SW14).

eigenaar van Klieder en Vlek

Een getergde tovenaar die om moet zien te gaan met bizarre en gevaarlijke boeken die worden voorgeschreven door leraren van Zweinstein. Hij klaagde dat exemplaren van *Het Onzichtbare Onzichtbaarheidsboek* van de winkel 'peperduur waren en we hebben ze nooit teruggevonden' en moest toezien hoe zijn exemplaren van het *Monsterlijke Monsterboek* hem én elkaar aanvielen (GA4).

'Een eigen huis'

Een Dreuzelliedje dat Herman Duffeling neuriede terwijl hij de spleten langs de voor- en achterdeur van de Ligusterlaan nummer vier als een razende dichttimmerde. Hij probeerde te voorkomen dat de Zweinsteinbrieven Harry bereikten (SW3).

Eihwaz

Een oude rune die 'verdediging' betekent (OF31).

eik

Een houtsoort die Olivandor gebruikte voor Hagrids toverstok (SW5).

J.K. Rowling gaf Hagrid een eikenhouten toverstok omdat de eik beschouwd wordt als de 'koning van het woud' en kracht symboliseert (JKR).

Eikel, de

Een symbool dat wordt gebruikt bij het doen van voorspellingen met theebladeren, uit *Ontwasem de Toekomst* pagina vijf en zes, dat 'een meevaller, een onverwachte som goud' betekent (GA 6).

De 'eikel' staat in de tasseografie (het lezen van theeblaadjes) voor geluk, blijdschap en tevredenheid.

Elefant, Gondolien

(1720-1799)

Een beroemde Trollendeskundige; zie de Tovenaarskaarten voor meer informatie (TK).

elfjes

Kleine wezentjes die op hele kleine mensjes met insectenvleugels lijken. Elfjes zijn extreem ijdel, ze vinden niets leuker dan het dienen als versiering (bijv. GA10, VB23).

Elfjes komen voor in de folklore van over de hele wereld, vaak als kleine, delicate wezens die buiten het zicht van mensen leven, meestal in bossen. Elfjes hebben de magische krachten om te vliegen, te toveren en de toekomst te voorspellen.

E

Ze kunnen vriendelijk zijn maar worden soms ook afgeschilderd als ondeugend of zelfs boosaardig. J.K. Rowlings versie van elfjes verschilt vrij veel van het traditionele type; ze zijn hier meer insecten dan intelligente natuurwezens.

elfeneitjes
Het favoriete voedsel van Boomtrullen (OF13).

Elfeck, Wilfred
(1112-1199)
Tovenaar die door een Erupment werd gedood; zie de Tovenaarskaarten voor meer informatie (TK).

Elfric de Grijpgrage
Was verantwoordelijk voor een opstand waar de eerstejaars over leerden, dus hij was waarschijnlijk een kobold (SW16).

Elixer dat Euforie Opwekt, een
Een heldergele toverdrank die Harry brouwde tijdens de les Toverdranken. Soms treden er neveneffecten op, zoals 'overdreven hard zingen en mensen onverwacht in de neus knijpen', hoewel dit volgens Slakhoorn geneutraliseerd kan worden door de toevoeging van wat blaadjes pepermunt (HBP22).

Elkins, Elveira
Een heks die naar de problemenpagina van de *Ochtendprofeet* schreef omdat ze moeite had met een Vastmaakspreuk (DP3).

Ellis Moor
Een heideveld met een Zwerkbalstadion (OF4).
Er lijkt geen enkele plaats in Groot-Brittannië te zijn met de naam Ellis Moor, maar er is wel een Porkellis Moor in Cornwall waar J.K. Rowling de naam mogelijk vandaan heeft. In de 19e eeuw waren er een aantal tinmijnen, maar er zijn nu enkel een aantal pompgebouwen over.

Elsdonk, madame
Een heks die werkt voor de afdeling Haardroosters. Marina Elsdonk is haar dochter (OF27).

Elsdonk, Marina
(Ravenklauw, c. 1990; Strijders van Perkamentus)
Een vriendin van Cho Chang met krullend, roodblond haar. Marina werd meegesleurd naar de bijeenkomsten van de SvP, maar voelde zich er niet zo thuis (OF16, 27; *zie ook* BLC).

Emeric de Wraakzuchtige
Een van de vele tovenaars die de Zegevlier ooit in bezit hadden (RD21). Hij werd besproken in Harry's allereerste les van Geschiedenis van de Toverkunst (SW8).

Enchanted Encouters
door Fifi LaFolle
Een serie van liefdesromans voor

Tovenaars (JKR).

Encyclopedie der Giftige Paddenstoelen

Een boek uit de voorraad van Klieder en Vlek dat Lucius Malfidus in het oog raakte tijdens een ruzie in de winkel (GK4).

Engelse Duelleerkampioenschap

Werd in 1430 door Alberta Tandsteen gewonnen; zie voor meer informatie de Tovenaarskaarten (TK).

Engelse nationale Zwerkbalteam

Ludo Bazuyn speelde vele jaren geleden voor het Engelse nationale Zwerkbalteam (VB30, *zie ook* VB5).

Engorgio

(en-GOR-gie-oh)

'Zwellbezwering'

Een vrij gewone bezwering die wordt gebruikt om voorwerpen mee te vergroten (VB4).

'engorger' = Fr. 'gulzig opslokken'

Enervatio

(EEN-er-vaa-tsjio)

Spreuk die gebruikt kan worden om een persoon die Verlamd is naar zijn normale staat van bewustzijn en controle terug te brengen (VB9).

Entwhistle, Kevin

(Ravenklauw, 1991)

Kevins naam verscheen op een vroege schets van de klassenlijst voor Harry's jaar. Hij is een Dreuzeltelg. Hoewel hij op de lijst voorkomt, is hij nooit in de canon verschenen (HPM).

Erecto

Een handige spreuk die Hermelien gebruikte om een tent op te zetten (RD14).

'erecto' = L. 'oprichten, opzetten'

Erfgenaam van Zwadderich

Volgens de legenden bouwde Zwadderich een kamer onder de school met daarin een monster dat alleen zijn directe erfgenaam kan beheersen. Jaren later vroeg iedereen zich af wie de Erfgenaam van Zwadderich werkelijk was. Harry werd er een tijd lang van verdacht (GK17).

Erik

(geb. 1982; leerling op Zweinstein, 1993)

Leerling die een paar jaar jonger is dan Harry, die, net als Harry, tijdens de kerstvakantie van 1993 op Zweinstein moest blijven (GA11).

Erupment

Een groot, magisch beest met een exploderende hoorn. Kennelijk lijkt de hoorn van een Kreukelhoornige Snottifant op die van de Erupment, behalve dat deze niet explodeert (RD20).

De naam van dit wezen komt van

het Engelse woord 'erupt', wat 'plotseling ontploffen' betekent en van 'pent', wat 'ingesloten' betekent. Dit geeft het idee dat er iets ingesloten zit en op het punt staat om te ontploffen.

es

Een magische houtsoort die voor zowel bezemstelen als toverstokken wordt gebruikt (JKR).

Essenhout staat in de bomenleer voor 'doelgerichte kracht'. De grote boom die volgens de Noorse mythologie in het midden van de wereld staat, was een grote essenboom genaamd Yggdrasil.

E

esdoorn

Een soort toverstokhout dat af en toe door Olivander werd gebruikt (SW5).

Een esdoornen toverstok zou best een goede toverstok voor Harry zijn geweest. In de bomenkunde staat het voor een onafhankelijke geest, met ambitie en leergierigheid maar ook iemand die gereserveerd en complex kan zijn. Klinkt als Harry.

essenkruid

Een van de planten die beschreven wordt in *Duizend Magische Kruiden en Paddenstoelen* (SW14). Het sap van essenkruid wordt gebruikt om wonden te genezen (bijv. HBP24, JKR, RD14, 17, 27).

Er worden twee verschillende varianten van essenkruid gebruikt door kruidenkundigen. Beide bezitten medicinale eigenschappen. Wit essenkruid, dat in Zuid-Europa, Azië en Afrika groeit, geeft een ontstekingsremmende olie af.

Eton

Eton College is een beroemde privéschool voor jongens in Engeland. Joost Flets-Frimel vertelde Harry eens dat zijn naam op de lijst van Eton stond voordat hij erachter kwam dat hij een tovenaar was en ervoor koos om in plaats van naar Eton naar Zweinstein te gaan (GK6).

Eton is één van de meest prestigieuze scholen in Groot-Brittannië. Beroemde leerlingen zijn onder anderen achttien voormalige minister-presidenten en leden van de koninklijke familie. Als Joost naar die school mocht, komt hij blijkbaar uit een familie met een hoge status en goede connecties.

Europa

Een van Jupiters manen, die bestudeerd werd in de Astronomielessen (OF14).

Europa: Een Analyse van het Magische Onderwijs

Dit boek bespreekt onder andere Beauxbatons Academie voor Toverkunst (VB9,11).

Evanesco

(EE-van-ES-ko)
'Verdwijnspreuk'
Een spreuk die ervoor zorgt dat dingen 'in het niets' verdwijnen

(RD30). Het lijkt een handige, alledaagse spreuk die door veel tovenaars wordt gebruikt, maar wordt pas in het vijfde jaar onderwezen (OF13).
'evanesco' = L. 'verdwijnen'

Everard
Een befaamd voormalig schoolhoofd van Zweinstein. Zijn portret hangt nu in het kantoor van het schoolhoofd en in het Ministerie van Toverkunst (OF22).

Evers, familie
Een familie die in de jaren '60 in hetzelfde dorp (Weverseind) woonde als de familie Sneep. Meneer en mevrouw Evers hadden twee dochters, Petunia en Lily. Ze waren er trots op te ontdekken dat Lily een heks was (SW4) en vonden het vermakelijk om dingen over de toverwereld te leren (RD33).
Zie POTTER, LILY *en* DUFFELING, PETUNIA

Evers, Mark
Een Dreuzeljongen die dicht bij de Ligusterlaan woonde en op zijn tiende in elkaar werd geslagen door de vijftien jaar oude Dirk (OF1). Ondanks zijn achternaam is hij niet verwant aan de familie van Lily (JKR).

Evert
Oude tovenaar die de voorkeur geeft aan gebloemde nachthemden als hij zich als Dreuzel moet kleden. Evert weigerde om een broek te dragen op het kampeerterrein van het WK Zwerkbal; hij zei dat hij van een 'frisse bries in zijn kruis' hield (VB7).

Exmoor
Groot gebied van grasland in het noorden van Devon, waarvan het grootste deel een nationaal park is, waar een professioneel Zwerkbalstadion is gevestigd (DP2). Ook de locatie van een 'Zingende Heks' concert van Celine Malvaria (JKR).

Expecto Patronum
(ex-PEK-toh pa-TROH-num)
'Patronusbezwering'
Spreuk die een Patronus oproept, een zilverachtige verschijning die in zijn sterkste ('materiële') vorm de gedaante van een dier aanneemt (OF27). De Patronus is de belichaming van de positieve gedachten van degene die hem oproept en is de enige verdediging tegen Dementors (GA12). Om deze op te roepen, moet je je concentreren op een 'uitzonderlijk gelukkige herinnering' (GA12).
Zie PATRONUS
'expecto' = L. 'verwachten, uitkijken naar' + 'patronus' = L. 'een beschermer'

Expelliarmus
(ex-pel-ie-AR-mus)
'Ontwapeningsspreuk'
Zorgt ervoor dat de toverstok van een tegenstander uit zijn of haar

hand vliegt (GA19, OF18). Harry leerde deze spreuk van Sneep (GK16, OF18). De spreuk kan onverwachte gevolgen hebben (VB34). Een Expelliarmusspreuk kan een heks of tovenaar 'verslaan' door de loyaliteit van de toverstok te veranderen (RD35).
'expelo' L. 'uitdrijven' + 'arma' L. 'wapen'
Terwijl Voldemort lukraak de Vloek des Doods gebruikt, vertrouwt Harry op een non-agressieve spreuk. Hij gebruikte Expelliarmus *zelfs nog toen de Dooddoeners het als zijn lijfspreuk beschouwden (RD5). Op het eind beschrijft J.K. Rowling Harry als een persoon van medelijden en genade – van liefde – in plaats van geweld en moord. En het is de liefde die uiteindelijk het kwaad overwint: de familieliefde die je kan zien in de handelingen van Narcissa Malfidus, de liefde van vrienden die wordt geuit tussen de leden van de SvP, de liefde die wordt getoond aan de zwakken en de onderdrukten zoals je kan zien in Harry's houding tegenover de huiselfen en kobolden, en de liefde tegenover vijanden, die Harry laat zien als hij weigert om een moord te plegen, ook als zijn eigen leven in gevaar is.*

E

Experimentele Fokverbod
Een belangrijke wet die ervoor zorgt dat tovenaars geen nieuwe en gevaarlijke dieren mogen creeren (VB24).

Exploffers Deluxe
Een van de verschillende vuurwerkpakketten die bij Tovertweelings Topfopshop te koop zijn. Het kost 20 galjoenen (OF28).

Expulso
(ex-PUL-soh)
Een spreuk die een explosie veroorzaakt (RD9).
'expulsum' = L. 'uitdrijven, wegsturen, uitdwingen, verbannen'

Ezel, de
In tegenstelling tot Zwamdrifts interpretatie, zei Simon dat hij Harry's theebladeren meer op een ezel dan een Grim vond lijken.
In de tasseografie, waarzeggerij middels theebladeren, staat de 'ezel' voor koppigheid, wat in deze context een verborgen grap is. Door Zwamdrift tegen te spreken is Simon namelijk toch wel enigszins dwars en koppig bezig.

Fabel- of Roofdier? Een Studie van de Wandaden der Hippogrief
Ron gebruikte dit boek tijdens zijn onderzoek voor Hagrid (GA15).

Fabeldieren en Waar Ze te Vinden
Door Newt Scamander
Een standaard naslagwerk over fabeldieren in de Tovenaarswereld (SW5, OF27, RD20, TK).
In het tweede gedeelte van het boek staan heel veel fabeldieren, waaronder die die hier beschreven worden. Dit is een encyclopedie van magische dieren die gevuld is met fascinerende informatie. We geven deze informatie hier niet weer, want we moedigen jullie aan om zelf een exemplaar van Fabeldieren en Waar Ze te Vinden *te zoeken en er meer over te lezen.*

Falmouth Falcons
Zwerkbalteam uit Falmouth, in het meest zuidwestelijke punt van Engeland (DP1-4).

Fandango's Fantasmagorische Feesttenten
Bedrijf dat magische tenten verhuurt voor speciale gelegenheden (RD6).

Fanielje, Dexter
Een dikke tovenaar met een rode neus, een voormalig schoolhoofd van Zweinstein. Zijn portret hangt in het kantoor van het schoolhoofd (OF27).

Fanielje, Florian
Tovenaar die ooit een ijssalon op de Wegisweg bezat waar Harry zijn huiswerk maakte toen hij in de Lekke Ketel verbleef (GA4).
Volgens J.K. Rowling was er een subplot met Florian Fanielje wat te maken had met de Zegevlier, maar dit haalde het laatste boek niet (PC-JKR2).

Fantaciteer-veer
Een veer die betoverd is om zonder menselijke tussenkomst op een vel papier te schrijven. Hij schrijft een overdreven verhaal over wat er dan ook in zijn omgeving gebeurd als hij is geactiveerd. Rita Pulpers had standaard een gifgroene Fantaciteer-veer in haar tas van krokodillenleer (VB18).

Fantastape

(Eng. 'Spellotape')

Repareert magische voorwerpen (GK6, GA6, VB10, OF23, RD13, JKR).

In het Engels heet deze tape 'Spellotape'. De Engelse naam is een woordspeling voor 'Sellotape', de Engelse term voor 'plakband'.

FashionFeeks

Worden verkocht bij Tovertweelings Topfopshop. Alles is knalroze verpakt en erg aanlokkelijk voor tienermeiden. Tot de productlijn behoort onder andere een aantal liefdesdrankjes. Een hiervan is naar het schijnt door Regina Valster gekocht (HBP18), net als een pukkelverwijderaar die binnen tien seconden werkt. De producten slaan blijkbaar aan bij de doelgroep, want als Harry en de Wemels naar de winkel gaan wordt de etalage 'omringd door opgewonden, enthousiast giechelende meisjes' (HBP6).

Faunaten / Faunaat

(Eng. 'Animagus')

Een tovenaar die in een dier kan transformeren terwijl hij het vermogen behoudt om als een mens te denken. Deze transformatie vereist ingewikkelde en moeilijke toverkunst. De toverkunst wordt uitgevoerd zonder een toverstok (bijv. GA19) of spreuk.

Het dierenuiterlijk van een Faunaat laat de fysieke gesteldheid van zijn of haar menselijke vorm zien. Zo ontbrak er bij een personage aan zijn rattenvorm een teen van één van zijn voorpoten omdat hij een vinger had verloren (GA19). Een ander personage had als kat vierkante markeringen rond haar ogen, net als haar bril (SW1). De Taakeenheid Ongepast Spreukgebruik van het Ministerie houdt een lijst bij van alle bekende Faunaten (GA18).

'animal' = L. 'dier' + 'magus' = Perzisch, 'magiegebruiker, wijze man'

Faunatenregister

Een register van alle bekende Faunaten dat wordt bijgehouden door de Taakeenheid Ongepast Spreukgebruik. Het is door iedereen in te zien; Hermelien kon het op dertienjarige leeftijd raadplegen. Ze kon toen ook de namen van de geregistreerden inzien (GA19). Het Ministerie houdt voor elke Faunaat die haar bekend is het soort dier en bijzondere kenmerken bij (VB26). De straffen als men zich niet registreert zijn behoorlijk zwaar (VB37). Er zijn sinds 1900 maar zes namen op de lijst geplaatst.

feeks

Magisch wezen, lijkt op een oude vrouw. Ze zijn minder bedreven dan heksen in het zich vermommen voor Dreuzels (GA4, VB19). Feeksen zijn wat sommigen 'sprookjesheksen' zouden noemen. Ze zijn wild in voorkomen en hebben een reputatie als kindereters (DP1, TK), hoewel dit mogelijk niet waar is (JKR). Feeksen hebben maar vier tenen aan elke voet (JKR).

feestverlichting

(Eng. 'fairy lights')

Feestverlichting voor Kerst (OF23). Het is ook een wachtwoord dat gebruikt werd door de Dikke Dame (VB23).

De Engelse term is een woordspeling. In de Tovenaarswereld worden elfjes gebruikt als versiering: fairies.

felblauwe vlammen

Maken een hoeveelheid blauwe vlammen die naar een specifieke plaats kunnen worden gedirigeerd of kunnen worden rondgedragen in een potje (SW11, 16, GK11, RD19).

Felix

(Eng. 'Fawkes')

Perkamentus' huisdier, een Feniks (GK12, VB36, HBP29, 30). Felix is een zeer intelligente magische vogel die dient als boodschapper en als uitkijk voor zijn eigenaar (bijv. OF22). Zoals alle Feniksen barst Felix regelmatig in vlammen uit en wordt hij als een kuiken herboren uit de as (GK12).

Deze naam is ontleend aan de beruchte Guy Fawkes, die in 1606 betrokken was bij het Buskruitverraad om het parlement op te blazen. Fawkes was niet de eigenlijke leider van het Verraad, maar zijn naam ging de geschiedenisboekjes in als de man die er verantwoordelijk voor was. 5 november wordt nu de Guy Fawkesdag genoemd en de vieringen omvatten vreugdevuur en vuurwerk, als nagedachtenis aan de explosie die nooit plaatsvond. Aangezien de feniksvogel zo nu en dan helemaal verbrandt en herboren wordt als een klein kuiken, is een naam die met vuur te maken heeft een logische keuze.

Felix Fortunatis

(Eng. 'Felix Felicis')

Goudkleurige toverdrank die geluk brengt (HBP9, 22).

'felix' = L. geluk + 'felicis' = L. 'geluk' (hetzelfde woord, verschillende naamvallen)

Feniks

Een magische vogel ter grootte van een zwaan met donkerrode en gouden veren (GK17). Feniksen kunnen veel gewicht dragen (GK17), en hebben tevens het vermogen om te verdwijnen en ergens anders met een flits van vuur te verschijnen (OF22). Feniksen worden herboren nadat ze dood zijn gegaan, ze worden na elk overlijden herboren uit hun eigen as (GK12). De staartveren van de Feniks worden gebruikt als toverstokken (SW5, VB36). De tranen van de Feniks hebben een krachtige genezende werking, en kunnen zelfs als tegengif tegen de beet van

de Basilisk dienen (RD6).
De Feniks komt voor in de mythologie en volksverhalen van een aantal culturen. Over het algemeen was het een grote vogel die, wanneer hij stierf (meestal door vuur) herboren werd. In het Classicisme stond de Feniks voor Christus, met name zijn dood en opstanding.

Ferula
(fee-ROE-la)
Een spreuk die een houten stang laat verschijnen om als spalk voor een gewond been te dienen (GA13).
'ferula' = L. 'stok of roede' (zoals gebruikt om iemand mee te straffen)

Festus
De irritante neef van Simon Filister (HBP17).

Fideliusbezwering
(fie-DEE-lie-us)
Een zeer krachtige spreuk, extreem complex en moeilijk om uit te spreken, die een plaats en de mensen erin verbergt en zo onmogelijk gevonden kan worden. Er wordt een persoon aangewezen als de Geheimhouder voor de spreuk en enkel die persoon kan de locatie onthullen (GA10) door deze kennis verbaal of schriftelijk door te geven (OF4). Na de dood van een Geheimhouder wordt elke persoon met wie de informatie gedeeld werd een Geheimhouder. De kracht van de Fideliusbezwering verdunt telkens meer en meer als het aantal Geheimhouders groter wordt (RD6, JKR).
'fidelis' = L. 'vertrouwelijk, loyaal'

Fijnwijk, Benny
Lid van de Orde van de Feniks in de jaren '70; volgens Dolleman vermoord door Dooddoeners. Ze hebben alleen 'restjes teruggevonden' (OF9).

Finite
(fi-NIE-te)
Beëindigt de werking van een op dat moment werkende spreuk (OF36, RD31).
'finio' = L. 'afhandelen, beëindigen, sterven, ophouden'
Deze spreuk is waarschijnlijk enkel een verkorte versie van Finite Incantatem.

Finite Incantatem
(fi-NIE-te in-kan-TAA-tem)
Beëindigt de werking van een op dat moment werkende spreuk (GK11).
'finio' = L. 'afhandelen, beëindigen, sterven' + 'incantationem' = 'de kunst van betoveren'

Filister, Mevr.
Simons moeder (VB7, OF11). Ze is een heks, waar Simons vader, een Dreuzel, niet achter kwam totdat ze getrouwd waren (SW7).

Filister, Simon
(geb. 1980; Griffoendor, 1991;

Strijders van Perkamentus)
Ierse jongen met rossig haar in Harry's jaar. Hij is een Halfbloed met een Dreuzelvader en een moeder die heks is (SW7). Hij is goed bevriend met Daan Tomas (VB7). Simon is fan van de Kenmare Kestrals (OF11).

Firenze
(fie-REN-zu)
(Professor Waarzeggerij, 1996-?)
Een centaur met witte haren, een goudgeel lichaam en blauwe ogen (SW15). Hij vertrouwt mensen meer dan de rest van de centauren doet en gelooft dat de centauren een positie in moeten nemen tegen het opkomend kwaad. Op Perkamentus' verzoek kwam hij bij het lerarenteam van Zweinstein als docent Waarzeggerij, waardoor de andere centauren hem als een verrader gingen beschouwen en hem uit hun kudde zetten (OF27, 30, 38, HBP9, RD36; *zie ook* BLC).
Firenze is de Italiaanse spelwijze van de stad Florence, de hoofdstad van Toscane in Italië.

Fisteldistels
Een behoorlijk onplezierige, zwarte en wriemelende plant die bedekt is met grote met vloeistof gevulde bulten (VB13). Zoals lerares Stronk uitlegt aan haar vierdejaars, reageert deze vloeistof met mensenhuid. Onverdund zal het bij contact vreselijke zweren veroorzaken (VB28), maar in netjes verdunde en verwerkte vorm kan het worden gebruikt om acne mee te genezen (VB13). De genezende werking van Fisteldistelpus tegen puistjes werd ontdekt door Sacharissa Trekhout (TK).

Fladderbloem
Een ongevaarlijke potplant die qua uiterlijk lijkt op de Duivelsstrik, maar niet hetzelfde karakter heeft (OF25).

Fladderbladstruik
Een magische plantensoort die trilt en schudt (RD6). Studenten snoeiden deze in hun vierde jaar bij Kruidenkunde (VB20).

Flagrato
(fla-GRAH-too)
Spreuk die een vlammende, vurige streep in de lucht creëert. Met de toverstok kan het in verschillende vormen 'getekend' worden. Deze vorm blijft een tijdje hangen (OF34).
'flagro' = L. 'vlammen, branden'

Flamel, Nicolaas
(geb. c. 1326, † c. 1990)
Bekende alchemist (RD2), beroemd vanwege het maken van de enige bekende Steen der Wijzen. Hierdoor leefden Flamel en zijn vrouw Perenelle (geb. c. 1333) meer dan 600 jaar (SW17, JKR). Perkamentus heeft wat alchemistisch werk met hem gedaan rond de 20e eeuw (SW17).

F

Flaneren met Feeksen

door Gladianus Smalhart

Een van de vele verplichte boeken voor Verweer Tegen de Zwarte Kunsten in Harry's tweede jaar (GK4), vol met leugens over geweldige dingen die Smalhart allemaal gedaan zou hebben (GK16).

Flegmaflip

Ingrediënten: onder andere gemalen maansteen en helleborussiroop

Een lastige toverdrank op S.L.I.J.M.B.A.L.niveau die aan vijfdejaars wordt onderwezen. Hij neemt ongerustheid en stress weg (OF12).

J.K. Rowling getuigt van humor, door het bedoelde effect van de drank – rust – te associëren met het ingrediënt helleborus, een naam die nogal 'eng' klinkt (en deze plant is overigens ook nog eens giftig). Daarnaast komt ook nog de moeite en stress die leerlingen ervaren om deze toverdrank te maken. Het is een toverdrank waarvan het recept zo lastig is dat het maken ervan waarschijnlijk meer stress oplevert dan het drinken ervan weg kan nemen.

Flets-Frimel, Joost

(geb. 1980; Huffelpuf, 1991; Strijders van Perkamentus)

Een Dreuzeltelg met krullen die naar de exclusieve Dreuzelschool Eton zou gaan, totdat hij de brief van Zweinstein kreeg (dus het is erg waarschijnlijk dat zijn ouders heel rijk zijn) (GK11). Hij was lid van de SvP (OF16).

Fletwock, Laurentia

(geb. 1947)

Heks die gevleugelde paarden fokt; ze heeft zich uitgesproken tegen het veelvuldige gebruik van bezemstelen, vooral om mensen aan te moedigen om in plaats daarvan gevleugelde paarden te gebruiken. Zie de Tovenaarskaarten voor meer informatie (TK, JKR).

'fletwock' klinkt als (het is niet per se een homoniem) het Engelse 'fetlock', het enkelgewricht van een paardenbeen.

flierefluiter

Een wachtwoord om de Toren van Griffoendor in te komen (GA15).

De modernste betekenis van dit woord is 'een onverantwoordelijk, gek persoon', maar een zeldzamere betekenis is dat de persoon iemand is die kattenkwaad uithaalt als hij al niet een maniak is. Met andere woorden, hij is iemand zoals Foppe.

Flitsende verfspreuk

Dit 'lastige kleine spreukje' laat verf in verschillende kleuren flitsen (SW11).

Flier, Ambrosius

Samen met zijn vrouw eigenaar van Zacharinus' Zoetwarenhuis in Zweinsveld (HBP5). De Flieren verkopen niet alleen heel veel soorten snoep, maar maken ook hun eigen karamel en enorme

brokken chocola.
'Ambrosia' was het voedsel van de goden op de berg Olympus in de Griekse mythologie. Het zou een eeuwig leven schenken aan een normaal mens die ervan at (of dronk).

Florian Fanieljes IJssalon
Een winkel waar Harry vaak kwam toen hij op de Wegisweg verbleef (GA4).

Floortje
Waarschijnlijk een Zweinsteinleerling, een tijdgenoot van Harry's vader (VB30).

Flossende Flintmints
Snoep dat bij Zacharinus' Zoetwarenhuis wordt verkocht. Hermelien zegt dat haar ouders ze heerlijk zouden vinden – waarschijnlijk omdat ze tandartsen zijn (GA10).

Flubberwurm
Een magische worm die graag alleen gelaten wordt en graag niets doet (GA6).

Fluimstenen
(Eng. 'Gobstones')
Een spel dat lijkt op knikkeren. Het wordt gespeeld met stenen die een stinkende vloeistof naar de tegenstander spugen als deze een punt verliest. Veel kinderen op Zweinstein hebben een set Fluimstenen en het spel wordt regelmatig gespeeld (GK10, GA16, VB20). Er zijn Fluimstenenclubs op Zweinstein (OF17) en er wordt ook een Internationaal Fluimsteen Kampioenschap georganiseerd (DP1). De kantoren van de Officiële Fluimstenenclub bevinden zich bij de afdeling Magische Sport en Recreatie op de zevende verdieping van het Ministerie van Toverkunst (OF7).
'gob' = Eng. straattaal 'speeksel of fluim, met name wanneer het uitgespuugd is'

Fluimsteentoernooi
Recentelijk heeft het nationale team van Wales het Hongaarse nationale team verslagen en won zo het toernooi (DP1).

Fluister
De naam die professor Kist gebruikte voor Simon Filister; hij lijkt zijn studenten niet bijzonder goed te kennen (GK9).

fluitketel, bijtende
Arthur Wemel nam een paar van deze betoverde Dreuzelvoorwerpen op een van zijn nachtelijke invallen in beslag (GK3).

Fnuikspreuk
(Eng. 'Imperturbable Charm')
Een spreuk die een magische barrière doet verschijnen. Als deze spreuk bijvoorbeeld over een deur wordt uitgesproken, maakt hij het onmogelijk om door de deur heen te horen wat er aan de andere kant wordt gezegd (OF4).
'imperturbable'= Eng. 'niet ge-

F

makkelijk uit het lood te slaan', van 'im-' = voorvoegsel uit het L. dat 'niet' betekent + 'perturbo' = L. 'verstoren, verwarren'

Fontein van het Fantastische Fortuin, de

Een van de sprookjes die worden toegeschreven aan Baker de Bard (RD7). Het verhaal gaat over vier mensen die op een zoektocht gaan om geluk te vinden in de legendarische fontein, maar ze ontdekken dat ze hiervoor helemaal geen toverkunst nodig hebben (VBB).

F

Fontein van de Magische Broederschap

De Fontein van de Magische Broederschap was een groep gouden figuren op een platform in het midden van een bassin halverwege het enorme atrium van het Ministerie van Toverkunst in Londen. Er spoot water in het bassin uit de figuren van de heks en de tovenaar, die omringd werden door een huis-elf, een centaur en een kobold die hen vol aanbidding aankeken. Het standbeeld met de ironische naam was een weerspiegeling van de scheefgetrokken visie van superioriteit over andere magische rassen van tovenaars (OF36).

fontein van wijn

Een spreuk waardoor een fontein van wijn uit het uiteinde van de toverstok spuit (VB18).

fopketel

Een klant was in Tovertweelings Topfopshop op zoek naar dit product (HBP6).

Foppe

(Eng. 'Peeves')

Een klopgeest; geen spook, maar een 'onvernietigbare geest van chaos'. Hij spookt rond in de gangen van Zweinstein (JKR). Hij is een kleine man die schreeuwerige, buitenlandse kledij draagt, en ziet er gewoon vast uit, in tegenstelling tot de transparante spoken (GK8, VB12). Hij schiet door de gangen en klaslokalen van Zweinstein, haalt kattenkwaad uit en veroorzaakt problemen wanneer hij maar kan. Hij luistert naar niemand (behalve misschien naar de Bloederige Baron), en houdt er vooral van Vilder te pesten (bijv. SW7, 9). Zijn grappen, die voornamelijk bestaan uit het laten vallen van dingen op mensen en het gebruiken van grove taal, zijn redelijk voorspelbaar. Haast Onthoofde Henk zegt dan ook: 'subtiliteit is nooit zijn sterkste kant geweest' (OF14).

'peevish' = Eng. 'pervers, onberekenbaar, flauw'

fopstok

Een uitvinding van de Wemels die er als gewone toverstokken uitzien maar in iets grappigs veranderen als ze gebruikt worden, zoals een tinnen papegaai en een rubberen haring (een rubberen kip en een paar onderbroeken in de Amerikaanse edities). De duurste variant slaat de onvoorzichtige gebruiker tegen het hoofd en de nek (VB22).

Ford Anglia, vliegende

Gehavende oude turkooizen auto die door Arthur Wemel is gekocht met de aangevoerde reden om hem uit elkaar te halen zodat hij kan zien hoe hij werkt. In werkelijkheid betoverde hij de auto tijdens het uit elkaar halen en weer in elkaar zetten, zodat hij kon vliegen. Ook installeerde hij een Onzichtbaarheidsaanjager en maakte hij de binnenkant op een magische wijze groter zodat er enorm veel bagage in de kofferbak kon en er veel mensen op de achterbank konden zitten (GK3, 15).

Fortuna Major

Wachtwoord om de Toren van Griffoendor in te komen (GA5).
'furtuna major' = L. 'goed geluk'

Fragmentatie-Frisbees

Ze lijken op de frisbees van de Dreuzels, maar dan met een nare persoonlijkheid. Ze zijn binnen Zweinstein verboden door Vilder (VB12, HBP9).

Frankrijk

Hagrid en madame Mallemour reisden via Frankrijk op doorreis naar Oost-Europa voor een geheime missie (OF20). Hermelien is tijdens een zomervakantie ook naar Frankrijk geweest met haar ouders, waarbij ze een uitstapje naar Dijon maakten (OF20). De eerste vergadering van het Internationaal Overlegorgaan van Heksenmeesters werd in Frankrijk gehouden (OF31).

Fridwulfa

Reuzin en de moeder van Hagrid. Ze liet haar menselijke familie c. 1931 in de steek (VB24). Nadat ze Hagrids tovenaarsvader had verlaten, kreeg ze later een tweede kind van een andere reus, een zoon met de naam Groemp. Ze overleed 'jaren geleden', volgens Hagrid in november 1995 (OF20, 30).

Furninculus

(fur-NIN-koe-loes)
Zorgt ervoor dat het slachtoffer onder de zweren komt te zitten (VB18, 37).
'furuncle' = Eng. 'pijnlijke zweer'

Fwoeper

Afrikaanse magische vogel met helder gekleurde veren (JKR).

Fwoeper (Rune)

De rune voor het getal 4. De vier mogelijke kleuren van een Fwoeper zijn de reden dat deze vogel symbool staat voor dit getal (JKR).

ga open

Dit wachtwoord is alles wat je nodig hebt om de Geheime Kamer te openen. Het moet tegen een bepaalde koperen kraan bij de wc's van Jammerende Jenny worden gezegd. Je moet het natuurlijk wel in Sisselspraak zeggen… (GK16, RD31).

Gaffel

De bijnaam van James Potter in het gezelschap van zijn beste vrienden (GA18).

Galagewaad

Tovenaars dragen Galagewaden bij officiële gelegenheden (RD8). Leerlingen zijn vanaf het vierde jaar verplicht om een Galagewaad in hun bezit te hebben voor het Kerstbal (VB10, 23).

Galgje Nooitgenoeg

Een product dat bij Tovertweelings Topfopshop wordt verkocht. Dit magische woordspel omvat een houten mannetje en een authentieke herbruikbare galg (HBP6).

Galjoen

De grootste munt die gebruikt wordt door tovenaars. Wordt ook 'gouden Galjoen' genoemd. Op de rand is een aantal cijfers gestanst, wat het serienummer is van de Kobold die hem heeft gemaakt (OF19). De Galjoen is ongeveer vijf Britse pond waard (CR). Er gaan zeventien zilveren Sikkels in een Galjoen (SW5).

Galjoenen waren grote, stevige houten oorlogsschepen uit de 16ᵉ tot de 18ᵉ eeuw, die vaak werden geassocieerd met schatten. In de Spaanse goudvloot van die tijd, die goud en andere waardevolle zaken meenam vanaf de Cariben, voer bijvoorbeeld een groot aantal galjoenen.

Galjoenen, betoverde

Slim bedachte magische voorwerpen die door de SvP werden gebruikt om te communiceren. Om de leden op de hoogte te stellen van de bijeenkomst, werd er een Proteusbezwering uitgesproken over een paar nep-Galjoenen. Als Harry een dag en tijdstip voor een bijeenkomst uitkoos, veranderde hij de nummers op zijn Galjoen. De andere Galjoenen werden dan heet om de eigenaren te waarschuwen en toonden dan de nieuwe tijd en datum (OF19, RD29).

gang op de derde verdieping
Een gang in kasteel Zweinstein waarvan een gedeelte afgesloten is met een deur. Hij was verboden terrein voor alle studenten tijdens het schooljaar 1991-1992 (SW7).

Gasthuis, Alfons
(Ravenklauw, midden jaren '90)
Een 'dunne en nerveus uitziende' jongen wiens Oom Damocles de Wolfsworteldrank heeft uitgevonden (HBP7).

Gasthuis, Franciscus
(1715-1791)
Tovenaar die in 1782 een aanval van een Stik-de-moord overleefde in Papoca-Nieuw Guinea. Hij schreef over deze ervaring en onthulde voor de eerste keer het bestaan van dit vreselijke wezen en ook het feit dat een Patronusbezwering een Stik-de-moord zal verdrijven. Gasthuis is eens tot president van de lokale Fluimstenenclub verkozen (TK).

gebochelde heks
Dit standbeeld op de derde verdieping van Zweinstein verbergt een geheime doorgang naar het terrein buiten de school, en is aangegeven op de Sluipwegwijzer (GA10). Het standbeeld is waarschijnlijk van Gunhilda van Goormeer (TK).

Gebroeders Prosper: Antiochus, Cadmus, Ignotus
Het is niet bekend in hoeverre dit verhaal feitelijk correct is. Dit zijn de drie broers uit het tovenaarssprookje 'Het Verhaal van de Drie Gebroeders'. Hierin staat (wat waarschijnlijk wel een feit is) dat zij de eerste eigenaren waren van de Relieken van de Dood. Hun verhaal is niet echt bekend onder tovenaars, maar onder de mensen die zoeken naar de Relieken genieten ze veel aanzien (RD21).

Gedaanteverandering: een Boek voor Beginners
Door Emeric Morfo
(Eng. 'Emeric Switch')
Het verplichte leerboek voor Transfiguratie voor de eerste en tweedejaars Zweinsteinleerlingen (SW5).
De achternaam van de auteur is erg duidelijk als je het onderwerp van het boek in aanmerking neemt; de Engelse achternaam 'switch' betekent 'een ding veranderen in iets anders'.

Gedaanteverwisselingen
De complexe toverkunst van het veranderen van een object in iets anders (SW7), het laten Verschijnen of Verdwijnen van objecten (OF13) of het veranderen van de fundamentele aard van een object. Sinds de Oudheid maken Gedaanteverwisselingen deel uit van de toverkunst, bijvoorbeeld in het verhaal van Circe die de verdwaalde Griekse zeelui van Odysseus in varkens veranderde (TK). Gedaanteverwisselingen zijn gebonden aan regels; zo be-

vat Grondels Wet van de Elementaire Transfiguratie vijf uitzonderingen, waarvan er een is dat voedsel niet zomaar uit het niets verschenen kan laten worden (RD15). Gedaanteverwisselingen is één van de zeven hoofdvakken die alle leerlingen van hun eerste jaar tot hun vijfde jaar moeten volgen. Minerva Anderling is de recentste docent (OF15, RD30).

Gedaanteverwisselingenlokaal
Zweinsteinlokaal waar Anderling haar lessen geeft. Deze les wordt weinig beschreven omdat haar lessen nogal praktijkgericht zijn, dus Harry lijkt zich niet erg bewust te zijn van zijn omgeving, behalve Anderlings bureau, dat ze op zijn eerste lesdag in een varken verandert (SW8). Het klaslokaal ligt behoorlijk ver van Ombers kantoor (OF32).

Gedaanteverwisselingen voor Gevorderden
Het verplichte lesboek voor derdejaars (en waarschijnlijk ook vierdejaars) leerlingen die Gedaanteverwisselingen aan Zweinstein volgen (GA4).
Carlo Kannewasser gebruikte in zijn zesde jaar een boek dat (Eng.) Guide to Advanced Transfiguration *heet, wat waarschijnlijk het lesboek op P. U. I. S. T. niveau is (VB20).*

Gedaanteverwisselingen voor Gevorderden (P.U.I.S.T.)
(Eng. 'Guide to Advanced Transfiguration')
Carlo Kannewasser had tijdens zijn zesde jaar dit boek in zijn tas (VB20). Dit betekent dat Carlo bezig was met een P.U.I.S.T. in Gedaanteverwisselingen. Dit is ook het benodigde tekstboek voor zesdejaars die Gedaanteverwisselingen volgen.

Gedaanteverwisselingsspreuken
Deze moeten worden aangepast bij Dier-in-dier Transformaties, tenminste, volgens een huiswerkopdracht die de vierdejaars voor Gedaanteverwisselingen moesten maken (VB22).

'gedane spreuken nemen geen keer'
Mevrouw Vaals gebruikt deze uitdrukking. Het is een synoniem van het Dreuzelgezegde 'gedane zaken nemen geen keer' (OF2).

Gedragscode voor Weerwolven (1637)
Hermelien leerde hierover voor haar laatste examen van Geschiedenis van de Toverkunst aan het eind van haar eerste jaar op Zweinstein, maar het bleek niet op het examen voor te komen (SW16).

Geheime Kamer, de
Een legendarische geheime kamer diep onder Kasteel Zweinsteins, gebouwd door Zalazar Zwadderich om een monster onder te

brengen dat zijn 'nobele werk' zou afmaken, door de school vrij te maken van niet-puurbloed leerlingen. Gedurende eeuwen hebben velen vergeefs naar de Geheime Kamer gezocht. Uiteindelijk werd het hele verhaal als pure fictie gezien (GK9). Dit was het echter niet. De kamer is groot en tempelachtig, met een groot beeld van Zwadderich als middelpunt (GK16, 17, verg. RD31).

Geheimen van de Zwartste Kunsten

Een boek in de bibliotheek van Zweinstein dat Perkamentus later verbood en in de bibliotheek in zijn privékantoor bewaarde. Het geeft instructies om Gruzielementen te maken – en te vernietigen (RD6).

gehoornde padden

Gehoornde padden zijn eigenlijk hagedissen en deze zien er heel eng uit. Marcel moest eens een hele ton vol gehoornde padden villen toen hij na moest blijven bij Sneep (VB14).

Je kan wel zeggen dat Marcel zijn avond niet had. Je vraagt je meteen af waarom iemand honderden dode hagedissen nodig zou hebben, of waar Sneep een hele ton vol gevonden kon hebben, aangezien ze in de woestijnen van Noord-Amerika wonen en hun populatie afneemt (ze worden als bedreigd beschouwd in Texas). De harteloze manier waarop de tovenaarswereld soms omgaat met dieren is vrij verontrustend.

Geheugensteen

Een glazen bol ter grootte van een grote knikker. In zijn normale staat (als niemand hem aanraakt) is een Geheugensteen gevuld met witte rook. Als hij wordt opgepakt en in iemands hand wordt gehouden, zal hij rood kleuren als er iets is wat de persoon vergeten is om te doen (SW9). Geheugenstenen zijn verboden in de examenhal van Zweinstein (OF31), wat erop wijst dat ze in staat zijn om een persoon te vertellen wat ze zich precies proberen te herinneren.

geiten

Desiderius Perkamentus heeft een vreemde fascinatie voor geiten; hij was veroordeeld voor het 'uitspreken van ongepaste bezweringen over een geit' (VB31), en zijn bar, de Zwijnskop, ruikt naar geiten (OF16). Bovendien gooide hij als kind met geitenkeutels om te laten zien dat hij boos was op iemand (RD18). Op het moment is zijn Patronus ook een geit (RD28). Een detail dat hier verder niets mee te maken heeft: de bezoar is een voorwerp dat op een steen lijkt en in de maag van een geit gevonden kan worden (SW8, HBP18, 19).

gekrompen hoofden

Er waren gekrompen hoofden

G

in een etalage in de Verdonkeremaansteeg toen Harry er per ongeluk verdwaald was (GK4). Korzel had ook een gekrompen hoofd gekocht toen hij arriveerde voor zijn zesde jaar op Zweinstein (HBP11).

geld

Er zijn drie muntsoorten in de Tovenaarswereld: de gouden Galjoen, de zilveren Sikkel en de bronzen Knoet. Er gaan zeventien Sikkels in een Galjoen en negenentwintig Knoeten in een Sikkel. Het lijkt dat het behoorlijk verwarrend rekenwerk oplevert als iemand moet wisselen maar Hagrid zegt dat het 'makkelijk' is (SW5).
Wisselkoers (ongeveer):
1 Galjoen = £5.00
1 Sikkel = £0.29
1 Knoet = £0.01

G

Genootschap voor de Hervorming van Feeksen

Rond 1700 opgericht door Honoria Noteling (TK).

Geomanni Pesternomi

(ge-o-MAN-nie pes-ter-NOO-mie)
(Eng. 'Peskipiksi Pesternomi')
Smalharts versie van een Verstijvingsspreuk (GK6).
Deze zogenaamde spreuk is eigenlijk een simpele Engelse zin: 'pesky pixie pester no me' (vervelend aardmannetje val me niet meer lastig). Mooie poging, Gladianus. Het lijkt bijna op iemand die een andere taal probeert te spreken door de eigen taal met een overdreven accent uit te spreken.

Gepatenteerde Zwijmelbezweringen

Worden verkocht bij de Tovertweelings Topfopshop, en zijn volgens Hermelien 'echt toverkunst van uitzonderlijk niveau'. Ze geven je een realistische, ondetecteerbare, dertig minuten durende dagdroom (HBP6).

Geschiedenis van de Toverkunst

Vak op Zweinstein dat door professor Kist, een geest, wordt gegeven. Kist geeft extreem saaie lessen over verschillende aspecten uit de magische geschiedenis. De saaiheid komt echter door de manier waarop Kist les geeft, niet door het materiaal zelf, want in de lessen worden vaak wrede koboldenrellen en reuzenoorlogen benadrukt (SW8). Harry heeft zijn studieboek zelfs amper opengeslagen (RD16). Op een bepaald moment, tijdens het schooljaar van 1992-1993, lukte het Hermelien om Kist over de Geheime Kamer te laten praten, maar hij viel al snel terug in zijn gewoonlijke saaie manier van lesgeven nadat hij haar eraan had herinnerd dat hij zich bezighoudt met 'feiten, niet met mythen of legenden' (GK9).
Het is werkelijk zonde, aangezien een aantal van die mythen en legenden waar bleek te zijn.

Geschiedenis van de Toverkunst

Door Mathilda Belladonna

Dit is een verplicht boek voor eerstejaars (SW5), en lijkt ook gebruikt te worden door tweede- en derdejaars in Geschiedenis van de Toverkunst (GA1). Het beschrijft niets dat later dan de 19e eeuw gebeurd is (RD16). Harry heeft dit boek niet heel aandachtig gelezen (RD16), maar hij heeft de naam 'Hedwig' er wel in gevonden (SW6).

Geschiedenis van Zweinstein, De

Een beroemd boek over de school Zweinstein dat meer dan duizend bladzijden telt. Het bespreekt de manier waarop Zweinstein is verborgen voor Dreuzels (VB11) en beschrijft het betoverde plafond van de Grote Zaal (SW7). Maar huis-elfen worden, verbazingwekkend genoeg, nooit genoemd (VB15, OF17, 23). Het is, net als *Geschiedenis van de Toverkunst*, een boek dat Ron en Harry nooit echt gelezen hebben.

De naam van dit boek in het Engels, Hogwarts: A History, *is iets anders in eerdere delen, waarin het met een komma werd geschreven (*Hogwarts, A History).

Getande Geranium

Magische plant die bijt, wordt bestudeerd tijdens de Kruidenkundeles (OF31).

gevallen Slurken

Statistieken die bijgehouden worden in Zwerkbal. Het laten vallen van een Slurk is niet iets waar iemand bekend om wil staan. Het record van de meeste gevallen Slurken is behaald door een lid van de Cambridge Cannons, Dragomir Stavrov, wat niet echt verrassend is. Hij behaalde dit record kort na zijn transfer naar het team in ongeveer 1995 (RD7).

gevecht

Tijdens de Tweede Tovenaars Oorlog streden de Dooddoeners en aanhangers van het Ministerie tegen elkaar. Onder de aanhangers van het Ministerie waren onder anderen de Schouwers en leden van de Orde van de Feniks. Sommige van deze gevechten waren duels, maar andere waren vooraf geplande gevechten tussen grote groepen strijders.

De eerste drie van de belangrijkste gevechten in de Tweede Oorlog hebben geen namen in de boeken, maar zijn ter verduidelijking door fans benoemd. In het Lexicon noemen we ze de Strijd van het Departement van Mystificatie, De Strijd van de Toren, en de Strijd van de Zeven Potters. Het laatste gevecht wordt de Slag om Zweinstein genoemd in het boek.

gevleugelde katapult

Het lijkt erop dat dit niet meer dan gewone katapulten zijn, alleen kunnen ze vliegen. Harry ziet deze wanneer hij in de Kamer van Hoge Nood is als deze getransformeerd is in een kamer waar hij zijn exemplaar van *Toverdranken voor Gevorderden* wil verstoppen (HBP24). Hij ziet ze weer wanneer hij er een jaar later terugkomt om de diadeem van Ravenklauw te zoeken (RD31).

gewaden
Zie KLEDING, TOVENAARS

Gewasgerelateerde spreuken
Het rapport van het Ministerie van Toverkunst 'Een Onderzoek Naar De Vermoedens van Dreuzels over Magie' raadde aan dat het Internationaal Overlegorgaan van Heksenmeesters de problemen die veroorzaakt worden door Gewasgerelateerde spreuken moet aanpakken (DP1).

Geweivervloeking
Zorgt ervoor dat het slachtoffer een gewei krijgt. Het is algemeen bekend dat Zweinsteinleerlingen elkaar soms vervloeken met deze vervloeking (OF30).

Gewone Groene Huisdraak
Een drakensoort die oorspronkelijk in de hoge bergen van Wales voorkomt (SW14, JKR).

Gezinsleven en Gewoonten der Britse Dreuzels
door Wilhelm Wikkenweeg
Een verplicht boek voor de derdejaars die Dreuzelkunde volgen (GA13).

'giechelhuil'
Deze aandoening staat op de wegwijzer die in de wachtruimte van St. Holisto's Hospitaal hangt. Het is interessant dat deze aandoening op de lijst staat als voorbeeld bij 'Vergiftiging Door Plant of Toverdrank', de afdeling op de derde verdieping van het ziekenhuis (OF22).

Gieterom, Gloria
(geb. 1964)
Bekend van de radio; zie voor meer informatie de Tovenaarskaarten (TK).

Gladianus Smalharts Grote Ongediertegids
door Gladianus Smalhart
Mevrouw Wemel heeft hier een exemplaar van in Het Nest. Het behandelt kabouters (GK3) en Doxy's (OF6).

Glamorgana
(Eng. 'Veela')
Vrouwelijke magische wezens met de eigenschap dat ze mannen oncontroleerbaar wild kunnen maken, vooral als ze hun speciale aantrekkingskracht 'aanzetten' of de sensuele dans doen waar ze om bekend staan (VB8, 22). Als ze boos worden veranderen ze echter in vogelachtige wezens die met vuur gooien. Een groep glamorgana's diende als mascotte voor het Bulgaarse nationale Zwerkbalteam bij het WK Zwerkbal, maar ze werden weggestuurd

toen ze de scheidsrechter afleidden (VB8). Het haar van glamorgana's kan gebruikt worden als kern voor toverstokken (VB18).
De glamorgana's zijn gebaseerd op Oost-Europese natuurgeesten uit legenden die 'Vily' worden genoemd, Slovaakse elfjes die de vorm van vogels aan kunnen nemen.

Glisseo
(Gli-SEE-o)
Spreuk die een trap in een gladde glijbaan verandert (RD32). Dit is waarschijnlijk ook de spreuk die geactiveerd wordt als jongens naar de meisjesslaapzaal proberen te klimmen in de toren van Griffoendor (OF17).
'glisser' = Fr. 'uitglijden, glijden'

gloeiwijn
Een favoriet drankje van Hagrid (GA10).

Gluiposcoop
Een apparaat dat een beetje op een draaitol lijkt en een fluitend geluid geeft als er een onbetrouwbaar persoon in de buurt is (GA1, RD7).

Gniffelspreuk
Een spreuk die een persoon opvrolijkt. Gniffelspreuken waren deel van het programma bij Spreuken en Bezweringen voor de derdejaars leerlingen (GA15). Ze waren ook onderdeel van het schriftelijke Spreuken en Bezweringen S.L.I.J.M.B.A.L.-examen (OF31). Gniffelspreuken zijn bedacht door Felix Zommering in de 15e eeuw (TK).

Gnomini
Andere naam voor tuinkabouters. Volgens Xenofilus Leeflang komt het van de Latijnse benaming Gnomini Gardensi. Er wordt beweerd dat hun magie heel sterk is; gebeten worden door een kabouter kan, volgens Leeflang, willekeurige en creatieve gevolgen hebben, van 'aria's zingen' tot 'gedichten voordragen in het Meermans' (RD8).

Gobstones Tournament
Zie FLUIMSTEENTOERNOOI

Godefroot
Tovenaar die door zijn eigen zoon Halewijn werd vermoord om de Zegevlier te stelen (RD21).

Goderics Eind
Hoewel het een Dreuzelstad is, is het al meer dan duizend jaar de woonplek van noemenswaardige heksen en tovenaars en is het vooral beroemd als geboorteplaats van de oprichter van Zweinstein Goderic Griffoendor. Goderics Eind heeft door de eeuwen heen meerdere magische inwoners gehad; 'het kerkhof is gevuld met namen van oeroude tovenaarsfamilies' (RD16). Ignotus Protser, een van de drie broers uit de legende van de Relieken van de Dood, is hier begraven (RD35).

G

Sijmen Hamerslag woonde hier ook toen hij in de 14e eeuw de Gouden Snaai bedacht (RD16). Onder degenen die er meer recentelijk leefden vallen onder anderen de familie Perkamentus, Mathilda Belladonna en de familie Potter (RD16, 17).

Goedleers, Asteria

(geb. c. 1982; Zwadderich? 1993)

Zusje van Daphne (PC-JKR2).

Hoewel dit niet genoemd wordt, is Asteria waarschijnlijk een Zwadderaar als je ziet met wie ze getrouwd is.

G

Goedleers, Daphne

(geb. 1980; Zwadderich 1991)

Een leerling van Zweinstein uit Harry's jaar (OF31).

Volgens een vroege lijst van klasgenoten van Harry die J.K. Rowling liet zien tijdens een interview (HPM), was Daphnes naam origineel misschien Queenie Goedleers. Als dit zo was (en dit document kan niet echt als canon worden gezien), is ze een leerling van Zwadderich uit een volbloed familie (HPM).

Goldstein, Anton

(geb. 1980; Ravenklauw; Klassenoudste, 1995; Strijders van Perkamentus)

Een leerling in Harry's jaar (OF10) die lid werd van de SvP (OF16, RD29).

Golgor

Een enorme, gewelddadige reus die aanhanger van de Dooddoeners was (OF20).

Goliat

Een huurling van de reuzen die door de Filistijnen in hun oorlog met de Israëlieten werd gebruikt rond 1000 v.Chr.; voor meer informatie zie de Tovenaarskaarten (TK).

Het verhaal van Goliat en zijn nederlaag door de herdersjongen David staat in de Bijbel, in 1 Samuel 17.

Gommibommi

(gom-mie-BOM-mie)

(Eng. 'Waddiwasi')

Een handige spreuk die Lupos gebruikte om kauwgom vanuit een sleutelgat in Foppes neus te schieten (GA7).

De oorsprong is onduidelijk; mogelijk 'vadd' = Zweeds 'een zachte massa' + 'vas y' = Fr. 'ga daarheen'. Het 'nuttig spreukje'-gedeelte dat Lupos liet zien was waarschijnlijk het 'wasi'-gedeelte, in dit geval met een doelwoord eraan geplakt, 'wad'(kauwgomplak). Weer zien we hoe belangrijk bedoeling is bij magie, omdat de 'wad' zoals bedoeld naar Foppes neus werd gedirigeerd door de 'ga daarheen'-spreuk. In een andere situatie zou de spreuk 'stolawasi' kunnen zijn om een gewaad in de hutkoffer van een student te sturen, maar het zou alleen werken als de leerling zich met zijn geest focuste op het doel waar hij het gewaad heen wilde hebben.

Goormeer, Gunhilda van

Op haar Tovenaarskaart beschreven als 'gebochelde heks met één oog'. Gunhilda was een Heler, die bekendstond om het ontwikkelen van een remedie tegen Drakenpest (TK). Er staat een beeld van Gunhilda in de gangen van Zweinstein (GA10).

Goornik

Een kobold die op de vlucht is voor het Ministerie, omdat hij weigerde behandeld te worden als een huis elf (RD22).

Gordon

(geb. c. 1980)

Een Dreuzeljongen die in Klein Zanikem woont, iemand van Dirks bende (SW3, OF1).

Gouden ballen

(Eng. 'baubles')

Wachtwoord om in de Griffoendertoren te komen (HBP15).

'Baubles' = Eng. 'goedkope sieraden, glimmende ronde decoraties; de staf van een nar'

Gouden Snaai

Zie SNAAI

gouden vlammen

Een krachtige maar erg mysterieuze spreuk, op een onverklaarbare manier afgevuurd door Harry's toverstok tijdens het Gevecht van de Zeven Potters (RD4, 36).

Goud-Griffel, Hector

Oprichter van de Buitengewone Vereniging van Toverdrankbrouwmeesters (HBP9).

Goudgrijp

(Eng. 'Gringott')

De koboldse oprichter van Goudgrijp, de Tovenaarsbank (TK).

Hoewel de bank vernoemd is naar de oprichter, wordt de naam niet geschreven met een apostrof (als Gringott's) maar zonder.

Goudgrijp, de Tovenaarsbank

Een indrukwekkend wit gebouw in de Wegisweg, vlak bij de kruising met de Verdonkeremaansteeg (GK4). Goudgrijp is de plaats waar heksen en tovenaars hun geld en andere waardevolle spullen opbergen, in zwaar beveiligde kluizen kilometers onder de grond. De eeuwenoude bank wordt gerund door Kobolden, en alleen zij kennen de geheimen van de onderaardse gangen en de betoveringen en wezens die er zijn om de kluizen tegen indringers te beschermen (SW5). (*Zie ook* RD26).

J.K. Rowling heeft gezegd dat ze de naam Gringotts (zoals het in het Engels heet) heeft gemaakt door 'ingot', wat een staaf van waardevol metaal is, te combineren met een agressief klinkend 'grrrr' (ITV).

Graaf, Martin

(geb. 1978)

Bandlid van de populaire tove-

G

naarsband de Witte Wieven; zie voor meer informatie de Tovenaarskaarten (TK).

Grafblom
Dooddoener die het Duistere Teken liet verschijnen tijdens de Strijd van de Toren (HBP29).

Graphorn
Een groot wezen met twee hoorns dat in de bergen van Europa leeft (JKR).

Graphorn (Rune)
Volgens *Oude Runen Eenvoudig Verklaard* het runensymbool voor het getal 2 vanwege de twee lange scherpe hoorns (JKR).

G

Grauwel
Slijmerige, lelijke wezens met vooruitstekende tanden die op zolders of in schuren van tovenaars leven. Er woont een Grauwel op de zolder van het Nest, recht boven Rons kamer (GK4, VB10, RD6).
Grauwels zijn volgens de Arabische folklore monsters die op begraafplaatsen rondhangen. Het zijn demonen die van vorm kunnen veranderen en die de vorm van dieren aannemen om onvoorzichtige reizigers naar hun dood te lokken in de woestijn. Ze worden er ook van verdacht graven te beroven en de doden te eten.

Grauwsluier, Alonzo
(1612-1697)
(Eng. 'Urquhart')
Uitvinder van de Darmuitdrijvende Vloek; een portret van deze man hangt in de Dai Llewellyn zaal in het St. Holisto.
Urquhart is de naam van een Schotse clan en ook van een kasteel aan de oever van Loch Ness.

Greenwitch
(Eng. 'Ottery St Catchpole')
Een klein Dreuzeldorpje aan de rivier de Otter in Devon, maar er wonen toch ook een aantal tovenaarsfamilies (RD16). Onder deze families vallen onder anderen de Leeflangs, de Teutels, de Kannewassers en de Wemels, die aan de rand van het dorp in het Nest wonen (VB6).
Het Engelse Ottery St Catchpole ontleent zijn naam aan het dorp Ottery St Mary in Devon, vlakbij Exeter waar J.K. Rowling op de universiteit zat. Ze leende ook een aantal andere namen uit die streek, waarbij ze de naam ietwat veranderde (bijv. Budleigh Salterton, een dorp aan de kust nabij Exeter, werd Budleigh Babberton in boek zes). Het hoeft natuurlijk niet zo te zijn dat de fictieve dorpen op dezelfde plaats liggen als de dorpen waarvan ze de namen geleend heeft, maar in het geval van Ottery St Catchpole is dit haast zeker wel het geval. Dit wordt nog eens ondersteund door de naam Ottery, de naam van een bestaande rivier in Devon. Aangezien er geen andere rivieren met die naam in Groot-Brittannië zijn, is het veilig

om te zeggen dat Ottery St Catchpole, oftewel Greenwitch, ergens langs die rivier ligt.

Gregorius de Kruiper

(Eng. 'Gregory the Smarmy')
Een tovenaar uit de Middeleeuwen die Gregorius Zalvende Zalf uitvond (TK). Op Zweinstein ligt een geheime gang achter een beeld van Gregorius de Kruiper (SW9).
'smarmy' = Eng. 'zelfvoldaan, innemend of valse eerlijkheid'

Gregorius Zalvende Zalf

(Eng. 'Gregory's Unctuous Unction')
Een toverdrank die de drinker overtuigd dat de gever zijn of haar beste vriend is. Bedacht door Gregorius de Kruiper (TK).
De naam is erg goed gevonden: 'unction' = Eng. 'een zalf, smeersel', komt van een Latijnse term die 'insmeren met olie' betekent. 'Unctuous' is afgeleid van 'unction' en verwijst naar het vleiend en vriendelijk zijn op een slijmerige, oliegladde manier.

Grein, Arsenius

(Eng. 'Jigger, Arsenius')
Schrijver van het boek *Magische Brouwsels en Drankjes* (SW5).
'jigger' = Eng. 'een eenheid voor een vloeistof, ongeveer 40 gram'; 'arseen' = 'een scheikundig element, ook een veel voorkomend vergif'

Grenouille

Personage in het toneelstuk *'Helaas, ik heb mijn voeten getransformeerd'* van Malecrit (ZE8).
'grenouille' = Fr. 'kikker'

Griekenland

Griekenland, dat bestaat uit een schiereiland en een aantal eilanden die in de Middellandse Zee liggen, is doordrongen van geschiedenis en mythologie. Er wordt in de tovenaarsverhalen volop verwezen naar de Griekse mythologie. Een behoorlijk aantal bekende heksen en tovenaars van vroeger komt uit Griekenland, waaronder de eerste Duistere Tovenaar, Herpo de Verdorvene (TK), die het eerste Gruzielement maakte (PC-JKR1).

Griffel, Hermelien Jeaninc

(geb. 19 September, 1979; Griffoendor 1991; Strijders van Perkamentus; Klassenoudste 1995, de Slakkers)
(Eng. 'Hermione Jean Granger')
Vindingrijk, principieel en briljant. Hermelien is waarschijnlijk de slimste heks van haar generatie. Samen met Ron Wemel is ze een van Harry Potters beste vrienden (SW10 e.v.). Als Dreuzeltelg (haar ouders waren tandarts; SW12) is Hermelien een levend, ademend bewijs dat het onzin is dat volbloed tovenaars superieur zouden zijn. Hermelien leest gulzig en geeft de voorkeur aan concrete, leerbare vak-

G

ken zoals Runen en Voorspellend Rekenen (GA12) in plaats van de vakken als Waarzeggerij (GA15). Viktor Kruml, een internationale Zwerkbalster zat in haar vierde jaar achter haar aan (VB23 etc.), maar de gehele tijd had ze een geheim zwak voor iemand anders (RD31). Hermelien ontwikkelde al erg vroeg een sociaal geweten, opkomend voor Marcel en door de rechten van de huis-elf te ondersteunen (VB15). In haar derde jaar op Zweinstein kocht ze Knikkebeen van een magische dierenwinkel omdat niemand anders hem had willen kopen (GA4) en besteedde ze uren aan de voorbereiding van een verdediging voor Scheurbek, een vals beschuldigde hippogrief (GA11 e.v.). Harry en Ron hebben veel van hun successen te danken aan Hermeliens planning en onderzoek (RD9; *zie ook* BLC).

'Hermione' is een verwijzing naar een personage in Shakespeares toneelstuk A Winter's Tale, *die gekozen is omdat het slim en een beetje pretentieus klinkt. Viktor Kruml en Groemp vonden het erg moeilijk om haar naam goed uit te spreken, evenals veel fans. In feite heeft J.K. Rowling de uitspraak in boek vier opgenomen voor de fans die niet zeker wisten hoe het uitgesproken zou moeten worden. J.K. Rowling gaf aan dat ze naam koos omdat '(...) het gewoon leek op het type naam dat een stel tandartsen, dat wilde bewijzen hoe slim ze waren, aan hun dochter zou geven; een leuke, ongebruikelijke naam die niemand kon uitspreken!' (NPC)*

'Jean' is één van de namen van J.K. Rowlings dochter Mackenzie.

Griffel, meneer en mevrouw

Hermeliens ouders. Ze zijn Dreuzeltandartsen (SW12, VB3) die erg trots zijn op hun briljante dochter. Alhoewel ze de tovenaarswereld en hun dochters plek erin accepteren, zijn ze niet voor spreukgebruik voor snelle oplossingen. Ze eisten bijvoorbeeld dat Hermeliens ietwat grote voortanden met een beugel behandeld werden (VB23). Gedurende de Tweede Oorlog nam Hermelien drastische maatregelen om haar ouders te beschermen (RD6, BLC).

J.K. Rowling heeft aangegeven dat ze Hermeliens familie op de achtergrond heeft gehouden, ze heeft zelfs geen voornamen voor ze. Dit deed ze expres, deels om het verschil met Rons familie duidelijk te maken, die we heel goed leren kennen (EBF).

griffioen

Vreemd wezen met het voorlijf van een arend en het achterlijf van een leeuw. Er is een beeld van een griffioen op Zweinstein, dicht bij een meisjestoilet (SW10). Goderic Griffoendor, de oprichter van de afdeling Griffoendor, zou naar dit beest vernoemd kunnen zijn. De klopper in de vorm van

G

een griffioen op Perkamentus' deur (GK11) zou een verwijzing kunnen zijn naar Griffoendors naam, ervan uitgaande dat Perkamentus een Griffoendor was.
Wezens die op een griffioen lijken komen in verschillende mythologieën van over de hele wereld voor. 'gryphus' = L. 'hoekig', waarschijnlijk een verwijzing naar zijn gebogen snavel.

Griffiths, Wilda
Perfecte Jager die overstapte van de Harpies naar Pullover United, zeer tot ergernis van Gwendoline Jacobs, de ontzettend getalenteerde maar gevaarlijke aanvoerster van de Harpies (DP1, 2, 3).

Griffoendor, Afdeling
Een van de vier afdelingen van Zweinstein, waar ridderlijkheid, durf en lef boven alles worden geprezen (SW7, RD19). Het hoofd van Griffoendor is professor Anderling (SW8), en het afdelingsspook is Haast Onthoofde Henk (SW7). Het wapen is rood met goud en bevat een opgerichte leeuw (VB15). Het Griffoendor Zwerkbalteam is meestal een van de kandidaten voor de Beker. Griffoendor heeft altijd sterke leiders voortgebracht, waaronder Albus Perkamentus, de familie Wemel, Hermelien Griffel, Harry Potter en Marcel Lubbermans.

Griffoendor, Goderic
(c. 900)
Eén van de vier oprichters van Zweinstein, meer dan duizend jaar terug. Griffoendor vond dat iedereen die tovertalent had, toegelaten zou moeten worden op Zweinstein. Griffoendor komt uit wat nu bekendstaat als het dorp Goderics Eind, dat naar hem vernoemd is. Hij was de meeste getalenteerde duellist van zijn tijd en het prachtige Zwaard van Griffoendor was van hem, net als de Sorteerhoed (RD15, 19, 25, 26).

Griffoendors leerlingenkamer
Gelegen aan de onderkant van de Toren van Griffoendor, met de ingang op de zevende verdieping achter een groot schilderij van een Dikke Dame in een roze zijden jurk. De kamer is comfortabel met zachte leunstoelen, een open haard en tafels (m.n. SW7).

Griffoendor, de Toren van
Harry's slaapzaal ligt aan de bovenkant van deze toren (SW7, VB12), die zich naar boven uitstrekt vanaf de leerlingenkamer op de zevende verdieping.

Grijphaak
Kobold die de ondergrondse karretjes bij Goudgrijp, die de tovenaars naar hun kluizen brengen, bestuurde (SW5). Een paar jaar later, nadat hij Harry's oprechte zorg voor huis-elfen en kobolden zag, zelfs al zijn ze geen tovenaars, besloot Grijphaak dat hij Harry zou helpen, hoewel zijn

trouw altijd een beetje in twijfel werd genomen (RD25, 26).

Grijpkerker, Greta
(geb. 1960)
(Eng. 'Catchlove, Greta')
Schrijfster van *Zelf Kaas Maken zonder Heksentoeren* (GK3, TK). In een advertentie op de 'Rumours' (geruchten) pagina op J.K. Rowlings website staat de schrijfster vermeld als Gerda Curd, in plaats van Greta Catchlove. Blijkbaar gebruikt de schrijfster een pseudoniem dat wat 'smeuïger' klinkt (JKR).

G

Grijze Dame, de
Een lang, mooi, maar ietwat hooghartig uitziend spook, het spook van Ravenklauw. Haar echte naam was Helena Ravenklauw en ze was de dochter van een van de oprichters van Zweinstein (SW12, RD31).
De naam 'Grijze Dame' is een term die vaak wordt gebruikt voor vrouwelijke spoken of geesten. Een van deze verschijningen, de Grijze Dame van Rufford Old Hall, is de geest van een jonge vrouw in een trouwjurk die schijnt te wachten op haar verloofde die in de strijd is gestorven.

Grim
De Grim is een spookachtige figuur van een groot hondachtig beest: als je er een ziet kondigt dit je dood aan. Hij is ook een van de symbolen van het theebladeren lezen die voor 'dood' staan (GA6).
De Grim is gebaseerd op de 'Church Grim' uit de Engelse folklore. Deze spookachtige zwarte hond zou op kerkhoven spoken om de kerk en de zielen van de mensen die daar zijn begraven te beschermen tegen de duivel.

Grimboudplein
(Eng. 'Grimmauld Place')
Dreuzelstraat in Londen, waar Grimboudplein 12 zich bevindt (OF3). Het groezelige plein is ongeveer anderhalve kilometer van King's Cross Station verwijderd (OF10) en ligt een paar metrostations van het Ministerie van Zweinstein en St. Holisto's Hospitaal vandaan (OF23). De Dreuzels die er wonen zijn eraan gewend geraakt dat nummer 11 en 13 blijkbaar naast elkaar liggen, terwijl er geen nummer 12 is (OF3, 4).
Deze naam is een homofoon voor 'grim old place' (grimmige oude plaats), 'auld' is een Schots woord voor 'old' (oud). Er is nog een extra woordspeling aangezien het het huis is van Sirius Zwarts, die door Harry voor een Grim werd gehouden toen ze elkaar voor het eerst tegenkwamen in Klein Zanikem (GA3).

Grimboudplein 12
Een rijtjeshuis in Londen, dat op geen enkele kaart te vinden is. Het ligt in een vervallen

Dreuzelstraatje. Het huis wordt beschermd door vele toverspreuken en magische beschermingen. Grimboudplein 12 is van generatie op generatie doorgegeven binnen het geslacht Zwarts (OF6). Het huis is redelijk groot en ziet er eng uit. Er hangen onder andere rijen van hoofden van huiselfen aan de muur, en de aankleding is ook eng (OF4).

Grindelwald, Gellert

(c. 1883-1998)

Een krachtige Duistere Tovenaar. Nadat hij als tiener van Klammfels was gestuurd, bezocht Grindelwald Groot-Brittannië op zoek naar de Relieken van de Dood. Grindelwald en Perkamentus werden daar vrienden, maar hun vriendschap eindigde abrupt (RD18). Grindelwald geloofde in de opperheerschappij van tovenaars in de wereld onder het mom van 'Het doel heiligt de middelen' en hij probeerde zowel tovenaars als Dreuzels onder zijn gezag te plaatsen. Hij werd uiteindelijk in 1945 in een spectaculair duel verslagen door Perkamentus (SW6) en opgesloten in Normengard (RD18). In 1998 loog Grindelwald tegen Voldemort over het feit dat hij ooit de Zegevlier bezat, hopend dat Voldemort op die manier op een dwaalspoor zou worden gezet (RD23). Misschien toonde hij op deze kleine manier dat hij spijt had van de verschrikkelijke dingen die hij had gedaan (RD35).

'Grindelwald' in een klein dorp in de Alpen van Zwitserland; De naam zou ook kunnen verwijzen naar Grendel, het trolachtige monster uit het Angelsaksische verhaal Beowulf. *J.K. Rowling spreekt Grindelwalds naam uit als 'GRIN-del-valt' (TLC).*

Groei Bezwering

Spreuk om dingen groter te laten worden (OF31).

Groemp

Hagrids halfbroer, een reus van wie Fridwulfa de moeder was. Groemp is klein voor zijn leeftijd en werd in elkaar geslagen door de andere reuzen in hun schuilplaats in de bergen. Toen Hagrid hem vond, stond hij erop om hem mee te nemen naar het bos bij Zweinstein, ondanks Groemps oorspronkelijke protesten tegen het plan. Ondanks het feit dat hij erg moest wennen aan het idee van beschaafdheid, vertelde Hagrid aan Harry dat Groemp het tegen het eind van het jaar al 'stukken beter' deed (juni 1997; OF30, *zie ook* RD31). Hij is uitermate gesteld op Hermelien, die hij 'Hermie' noemt (OF30).

groentetuinen (Zweinstein)

Gelegen nabij de kassen (GA21). Harry vond in deze tuinen professor Stronk en professor Slakhoorn terwijl ze groenten aan het plukken waren en kletsten. Ze waren precies de mensen die hij nodig had (HBP22).

Grompie
Een van de twaalf honden van Margot Duffeling, slecht gehumeurd en gemeen. Grompie was Margots favoriet. Ze nam hem mee terwijl ze uit logeren ging, omdat ze zei dat hij weg zou kwijnen als ze er niet was. Grompie hield ervan om uit Margots schoteltje te drinken en om Harry de bomen in te jagen (GA2).

Grondel, Hesper
Vrouw van Sirius Zwarts (1877-1952), die de oudste zoon was van Firminus Nigellus Zwarts (BFT).

Grondels Wet van de Elementaire Transfiguratie
Een van de 'regels' van toverkunst. Er zijn vijf Voornaamste Uitzonderingen op Grondels Wet. Dit zijn bepaalde voorwerpen die niet opgetrommeld of getransfigureerd kunnen worden uit iets heel anders. Voedsel is een van de uitzonderingen (RD15).

Grons, Elfrida
Voorzitster van de Tovenaarsraad. Grons zorgde dat de Gouden Smiecht een beschermde diersoort werd (JKR, TK). Eveneens iemand wiens portret in St. Holisto's hangt (OF22).
De data die op de Chocokikkerplaatjes staan, kloppen niet met de informatie van ZE4 waar gezegd wordt dat ze 'Voorzitter van de Tovenaarsraad' was in het midden van de 14e eeuw.
De naam van een portret in St. Holisto's is in het Engels Elfrida Cragg, in plaats van Elfrida Clagg zoals op de Tovenaarskaarten. Dit was waarschijnlijk een drukfoutje dat in de vertaling van het Nederlands al is gecorrigeerd.

grot bij de zee
Een groot aantal zeegrotten, bijna onbereikbaar zonder magie, waar Marten Vilijn twee kinderen terroriseerde op een dagje uit van het weeshuis waar hij opgroeide (HBP13). Jaren later gebruikte Voldemort duistere bezweringen en Necroten in de diepe kamers van de grot om een Gruzielement veilig te stellen en te beschermen (HBP26, RD10).

grot boven Zweinsveld
Een grot in de bergen boven Zweinsveld die meerdere malen als schuilplaats en toevluchtsoord heeft gediend (VB27, HBP8, RD31).

Grote Brand van Londen
In 1666 verwoeste deze brand een groot deel van Londen. Volgens tovenaarslegenden was dit niet, zoals Dreuzels geloven, begonnen in een bakkerij, maar door een jonge Groene Draak uit Wales die ernaast woonde (JKR).

Grote Gouden Galjoenenloterij

Arthur Wemel won in de zomer van 1993 de hoofdprijs. Hij gebruikte het goud voor een vakantie in Egypte van een maand met de familie. Het prijzengeld bedroeg 700 Galjoenen, wat overeenkomt met ongeveer 3500 pond.

Deze toevallige meevaller waardoor de Wemels naar Egypte op vakantie konden is een van de belangrijkste gebeurtenissen in het boek, geloof het of niet. Als Arthur dit geld niet had gewonnen zou de foto van de Wemels niet in de Ochtendprofeet *afgedrukt zijn en zou Sirius die foto nooit gezien hebben, en zou hij dus ook niet zijn ontsnapt. Dit was namelijk de katalysator voor de gebeurtenissen in het boek.*

Grote Humberto, de

Een personage van een Dreuzeltelevisieprogramma dat Dirk, op zijn elfde, graag op maandagavond keek (SW1).

Grote Magische Gebeurtenissen van de Twintigste Eeuw

Zoals te verwachten, wordt Harry genoemd in dit boek (SW6).

Grote Tovenaars van de Twintigste Eeuw

Het is geen verrassing dat Nicolaas Flamel *niet* wordt genoemd in dit boek (SW12).

Grote Vleesetende Bomenboek, Het

Boek dat gebruikt wordt tijdens de Kruidenkundelessen. Naast andere dingen beschrijft het hoe je het sap uit Schrabbelstompen moet krijgen (HBP14).

Grote Zaal

De belangrijkste zaal van Zweinstein, die wordt gebruikt voor maaltijden, feesten en andere vieringen en gebeurtenissen. In de lengte van de zaal staan vier lange tafels, een voor elke afdeling, en aan het uiteinde van de zaal staat de Oppertafel voor de leraren. Het plafond is betoverd zodat de buitenlucht te zien is. Er zweven regelmatig kaarsen als verlichting. De leerlingen verzamelen zich hier driemaal daags voor de maaltijden (m.n. VB21). De zaal werd ook gebruikt voor examens (OF31), voor gekostumeerde gala's (VB23) en een herinneringswaardige keer voor een slaapfestijn (GA9).

De indeling van de Zaal is een beetje dubbelzinnig. Hoewel het logisch lijkt dat de deuren naar de zaal zich in het midden van de muur tegenover de Oppertafel bevinden (zoals dit in de film te zien is), komt dit niet overeen met de beschrijving in het vierde boek.

'Harry, Ron en Hermelien liepen langs de Zwadderaars, de Ravenklauwers en de Huffelpufs en gingen bij de rest van Griffoendor zitten aan het uiteinde van de zaal…' (VB12). Om langs alle vier de afdelingstafels te lopen moet Harry de zaal vanaf de zijkant zijn bin-

G

nengekomen, niet van de achterzijde. J.K. Rowling gaf in een interview echter aan dat de Grote Zaal er in de film precies zo uitzag zoals dat ze het zich voorgesteld had: 'Er zijn, zeker weten, mensen die zullen zeggen dat het niet mijn Grote Zaal is maar, ik kan het ze beloven, het is mijn Grote Zaal. Dus, vanuit mijn oogpunt, is het overduidelijk fantastisch' (Alderson, Andrew). 'Het ziet er echt uit zoals ik me had voorgesteld.' Telegraph.co.uk, 11 november 2001). Daarom zou het gedeelte van VB12 gewoon een klein continuïteitsfoutje kunnen zijn.

G

Gruizelvloek
Zie DEFODIO; REDUCTO

Gruzielement
Een object waar een tovenaar een deel van zijn ziel in verstopt (m.n. HBP23, JKR). Dit is de duisterste vorm van magie (PC-JKR1). Een tovenaar kan dit enkel doen als hij zijn ziel splijt door een moord te plegen, een actie van puur kwaad. Een Gruzielement beschermt het deel van de ziel dat erin is opgeslagen tegen alles wat er mogelijk kan gebeuren met het lichaam van de tovenaar. Als een Gruzielement eenmaal gemaakt is, kan de tovenaar die het gemaakt heeft niet gedood worden tot het object is vernietigd (HBP23). Herpo de Verdorvene, een Duistere Tovenaar uit het klassieke Griekenland, creëerde het eerste Gruzielement (PC-JKR1). Gruzielementen kunnen alleen worden vernietigd door zeldzame, zeer krachtige magie, zoals het gif van een Basilisk (RD6) of Duivelsvuur (RD31).

Gruzielementen, Voldemorts
Aangezien hij sinds zijn jeugd geobsedeerd werd door het ontwijken van de dood, leerde Marten Asmodom Vilijn hoe hij Gruzielementen moest maken. Hij wilde er zes maken, zodat hij een in zeven gedeelde ziel had. Voor elk van zijn Gruzielementen koos hij een object met enige betekenis (HBP23).
Het is interessant dat ieder Gruzielement van Voldemort door een andere persoon is vernietigd.

Grymm, Maladora
Een feeks die een slaapdrank gebruikte om te krijgen wat ze wilde: zie voor meer informatie de Tovenaarskaarten (TK).
Het verhaal van Maladora Grymm is een knipoog naar het sprookje 'Sneeuwwitje', uit de collectie van de Gebroeders Grimm, vandaar de achternaam 'Grymm'.

Gudgeon, Galvin
De ineffectieve Zoeker van de Cambridge Cannons (DP1).

Guffy, Elladora
Buurvrouw van Ethelbart Mordaunt. Mevrouw Guffy houdt er erg van om mensen in de maling te nemen en heeft al eens het

tuinmeubilair van Mordaunt betoverd (DP1).

Guidelines on House-Elf Welfare

Zie RICHTLIJNEN VOOR HET WELZIJN VAN HUIS-ELFEN

Guichel & Slemps Magische Fopshop

Een winkel aan de Wegisweg, de favoriet van Fred en George, waar ze een uitgebreid assortiment aan trucs en grapattributen verkopen (GK4).

Gulch, Zamira

Auteur van *Praktische Huishoudelijke Magie*, die ook de adviescolumn van de *Ochtendprofeet* schrijft (DP3).

De naam komt van Elira Gulch, de naam van het alter ego uit Kansas van de Slechte Heks van het Westen in de filmversie van De Tovenaar van Oz.

Gumboil, Alastor

Medewerker van het Departement van Magische Wetshandhaving, bij wie geïnteresseerden voor de positie als Scherpspreuker zich moeten melden. Hij werkt in Kamer 919 (DP2).

Gytrash

Een enorme spookachtige hond die in bossen leeft (GK/s).

De Gytrash, die eruitziet als een enorme hond, paard of muilezel, spookt op eenzame plekken en wacht reizigers op; hij komt voor in de folklore van Noord-Engeland.

G

haagbeuk

Een houtsoort waarmee toverstokken gemaakt kunnen worden. Stavlov gebruikte haagbeuk om de toverstok van Victor Kruml te maken (VB18).

Het hout van een haagbeuk is heel hard. Het wordt soms 'ijzerhout' genoemd.

H

haarballen

Wezentjes die verkocht worden in de Betoverende Beestenbazaar (GA4); het zijn waarschijnlijk Pulkerikken (OF6, HBP6).

Haardrooster

(Eng. 'Floo Network')

Netwerk dat alle haarden van tovenaars in Engeland met elkaar verbindt. Als er Brandstof in een haard wordt gegooid die verbonden is met het netwerk, kleurt het vuur heldergroen. Om te reizen stapt de heks of tovenaar in de haard en wordt de plek van bestemming genoemd (een andere haard die met het netwerk verbonden is; m.n. GK4). Om met iemand te spreken via een haard gooit de heks of tovenaar Brandstof in de vlammen en stopt hij of zij alleen het hoofd in de haard, waarna weer de haard waarmee verbinding wordt gezocht wordt genoemd (VB11, 19, OF29).

'flue' = Eng. 'ventilatiegat of schoorsteen voor een openhaard of een ander hittetoestel', maar het is ook een verwijzing naar het magische reizen ('flew' = Eng. 'vlogen'). Fans hebben zelfs theorieën bedacht dat Hagrid het Haardrooster heeft gebruikt om naar het Hutje-op-de-Rots te komen, gebaseerd op deze dialoog tussen Harry en Hagrid:

'Hoe ben je hier gekomen?' vroeg Harry, die keek of hij een andere boot zag.

'Gevlogen,' zei Hagrid.

'Gevlogen?'

'Ja – maar we gaan terug met 't bootje. Ik mag eigenlijk niet toveren, nu jij d'r bij bent.' (SW5)

Haardroosterraad

Onderdeel van het Ministerie dat toezicht houdt op het Haardrooster en het onderhoud pleegt. Werknemers van de Haardroosterraad kunnen de netwerken op eenzelfde wijze monitoren als het aftappen van de gesprekken die via Dreuzeltelefoons gevoerd worden (OF3, 17, 22, 27, 28, RD1, 4, 30). Heksen en tovenaars die voor de Haardroosterraad werken worden ook wel de Schoorsteenwachters genoemd (OF28). De Dienst Rookkanalen neemt beslissingen over de verbindingen van het netwerk. Het is tegen de regels om een Dreuzelhaard aan te sluiten op het netwerk, maar de Dienst maakt in zeldzame gevallen wel eens een uitzondering (VB4).

Haarfijnspreuk
Een spreuk die de haren beïnvloedt, soms gebruiken heksen deze als verzorgingsspreuk (OF19).

Haarspreuk
Een onbenoemde spreuk die ervoor zorgt dat een persoon een vacht krijgt (GK11).

Haaruitvalsvloek
Een vloek die aan bod komt in het boek *Vervloekingen en Tegenvervloekingen* (SW5).

haarverzorgingsproducten
Gladianus Smalharts geheime ambitie is, volgens zijn boeken, om 'de wereld te bevrijden van alle kwaad en mijn eigen merk haarverzorgingsproducten op de markt te brengen' (GK6).

Haast Onthoofde Henk
Bijnaam van het spook Heer Hendrik van Malkontent tot Maling, een tovenaar die stierf bij een slecht uitgevoerde onthoofding op 31 oktober 1492 (GK8). Henk draagt een uniformjasje met een kraag, hiermee verbergt hij het feit dat zijn hoofd er bijna af ligt (VB12, OF38). Hij is het spook van Griffoendor, en helpt altijd leerlingen uit Griffoendor (SW7). Henk vermaakt af en toe de gasten op feesten op Zweinstein door zijn eigen 'verprutste onthoofding' na te doen (GA8). Op Halloween 1992 werd er een sterfdagfeestje voor hem gehouden, om te herdenken dat hij vijfhonderd jaar geleden gedood werd. Hier kwamen spoken vanuit het hele land op af, en ook Harry, Ron en Hermelien kwamen langs (GK8).

Haattoverdrank
Toverdrank die ervoor zorgt dat degene die deze drinkt alle slechte dingen van een ander persoon ziet. Deze toverdrank wordt aanbevolen door de adviescolumnist van de *Ochtendprofeet* om heksen en tovenaars over emotionele betrokkenheid met mensen die niet van hen houden heen te helpen (DP3).

Hagelmans, Jim
Dreuzelweerman op het avondjournaal dat Herman Duffeling keek op 1 november 1981 (SW1).

Hagrid, Rubeus
(geb. 6 december 1928; Griffoendor 1940, van school gestuurd in juni 1943; Orde van de Feniks)

Een halfreus met ruige haren en een 'woeste, sliertige baard' (SW1) die sleutelbewaarder, terreinknecht en professor Verzorging van Fabeldieren op Zweinstein is (SW4, GA6). Hij is extreem dol op 'interessante wezens' die alle andere mensen enge monsters zouden noemen. Hagrids uiterlijk is heel intimiderend, maar hij heeft een zachtaardige persoonlijkheid (GA11). Hij woont in een hut op het terrein van Zweinstein met zijn huisdier, de wolfshond Muil (SW8). Hij is de zoon van een tovenaar en een reuzin (VB23), waardoor hij snel opvalt (SW6) en vaak het slachtoffer van vooroordelen is (VB24, OF15). Hagrid was heel loyaal naar Perkamentus, die eens gezegd heeft dat hij 'Hagrid blindelings vertrouwt' (SW1). Vanaf het moment dat hij Harry ophaalde voor zijn eerste jaar op Zweinstein, zijn Hagrid en Harry Potter goede vrienden. Harry, Ron en Hermelien komen vaak bij Hagrid op visite als ze op Zweinstein zijn (SW8, etc.).

J.K. Rowling heeft Hagrids naam gekozen omwille van een oud Engels dialectisch woord 'dat betekent dat je een slechte nacht had. Hagrid is een grote drinker. Hij heeft vele slechte nachten' (Con).

'rubeus' = L. 'rood' + 'hagrid' = van het Eng. 'hag-ridden', wat verwijst naar het bijgeloof dat nachtmerries veroorzaakt werden doordat er een hag, oftewel feeks, op iemands borst zit tijdens de nacht.

Hagrids huisje

Een houten huisje in de buurt van het Verboden Bos. Het huisje heeft één kamer met een tafel, openhaard, bed, ladekast en een mand voor Muil, Hagrids wolfshond (GK7, OF20). Er hangen verschillende objecten, van gerookte hammen (VB16) tot staarthaar van de eenhoorn (HBP22) aan de dakspanten. Harry, Ron en Hermelien bezochten deze plaats vaak terwijl ze op Zweinstein zaten. Ze hielden Hagrid dikwijls gezelschap en aten dan hele kleverige toffees (GK7; *Zie ook* HBP28).

Hagrid sr.

(† 1941 of 1942)

De vader van Rubeus Hagrid. Hij moet een ongewone man geweest zijn, aangezien hij trouwde met een reuzin, Fridwulfa, en een zoon met haar kreeg. Fridwulfa verliet de familie c. 1931 en Hagrid sr. voedde zijn zoon alleen op. Hij stierf tijdens Rubeus' tweede jaar op Zweinstein (VB24).

hal

De eiken voordeuren van Zweinstein leiden direct naar een absoluut enorme hal (GK15), 'zo groot dat het hele huis van de Duffelings erin gepast zou hebben' en met een plafond dat 's nachts zo hoog was dat ze het niet eens konden zien (SW7). Alle Zweinsteinleerlingen passen hier in één keer in, wat ze ook deden in de memorabele nacht dat Fred en George op een indrukwekkende manier vertrokken, de zonsopgang tegemoet vliegend (OF29).

Hal der Profetieën
Een enorme hal in het Departement van Mystificatie van het Ministerie van Toverkunst waar archieven van profetieën opgeslagen liggen in glazen bollen op rijen en rijen van torenhoge plankenkasten (OF34). Niemand mag een profetie van een plank verwijderen, behalve de personen die het onderwerp van een profetie zijn (OF34). De Verbloemisten – de heksen en tovenaars die voor het Departement van Mystificaties werken – geven niet toe dat deze kamer bestaat (HBP3).

Halewijn
Zoon van Godefroot die de Zegevlier van hem afnam (RD21).

'halfbloed'
Een heks of tovenaar met een tovenaarsouder maar ook met ten minste één Dreuzelouder of -grootouder. Hoewel de term ietwat kleinerend kan zijn, valt het grootste deel van de toverwereld hieronder (GK7, verg. OF35).

Halfbloed Prins, de
Een bijnaam die door een of ander mysterieus persoon wordt gebruikt. De persoon maakte vele jaren geleden aantekeningen in een Toverdrankenboek (HBP28).

Halloween
Een belangrijke feestdag voor tovenaars, aangezien het een van de dagen is dat ze niet zo op hun tellen hoeven te passen, om het zo maar te zeggen (DP4). Op Zweinstein wordt Halloween gevierd met een banket, waarvoor de Grote Zaal uitgebreid is versierd met vleermuizen, kaarsen en pompoenen (GA8). Halloween is ook een belangrijke dag in Harry's leven (RD17, SW10, GK8, GA8, VB16).
In de Amerikaanse edities wordt Halloween net als in Nederland als Halloween geschreven, maar in Groot-Brittannië is dit Hallowe'en. Dit feest is waarschijnlijk in Engeland ontstaan vanuit het Keltische festival van de herfst dat bekendstaat als Samhain. Men dacht dat de grenzen tussen de levenden en de doden op de avond van 31 oktober zouden verdwijnen en er werden vieringen gehouden om de geesten en slechte zielen af te wenden of gunstig te stemmen. De naam komt van het Engelse 'All-hallow-even', de naam voor de nacht voor 1 november, All Hallow's Day. Tegenwoordig is Halloween een feestdag waarop mensen zich verkleden, vaak als heksen, monsters of geesten, om de donkere, griezeligere kant van dingen te vieren. Een deel van het plezier tijdens het lezen van J.K. Rowlings verhalen

H

komt voort uit de ironische stelling dat veel dingen die we mysterieus en een beetje eng vinden, in feite werkelijk bestaan en zelfs vrij gewoontjes zijn. Tovenaars genieten van Halloween omdat het de enige dag is dat ze zich niet hoeven te verstoppen, aangezien de grenzen tussen de Dreuzel- en toverwereld dan voor eventjes verdwijnen. Het is interessant dat het feest in de eerste vier boeken gevierd wordt, maar in de laatste drie compleet genegeerd wordt. Dit is een voorbeeld van de enorme scheidslijn tussen boek een tot en met vier en boek vijf tot en met zeven. Humoristische pompoenen en spookachtig 'formatiezweven' passen veel beter bij de betoverende boventonen van de eerdere boeken dan bij de duistere plot die de rest van de boeken domineert.

Halsbrekende Heksentoeren voor Doldwaze Duivelskunstenaars

Een van de boeken die Harry, Ron en Hermelien bekeken toen ze zich voorbereidden op de tweede opdracht van het Toverschool Toernooi (VB26).

Hamerslag, Sijmen

(1492-1560)

(Eng. 'Wright, Bowman')

Dertiende-eeuwse metaalbezweerder uit Goderics Eind en uitvinder van de Gouden Snaai. Deze verving de Gouden Smiecht bij de Zwerkbalwedstrijden (TK).

Een 'wright' is een Engelse ambachtsman. Er zijn wat onduidelijkheden over de tijdsperiode waarin Hamerslag leefde. Volgens zijn Tovenaarskaart leefde hij van 1492 tot 1560, maar Zwerkbal door de Eeuwen Heen *stelt dat hij de Gouden Snaai in de 13*[e] *eeuw heeft uitgevonden. Eén bron heeft het hier dus mis.*

Hampshire

Een graafschap in het zuiden van Engeland. Hier ligt het gehucht Kleine Keutel – dat was in ieder geval zo totdat Archibald Arenddam daar kwam (TK).

Handboek voor Bezemonderhoud

Deel van Hermeliens cadeau voor Harry's dertiende verjaardag (GA1, 2).

Hand van de Gehangene

Een verschrompelde hand die enkel licht geeft aan de bezitter als er een kaars in wordt geplaatst (GK4, HBP27).

J.K. Rowling heeft de Hand van de Gehangene niet zelf verzonnen, hoewel ze de historische beschrijvingen heeft gewijzigd. Het object wordt als eerst genoemd in vijftiende-eeuwse verhalen, hoewel de benaming 'Hand van de Gehangene' pas in 1707 voor het eerst voorkomt. Een Hand van een Gehangene is een gemummificeerde hand van een opgehangen crimineel die door een ingewikkelde procedure in een kaars is veranderd. De Hand was een dievenamulet, een instrument waarmee je de inwoners van een huis buiten bewustzijn bracht zodat je ze gemakkelijk kon bestelen.

Handlezen
Een manier van Waarzeggerij die aan derdejaars wordt onderwezen. De handlijnen van de persoon worden geanalyseerd om informatie over de levensloop van deze persoon te weten te komen (GA12).
Handlezen, wat ook wel 'chiromantie' wordt genoemd, is een eeuwenoude manier van waarzeggerij. Het werd onder andere in het oude India, China en Egypte gebruikt, maar ook in deze tijd komt het nog regelmatig voor. Er zouden aanwijzingen over het leven en ervaringen zijn 'geschreven' in de lijnen die op de handpalmen te zien zijn. De namen van deze lijnen komen overeen met een aspect van het leven van de persoon. Het lijkt erop dat Zwamdrift suggereert dat Harry niet lang zal leven door te zeggen dat Harry een korte 'levenslijn' heeft. Het is echter zo dat de lengte van levenslijn – de gebogen lijn die eindigt bij de aanhechting van de duim – door beoefenaars van de kunst niet gezien wordt als aanwijzing voor de levensspanne. Het lijkt er dus op dat Zwamdrift niet de expert in Handlezen is die ze zegt te zijn, of, wat aannemelijker is, ze probeert Harry gewoon bang te maken met haar gebruikelijke gezwets.

handschoenen van drakenhuid
Deze handschoenen worden aan tovenaars aangeraden, omdat ze bescherming tegen zowel magische als niet-magische gevaren bieden (SW15, VB13, 18, OF19, HBP14, 18).

Hangoren
Een uitvinding van Fred en George die ervoor zorgt dat je vanaf een grote afstand en door gesloten deuren naar gesprekken kunt luisteren (hoewel het afluisteren verhinderd kan worden door Fnuikspreuken). Hangoren zien eruit als lange, vleeskleurige touwtjes. Om ze te gebruiken moet je een van de uiteinden in je oor stoppen en het woord 'Ga!' uitspreken. Het andere uiteinde wriemelt zich dan naar wat er moet worden afgeluisterd (OF4, 22, 23, HBP6, RD12, 15).

haringbaas
(Eng. 'dilligrout')
Een van de wachtwoorden van De Dikke Dame om in de Toren van Griffoendor te komen (HBP14).
De Engelse naam verwijst naar dunne pap met pruimen.

Harnasbetoverende spreuk
Betovert een harnas zodat het kerstliedjes gaat zingen. Deze spreuk werd gebruikt als onderdeel van de kerstversiering in 1994 (VB22).

harnassen
Zweinstein heeft veel betoverde harnassen. Enkele staan op voet-

stukken rond het kasteel (GA12), andere staan in een harnassengalerij (SW9). Ze bewegen uit zichzelf, mompelen, kraken en kijken terwijl mensen langslopen (bijv. GK5, VB15). Rond Kerst schijnen er lichtjes (blijkbaar eeuwigbrandende kaarsen) in elk harnas in het kasteel (GA11, HBP15). Tijdens sommige jaren worden ze ook betoverd om kerstliedjes te zingen (VB22). De harnassen in het kasteel werd opgedragen om tegen de Dooddoeners te vechten in de Slag om Zweinstein (RD31).

harnassen, door kobolden gemaakt

Sommige harnassen in de Tovenaarswereld zijn door kobolden gemaakt en zijn behoorlijk waardevol (bijv. HBP20). Volgens Firminus kunnen zwaarden krachtige substanties zoals Basiliskengif absorberen om sterker te worden (RD15).

Hazelaar, Patricia

(geb. 1976; Ravenklauw, 1987; Klassenoudste 1992)

Vriendinnetje van Percy Wemel, die haar Patty noemt. Ze heeft lang krullend haar (GK14). Ze waardeert de Vuurflits als zijnde een eersteklas bezem, en neemt Zwerkbal erg serieus (GA13).

De tekst van GK14 is in nieuwe edities veranderd om Patricia in hetzelfde jaar te zetten als Percy; er staat nu dat Madame Plijster 'zich boog over een zesdejaars met lang, krullend haar'.

Harnassengalerij

Kamer naast de prijzenkamer gevuld met harnassen op de derde verdieping van Zweinstein (SW9).

hartenbloed (van draken)

(Eng. 'dragon heartstring')

Wordt gebruikt als kern voor een toverstaf (SW5).

Voor de opkomst van de hedendaagse geneeskunde dacht men dat het hart op zijn plaats werd gehouden door middel van zogenaamde 'heartstrings'. Men dacht dat dit spieren of zenuwen waren. Blijkbaar hebben draken (waar mensen vóór de opkomst van de moderne wetenschap in geloofden) deze anatomische eigenschap.

Hate Potion

Zie HAATTOVERDRANK

Havermouth

Een dorp dat van groot belang was voor de recente Tovenaarsgeschiedenis en toch bij de meeste tovenaars onbekend is. Havermouth ligt ongeveer 8 kilometer bij zijn buurdorp, Musley, vandaan (HBP10) en is de plaats waar Huize Vilijn staat (VB1, 32, HBP10). Bij een klein bosje in de buurt ligt Huize Mergel, waar de familie Mergel woonde, de enige overgebleven afstammelingen van Salazar Zwadderich.

Havikskop Aanvalslinie
Een Zwerkbalformatie met drie Jagers dicht opeen, van wie een in het midden die iets voor de rest uit vliegt (VB8).

Hebridische Zwartkop
Een drakenras afkomstig van de Hebrideneilanden aan de kust van Schotland (SW14).

Hedendaagse Gedaanteverwisselingen
Een tijdschrift dat een artikel publiceerde dat door Perkamentus was geschreven toen hij een jongeman was (RD18). Hij las het bijna honderd jaar later nog steeds (RD33).

Hedwig
(† 27 juli 1997)
Een grote sneeuwuil met bruine ogen, gekocht door Hagrid bij Braakbals Uilenboetiek als cadeautje voor Harry's elfde verjaardag (SW5). Harry vond de naam in zijn boek *Geschiedenis van de Toverkunst* (SW6) en ging haar als zijn metgezel en vriendin zien (RD4). Hedwig was ongewoon intelligent en communiceerde hoe ze zich over Harry voelde door hartelijke knauwtjes met haar snavel te geven of verwijtende blikken op hem te werpen (bijv. VB3).

Heer van het Duister, De
De naam die de volgelingen van Voldemort aan hem gaven (m.n. OF26).

Heiligman, Holisto
(1560-1659)
(Eng. 'Bonham, Mungo')
Een bekende Heler en de stichter van St. Holisto's Hospitaal voor Magische Ziektes en Zwaktes (TK).
St. Mungo is de stichter en de beschermheilige van de stad Glasgow in Schotland.

heideveld
Open land, vaak iets hoger gelegen dan het omliggende terrein, waar weinig bomen groeien. Heidevelden worden vaak nauwelijks bewoond. De meeste Zwerkbalvelden in Groot-Brittannië liggen in verlaten heidevelden, ver verwijderd van Dreuzelogen (VB6, DP1-4).
Een heideveld is een breed gebied van open land, vaak hoog gelegen met slechte waterafvoer, met stukken heide en veengrond. De meeste heidevelden van het Verenigd Koninkrijk liggen in North Yorkshire, Wales, Cumbria en Dartmoor (met een paar stukjes in het westen in het graafschap Cornwall). Goderic Griffoendor kwam van 'wilde heidevelden' ('wild moor' in de Engelse boeken, in de Nederlandse 'het Hoogland' genoemd) volgens de Sorteerhoed, en zou daarom uit al deze gebieden kunnen komen (VB12).

Heks & Haard
Een bekend vrouwentijdschrift waar Mevrouw Wemel abonnee van is voor de recepten die erin

H

staan (VB28). Het ligt ook in de wachtkamer van het St. Holisto (OF22). Het tijdschrijft reikt een jaarlijkse 'Tovenaar met de Charmantste Glimlach'-prijs uit. Gladianus Smalhart heeft deze prijs vijf keer gewonnen – wat hij zijn grootste prestatie lijkt te vinden (GK6). Heks & Haard heeft ook een artikel gepubliceerd dat was geschreven door Rita Pulpers en waarin Hermeliens reputatie werd geschonden (VB27, 28).
Het tijdschrift is gebaseerd op het tijdschrift 'Women's Weekly'*, een Engels tijdschrijft waar tips en verhalen voor 'volwassen vrouwen' in staan. Hun beschrijving is als volgt:* 'Woman's Weekly *behandelt het huis, de familie en het leven van volwassen vrouwen, en voorziet hen van praktische hulp, advies en inspiratie'.*

heksendokter
Worden door Zwerkbalteams ingehuurd als trainers die de gezondheid van de Zwerkbalspelers in de gaten houden (DP1).

Heksenkring van Salem
Een groep van Amerikaanse heksen van de Heksenkring van Salem kwam in 1994 naar het WK Zwerkbal; Harry zag ze toen hij langs hun tent liep (VB7).
Salem, in Massachusetts, is berucht in de geschiedenis van de Verenigde Staten als de plaats waar in 1692 meer dan 150 mensen berecht werden omdat ze ervan verdacht werden heksen te zijn. Hiervan werden er negenentwintig veroordeeld en negentien geëxecuteerd. Het publieke protest kwam kort na de gebeurtenissen op gang. Thomas Maule, een bekende quaker, schreef: 'Het is beter als er honderd heksen blijven leven, dan dat er één naar de dood geleid wordt omdat zij een heks zou zijn, maar het eigenlijk niet is'. In 1697, slechts enkele jaren na de gebeurtenissen, werd er een vastendag ingevoerd en een excuus voorgelezen tijdens de bijeenkomst van de kerk in Salem, waar ze verwezen naar de berechtingen als het werk van Satan.

heksenmeester
Een woord dat synoniem is met het woord 'tovenaar', hoewel het meestal naar een oudere tovenaar verwijst. Perkamentus is Hoofdbewindwijzer van de Wikenweegschaar *('Chief Warlock' = Eng. 'heksenmeester')* (OF5), een titel die respect afdwingt en Ernst Marsman vertelt trots dat hij van negen generaties heksenmeesters afstamt (in het Nederlands tovenaars, maar in de Engelse versie 'warlocks') (GK11).
Maar omdat Harry in de Lekke Ketel 'waardige' tovenaars vergelijkt met 'wild uitziende' heksenmeesters (GA4) en een boek in de Bibliotheek van Zweinstein Madcap Magic for Wacky Warlocks *(Slimme Magie voor Magische Slimmerds) getiteld is (VB26), is de betekenis van het woord, naast 'oud', moei-*

lijk om uit te vogelen.

'Heksenmeester met het Harige Hart, de'

Een van de sprookjes in *De Vertelsels van Baker de Bard*. Dit duistere en bloederige verhaal vertelt over een jonge heksenmeester die extreme maatregelen neemt om zichzelf tegen liefde te beschermen (VBB).

Heksenmeestersconventie van 1709

Deze conventie, een belangrijke gebeurtenis in de tovenaarswereld, verbood het fokken van draken (SW14).

heksenverbrandingen

Dankzij de Blusbezwering hadden de heksenverbrandingen niet veel invloed op echte heksen en tovenaars, hoewel het een zwarte bladzijde in de geschiedenis van de Dreuzels is (GA1). Het is echter mogelijk dat de toename van het aantal heksenverbrandingen, waardoor er meer Dreuzels per ongeluk werden verbrand, heeft geleid tot het van kracht worden van de Code van Magische Geheimhouding in 1689 (JKR).

Helers

De titel voor heksen en tovenaars die in St. Holisto's Hospitaal werken. Hij staat ongeveer gelijk aan Dreuzeldoktoren en verpleegkundigen (OF22).

Helen Doe Je Zo

Boek over EHBO, huismiddelen en geneesmiddelen. Bevat een hoofdstuk 'Kneuzingen, Schrammen en Schaafwonden', dat mevrouw Wemel raadpleegde terwijl ze een blauw oog van Hermelien probeerde te helen. Dat blauwe oog had zij van een vrij ongewone telescoop gekregen (HBP5).

Heliopaat

Een van Loena's denkbeeldige wezens, een groot vlammend wezen dat over de grond rent en alles op zijn weg verbrandt. Loena dacht tijdens Harry's vijfde jaar dat de toenmalige Minister van Toverkunst Cornelius Droebel een leger Heliopaten onder zijn bevel had (OF17).

'helios' = Gr. 'de zon' + '-path' = Gr. 'gevoel'

Helleveeg-serie

Een reeks sportbezemstelen, geproduceerd door de Helleveeg Bezem Compagnie die opgericht werd in 1926 (SW9, GK7, GA12, HBP11, RD2). Het huidige model is de Helleveeg 11, die uitkwam in de zomer van 1995 (OF9). Ron, Fred en George Wemel vlogen allemaal op Hellevegen.

Hengist van Hoog-Baarnstra

Reus die door de beroemde reuzendoder Gilbert Olgaarden in de 15e eeuw werd vermoord (TK).

H

Hengist de Heksenziener
De stichter van Zweinsveld; zie de Tovenaarskaarten voor meer informatie (TK).

Hengst, Heer Hendrik
(1642-1769)
(Eng. 'Withers, Lord Stoddard')
Bedacht een sport die erg veel op Zwerkbal leek, maar werd gespeeld op vliegende paarden. Zie voor meer informatie de Tovenaarskaarten (TK).
'Withers' = Eng. 'het hoogste punt op de rug van een paard, tussen de schouders'

H

Heptomologie
Een tak van Waarzeggerij waarover Omber Zwamdrift ondervroeg tijdens haar evaluatie (OF25).
Dit woord is door J.K. Rowling bedacht, in tegenstelling tot andere Waarzeggerijvormen die in de boeken voorkomen (bijv. Vogelwichelarij). Dit woord is afgeleid van 'hept-', een Grieks prefix dat het getal 7 betekent. In de Potterwereld is het cijfer 7 'het krachtigste magische getal' (HBP23), de reden dat Marten Vilijn zijn ziel in 7 stukjes wilde splijten. Brenda Wendekind vergaarde roem als een Voorspellend Rekenaar door de magische eigenschappen van het cijfer 7 te ontdekken (TK), dus je zou kunnen zeggen dat ze zich in Heptomologie verdiept heeft. Een interessant weetje is dat er geen rune is voor het cijfer 7 omdat die nog niet ontdekt is, terwijl alle andere cijfers wel een rune hebben (JKR).

Herkiemingsdrank
Een groene toverdrank die door Tilden Toots wordt verkocht en aangeprezen in zijn programma, *'Toots, Shoots 'n' Roots'*. Hij kan samen met een Oppepdrank worden gebruikt om een dode Fladderbloem tot leven te wekken (JKR).
Deze toverdrank kan, evenals de Oppepdrank, op J.K. Rowlings website gevonden worden. Een flesje van elk stond naast een dode Fladderbloem in de Kamer van de Hoge Nood. Als je naar Tilden Toots' radioprogramma op de site luistert, zul je ontdekken hoe je de twee toverdranken kan gebruiken om de Fladderbloem tot leven te wekken en een beloning te krijgen.

Hermes
Uil van Percy Wemel, die hij kreeg omdat hij Klassenoudste van Griffoendor werd (SW6). Percy gebruikte hem om persoonlijke berichten te sturen, zoals brieven naar Patricia Hazalaar (GK3) en naar zijn jongste broertje Ron (VB, OF14).
Hermes is een figuur uit de Griekse mythologie. Hij is de god van reizigers, dieven, atleten (vooral hardlopers) en de literatuur. Hij diende als boodschapper van de goden, waarvoor hij een paar gevleugelde sandalen droeg om zich tussen het rijk van de goden en de mensen op aarde te bewegen.

Herpo de Verdorvene

De eerste grote Duistere Tovenaar; hij leefde in het oude Griekenland. Herpo was de eerste bekende maker van een Basilisk (TK) en de uitvinder van het Gruzielement (PC-JKR1).

'herp' van 'herpeton' = Gr. reptiel, serpent; J.K. Rowling verbindt dus het slangensymbool in het verre verleden al met de Duistere Zijde.

Hersenkamer

Een lange rechthoekige kamer in het Departement van Mystificatie. Het opvallendste is een grote tank met groene vloeistof waar een aantal hersenen in ronddrijven. Waarschijnlijk wordt de kamer gebruikt om gedachten of het geheugen te bestuderen (OF34, 35).

Ron raakt behoorlijk gewond wanneer hij in deze kamer wordt aangevallen tijdens de Strijd van het Departement van Mystificatie. Naderhand behandelt Madame Plijster zijn verwondingen en zegt dat 'gedachten diepere littekens kunnen achterlaten dan alle andere dingen' (OF38). J.K. Rowling heeft in verschillende interviews gesproken over haar eigen strijd met depressie en spreekt hierover vanuit haar hart; ze weet zelf hoe diep die littekens kunnen gaan.

Hersenpan

(Eng. 'Pensieve')

Een ondiep stenen bassin met rare runen en symbolen in de rand gekerfd. Hier kunnen gedachten in worden opgeslagen en aan anderen worden getoond. Er ontstaat een zilver schijnsel van de herinneringen die erin liggen opgeslagen wanneer het wordt gebruikt. De Hersenpan is een nuttig hulpmiddel om de gebeurtenissen die in het verleden plaatsvonden te onderzoeken (VB30, OF24, 28, 37, HBP10, 13, 17, 20, 23, RD33).

'penser' = Fr. 'nadenken', gecombineerd met de dubbele betekenis van het Engelse woord 'sieve'. Dit is een zeef die wordt gebruikt bij het koken om poederige substanties zoals bloem te 'ontklonteren'. Hier wordt dit gebruikt om het idee dat je de herinneringen van mensen 'doorzoekt' te omschrijven.

Herstelspreuk

Dwingt een Faunaat die in een dier is veranderd om terug te keren naar zijn of haar menselijke vorm. Het effect van deze spreuk is een heldere blauw-witte lichtflits (GA19).

Hertog, Kirley

(geb. 1971)

Een lid van de band de Witte Wieven (TK).

'het doel heiligt de middelen'

Albus Perkamentus en Gellert Grindelwald spraken over tovenaars die over Dreuzels heersen onder het mom 'het doel heiligt de middelen' in hun enthousiasme

H

over het idee dat tovenaars zich niet meer moesten verbergen en zij de 'verdiende plaats' moesten innemen in de menselijke samenleving (RD18, 35). Dit werd de lijfspreuk van Grindelwald toen hij meer en meer macht kreeg in Europa in de vroege jaren '40 en ook zijn rechtvaardiging voor zijn gruweldaden (RD18). Grindelwald had de woorden zelfs boven de poort van Normengard gegraveerd, de gevangenis die hij liet bouwen om zijn tegenstanders in op te sluiten (RD18).

H

hete luchtspreuk
Hermelien gebruikte deze spreuk om sneeuw te smelten en haar natte gewaad te drogen. Hiervoor is een ingewikkelde beweging met je toverstok nodig (OF21).

'Hij-die-niet-genoemd-mag-worden'
Nadat Voldemort in de jaren '70 aan de macht was gekomen, waren tovenaars zo doodsbang voor hem en zijn Dooddoeners dat ze weigerden om zijn naam nog langer uit te spreken. In plaats daarvan noemden ze hem 'Hij-die-niet-genoemd-mag-worden' of 'Jeweetwel' (SW4, etc.). Dit kreeg later een toegevoegde waarde toen er een Taboe op Voldemorts naam werd geplaatst (RD20).
In sommige tradities wordt de echte naam van een persoon als iets persoonlijks beschouwd, haast heilig, en wordt hij nooit gebruikt uit angst dat hij gebruikt kan worden in een magische aanval. J.K. Rowling heeft hierover gesproken in een interview (TLC) waarin ze ook de beruchte gebroeders Kray noemde, gangsters die de scepter zwaaiden in East End (Londen) gedurende de jaren '50 en '60. Ze brachten zoveel angst teweeg dat niemand hun naam uit durfde te spreken uit angst voor gewelddadige gevolgen.

Hikgum
Een snoepje dat verkocht wordt in Zacharinus' Zoetwarenhuis (GA14).

Hiksap
Malfidus maakte dit in zijn zesde jaar voor een opdracht van Toverdranken om 'iets amusants' te maken, maar Slakhoorn beoordeelde het als niet meer dan redelijk (HBP22).

Hilarius, Boudewijn
Jachtmaatje van de oom van Magnus Stoker, Canisius, samen met Rufus Schobbejak (dus waarschijnlijk is Hilarius een belangrijk persoon) (HBP7).

Hilarius, André
(Zwadderich 1985; Zoeker van Zwadderich c. 1991-1992)
Zoeker tijdens het schooljaar van 1991-92 (SW11); hij werd het schooljaar daarop door Draco Malfidus vervangen (GK7).

Hippogrief
Een vliegend wezen met het hoofd, de vleugels en de voorbenen van een enorme adelaar en het lichaam (inclusief de achterbenen en de staart) van een paard. De ogen zijn oranje, maar verder variëren de kleuren van een Hippogrief, net zoals bij een normaal paard. De spanwijdte van een volwassen Hippogrief is ongeveer 7 meter (GA6). Om een Hippogrief te benaderen moet je allereerst buigen; als het dier terugbuigt, kan je het aanraken en zelfs berijden. De derdejaars op Zweinstein leerden over ze tijdens Verzorging van Fabeldieren, met een stuk of twaalf Hippogrieven die in het Verboden Bos leven (GA6).
De Hippogrief is een legendarisch wezen geboren uit de samenkomst van een paard en een griffioen. Aangezien paarden van nature de prooi zijn van griffioenen, is de Hippogrief een symbool voor liefde en het onmogelijke.

'O Hippogrief, o Hippogrief, ik heb uw mooie veren lief'
(Eng. 'God Rest Ye, Merry Hippogriffs')
Een Tovenaarskerstliedje, dat waarschijnlijk spontaan door Sirius bedacht werd (OF23).
Duidelijk een verwijzing naar het Engelse lied 'God Rest Ye, Merry Gentlemen'. Het zou interessant zijn om te horen wat de rest van de tekst zou kunnen zijn.

Historische Toverplaatsen
Boek dat een aantal opmerkelijke gebouwen in Zweinsveld noemt (GA5).

Hitchens, Bob
Een Dreuzel die met Isla Zwarts trouwde; als gevolg daarvan werd ze uit de stamboom van de familie Zwarts gebrand (BFT).

Hobday, familie
Een geboorteaankondiging voor Egmont Elvert Hobday werd in de *Ochtendprofeet* geplaatst. Hierin stond dat hij op 30 november geboren is en de zoon is van Hilliard en Violetta Hobday (DP2).

Hobday, Oakden
Deze naam staat (samen met die van Mylor Sylvanus) op een vroege planningskaart voor de *Orde van de Feniks* als vijfde Verweer Tegen de Zwarte Kunsten. Dolleman wordt niet genoemd (JKR).

Hodrod de Hoornhandige
Beruchte koboldenactivist die drie tovenaars ineen liet krimpen en vervolgens probeerde ze te pletten (DP3).

'Ho 'ns ff'
In het Engels is dit 'hold your hippogriffs!', een gezegde gelijk aan het (Engelse) Dreuzelgezegde 'hold your horses!' (OF20).

hoed, vervloekte
Hoed die de oren van de drager

H

doet verschrompelen. Bill Wemel had ooit een correspondentievriend uit Brazilië die zo beledigd was dat Bill niet naar Zuid-Amerika kon komen om hem te bezoeken dat hij Bill een van deze hoeden stuurde (VB7).

Hoepel, Gerard

(geb. 1983; Griffoendor, 1994)

Deed mee aan de selectietrainingen voor de Wachter van Griffoendor in de herfst van 1995 en vloog beter dan Ron Wemel, maar werd niet gekozen omdat Angelina hem 'een watje' vond (OF13).

Hoestsiroop (toverdrank)

De versie van hoestdrank in de Tovenaarswereld (HBP15).

Zie PEPERPEPPIL

Holyhead Harpies

Het enige Zwerkbalteam in de Britse en Ierse Zwerkbal Profliga dat geheel uit heksen bestaat, onder leiding van de beroemde, vurige aanvoerster Gwendoline Jacobs (HBP4, DP). Ginny Wemel speelde voor de Harpies nadat ze Zweinstein verlaten had (BLC).

Homenum revelio

(HOM-ee-num ree-VEE-lie-oh)

Een spreuk die de aanwezigheid van mensen onthult; als je deze over een huis uitspreekt, kan degene die de spreuk uitspreekt bijvoorbeeld zien of er iemand in het huis is (RD9). Als deze spreuk uitgesproken wordt, voelt een persoon die hij aanraakt iets laag over zijn hoofd heen scheren (RD21).

'homoinis' = L. 'menselijk wezen' + 'revelo' = L. 'onthullen, ontdekken'

Hommel

Een type bezem dat is ontworpen voor gebruik door gezinnen, waarvan een advertentie te zien was bij het WK Zwerkbal (VB8).

Homorfusbezwering

Smalhart zou deze bezwering gebruikt hebben om de weerwolf van Wagga Wagga te verslaan en demonstreerde zijn prestatie tijdens Verweer Tegen de Zwarte Kunsten, waarbij hij studenten gebruikte om het na te spelen (GK10).

'homo' = L. 'man' + 'morf' = verkorte versie van 'metamorfose', het veranderen van gedaante. Vanwege de etymologie kunnen we ervan uitgaan dat de bezwering gemaakt is om tegen weerwolven te gebruiken. Het is echter niet precies duidelijk wat het effect van de spreuk is, aangezien lykantropie niet te genezen is in de wereld van Harry Potter.

Hompy

Een kleine, eeuwenoude vrouwelijke huis-elf die de dienaar van Orchidea Smid was. Marten Vilijn zorgde ervoor dat Hompy vals beschuldigd werd van de moord op haar meesteres door haar geheugen te veranderen zodat ze dacht dat ze Orchidea's chocolademelk per ongeluk had vergiftigd (HBP20).

Hondsdraf

(Zwadderich, midden jaren '90; Zwerkbal Wachter 1996-1997)
Vervangende Wachter voor het Zwerkbalteam van Zwadderich nadat Valom gblesseerd was geraakt tijdens een training (HBP14).

Hongaarse Hoornstaart

Een bijzonder naar soort draak die afkomstig is uit Hongarije en een kenmerkende puntige staart heeft (VB20).

Hongarije

Een land in Oost-Europa. Hongarije is niet alleen het land waar de Hongaarse Hoornstaarten vandaan komen, het heeft ook een nationaal Fluimsteenteam dat verslagen werd door Wales. De *Ochtendprofeet* heeft dit niet bericht (DP1).

Hooch, Rolanda

Geeft vlieglessen (op bezemstelen) aan de eerstejaars van Zweinstein en is de scheidsrechter bij de meeste Zwerkbalwedstrijden tussen de afdelingen. Ze heeft korte grijze haren en gele ogen (SW9). Ze is een enthousiast expert op het gebied van racebezemstelen. Madame Hooch zegt dat ze op een Zilveren Pijl heeft leren vliegen (GA13).

Hoofdmonitors

Zevendejaars leerlingen van Zweinstein die elk jaar geselecteerd worden voor een machtspositie op school, zodat ze kunnen helpen met het handhaven van de regels en het behouden van de orde. Onder anderen Perkamentus (RD18), Marten Vilijn (HBP20), James en Lily Potter (SW4), Bill Wemel (SW12, OF9) en Percy Wemel hebben deze positie bekleed (GA1).
De Hoofdmonitors worden normaal gezien gekozen uit de Klassenoudsten. Het is dan ook een raadsel hoe James Potter ooit Hoofdmonitor is geworden, aangezien hij nooit Klassenoudste geweest is. In De Halfbloed Prins *dook echter een mogelijke oplossing voor dit probleem op. James was de Aanvoerder van zijn Zwerkbalteam, en toen Harry die positie kreeg in zijn zesde jaar zei Hermelien dat hij dan een gelijke status heeft als de Klassenoudsten.*

Hoofdstraat

De straat van een dorpje waar de meeste winkels zijn. Zweinsveld heeft een Hoofdstraat, maar er zijn ook een aantal zijstraatjes waar je kleinere of minder bekende winkels kan vinden (de Zwijnskop, bijvoorbeeld) (GA14).

Hooge Baanstra

In de 14e eeuw was Hooge Baanstra de woonplaats van een reus genaamd Hengist (TK).

Hookum, Daisy

(geb. 1962)

Schreef de bestseller *Mijn Leven als een Dreuzel* nadat ze een jaar zonder magie had geleefd (JKR).

Hopkins, Wayne

(geb. 1980; Huffelpuf, 1991)

Waynes naam komt voor op de schets van de klassenlijst van Harry's jaar die J.K. Rowling liet zien tijdens het televisie-interview 'Harry Potter en Ik' (HPI). Hij is een halfbloed. Zijn naam is nooit in de boeken voorgekomen, maar hij wordt hier genoemd omdat hij bestond in de eerdere plannen over de boeken.

H

'hork'

Een foutje in de boeken wordt een 'hork' genoemd aangezien J.K. Rowling Marcus Hork, de aanvoerder van het Zwerkbalteam van Zwadderich, in een boek liet voorkomen, zodat hij een 'achtstejaars'-student werd. De term werd verzonnen door één van de leden van de online groep 'Harry Potter for Grown Ups'. Er zijn opmerkelijk weinig echte horksen, als je de grote omvang van het verhaal in aanmerking neemt. De oorspronkelijke fout van Horks jaar werd trouwens verbeterd in latere edities.

Hork, Marcus

(Zwadderich, 1987; Zwerkbal Wachter, Aanvoerder c. 1991-1993)

De Aanvoerder van het Zwerkbalteam van Zwadderich gedurende de eerste drie jaren dat Harry speelde. Harry vond dat hij eruitzag alsof hij misschien voor een gedeelte trol was. Hork vond het niet erg om een beetje vals te spelen om een wedstrijd te winnen (SW11, GK7, 10, GA13).

Hork, Ursula

De vrouw van Zweinsteins schoolhoofd Firminus Nigellus Zwarts (BFT).

horklump

Magisch onkruid (JKR).

Hospiheks

Dit is een titel die wordt gebruikt om te verwijzen naar de receptioniste van St.Holisto's Hospitaal voor Magische Ziektes en Zwaktes. In het Engels heet ze 'Welcome Witch', maar ondanks deze titel lijkt ze niet erg verwelkomend (OF22).

Hotel Spoorzicht

Een naargeestig Dreuzelhotel in Cokeworth, waar Herman Duffeling zijn familie heen bracht toen hij probeerde om Harry's Zweinsteinbrieven te vermijden (SW3). *De naam van dit hotel suggereert dat het uitkijkt op het spoor. Blijkbaar niet echt een luxe hotel.*

Hubbart, Moedertje

Moedertje Hubbart was een middeleeuwse feeks die zwerfdieren naar haar huis lokte en ze daarna liet verhongeren (TK).

Dit personage is gebaseerd op het Engelse kinderliedje met dezelfde naam: 'Moedertje Hubbart ging naar de kast / Om haar arme hond een bot te geven / Maar toen ze er kwam was de kast leeg / En zo had het arme hondje niets.'

Huffelpuf, Helga
(c. 900)
Een van de vier oprichters van Zweinstein uit het 'groene dal'. Huffelpuf stond erom bekend dat ze heel verschillende soorten mensen bij elkaar bracht bij het oprichten van Zweinstein (TK), en hard werken en eerlijk spelen belangrijk vond (SW7). Huffelpuf was vooral bedreven in verschillende aan voedsel gerelateerde spreuken en kookspreuken, wat de oorsprong is van vele gerechten die nog steeds tijdens feesten worden geserveerd (JKR). Huffelpuf zorgde ervoor dat de huiselfen goed behandeld en niet mishandeld werden. Dat laatste was toentertijd wel gebruikelijk (PC-JKR1).
Hoewel dit niet helemaal overtuigend is, kan de tekst uit het lied van de Sorteerhoed erop wijzen dat Huffelpuf uit Wales afkomstig was. In het Engels is het groene dal 'valley broad' en 'The Valleys' verwijst vaak naar het zuiden van Wales.

Huffelpuf, afdeling
Een van de vier afdelingen van Zweinstein die boven alles waarde hecht aan loyaliteit en hard werken (SW7, VB16). Het afdelingshoofd is professor Pomona Stronk (VB36) en het afdelingsspook is de Dikke Monnik (GK8). Hun schild is geel en zwart met een das erop (VB15). Volgens Hagrid zegt iedereen dat er in Huffelpuf 'alleen maar sukkels zitten' (SW5); Huffelpuf heeft echter veel moedige, heldhaftige heksen en tovenaars voortgebracht, zoals Carlo Kannewasser (VB37) en Nymphadora Tonks (JKR).

Huffelpuf, leerlingenkamer
Een 'knusse en verwelkomende plaats'. De afdelingskamer van Huffelpuf ligt dicht bij de keukens. De doorgang bevindt zich achter een stilleven, en kenmerkt zich door ondergrondse tunnels die naar de slaapzalen leiden. De deuren zijn rond (BLC).
De ronde deuren en tunnelachtige architectuur, en het gevoel van comfort en gastvrijheid dat ze oproepen, doen denken aan de Hobbithuisjes in In de Ban van de Ring *en* De Hobbit *door J.R.R. Tolkien.*

huidherinnering
Een vorm van toverkunst die over bepaalde objecten uitgesproken kan worden zodat het 'onthoudt' en identificeert wie het als eerste aangeraakt heeft. Een Snaai heeft huidherinnering zodat hij de eerste Zoeker die hem aanraakt op het moment dat hij gevangen wordt in een wedstrijd kan identificeren (RD7).

Huis-elfen

Kleine, mensachtige wezentjes met grote, hangende of puntige oren en enorme ogen. Huis-elfen zijn 'verbonden' aan een rijke tovenaarsfamilie, waar ze als slaven dienen tot het moment dat ze sterven. Huis-elfen zijn blij met deze regeling en beschouwen het als een zaak van trots dat ze loyaal zijn en hun families niet verraden. Huis-elfen dragen geen kleding (en beschouwen het als oneervol om dit wel te doen); in plaats hiervan hullen ze zich in handdoeken, theemutsen of kussenslopen. Als hun eigenaar hen kleding geeft, verbreken ze de 'slavernij' en is de Huis-elf vrij. Voor de meeste Huiselfen zou dit een belediging zijn en ze zouden zich voor eeuwig schamen (m.n. GK3).

Huis-elfen, Zweinsteins

Er zijn meer dan honderd huiselfen op Zweinstein, het grootste aantal in welke woning dan ook in Engeland (VB12). Ze leggen de vuren aan, doen de was, steken de lampen aan en doen nog veel meer van dat soort taken. De huis-elfen zijn ook de koks van het kasteel en bereiden geweldige maaltijden voor in de enorme keukens (VB12, 21). Helga Huffelpuf regelde dit oorspronkelijk zo omdat ze wist dat de huis-elfen die op Zweinstein werkten goed behandeld zouden worden en niet mishandeld zouden worden (PC-JKR1).

huis van de Potters

Ligt in een buitenwijk van Goderics Eind. Dit is het huis waar James en Lily Potter woonden met hun zoon Harry. Het huis werd beschermd door een Fideliusbezwering, maar ondanks dat werden ze aangevallen door Voldemort (RD16, 17, verg. GA19).

huis van Sneep

Zie WEVERSEIND

Huize de Schelp

Het ongewone huisje van Bill en Fleur Wemel aan de kust. Het ligt even buiten Vonkeveen in Cornwall (RD23, 24, 25). Het staat op een klif met uitzicht op zee en heeft een open tuin. Het geluid van de golven is in het huis hoorbaar. Het huis is niet groot – de bovenverdieping heeft maar drie kleine slaapkamers en de begane grond heeft een bescheiden keuken en een huiskamer met een open haard. Aan het einde van de tuin bedekt een roodachtig heuveltje het graf van één van de moedigste helden uit de toverwereld (RD25).

hulst

Een toverstokhout dat gebruikt werd voor Harry's toverstok (SW5).

Hulst werd origineel in verband gebracht met winterfeesten, zoals de Saturnaliën en Kerstmis, aangezien het symbool stond voor vernieuwing en wederopstanding in de donkerste maand van het jaar. J.K. Rowling besloot dat Harry een toverstok van hulst zou krijgen voordat ze zich er van bewust was dat hulst in de Keltische kalender was gekoppeld aan de periode van 8 juli tot en met 4 augustus. Harry's verjaardag valt hierin (JKR). Volgens de Keltische overlevering is hulst een symbool voor geluk.

Hurtz, Grizel

De schrijfster van een adviescolumn in de *Ochtendprofeet* (DP3). *De Engelse term 'agony aunt' verwijst naar een persoon die een adviescolumn over relaties schrijft. In dit geval is de achternaam van deze 'agony aunt' bijzonder toepasselijk. ('to hurt' = 'pijn doen')*

Hutje-op-de-Rots

Een klein, vervallen hutje op een rots in de zee, op enige afstand van de kust, maar nog binnen het zicht. De hut rook sterk naar zeewier en had scheuren in de muur (SW3, 4).

hutkoffer

De favoriete koffer in de Tovenaarswereld, in ieder geval onder Zweinsteinleerlingen en docenten. Hutkoffers zijn behoorlijk groot – Harry kon de zijne nauwelijks optillen toen hij jong was (SW6) – en lang genoeg voor een bezem (GA15). Sommige hebben meer ruimte dan zichtbaar is; Dollemans hutkuffer had zes compartimenten ter grootte van een hutkoffer en een zevende dat zo diep was als een kuil (VB35). De hutkoffers die jongere leerlingen hebben, lijken dit soort vermogens niet te hebben, aangezien Hermelien in haar tweede jaar vertelt dat niet alle boeken die ze mee wilde nemen in de hare pasten (GK9).

Hydra

Een eeuwenoude rune die voor het getal negen staat, voorgesteld door de 9 hoofden van de Hydra. Er is een plaatje van te vinden in *Oude Runen Eenvoudig Verklaard* (JKR).

Hygiënia

(hie-gie-ee-nie-aa)
(Eng. 'Tergeo')
Een spreuk die wordt gebruikt om hetgeen wat ongewenst is weg te poetsen, of het nu gedroogd bloed is (HBP8), stof (RD17) of vet (RD6).
'Tergeo' = L. 'afvegen, droogmaken; schrobben, schoonmaken'

Hypocrietspriet

Magisch toestel dat op ouderwetse televisieantennes lijkt. Ze pikken ruis op van naderend kwaad (VB20, HBP12).

iep

Houtsoort die werd gebruikt voor de toverstok van Lucius Malfidus (RD1).

Volgens de Keltische overlevering wordt iepenhout naast andere dingen in verband gebracht met de donkere kant van de ziel van een persoon, wat het gebruik van iepenhout voor de toverstok van een Dooddoener een interessante keuze maakt.

Ierland

Het Ierland van de tovenaars is nauw verbonden met het Engeland van de tovenaars; kinderen uit Ierland, zoals Simon Filister bijvoorbeeld, bezoeken Zweinstein (VB6) en steden in Ierland die deel uitmaken van de Britse en Ierse Zwerkbalcompetitie (DP1,2,3,4). Opmerkelijke tovenaars uit Ierland zijn onder anderen Cliodna, koningin Mauve en Morholt (TK).

Ierse kabouter

Een klein elfachtig wezen dat van oorsprong uit Ierland komt. Ze kunnen een goudachtige substantie produceren die na enkele uren weer verdwijnt (VB8, 28) wat ze grappig vinden (maar Ron Wemel is die mening niet toegedaan). De Ierse Kabouters zijn de teammascotte van het Ierse nationale Zwerkbalteam (VB8; *zie ook Fabeldieren en Waar Ze te Vinden*).

Ierse Kabouters zijn elfen uit de Ierse mythologie en folklore. Ze worden over het algemeen net zo beschreven als J.K. Rowling ze beschrijft, als kleine oude mannetjes. Volgens de vertellingen zijn Ierse kabouters erg slim en fabelachtig rijk, maar het is erg moeilijk om ze ervan te overtuigen of ze ertoe te verleiden om de locatie van hun goud te onthullen.

IJsmuizen

Snoep dat in Zacharinus' Zoetwarenhuis wordt verkocht (GA10).

Ilfracombe, Incident van

Incident in 1932 in het aan zee gelegen dorpje Ilfracombe. Een Groene Huisdraak streek neer op een strand vol met Dreuzelvakantiegangers. Tilly Toorn en haar gezin bevonden zich daar toevallig en spraken de grootste Massa Geheugenbezwering van deze eeuw uit (TK).

Ilkley Moor
Een moeras ten noordwesten van Leeds in Yorkshire, de locatie van een Zwerkbalstadion uit de 12e eeuw. Dit stadion was recentelijk ook de locatie van een wedstrijd tussen Pullover United en de Holyhead Harpies. Aangezien de rivaliteit tussen de teams op geweld uit dreigde te lopen, nam het Ministerie van Toverkunst de toverstokken van fans aan de poort in beslag (DP3); ondanks de voorzorgsmaatregelen liep de wedstrijd toch uit op rellen (DP3).

Imago, Inigo
Auteur van het *Droomorakel*, een boek dat Zwamdrift gebruikt tijdens de lessen Waarzeggerij aan vijfdejaars (OF12,13).
'inigo' = onbekende oorsprong (maar doet ons onmiddellijk denken aan Inigo Montoya van de film The Princess Bridge*) + 'imago ' = L. 'beeld'*

Impedimenta
Stremspreuk
Deze nuttige en veelgebruikte spreuk doet een object stoppen of remt het af (bijv. OF21).
'impedimentum' = L. 'belemmering'

Imperio
Imperiusvloek
Een van de Onvergeeflijke Vloeken, zorgt ervoor dat het slachtoffer volledig onder de wil van de uitspreker staat en het slachtoffer alles kan laten doen wat de uitspreker wil (VB14 e.v.). Een persoon die betoverd is met de Imperiusvloek, wordt 'imperiused' genoemd. Verzet tegen deze spreuk is mogelijk, maar erg moeilijk (VB15).
'imperio' = L. 'bevelen, heersen'

Imperiusvloek
Zie IMPERIO

Impervius
(im-per-vie-us)
Hermelien gebruikte deze spreuk om Harry's brillenglazen waterafstotend te maken tijdens een regenachtige Zwerkbalwedstrijd (GA9).
'im' = voorvoegsel uit het L. dat 'niet' betekent + 'pervius' = L. 'dingen doorlaten'

Importverbod op Vliegende Tapijten
Omdat het tapijt als een Dreuzelvoorwerp is geclassificeerd, heeft het Ministerie een verbod ingesteld op het importeren van Vliegende Tapijten (VB7).

Inanimatus Conjurus
(In-aa-ni-maa-tus Kon-dju-rus)
Vijfdejaars die Gedaantewisselingen volgen moeten als huiswerk een opstel over deze spreuk schrijven (OF14). De betekenis suggereert dat het te maken heeft met het laten verschijnen van levenloze objecten.

'in' =L. 'tegen' + 'anima' = L. 'adem, leven' + 'conjure' = Eng. 'oproepen'

Incendio
(In-sen-die-oo)
Spreuk die Arthur Wemel gebruikte om een vuur aan te steken in de haard van de Duffelingen (VB4; *zie ook* HBP28).
'incendio' = L. 'in brand steken'.

In het Aangezicht van het Gezichtsloze
Het P.U.I.S.T.-niveaulesboek voor Verweer Tegen de Zwarte Kunsten, tijdens Harry's zesde jaar (HBP9).

Inquisitiekorps
Groep leerlingen die door Omber is geselecteerd op grond van hun steun voor het Ministerie (en in het bijzonder diegenen die bereid waren om Omber te steunen). De leden droegen een kleine zilveren letter 'I' op hun gewaden en schenen allemaal Zwadderaars te zijn. De leden inspecteerden onder andere de binnenkomende post, rapporteerden mensen bij Omber en trokken veel punten van andere afdelingen af (OF28).

Insectenvloek
Harry kwam in de verleiding om deze vloek op Dirk te gebruiken. Hierdoor zou hij voelsprieten gekregen hebben en gedwongen zijn om naar huis te kruipen (OF1).

Instituut voor Dreuzelkunde
Onderzoekt de familiaire verwantschappen tussen tovenaars en Dreuzels (JKR).

Institute of Muggle Studies
Zie INSTITUUT VOOR DREUZELKUNDE

Internationaal Alchemistensymposium
Perkamentus won een gouden medaille wegens 'Baanbrekende Bijdragen' aan dit symposium dat in Caïro werd gehouden. (RD18).

Internationale Magische Samenwerking, Departement van
Een departement van het Ministerie waarbij Percy Wemel in dienst was en dat een tijd werd geleid door Bartho Krenck senior (VB7, VB16). Naast andere zaken organiseerde het departement het WK Zwerkbal (VB5) en het Toverschool Toernooi (VB12). Onder een van hun normale projecten valt het standaardiseren van de bodemdikte van toverketels (VB5).

Internationale Magische Handelsorganisatie & Internationaal Magisch Wetsbureau
Deze twee groeperingen hebben hun kantoren op de vijfde verdieping van het Ministerie van Toverkunst, samen met het Departement van Internationale Magische Samenwerking (OF7).

Internationaal Overlegorgaan van Heksenmeesters

Een organisatie die, naast andere dingen, toeziet op de regulering van fabeldieren door lidstaten en de naleving van het Internationaal Statuut van Geheimhouding, dat in 1689 werd ingevoerd (FD). Albus Perkamentus was de voorzitter (OF5).

Internationaal Statuut van Geheimhouding

Een wet die in 1689 door het Internationale Overlegorgaan van Heksenmeesters in het leven werd geroepen. Deze wet veranderde het tovenaarsleven voorgoed (RD16). Het Statuut maakte het illegaal om welke vorm van magie dan ook aan Dreuzels te onthullen, hoewel magie nog wel ter zelfverdediging gebruikt mag worden (OF6). Hoewel er enkele uitdagingen waren, zoals het verbergen van fabeldieren (bijv. DP1), heeft het statuut het meer dan driehonderd jaar uitgehouden. Zoals Hagrid zegt, '[tovenaars] worden het liefst met rust gelaten' (SW5).

De bronnen wat de datum van dit belangrijke Statuut betreft spreken elkaar tegen. Volgens Fabeldieren en Waar Ze te Vinden, *werd het Statuut in 1692 ingevoerd. In* Relieken van de Dood *wordt echter 1689 als datum gegeven.*

Internationaal Tovenaarscongres van 1289

Professor Kist gaf een dodelijk saaie les over deze gebeurtenis aan de tweedejaars tijdens Geschiedenis van de Toverkunst (GK9).

Internationale Zwerkbalfederatie

De organisatie die gaat over internationale Zwerkbalteams, -regels en -toernooien. Ten tijde van het WK Zwerkbal in 1994 was Hassan Moestafa de voorzitter (VB8).

Internationaal Duelleerverbod

Volgens Percy was het Department van Internationale Magische Samenwerking in 1994 bezig om de Transsylvaniërs ertoe te bewegen om dit te ondertekenen.

Ivanova

Bulgaarse Jager (VB8).

Jaar met de Yeti, Een
Een van de vele verplichte lesboeken voor Verweer Tegen de Zwarte Kunsten in Harry's tweede jaar (GK4).

Jaarlijkse Internationale Tovertuinierwedstrijd
Kent zeer veel interessante divisies, waaronder de Verdraaide Granenwedstrijd (DP1).

Jacobs, Gwendoline
(geb. 1968; Zweinstein 1979-1986)
Aanvoerster en Drijver van het enige volledig vrouwelijke professionele Zwerkbalteam, de Holyhead Harpies (TK). Ze denkt zelf dat de Harpies het 'spannendste team is dat Zwerkbal speelt' (DP1). Gwendoline was toen ze op Zweinstein zat een van de lievelingetjes van Slakhoorn. Ze stuurt hem nog steeds vrijkaartjes voor wedstrijden van de Harpies wanneer hij maar wil (HBP4). Gwendoline was ook aanwezig bij een van de bijeenkomsten van de Slakkers. Hermelien heeft haar daar gezien, maar vond haar erg 'vol van zichzelf' (HBP14).

Jacobs, Hecuba
Een van de leden van de Orde van de Feniks. Zij moest de Duffelingen in veiligheid brengen voordat Harry zou vertrekken (RD3).

Jager
Zwerkbalspelers die de Slurk overgooien, terwijl ze proberen hem door de doelring te werpen om te scoren. Er zijn drie Jagers per Zwerkbalteam (SW10, etc.).

Jamhersenbezwering
Tijdens de rel die uitbrak bij een wedstrijd tussen Pullover en Holyhead, gebruikten veel Harpiesfans deze bezwering (DP4).

Jammerende Jenny
(† 1943; Ravenklauw c. 1941)
(Eng. 'Moaning Myrtle')
Een leerling van Ravenklauw (JKR) aan Zweinstein in 1943 (GK16, 17, VB25, HBP21, 24), nu een spook. Na haar dood besloot Jammerende Jenny om bij Olivia Spork te gaan spoken om het haar betaald te zetten dat ze haar gepest had, totdat het Ministerie ingreep en haar dwong om te stoppen (VB25). Toen keerde ze terug naar de plaats van haar

dood, een toilet, waar ze sindsdien altijd heeft gespookt (GK8, 9).

De Engelse naam is interessant. Hij lijkt op de term 'Moaning Minnie' die in de Tweede Wereldoorlog werd gebruikt voor een bepaald type mortier dat een gillend geluid maakte als het afgevuurd werd. De naam werd op een gegeven moment gebruikt voor iemand die continu zeurde en jammerde over van alles.

Jammerende Jenny, de wc van

De meest troosteloze en sombere wc die Harry ooit heeft gezien, hoewel de slechte verlichting en gebrek aan goed onderhoud waarschijnlijk te maken hebben met het feit dat Jammerende Jenny er spookt (GK9, 16, RD31).

Er is een continuïteitsfoutje in de omschrijving van de wc van Jammerende Jenny in deel twee. Hermelien vertelt Harry en Ron dat deze op de eerste verdieping is, als ze aan het praten zijn op het Sterfdagfeestje. Een paar hoofdstukken later vindt net buiten het toilet de eerste aanval van de Basilisk plaats en het boek stelt duidelijk dat dit op de tweede verdieping gebeurde.

Jamvingervloek

Een spreuk die ervoor zorgt dat de vingers van het slachtoffer als jam worden, zodat de persoon niks meer goed vast kan pakken. Na een wedstrijd tussen de Pride of Portree en de Appleby Arrows, beschuldigde de Zoeker van de verliezende partij dat zijn tegenstander ervan deze spreuk over hem te hebben uitgesproken (DP3).

Jansen, Angelique

(geb. oktober 1977; Griffoendor, 1989; Zwerkbal Jager 1990-1996; Aanvoerder 1995-1996; Strijders van Perkamentus)

Een lang meisje met een zwarte huidskleur (VB16). Ze is erg goed in Zwerkbal (SW11) en had zich opgegeven voor het Toverschool Toernooi, maar werd niet gekozen (VB16). Ze zit in hetzelfde jaar als Fred en George, en is schijnbaar goed bevriend met hen, evenals met Leo Jordaan (VB22, 23). Angelique werd in 1995 Aanvoerder van het Zwerkbalteam van Griffoendor (OF12). Daar werd ze nogal gespannen van en daardoor ook erg humeurig (OF13).

Jarvey

Een magisch wezen dat op een fret lijkt (JKR).

In Ierland is een 'jarvey' een koetsier. Dit is mogelijk een verwijzig naar het idee dat koetsiers de neiging tot grof taalgebruik zouden hebben; volgens Fabeldieren en Waar Ze te Vinden *bedienen Jarveys zich ook van grove taal.*

Jeegers

Een Dooddoener die tot de binnenste kring van Dooddoeners behoorde. Hij zat aan de tafel van

J

Voldemorts raad voor ze het Ministerie overnamen (RD1). Hij zat ook samen met Omber in de Registratiecommissie van Dreuzeltelgen (RD13).

Jeegers, Lysandra

(1884-1959)

De vrouw van Arcturus Zwarts. Ze hadden samen drie kinderen: twee dochters, Callidora en Charis, en een kind dat onterfd werd (BFT).

'Je Hebt Mijn Hartje Weggetoverd'

Een liedje dat gezongen werd door Celine Malvaria (HBP16).

Jekers

Dooddoener die vocht in de Strijd van het Departement van Mystificatie (OF35).

Jeweetwel

Een 'veilige' manier om naar Voldemort te verwijzen.

Zie HIJ-DIE-NIET-GENOEMD-MAG-WORDEN

J.F. Treitercollege

De openbare middelbare school in Klein Zanikem. Het J.F. Treitercollege is de school waar Harry heen gegaan zou zijn als hij geen brief van Zweinstein had gehad. De uniformen voor het J.F. Treitercollege zijn saai grijs. Tante Petunia probeerde Harry's uniform te maken door wat van Dirks oude kleding te verven (SW3).

jodelende jojo

Een van de dingen die aan het begin van het schooljaar 1994-1995 werden toegevoegd aan Vilders lijst van voorwerpen die verboden zijn op Zweinstein. (VB12).

Jones, Megan

(Huffelpuf 1991)

Deze achternaam staat op de kladversie van de klassenlijst van Harry's jaar die J.K. Rowling liet zien tijdens het 'Harry Potter and Me' TV interview (HPM). Ze is een halfbloed. Megan wordt nooit in de serie genoemd, maar haar naam wordt hier genoemd omdat ze blijkbaar wél bestond in de eerste plannen voor de boeken.

'Jongen die Bleef Leven'

Harry's beroemde titel, omdat hij de enige tovenaar is die ooit de Vloek des Doods heeft overleefd. En hij heeft het nu eigenlijk al drie keer gedaan (SW1, RD34).

Jordaan, Leo

(geb. 1978; Griffoendor 1989; Strijders van Perkamentus)

Een goede vriend van Fred en George Wemel die commentator was bij de Zwerkbalwedstrijden op Zweinstein. Hij liet zichzelf wel eens gaan bij het commentariëren (SW11). Hij is een jongen met een donkere huidskleur en dreadlocks (OF10, *zie ook* RD22).

Jorkins, familie

Primrose en Albert Jorkins, de

ouders van Grimwold en Granville, kregen een derde kind, Griselda Harmonia, wier geboorte aangekondigd werd in de *Ochtendprofeet* (DP2).

Jorkins, Stamford

Een woordvoerder van het Ministerie van Toverkunst. Hij werd geïnterviewd door de *Ochtendprofeet* voor het verhaal over de procedures van het Ministerie betreffende Halloweenfeesten (DP4).

Juttemis, Jaap

Een Drijver voor de Cambridge Cannons. Zijn foto, waarop hij een Beuker richting een Jager van de Ballycastle Bats slaat, is een bewegende foto in het boek *De Lucht in met de Cannons* (VB2).

kaarsenmagie
Kaarsen worden gebruikt voor verlichting op Zweinstein en ze worden vaak ook op magische manieren gebruikt. De Grote Zaal wordt verlicht met duizenden zwevende kaarsen (SW7). Rita Pulpers gebruikt magie om een kaars aan te steken en te laten zweven om een interview te kunnen houden in een bezemkast (VB18). Giftige kaarsen zijn te koop in de Verdonkeremaansteeg (GK4). Rond Kerst hangen er snoeren van betoverde kaarsjes in de bomen van Zweinsveld (GA10). Haast Onthoofde Henks sterfdagfeestje werd verlicht door zwarte kaarsen met dunne blauwe vlammetjes (GK8). In elk harnas wordt met Kerst een eeuwig brandende kaars geplaatst (GA11, HBP16).

kaart van Schotland
(Eng. 'Map of Argyllshire')
In de Engelse edities is dit niet een kaart van Schotland, maar van de provincie Argyllshire in het westen van Schotland. Op de tweede verdieping hangt de kaart. De Dikke Dame verborg zich in deze kaart nadat ze door een binnendringer werd aangevallen (GA9).

kaarten, Knalpoker
Kaarten die speciaal gemaakt zijn voor het spelletje Knalpoker, wat inhoudt dat ze elk moment luidruchtig kunnen ontploffen (bijv. GK12). De kaarten worden af en toe gebruikt om kaartenhuizen te maken, wat daardoor extra interessant wordt (VB22).

kaarten, toekomst voorspellende
Tarotkaarten die professor Zwamdrift gebruikt om de toekomst te voorspellen (HBP10, 25).
Deze manier van toekomst voorspellen wordt 'kaartleggen' genoemd. Zwamdrifts interpretaties van de betekenis van de kaarten zijn redelijk accuraat, al leest ze ze natuurlijk wel zo negatief mogelijk. Haar verwijzing naar de 'door de bliksem getroffen toren' is onberispelijk. Niet alleen vanwege de betekenis bij het kaartlezen, een naderende ramp, maar ook omdat ze de Strijd van de Toren voorspelt.

kaas gemaakt van drakenmelk
Dit product zou worden beschreven in het boek *Charm Your Own Cheese* (JKR).
Het idee dat draken melk zouden

produceren is eigenlijk heel raar, omdat draken geen zoogdieren zijn. De term 'drakenmelk' is eigenlijk een 17e-eeuwse term om het sterke bier dat gewoonlijk voorbehouden was aan de adel te omschrijven. J.K. Rowling maakt hier waarschijnlijk een toespeling op dit bier, en niet zozeer op het zooggedrag van draken.

kaboutervrij maken
Kabouters uit een tuin verwijderen. Hierbij pak je de kabouters bij de enkels, waarna je ze enkele keren rondzwaait om ze te desoriënteren en vervolgens gooi je ze uit de tuin. Kabouters zijn behoorlijk dom, dus wanneer ze merken dat je de tuin kaboutervrij aan het maken bent, komen ze allemaal naar je toe om te zien wat je aan het doen bent. Dit maakt het heel eenvoudig om ze te vangen (GK3).

Kakkerlak Krunchies
Snoepjes die te koop zijn bij Zacharinus' Zoetwarenhuis, waarschijnlijk gevuld met echte kakkerlakken (GA10).
J.K. Rowling heeft verteld dat ze een fan is van Monty Python (Sch2). Kakkerlak Krunchies komen rechtstreeks uit een sketch van 'Monty Python's Flying Circus'.

Kalkstov
Mannelijke leerling aan Klammfells die met minachting behandeld werd door Karkarov, ondanks het feit dat hij toch wel een getalenteerde tovenaar geweest moet zijn. Hij was tenslotte een potentiële kampioen voor Klammfells in het Toverschool Toernooi (VB16).

Kakelbontbril
(Eng. 'Spectrespecs')
Een 'psychedelische bril', die gratis werd weggegeven bij een nummer van *De Kibbelaar* tijdens Harry's zesde jaar (HBP7).
'spectre' = Eng. 'geest, spook' + 'specs' = Eng. slang 'bril'

kameleonmantels
Er waren geruchten dat Pullover United in deze kameleonmantels investeerde als nieuw gewaad (DP1).

Kameleongeesten
Deze geesten staan erom bekend dat ze doen alsof ze een harnas zijn (GK11).

Kameoflagespreuk
(Eng. 'Disillusionment Charm')
Een spreuk die de ware, magische aard van een voorwerp of persoon verbergt. De spreuk kan worden gebruikt om een heks of tovenaar vrijwel onzichtbaar te maken (OF3, HBP3, RD4, 22, 24, JKR).
Een 'illusion' is een niet bestaand (waan)beeld, meestal met de suggestie dat het groots of zelfs magisch is. Het woord komt van het woord 'illusionem' = L. 'ironie, grap', dat weer komt van het woord 'illudere' = L. 'spelen met' (Ludo

Bazuyns voornaam komt van hetzelfde woord). Het voorzetsel 'dis' suggereert het wegnemen van een dergelijk beeld. In dit geval betekent het dat de magische verschijning van een wezen wordt verborgen door de spreuk. Het is interessant dat de omschrijving van Wikipedia het effect van deze spreuk op Dreuzels goed weergeeft: 'Een gevoel dat je krijgt wanneer je erachter komt dat iets niet is zoals je dacht dat het zou zijn, wordt over het algemeen als sterker dan teleurstelling ervaren, met name als een overtuiging die dicht bij de eigen identiteit lag als zijnde onwaar wordt onthuld; Het wegnemen van een illusie, of ervan bevrijd worden'.

Kamerling, Eddie

(Ravenklauw, 1990)

Een ondernemende leerling uit een jaar hoger dan Harry die het feit dat hij negen 'Uitmuntende' S.L.I.J.M.B.A.L.len heeft gehaald probeerde uit te buiten (OF31).

Kamer des Doods

Een vreemde kamer die zich diep in het Departement van Mystificatie bevindt. In deze kamer staat een eeuwenoude stenen boog boven op een verhoogd platform. Aan de boog hangt een gordijn, dat heen en weer beweegt alsof er een zacht briesje tegenaan waait. Sommige mensen kunnen stemmen horen die uit de boog lijken te komen, hoewel er niets achter de boog lijkt te zijn. De stemmen zijn de stemmen van de doden en de kamer en de boog worden gebruikt om de dood te bestuderen (OF34, 35).

kamer vol planeten

Gevestigd in het Departement van Mystificatie. Deze spaarzaam verlichte kamer wordt zelfs door Loena Leeflang als een 'rare plek' omschreven (OF35).

Modellen van het zonnestelsel en zelfs het hele universum zijn gewild bij tovenaars omdat deze hun de informatie geven die ze nodig hebben bij het uitvoeren van spreuken. Vanuit het feit dat het zonnestelsel zo gedetailleerd wordt bestudeerd in het Departement van Mystificatie, kunnen we concluderen dat de invloed van planeten op magie inderdaad groot is – en nog niet goed wordt begrepen.

Kamer van Komen en Gaan

De naam die de huis-elfen gebruiken voor de Kamer van Hoge Nood (OF18).

Kamer van Hoge Nood

(Kamer van Komen en Gaan, Kamer van Verborgen Zaken)

Magische kamer in Zweinstein die alleen ontdekt kan worden door iemand die nood heeft; ligt op de zevende verdieping. De Kamer past zich op magische wijze aan aan wat degenen die hem betreden ook maar nodig hebben (OF18, HBP24, 27, RD9,31).

Kamer van Verborgen Zaken

Een naam voor de Kamer van Hoge Nood als hij zichzelf heeft veranderd in een enorme opslagruimte die gevuld is met dingen die verborgen of weggedaan zijn door generaties Zweinsteinleerlingen (HBP24, RD31).

Kamerafsluitende spreuk

Sneep gebruikte een krachtige toverspreuk om zijn kantoor te verzegelen, een bezwering die alleen een krachtige tovenaar zou kunnen verbreken (VB25).

kamers van de Steen der Wijzen

Een serie kamers die diep onder Zweinstein ligt, met als doel de Steen der Wijzen te verbergen en te beschermen tegen mogelijke dieven. Perkamentus heeft de steen daar ergens in 1991 of 1992 geplaatst. De steen werd beschermd door verschillende magische valstrikken en middelen zodat het een hele prestatie zou zijn om de steen te stelen (SW16, 17). *Maar waar was de Steen gedurende het hele jaar? Wanneer werd hij in de Spiegel geplaatst en wanneer werd de Spiegel in de onderaardse kamer gezet? De spiegel stond met Kerst tenslotte in een ongebruikt lokaal op de derde verdieping. Om eerlijk te zijn lijkt het ook veiliger om de Steen verstopt in een spiegel ergens in een stoffig hoekje van het kasteel te zetten, dan om deze achter een serie duidelijk magische barrières te stoppen waar het bijna iemand uitdaagt om ernaar te gaan zoeken. Laten we het onder ogen zien, beveiligingen die door drie eerstejaars doorbroken kunnen worden, zijn echt niet zo indrukwekkend. De aannemelijkste verklaring is dat het hele gebeuren met de verboden kamer een list was om te verbergen dat de Steen eigenlijk heel ergens anders was. Met de hedoeling van Perkamentus om Harry achter Krinkel aan de verborgen kamer in te laten gaan. Het lijkt erop dat Perkamentus er niet op rekende dat Voldemort erbij betrokken was.*

Kampeerterrein

Gelegen aan een bos en op twintig minuten lopen van een mooi afgelegen heideveld en het WK Zwerkbalstadion. Het werd gerund door een Dreuzel, meneer Rolvink, over wie regelmatig Vergetelheidsspreuken moeten worden uitgesproken zodat hij alle magie om hem heen niet zou opmerken. Er waren nog meer van dit soort kampeerterreinen in de buurt (VB7, RD14).

Kampioenschap Voor Het Best Onderhouden Gazon In Een Keurige Buitenwijk

Een fictieve wedstrijd die door de Orde van de Feniks werd gebruikt om ervoor te zorgen dat de Duffelingen hun huis een avond verlieten (OF3).

Kanariekano's
(Eng 'Canary Creams')
Magische lekkernij, uitgevonden door Fred en George. Ze zien eruit als een gewone kano, maar ze veranderen de eter in een enorme kanarie. Het effect is echter kortdurend, aangezien de persoon even later in de rui is en weer zijn of haar normale zelf wordt (VB21).
De Engelse naam is afgeleid van Custard Creams, populaire koekjes in Engeland. Ze bestaan uit twee koekjes met vanillecrème ertussen. Ze lijken een beetje op de ook bij ons bekende Oreo koekjes (en worden vaak ook op dezelfde manier gegeten, door de koekjes van elkaar te halen en de crème eerst op te eten).

Kanarie Transfiguratievloek
Een tijdelijke vloek om iemand in een enorme kanarie te veranderen (VB21).

Kannewasser, Barend
Medewerker van het Ministerie, werkzaam bij het Departement van Toezicht op Magische Wezens. Barend was erg trots op zijn zoon, Carlo. Barend was een joviale man die goed bevriend was met de Wemels. De Kannewassers wonen in de buurt van Greenwitch (VB6, 37).

Kannewasser, Carlo
(1977-1995; Huffelpuf, 1989; Klassenoudste 1992; Zwerkbalaanvoerder en Zoeker 1993-1995)
(Eng. 'Diggory, Cedric')
Een knappe jongen met grijze ogen. Hij werd in 1993, toen hij vijfdejaars was, Aanvoerder van het Zwerkbalteam van Huffelpuf. Hij was een heel goede leerling en klassenoudste (GA9). Carlo was door de Vuurbeker geselecteerd om Zweinstein te vertegenwoordigen in het Toverschool Toernooi (VB16).
Carlo's naam is mogelijk een knipoog naar een van de hoofdpersonen uit de boeken van C.S. Lewis 'De kronieken van Narnia', *Digory Kirke.*

Kannewasser, mevrouw
Carlo's moeder, de vrouw van Barend. Ze wordt een evenwichtige en nuchtere heks genoemd (VB31, 37).

Kanters
(Ravenklauw, 1990; Zwerkbal Jager c. 1995-1996)
Een Jager van Ravenklauw in de laatste Zwerkbalwedstrijd tegen Griffoendor in het schooljaar 1995-1996 (OF31).

Kappa
Een waterbewoner die op een geschubde aap met zwemvliezen aan zijn handen lijkt. Een Kappa grijpt pootjebaders en wurgt ze in zijn vijver (GA8). Volgens Sneep komt de Kappa vooral voor in Mongolië (GA9), hoewel het lesboek *Verzorging van Fabeldieren*

stelt dat de Kappa een Japans wezen is (FD).
Kappa's zijn watergeesten uit de Japanse folklore. Ze zouden een bolvormige uitsparing op hun hoofd hebben en deze gevuld houden met water. Dit is de bron van hun kracht. Om een Kappa te overwinnen moet je er volgens de folklore naar buigen. Hierdoor wordt de Kappa ertoe bewogen om ook te buigen en morst zo het water uit zijn hoofd.

Karamelkevers
Een heerlijk snoepje van Zacharinus' Zoetwarenhuis dat Schurfie volgens Ron heerlijk vond (GA13).

Karkarov, Igor
(† 1996)
Schoolhoofd van Klammfels en voormalig Dooddoener. Karkarov was een lafaard en een kwelduivel; hij behandelde zijn leerlingen oneerlijk en nam niet eens de moeite om het schip van de school te besturen (VB15 e.v.; *zie ook* HBP6).

Karkus
(† 1995)
De Oppur van de reuzen in Europa, met wie Hagrid en Mallemour voor het eerst contact opnamen in de zomer van 1995 (OF20).

karretjes, Goudgrijps
Magisch transportmiddel naar de diep ondergronds gelegen kluizen van Goudgrijps Tovenaarsbank. Het karretje is zelfaandrijvend en lijkt zichzelf door de onderaardse gangen te leiden, aangezien de kobolden niet sturen terwijl het zich verplaatst over de kleine spoorrails in de vloer. De karretjes hebben maar één snelheid volgens Grijphaak: laagvliegend (SW5, RD26).

kassen
Op Zweinstein worden de Kruidenkundelessen in de kassen gegeven; er zijn er minimaal drie met planten van verschillende gevaarlijkheidsniveaus (GK6).

kastanje
Kastanje is een toverstokhout. Peter Pippelings toverstok was gemaakt van kastanje (RD24).
De traditionele kennis over de kastanje past niet echt bij Pippeling. De kastanje staat voor eerlijkheid en een goed ontwikkeld gevoel voor rechtvaardigheid.

katapult, gevleugelde
Een van de vele voorwerpen die Zweinsteinleerlingen niet mogen hebben (HBP24).

Kaukasische Knauwkool
Hermelien bestudeerde hier een diagram van voor een huiswerkopdracht (OF16).

Kelpie
Een vleesetende watergeest die van vorm kan veranderen (GK7).

's Werelds grootste en bekendste Kelpie is het Monster van Loch Ness, die de tovenaarsautoriteiten veel hoofdbrekens heeft bezorgd omdat hij nogal een uitslover is (DP1).
In Keltische folklore is de kelpie een van vorm veranderend paard dat zich in meren en rivieren ophoudt. Een kelpie lijkt op een verdwaalde pony met manen die altijd druipen. Volgens sommige legendes lokken kelpies mensen in het water en eten ze dan op.

Kenmare Kestrels
Een Iers Zwerkbalteam (DP1-4).

Kent
Een in het zuidoosten gelegen Engels graafschap waar Dedalus Diggel woont (SW1). Het spook dat bekendstaat als Weeklagende Weduwe (GK8) komt ook uit Kent.

Kerkers
De onderste verdiepingen van het kasteel Zweinstein bestaan vooral uit kerkers. Eén grote kelderkamer wordt als lokaal voor de lessen Toverdranken gebruikt (SW8). De kerkers zijn verbonden met Sneeps kantoor (GK5) en de Leerlingenkamer van Zwadderich, die onder het meer ligt (RD23).

kersen
Marcels nieuwe toverstok is gemaakt van deze houtsoort (HBP7).
In Deense folklore wordt gezegd dat bosdemonen in kersenbomen leefden. Van 'Glamorgana's' (in het Engels 'Vila', maar door J.K. Rowling 'Veela' genoemd) werd volgens Servische folklore geloofd dat ze in de buurt van kersenbomen leefden. Culpeper's Complete Herbal, een boek waarvan J.K. Rowling aangeeft dat het één van haar bronnen is, beschrijft een aantal remedies die gebruik maken van kersen en kersensap.

Kerstbal
Een 'traditioneel onderdeel van het Toverschool Toernooi'. Het Kerstbal werd door Zweinstein georganiseerd op Eerste Kerstdag 1994, zodat het samenviel met het jaar dat het toernooi gehouden werd. Alle leerlingen vanaf hun vierde jaar mochten erheen, evenals jongere leerlingen die door hen uitgenodigd werden (VB22, 23).

Kerstmis
De eerste van de vakanties van twee weken tussen de semesters, waar zowel Kerst als Oud & Nieuw in valt. De meeste leerlingen gaan in deze vakantie naar huis, maar een paar blijven ook op Zweinstein. Traditioneel worden er door Hagrid elk jaar twaalf kerstbomen in de Grote Zaal gezet en deze worden door Banning versierd. Soms worden de harnassen in het kasteel betoverd zodat ze kerstliedjes zingen. To-

venaars gebruiken echte levende feeën in plaats van decoratieve lichtsnoeren (GA10, VB23). Er wordt een feestmaal gehouden op Eerste Kerstdag, met als hoogtepunt Knijters Knalbombommetjes (bijv. SW12).
Kerstmis lijkt meer te worden gevierd als cultureel dan als religieus feest op Zweinstein, wat een interconfessionele school is, volgens J.K. Rowling (MTV).

ketel
Een onderdeel van de basisuitrusting van iedere heks of tovenaar; een metalen pot met een hengsel. Deze veelzijdige voorwerpen worden gebruik om toverdranken te maken, maar kunnen ook worden gebruikt om dingen in te dragen en om in een noodgeval een aanvaller neer te slaan. Veel ketels zijn in ieder geval deels magisch. Er zijn bijvoorbeeld zelfroerende en opvouwbare ketels te koop in een winkel op de Wegisweg (SW5). Gasperd Springdam vond de Zelfroerende ketel uit (TK), een feit dat elke eerstejaars moest weten voor zijn Geschiedenis van de Toverkunstexamen (SW16). In ketels kunnen veel boeken worden gedragen, wat de indruk wekt dat ze van binnen groter zijn dan aan de buitenkant (GK4).

'Een Ketel Vol Met Warme Liefde'
Een lied dat door Celine Malvaria wordt gezongen. Het is een 'extra swingend nummer' met sentimentele herinneringen voor mevrouw Wemel, omdat zij en haar man erop gedanst hebben toen ze achttien waren. Naast Celine Malvaria zingt ook haar koor mee (HBP16).

Ketelkoeken
Iets lekkers dat op de Zweinstein Epress wordt verkocht (SW6, GA5, VB11) en als welkom wordt gebakken voor de familie Perkamentus (RD11).

ketels, winkel voor
Deze winkel aan de Wegisweg, het dichtst bij het steegje achter de Lekke Ketel, verkoopt allerlei soorten ketels (SW5).

Kettering, Elladora
(1656-1729)
Ontdekte Kiewwier. Zie de Tovenaarskaarten voor meer informatie (TK).

kettingen, magische
Een spreuk laat deze magische kettingen uit een stoel komen en een persoon eraan vastbinden. De stoel in het Gerechtshof van Magische Wetshandhaving is met deze magische kettingen uitgerust (VB30, OF8, RD13).
Zie ook BIND- EN VASTMAAKTOVERKUNST

keukens van Zweinstein
Gelegen op de eerste verdieping

K

onder de Grote Zaal en te bereiken via een deur aan de rechterkant van de trap in de hal, waarachter een schilderij te vinden is van een fruitschaal. Door de peer te kietelen verandert deze in een deurknop. In de keukens zijn meer dan honderd huis-elfen te vinden. De tafels om het eten klaar te maken staan direct onder de afdelingstafels in de Grote Zaal daarboven; als het tijd is om te bedienen wordt het eten op magische wijze door het plafond van de keukens op de tafels getoverd (VB21).

Kevin
Twee jaar oud tovenaartje, dat vroeg in de ochtend bij zijn ouders tent op de kampeerplek van het WK Zwerkbal rondhing. Hij speelde met zijn vaders toverstok en kreeg het voor elkaar om een slak te vergroten, tot groot ongenoegen van zijn moeder (VB7).

Kibbelaar, De
(Eng. 'The Quibbler')
Het roddelblad van de tovenaarswereld, met als hoofdredacteur de vader van Loena Leeflang, Xenofilus (RD8). Het komt elke maand uit (OF26), en staat gewoonlijk vol met wilde, gekke en bizarre verhalen over beroemde mensen, in het bijzonder samenzweringstheorieën (OF10).
'Quibble' = Eng. 'het omzeilen van de waarheid in een discussie met onbelangrijke bezwaren of betekenisloze argumenten'

Kiely, Aidan
Zoeker van de Kenmare Kestrels (DP2).
De naam van deze speler komt van Aine Kiely, een vriendin van J.K. Rowling van toen ze in Portugal leefde. J.K. Rowling droeg het derde boek op aan Aine en Jill Prewett, een andere vriendin.

Kietelspreuk
Zie RICTUSEMPRA

Kieuwwier
Komt oorspronkelijk uit het Middellandse Zeegebied. De plant ziet eruit als slijmerige grijsgroene rattenstaarten. Wanneer deze gegeten wordt geeft hij een persoon kieuwen om onderwater te kunnen ademen en vliezen aan de handen en voeten om mee te zwemmen. Dit duurt ongeveer een uur. De eigenschappen werden door Elladora Kettering ontdekt (TK). Sneep bewaart kieuwwier in zijn privévoorraad; het is niet beschikbaar voor de leerlingen (VB26).

Kikkerdrilzeep
Iets dat te koop is in Zonko's Fopmagazijn. Het klinkt nutteloos, zoals vele producten van Zonko's Fopmagazijn (GA14).

King's Cross Station
Een treinstation in Londen. Tussen Perron 9 en 10 van dit station bevindt zich een metalen hek en een kaartjesautomaat, maar hek-

sen en tovenaars kunnen hier recht doorheen drukken naar Perron 9 ¾. Hier, onder een smeedijzeren boog met de naam van het perron erop, staat de Zweinsteinexpress klaar om op 1 september te vertrekken naar Zweinstein aan het begin van het nieuwe jaar (SW6, etc.; *zie ook* RD35).

J.K. Rowling gebruikte King's Cross in de verhalen omdat haar ouders elkaar daar ontmoetten; ze heeft echter toegegeven dat ze per ongeluk het uiterlijk van Euston Station in haar hoofd had terwijl ze schreef. In de films werden de scènes op het perron opgenomen op King's Cross (Perron 4), terwijl de scènes met het vertrek van de Zweinsteinexpress opgenomen worden op Marylebone Station. Treinen met als eindbestemming Schotland vertrekken ook in het echt dagelijks vanaf King's Cross.

Kippenvelcocktail

Ingrediënten: onder andere rattennagels

Tweedejaars toverdrankstudenten moeten huiswerk over deze toverdrank maken (GK13).

Kist, Cuthbert

Leraar Geschiedenis van de Toverkunst, de enige leraar op Zweinstein die een spook is: stokoud, verschrompeld en half doorzichtig (SW8). De lessen van Kist zijn alleen al bijzonder saai vanwege hun eentonigheid. Hij leest eindeloze details over koboldenopstanden en andere gebeurtenissen op, 'monotoon en neuzelend, als een oude stofzuiger', waardoor iedereen in slaap valt (GK9, VB22, OF12). Kist is er trots op dat hij zich strikt bij de feiten houdt en niet afgaat op mythen en legenden (GK9).

De voornaam van professor Kist, 'Cuthbert' staat op een lijst die J.K. Rowling maakte toen ze de planning maakte van Gevangene van Azkaban (JKR). *St. Cuthbert is een bekende Angelsaksische heilige die in 687 stierf . Zoals Kist bleef St. Cuthbert zelfs in zijn dood niet op dezelfde plaats. Gedurende de volgende vierhonderd jaar, werden zijn beenderen constant verplaatst tot ze een fatsoenlijke rustplaats kregen in een tombe in de kathedraal van Durham.*

Klammfels

(Eng. 'Durmstrang')

Een toverschool die in een kasteel in het noorden van Europa gevestigd is. Tot voor kort was Igor Karkarov het schoolhoofd. Het schooluniform bestaat uit een bloedrood gewaad en bontvellen. Het kasteel van Klammfels is niet zo groot als dat van Zweinstein. Het heeft maar vier verdiepingen, en vuur wordt er volgens Viktor Kruml alleen gemaakt voor 'magische doeleinden' (VB23). Klammfels staat bekend als een school waar de Zwarte Kunsten onderwezen worden, en er worden geen Dreuzeltelgen toegela-

ten (VB11). Gellert Grindelwald was hier ooit een leerling en hij heeft 'zijn' symbool in een van de muren gekerfd, waar het nu nog steeds te zien is (RD8).
De naam Durmstrang komt van de Duitse zinsnede 'Sturm und Drang', wat je kan vertalen als 'storm en spanning'. De zin komt van een literatuurstroming in de Duitse literatuur eind 17e eeuw. Deze stroming legde de nadruk op het uiten van basale, soms negatieve emoties, in plaats van het rationalisme van de Verlichting.

Klapperoorvloek
Harry werd door deze vloek geraakt toen de vierdejaars leerlingen Vloekafwering oefenden bij Verweer Tegen de Zwarte Kunsten (VB28).

Klare, Bob
(c. 1920)
Rond 1920 Hoofd van het Departement van Magische Wetshandhaving. Klare was een kleine, gezette man die een bril met dikke jampotglazen droeg (HBP10).

Klare, Canisius
Een oud-lid van de Wikenweegschaar die uit protest zijn functie neerlegde toen Droebel Dorothea Omber als de eerste Hoog-Inquisiteur van Zweinstein aanwees (OF15); vriend van professor Knufje van de Toverexamenraad (OF31).

Klasse B, Gevoelige Handelswaar
Het Ministerie heeft de handel in deze materialen aan banden gelegd omdat ze zo gevaarlijk zijn (RD20, 21).

Klasse C, Gevoelige Handelswaar
Verboden door bepalingen van het Ministerie, maar niet zo gevaarlijk als waar met Klasse A of B. Zaden van het Langdradig Weekblad vallen in deze categorie (OF9).

Klassenoudste
Vanaf het vijfde jaar worden één jongen en één meisje uit elke afdeling van Zweinstein uitgekozen om Klassenoudste te zijn. Hun taken zijn om op de jongere leerlingen te letten, en de leraren te helpen bij het bewaren van de orde (OF9, verg. OF37).

Klassenoudsten aan de Top
Een boek waar Percy, niet verwonderlijk, in geïnteresseerd was (GK4).

Klauwknipspreuk
Een spreuk die bij drakenverzorging wordt gebruikt (VB20).

kleding, tovenaars
Tovenaars dragen het grootste gedeelte van de tijd gewaden, zonder dat er Dreuzelkleding onder zit (VB7). Er zijn verschillende soorten gewaden, waaronder Galagewaden voor speciale gele-

genheden (VB10) en Zwerkbalgewaden gemaakt voor sporters (SW11). Afhankelijk van het weer kunnen ook mantels en hoeden worden toegevoegd (RD11). De schoolgewaden van Zweinstein zijn effen en zwart (SW5) en lijken iets te bevatten dat hun afdeling aangeeft, alhoewel nooit duidelijk is gemaakt wat dit was. Leerlingen moeten volgens de regel ook zwarte puntmutsen dragen (SW5, GK5).

De gewaden die in de films worden gedragen lijken totaal niet op die die in de boeken worden beschreven; in plaats daarvan lijken ze op schooluniformen en gebruiken ze stropdassen om de afdelingskleuren aan te geven. De 'gewaden' zijn meer als mantels die over kleding in Dreuzelstijl gedragen worden. De puntmutsen die in de boeken genoemd worden komen in de eerste films voor, maar zijn daarna weggelaten.

Klein Zanikem

(Eng. 'Little Whinging')

Een rustige, doodgewone voorstad van Londen, waar de huizen groot en vierkant zijn (OF1) en waar je de doodgewone woning op de Ligusterlaan nummer 4 zult aantreffen, waar de Duffelingen wonen, een doodgewoon gezin (SW1).

'whinging' = Br. 'zeuren, klagen'

Kleine Keutel

(Eng. 'Little Dropping')

Een klein dorpje in Hampshire dat werd opgeblazen toen Archibald Arrendam een verjaardagstaart probeerde te bakken (TK).

De naam werd ongetwijfeld gekozen om het feit dat het werd 'opgeblazen' te illusteren, waarna kan worden aangenomen dat gedeeltes van het dorpje over het gehele platteland werden verspreid. Er is geen echt dorp dat 'Little Dropping' heet in Engeland, hoewel er in Zuid-Yorkshire een is dat Dropping Well heet.

Kleine Mensen, Grote Plannen

door Ragnok de Duivengeteende

Boek dat door een koboldenrechtenactivist is geschreven (DP3).

'Kleinste Slaapkamer'

Een van de vier slaapkamers in Ligusterlaan nummer 4, die de Duffelings aan Harry gaven nadat de eerste brieven van Zweinstein aan hem geadresseerd waren als 'in de bezemkast onder de trap' (SW3).

Klieder en Vlek

(Eng. 'Flourish and Blotts')

Een boekwinkel in de Wegisweg die dient als de hoofdleverancier van schoolboeken voor Zweinsteinleerlingen (SW5, GK4, GA4).

De naam bestaat geheel uit onderdelen die met schrijven te maken hebben. Een 'flourish' is een versiering of een decoratieve streep die op handschriften of kalligrafie gebruikt wordt. Inkt kliederen ('blot') doe je door vloeipapier te gebruiken om de inkt op de pagina te laten drogen. Dit was nodig voordat de balpen geïntroduceerd werd en het is zeker nodig voor iedereen die een veer en inkt gebruikt, zoals ze op Zweinstein doen.

Klodders in het Koffiedik – Als Uw Toekomst Tegenvalt

Harry zag een exemplaar van dit boek liggen in Klieder en Vlek toen hij zijn Waarzeggerijboek kocht (GA4).

klokken, magische

In de keuken van het Nest hing een klok met maar één wijzer en zonder getallen. Langs de rand stonden dingen als 'Tijd om thee te zetten', 'Tijd om de kippen te voeren' en 'Je bent te laat' (GK3). In het Nest staat ook een staande klok met negen wijzers, een voor elk lid van de familie Wemel. Deze wijzers wezen naar plekken op de wijzerplaat waar plaatsen staan waar de persoon zich zou kunnen bevinden, zoals 'thuis', 'school' of 'levensgevaar' (VB10). Op Grimboudplein 12 stond een wat meer sinistere staande klok. Deze behoorlijk nare klok bekogelde voorbijgangers met zware bouten en moeren (OF6, RD10).
Er is een kleine fout in continuïteit met de klok die aangeeft waar de leden van de familie Wemel zich op dat moment bevinden. In boek twee is hij een staande klok (GK3), maar in de Tweede Oorlog had hij de grootte van een draagbare klok, en Molly had de gewoonte om hem continu mee te nemen, ook al gaf deze constant 'levensgevaar' aan voor haar hele familie (HBP5). Gezien het feit dat dit een magische klok is, is dit echter makkelijk uit te leggen. Nergens staat tenslotte dat deze constant dezelfde grootte moet hebben.

Klokker, de Derde Wet van

De Derde Wet van Klokker, een les die Slakhoorn geeft bij Toverdranken, stelt dat 'het tegengif voor een gemengd gif gelijk is aan meer dan de som van de tegengiffen voor ieder afzonderlijk bestanddeel' (HBP18).
Deze magische 'wet', samen met Grondels Wet van de Elementaire Transfiguratie, wekt de suggestie dat in de Tovenaarswereld magie onderzocht en bestudeerd wordt op dezelfde manier als natuurkundige principes in de Dreuzelwerld worden onderzocht.

Klont, Edgar

Een geest die al zo lang als iedereen zich kan herinneren rond het Zwerkbalstadion rondhangt ('WK Zwerkbal' videogame).

kluizen van Goudgrijp

Goudgrijp bewaart diep onder de grond, in een doolhof van grotten en stenen passages, waardevolle spullen voor de eigenaren in kluizen met verschillende gradaties van beveiliging. De extra beveiligde kluizen worden bewaakt door draken en sfinxen, sommigen met deuren die alleen openen als een kobold van Goudgrijp ze aanraakt (SW5, GA22, RD26, DP1). De kluis van de van Detta's is één van de strengst bewaakte kluizen, zelfs de schat die erin ligt is nog betoverd met antidiefstalspreuken (RD26).

Knabbeltje Babbeltje

Een heks uit het Tovenaarssprookje 'Knabbeltje Babbeltje en de Schaterende Stronk' uit *De Vertelsels van Baker de Bard*. In deze fabel proberen een gulzige koning en zijn 'charlatan' hofmagiër zich te ontdoen van alle heksen en tovenaars zodat zij al hun magie voor henzelf kunnen hebben, maar Knabbeltje Babbeltje is de twee te slim af (VBB).

Deze naam (en verhaaltitel) zou best wel een speelse verwijzing kunnen zijn naar de boeken die JKR heeft geschreven toen ze vijf of zes jaar oud was.

'Het eerste boek dat ik heb geschreven was een boek dat 'Konijn' heette, eh, het ging over een Konijn dat Konijn heette, daarbij onthulde ik ook de fantasierijke aanpak voor namen die mij sindsdien geen windeieren heeft gelegd' (HPM).

'Knabbeltje Babbeltje en de Schaterende Stronk'

Een tovenaarssprookje uit het boek *Vertelsels van Baker de Bard*. Het verhaal gaat over een heks die toverkunst gebruikt om een domme Dreuzelkoning op zijn plaats te zetten (RD7, VBB).

Knalbonbons

Een heerlijk en gevaarlijk snoepje dat in Zacharinus' Zoetwarenhuis verkocht wordt (GA10).

Knalpoker

Een tovenaarskaartspel dat interessant is vanwege het feit dat de kaarten zo nu en dan ontploffen (bijv. VB22).

Knapperkorstpoeder

Toen Sirius Zwarts op Grimboudplein 12 gebeten werd door een snuifdoos waar Knapperkorstpoeder in zat, ontwikkelde zich op zijn hand gelijk een vreemde huidaandoening. Deze leek echter niet pijnlijk te zijn en werd snel behandeld met een tikje van zijn toverstok. George stopte de doos stiekem in zijn zak omdat Sirius hem weg wilde gooien, dus is het waarschijnlijk dat het nu een ingrediënt is van een of ander Tovertweelings Topfopshopproduct (OF6).

Knarkloppertje

Onzichtbaar wezen. Loena Leeflang denkt dat dit wezen het lichaam binnendringt via de oren en je hoofd helemaal suizelig maakt (HBP7).

Knarl

Lijkt erg op een egel, alleen zijn

Knarls van nature erg achterdochtig (OF31). Fred en George gebruiken hun stekels in hun producten (OF9).
De naam komt waarschijnlijk van het Engelse 'gnarl', wat 'grommen of snauwen' betekent.

Knelbreuk, Max
Tovenaar van het Ministerie, werkzaam bij de Werkgroep van Experimentele Bezweringen. Tijdens het WK Zwerkbal in 1994 had Knelbreuk horentjes en heeft die mogelijk nog steeds (VB7).

Kneusjeskramp
(Eng. 'Loser's Lurgy')
Loena suggereert tijdens haar commentaar van de Zwerkbalwedstrijd dat Zacharias Smid aan deze aandoening lijdt (HBP19).
De 'dreaded lurgy' was een grappige ziekte die werd uitgevonden voor een aflevering van de Goon Show *op de BBC Radio in de jaren '50 (en die trouwens als 'lurgi' wordt gespeld). De term wordt over het algemeen gebruikt om naar een vage, a-specifieke ziekte die men soms krijgt te verwijzen, soms als excuus om iets niet te doen. Het is ook een term die Engelse kinderen gebruiken voor het soort vage 'anders-zijn' dat kinderen gebruiken om een ander kind buiten te sluiten. ('Je mag niet meedoen, je hebt de dreaded lurgy!') Met andere woorden, Loena zegt dat Smid 'luizen' heeft.*

Knights of Walpurgis
Zie RIDDERS VAN WALPURGIS

Knijster
Een wat oudere huis-elf wiens familie de familie Zwarts al generaties lang heeft gediend. Hij was toegewijd aan Sirius Zwarts' moeder en ook aan haar jongere zoon Regulus (OF6). Knijsters trouw lag altijd bij het Huis Zwarts, maar door de slechte behandeling van de laatste van de familie Zwarts verraadde de elf zijn meester (OF37, *zie ook* RD10, 11, 36).

Knijters Knalbombommetjes
Onderdeel van de kerstviering en gelijk aan Dreuzelknalbonbons, maar deze zijn magisch en bevatten heel interessante en ongewone dingen. De knalbonbon gaat af met een zeer luide knal als er aan getrokken wordt (SW12, GA11, VB23). Een paar van de voorwerpen die je kan vinden in de knalbombommetjes zijn een toverschaakspel, Kweek-Je-Eigen-Wrattenset en een zakje lichtgevende ballonnen die niet kunnen knallen (SW12).
Christmas Crackers (zoals knalbonbons heten in het Engels) zijn een traditie in Engeland. Ze bestaan uit een kartonnen buis, versierd met linten en kant met een klein cadeautje erin. Wanneer ze door twee mensen kapot worden getrokken, knallen ze en komt het cadeautje tevoorschijn.

Knikkebeen

(Eng. 'Crookshanks')

Knikkebeen is de halve Kwistel (JKR) die Hermelien kocht in de Betoverende Beestenbazaar op de Wegisweg voor aanvang van haar derde jaar op Zweinstein (GA4). Hij ziet eruit als een grote rode kat met een knorrig en platgedrukt gezicht, een staart als een flessenschrobber en kromme poten. Knikkebeens afkomst van Kwistels verklaart zijn ongewone intelligentie en zijn vermogen om verdachte personen en activiteiten te herkennen (m.n. GA4, 19, VB14).

J.K. Rowling baseerde Knikkebeen op een pluizige rode kat waar ze graag naar keek tijdens haar lunch (alhoewel ze allergisch is voor katten; JKR). De Engelse naam verwijst naar zijn kromme benen (shank is een Oudengels woord voor been of scheenbeen). George Cruikshank (1792-1878) was een tekenaar die Charles Dickens boek Oliver Twist *illustreerde.*

knoerten

Zwerkbalovertreding. Tijdens de finale van het WK Zwerkbal in 1994 wordt deze overtreding beschreven als 'ongeoorloofd gebruik van de ellebogen' (VB8).

Knoet

(Eng. 'Knut')

Een kleine bronzen munt, de kleinste eenheid van de tovenaarsvaluta; er gaan negenentwintig Knoeten in een zilveren Sikkel (SW5). Eén bronzen Knoet is ongeveer £0.01 waard (ongeveer 1 eurocent; CR).

Knut (of Canute) is een Scandinavische voornaam. Meerdere koningen van Denemarken heetten Knut, en twee van hen hebben in de Middeleeuwen ook over delen van Groot-Brittannië geregeerd.

knorhaan

(Eng. 'Wattlebird')

Wachtwoord om in de Toren van Griffoendor te komen (GK5).

Een grote honingetende vogel uit Australië.

Knots, de

Een symbool dat wordt gebruikt bij het lezen van theebladeren uit *Ontwasem de Toekomst* pagina vijf en zes, en wijst op 'fysiek geweld' (GA6).

Knufje

Een zeer oude tovenaar die lid is van de Toverexamenraad en een vriend van Canisius Klare (OF31).

knuppel, Drijvers

Bij Zwerkbal gebruiken de Drijvers betoverde houten knuppels om de Beukers mee te slaan om te proberen hun vluchtrichting te veranderen (weg van eigen teamleden en/of naar leden van het andere team; SW10).

'Knuppel in het kabouterhok gooien'
Mevrouw Vaals gebruikt deze uitdrukking. Deze is synoniem met het Dreuzelgezegde 'een knuppel in het hoenderhok gooien', dat betekent dat iets opschudding veroorzaakte. (OF2)

kobold
Een van de primaire magische rassen van de Tovenaarswereld: klein en met een donkere huid en met heel lange vingers en voeten, puntige oren en donkere, schuine ogen (SW5, VB24, HPM). Kobolden spreken Koetervlaams (VB7, RD15). Hoewel kobolden door tovenaars als minderwaardig worden beschouwd (VB24), hebben ze van zichzelf wel een vitaal onderdeel van de Tovergemeenschap gemaakt, doordat ze de Tovenaarsbank Goudgrijp besturen (SW5) en ze daarmee de economie beheersen (*Zie ook* OF5, verg. RD15).

Kobold-Contactpunt (ook Contactpunt Kobolden)
Afdeling van het Ministerie die de omgang met de kobolden regelt. Dirk Kramer was op een gegeven moment hoofd van dit Contactpunt (HBP4, RD15). Horus Windgoud werkte ook op deze afdeling (VB7).

koboldopstanden
Opstanden waarbij kobolden vochten voor het recht om toverstokken te gebruiken en behandeld te worden als gelijke leden van de samenleving. Ze worden beschreven als 'bloederig en venijnig', en waren het heftigst in de 17e (GA5) en de 18e eeuw (VB15, OF31). Eén opstand vond plaats rond Zweinsveld; de herberg werd gebruikt als hoofdkwartier (GA5, JKR). Volgens de *Ochtendprofeet* werken revolutionaire koboldgroepen nog steeds in het geheim tegen het Ministerie (OF15). In de jaren '90 hadden enkele koboldgroepen ontmoetingen met afgevaardigden van het Ministerie, in de hoop de rechten van de kobolden in de grondwet vast te leggen (DP3). Oswald Straling was een voorvechter van koboldrechten (TK).

Kobolds smeedwerk
Behalve dat Kobolden kennis op het gebied van geld en financiën hebben, zijn ze ook heel goede metaalsmeden. Hun zilverwerk is welbekend en waardevol (OF6, 21). De kobolden smeden de Galjoenen, Sikkels en Knoeten die gebruikt worden in de Tovenaarswereld; in de rand van elke munt wordt een serienummer gestanst dat aangeeft welke kobold hem heeft gemaakt (OF18).

Koekeroekus
De uil van Ron (GA22). Een kleine vogel, mogelijk een Dwergooruil. 'Koe', zoals hij wordt genoemd, is heel erg druk.

Ron ergert zich aan hem (VB5). Hedwig ergert zich ook aan hem, blijkbaar vindt zij dat Koe niet genoeg waardigheid en manieren heeft voor een postuil (VB3).

Koetervlaams

De taal van Kobolden (VB7), beschreven als 'een ruwe, onwelluidende taal, vol schorre keelklanken' (RD15).

koets, vliegende

Een gigantische kobaltblauwe koets zo groot als een huis die door de leerlingen van Beauxbatons wordt gebruikt om naar het Toverschool Toernooi te komen. De koets werd getrokken door twaalf enorme gevleugelde goudkleurige paarden die gefokt zijn door madame Mallemour, schoolhoofd van Beauxbatons (VB15, OF20, HBP30).

Koetsen zonder paard

(Eng. 'Horseless Carriage')

Ongeveer 100 koetsen wachten elk jaar op 1 september op de arriverende leerlingen bij een hobbelig, modderig karrenspoor bij het station. Aan het begin van de zomervakantie brengen ze de leerlingen ook weer naar het station. De meeste leerlingen beschouwen ze als paardenloze koetsen, omdat ze nergens door getrokken lijken te worden (GA5, VB11, 12, 37). In feite worden ze getrokken door Terzielers, die alleen zichtbaar zijn voor hen die de dood gezien hebben. De koetsen ruiken naar schimmel en stro (GA5).

In de Verenigde Staten werden de eerste auto's zo genoemd.

Kolier

Een Bloedhond die voor Fenrir Vaalhaar werkt (RD23).

Kolk, André

(Griffoendor, midden jaren'90; Zwerkbal Drijver, 1996)

(Eng. 'Andrew Kirke')

Kolk was op zijn minst een tweedejaars tijdens het schooljaar 1995-1996 en werd Drijver van het Zwerkbalteam van Griffoendor nadat het Fred en George verboden was om te spelen (OF21). Hij was helaas niet echt goed; het meest memorabele moment van zijn seizoen was toen hij van angst achterwaarts van zijn bezem viel tijdens een wedstrijd tegen Huffelpuf (OF26).

Deze naam is mogelijk een kleine verwijzing naar het personage professor Diggory Kirke in C.S. Lewis' Kronieken van Narnia.

Komeetserie

Een serie van racebezemstelen die gemaakt wordt door Handelsmaatschappij de Komeet. Malfidus vloog op een Komeet 260 (SW10), net als Cho Chang (GA13) en Tops (OF3).

konijn

Een pluizig dier met lange oren dat soms in verband wordt gebracht met Dreuzelgoochelarij ('een konijn uit een hoge hoed toveren'). Een dikke witte rat in de Betoverende Beestenbazaar veranderde zichzelf in een hoge hoed en weer terug; het was een magisch wezen of een dat was betoverd om dit staaltje Transfiguratie uit te voeren (GA4).

Kontamineet
Magisch ongedierte (JKR).

Koort, Mevrouw
De directrice van Marten Vilijns weeshuis. Mevrouw Koort leek opgejaagd en overwerkt, maar haar manieren en verschijning waren niet onvriendelijk (HBP13).

Koortskrakelingen
Een uitvinding van de Wemels, onderdeel van de Spijbelsmuldozen. Ze geven iemand een hoge koorts. Een van de ingrediënten is Murtlapextract (OF26).

Koplopers
Een groep geesten die stierf door onthoofding en daarom hun hoofden nu onder hun arm dragen terwijl ze op spookpaarden rijden. Haast Onthoofde Henk verlangde ernaar om deel uit te maken van de Koplopers, maar de leider, Heer Parcival Zonderling-Zonderland, liet dit niet toe omdat Henks hoofd niet helemaal van zijn lichaam is gescheiden (GK8, *zie ook* RD31).
In de folklore van Noord-Europa komen veel verhalen voor over een groep jagende geesten die door de lucht of langs verlaten meren rijdt. Deze jagers worden in verband gebracht met onweersbuien en de dood. Een verhaal uit Devon gaat over een dronken man die de geesten tegenkwam terwijl hij tijdens een onweersbui op weg naar huis was, en erachter kwam dat ze wegreden met het lichaam van zijn zoon, die tijdens de storm was overleden.

Koprollen en Hoofdpolo
Twee sportactiviteiten waar de Koplopers aan meedoen, waarbij ze hun losse hoofden gebruiken als ballen (GK8).

Korzel, Irma
(1912-1990)
De vrouw van Pollux Zwarts en oma van Sirius en Regulus Zwarts en van Bellatrix van Detta, Andromeda Tops en Narcissa Malfidus (BFT).

Korzel, Meneer
(Eng. 'Crabbe')
Een Dooddoener, de vader van Vincent Korzel. Net als zijn zoon is Meneer Korzel een grote en een beetje een domme kerel (VB33, OF26).
'Crab' = Eng. straattaal 'morren, klagen'

Korzel, Vincent
(1980-1998; Zwadderich 1991; Inquisitie Korps; Zwerkbal Drijver 1995-?)

(Eng. 'Crabbe')
Een gedrongen zwadderaar in Harry's jaar (SW6) en de zoon van een Dooddoener (VB33). Hij was behoorlijk dom, maar leek wat slimmer dan Kwast (SW9). Hij besteedde een groot deel van zijn loopbaan op Zweintein door achter Malfidus aan te lopen en door een soort bodyguard voor hem te zijn (bijv. SW6, GA5, HBP18, RD31). Vanaf zijn vijfde jaar was hij ook Drijver van het Zwerkbal team van Zwadderich (OF19) en kwam hij bij het Inquisitie Korps (OF32)
'Crab' = Eng. straattaal 'morren, klagen'

Koudstaal, mevrouw Griselda
(geb. medio 19e eeuw)
Oudere heks, hoofd van de Toverexamenraad (OF31) en op een gegeven moment ook lid van de Wikenweegschaar (OF15). Ze is minstens 10 jaar ouder dan Perkamentus, aangezien ze toen hij ongeveer 17 was al voor de Tover examenraad werkte en persoonlijk een paar van zijn P.U.I.S.T.en afnam (OF31).

Krachtwater
Toverdrank die kracht geeft. Blijkbaar duurt het een aantal dagen om de toverdrank te bereiden, aangezien de vijfdejaars Toverdrankstudenten die de toverdrank maakten deze tijdens het weekend moesten laten rijpen (OF17).

Kragge, Alecto
De zus van Amycus Kragge; een Dooddoener die meevocht in deStrijd van de Toren (HBP27). Een jaar later werkte ze als Zweinsteins Dreuzelkundedocent (RD12).
Alecto was een van de drie Furiën in de Griekse mythologie, vrouwelijke personificaties van wraak. Haar naam betekent 'onophoudelijke woede'. Alecto komt voor in de Aeneis *van Virgilius.*

Kragge, Amycus
De broer van Alecto Kragge, een kleine kwabbige man met een scheve grijns en een amechtige giechel. Hoewel hij vocht in de Strijd van de Toren (HBP27), werd hij het jaar erop docent Verweer Tegen de Zwarte Kunsten (RD30).
Amycus is de naam van twee personages in de Griekse mythologie. Eén is de zoon van Poseidon, die voorkomt in het verhaal van de Argonauten, de ander een centaur.

Kramer, Dirk
(† 1998)
(Eng. 'Dirk Creswell')
Een getalenteerde leerling toen hij op Zweinstein zat, werd later hoofd van het Contactpunt Kobolden (HBP4, RD15, 22).
Een man genaamd Derek Cresswell werkt bij de Nottingham City Council en was een paar jaar terug sheriff van Nottingham. Tuurlijk, het is waarschijnlijk puur toeval,

K

maar het is desondanks interessant om zo'n gelijksoortige naam te ontdekken terwijl je onderzoek doet naar de herkomst van namen.

krantenzaak

Een Dreuzelwinkel in Ottery St Catchpole. Fred en George gaan hier graag langs omdat er een knap Dreuzelmeisje werkt dat Freds kaarttrucs erg leuk vindt (HBP16).

Krauwel, Dennis

(geb. 1983; Griffoendor, 1994; Strijders van Perkamentus)

Het jongere broertje van Kasper; hij heeft net als Kasper muiskleurig haar (VB12). Dennis was de kleinste van zijn jaar toen ze arriveerden en daarom bijna zeker het kleinste kind op Zweinstein; hij moest op zijn stoel gaan staan om de Vuurbeker goed te kunnen zien en kwam alsnog maar tot op ooghoogte van de rest (VB12, 16). Dennis kwam bij de Strijders van Perkamentus in oktober 1995 (OF16).

Het lukte Dennis om Zweinsveld in te komen voor de eerste ontmoeting van de SvP in de Zwijnskop, ook al zat hij destijds nog in het tweede jaar en mocht hij eigenlijk niet van het schoolterrein af. Dit kan een continuïteitsfoutje zijn van J.K. Rowling, maar het kan er ook op wijzen dat Dennis wat slimmer is dan je zou denken.

Krauwel, Kasper

(1981-1998; Griffoendor, 1992; Strijders van Perkamentus)

Een erg enthousiaste, kleine jongen met muiskleurig haar die trilde van opwinding toen hij erachter kwam dat hij een tovenaar was en over Zweinstein hoorde (GK5, 6). Kaspers hart zit op de juiste plek, maar hij heeft de neiging om af en toe een beetje te overdrijven als hij opgaat in de gebeurtenissen. Kasper kwam bij de Strijders van Perkamentus in oktober 1995 (OF16). Wat Kasper mist aan lengte maakt hij goed met pure moed (m.n. RD34).

Krauwel, Meneer

Een Dreuzel die melkboer is (GK6) en twee zoons heeft die tovenaar zijn, Kasper (GK6) en Dennis (VB12).

Krenck, Bartolomeus 'Barto', Senior

(† juni 1995)

(Eng. 'Crouch, Bartemius "Barty", Sr.')

Medewerker van het Ministerie, bekend vanwege zijn agressieve vervolging van Duistere Tovenaars in de jaren '70. Zijn ijver zorgde ervoor dat hij methodes toestond die bijna net zo erg waren als die van de Dooddoeners die hij vervolgde. Krenck werd in de tijd zeer gewaardeerd, maar viel uit de gratie rond 1982 door mislukkingen en fouten waarna hij werd overgeplaatst naar het

Departement voor Internationale Magische Samenwerking (VB27).
'crouch komt van het oud Fr. 'crochir' = 'verbogen raken'

Krenck, Bartolomeus 'Barto', Junior
(geb. c. 1963, † 24 juni 1995)
Barto Krenck jr. was het enige kind van de medewerker van het Ministerie Barto Krenck sr. Hij was een getalenteerde en veelbelovende jonge tovenaar, maar werd een Dooddoener, tot grote schaamte van zijn vader (VB30, 36, 37).

Krenck, Caspar
Een tovenaar die in de stamboom voorkomt in het wandtapijt dat hangt op Grimboudplein 12 (BFT).

Krenck, Mevrouw
Een fragiele heks die getrouwd was met Barto Krenck sr. (VB27, 30, 35).

krentenbol
(Eng. 'rock cake')
Een soort fruitcake. Deze moet eruitzien als een rots en zelfs een hard oppervlak hebben, maar niet zo erg op een rots lijken als Hagrids versie (SW8).

Kreukelhoornige Snottifant
Een ongrijpbaar, niet vliegend wezen dat populair lijkt te zijn onder lezers van *De Kibbelaar* (OF13). De Snottifant heeft een erg kenmerkende hoorn (RD20; *zie ook* BLC).

Kreukniet & De Krimp
(Eng. 'Twilfitt and Tattings')
Een concurrent van Madame Malkin. Bevindt zich waarschijnlijk op de Wegisweg of de Verdonkeremaansteeg (HBP6).
De naam 'Twilfitt' is een samentrekking van 'it will fit' (het zal passen) en wijst erop dat de kleren die daar worden verkocht van goede kwaliteit zijn; 'tat' is daarentegen een Engelse term die betekent dat iets sjofel en goedkoop is.

K

Kriek, Michel
(geb. rond 1980; Ravenklauw 1991; Strijders van Perkamentus)
Michel is een donkerharige jongen die Ginny Wemel ontmoette tijdens het Kerstbal. Via Ginny kwamen Michel en zijn vrienden bij de SvP (OF16, RD29).
Michel Kriek stond op J.K. Rowlings lijst van leerlingen in Harry's jaar als Huffelpuf (HPM), maar werd in de boeken een Ravenklauw.

Kriel, Bertha
(1958?-1994; Zweinstein c.1969)
Ze zat twee jaar hoger dan Sirius, James en hun vrienden op Zweinstein. Ze was vreselijk nieuwsgierig en niet echt slim (VB27, 30). Na Zweinstein ging ze voor het Ministerie werken, waar ze bekendstond om het feit dat ze ver-

strooid was. Toen ze in 1994 vermist raakte tijdens een vakantie naar Albanië, dachten de meeste mensen dat ze de tijd uit het oog was verloren en vast wel weer zou opduiken (VB7, verg. VB33). *Het verhaal betreffende Bertha Kriel is zeer zeker een van de zwakste schakels binnen J.K. Rowlings plot. Het is nog enigszins plausibel dat Kriel het bestaan van Barto Krenck in het huis van zijn vader ontdekte. Maar het is nogal ongeloofwaardig dat ze toevallig naar Albanië ging, Pippeling daar zou hebben ontmoet, en vervolgens deze informatie aan Voldemort kon onthullen. J.K. Rowling heeft zelf gezegd dat ze een groot gat in het plot van het verhaal had gevonden toen ze deel vier aan het schrijven was en ze moeite had om het op te lossen. Bertha's onmogelijke lot is wellicht het resultaat van J.K. Rowlings fanatieke plotherstel terwijl ze haar deadline probeerde te halen.*

Krijsende Krot, het
Er gaat een vals gerucht rond dat het 'het huis met de meeste spoken' van heel Engeland is (GA5). Het Krijsende Krot is een favoriet onderdeel van elk uitstapje naar Zweinsveld. Het gejammer dat eens te horen was uit dit enge gebouw werd echter niet veroorzaakt door geesten (GA14, 17, 18).

Krijskruid
Een plant die een soort van bewustzijn heeft. Hij piept onbehaaglijk en kronkelt heen en weer als je hem te veel drakenmest geeft. De vijfdejaars werken met de zaailingen van deze plant in Kruidenkunde (OF25).

Krinkel, Quirinus
(† juni 1992; professor Dreuzelkunde, ?-1990; professor VTZK, 1991-1992)
Een jonge tovenaar met een 'prima stel hersens'. Krinkel was de professor van Dreuzelkunde, en later die van Verweer Tegen de Zwarte Kunsten, op Zweinstein (SW5, BLC). Voordat hij de baan als professor VTZK aannam, nam hij een jaar vrij om ervaring op te doen in het verdedigen tegen de Duistere Kunsten (SW5; *zie ook* SW17, VB33).

Kristallen bollen
Voorwerpen die gebruikt worden bij Waarzeggerij (GA15) en die bij een noodgeval goed van pas kwamen als wapen (RD32).

kristallen stolp
Een enorme stolp die in een kamer van het Departement van Mystificatie staat, gevuld met een soort kolkende wind. In de stroom drijft een kleine vogel. Terwijl de vogel zijn pad volgt verandert het van ei naar kuiken, naar volwassen vogel en weer naar ei. De stolp wordt gebruikt om de tijd te bestuderen (OF34).

Krodde
(† c. 1980; Zwadderich c. 1971)
Een Dooddoener die samen met Severus Sneep in een vriendengroep zat op Zweinstein (VB27).

Kronk, Crispijn
(1795-1872)
(Eng. 'Crispin Cronk')
Een tovenaar die erg gek was van sfinxen; zie voor meer informatie de Tovenaarskaarten (TK).
'Cronk' = Australische straattaal 'bedrieglijk'

Kruidenkunde
De studie van planten, zowel magische als gewone. Sommige planten worden bestudeerd omdat ze in feite magische wezens zijn, andere worden gebruikt in toverdranken (SW8). Tijdens Harry's tijd op Zweinstein worden de lessen door Pomona Stronk in de kassen gegeven (SW8, GK6, etc.).

Kruimel, Gideon
(geb. 1975)
Een bandlid van de Witte Wieven; zie voor meer informatie de Tovenaarskaarten (TK).

Kruimelaar, Madame
De eigenares van een kleine tearoom in Zweinsveld. De tearoom is helemaal versierd met allerhande strikken en kanten strookjes (OF25).

Kruis, het
Een symbool dat wordt gebruikt bij het lezen van theebladeren, uit *Ontwasem de Toekomst* pagina vijf en zes, en staat voor 'beproevingen en lees' (GA6).
Deze had Zwamdrift juist. De betekenis van het kruis bij het lezen van theebladeren is 'problemen, uitstel of dood'.

Kruml (grootvader)
Grootvader van Viktor Kruml, een slachtoffer van de duistere tijden in Europa in de jaren '40 (RD8).

Kruml, Meneer en Mevrouw
Viktor Krumls ouders; zijn vader had net als zijn zoon een haakneus en zijn moeder heeft donker haar. Meneer en Mevrouw Kruml reisden van Bulgarije naar Zweinstein voor de Derde en laatste Opdracht van het Toverschool Toernooi (VB31).

Kruml, Viktor
(geb. 1977; Zoeker in het Bulgaarse Nationale team 1994; Klammfels Toverschool Toernooikampioen 1994-1995)
Een bekende internationale Zwerkbalspeler toen hij nog op school zat (VB8). Viktor Kruml ging naar Zweinstein in het schooljaar 1994-1995 en vertegenwoordigde Klammfels als hun Toverschool Toernooikampioen (VB16, *zie ook* VB27, RD8).

Kuipers
(Huffelpuf, 1990, Zwerkbal Jager

c. 1996-1997)
Een forsgebouwde Zwerkbalspeler van het Huffelpufteam (HBP19).

kwakende paddenstoelen
De tweedejaars gebruikten deze plant bij de Kruidenkundelessen (GK14).

Kwast, Karel
(geb. 1980; Zwadderich 1991; Inquisitie Korps; Zwerkbal Drijver 1995-?)
Een van Draco Malfidus' domme boezemvrienden (SW6). Kwast heeft kort borstelig haar dat tot op zijn voorhoofd groeit. Zijn ogen zijn klein, dof en liggen diep verzonken. Hij praat met een lage rasperige stem. Hij is een bullebak die het heerlijk vind om de baas te spelen over anderen, als lid van het Inquisitie Korps in zijn vijfde jaar (OF28) of als zevendejaars wanneer hij de Cruciatusvloek op andere leerlingen gebruikt (OF10). Het is niet verrassend dat hij niet van schrijven houdt (OF10).

Kwast, Meneer
Een grote, nogal onnozele Dooddoener (VB33). Hij is de vader van Karel Kwast (OF26).

Kweek-Je-Eigen-Wrattenset
Harry kreeg hier ooit een pakketje van in zijn Knalbonbon (SW12).

Kwekkeboom, Roos
Een heks in de Lekke Ketel op 31 juli 1991, die zo verheugd was om Harry te ontmoeten dat ze meermaals terugkwam om zijn hand te schudden (SW5).

Kwintessens: Een Queeste
Verplicht leeswerk voor de zesdejaars van Spreuken en Bezweringen; er werd van de studenten verwacht dat ze het voor Kerst gelezen hadden (HBP15).
Volgens eeuwenoude wetenschappen bestond het hemelrijk – de ruimte tussen de sterren en andere hemellichamen – uit ether, het vijfde element. De andere vier elementen omvatten de bewoonde wereld: aarde, water, lucht en vuur. Aan de andere kant, geleerden uit de Oudheid bedachten toen dat het vijfde element 'idee' was, datgene wat helemaal geen onderdeel is van de fysieke wereld. Daarom beschouwden ze het vijfde element als gedachten, wiskundige concepten enzovoorts. We weten niet welke van deze definities bestudeerd wordt tijdens Spreuken en Bezweringen.
'quinta essentia' = L. 'vijfde essentie'

Kwispelstaart, Martijn
(geb. 1970)
Bandlid van de rockband 'de Witte Wieven', zie voor meer informatie de Tovenaarskaarten (TK).

Kwistel
Dit erg intelligente katachtige we-

zen kan onaangename of verdachte personen erg goed waarnemen en reageert slecht op ze. Wanneer een Kwistel een tovenaar of heks echter aardig vindt, is hij een ideaal huisdier. De Kwistel heeft een gevlekte vacht, grote oren en een leeuwachtige staart. Knikkebeen is half Kwistel (Nr, JKR). Mevrouw Vaals fokt Kwistels (JKR).

K

LaFolle, Fifi

(1888-1971)

Auteur van de serie 'Betoverende Ontmoetingen' (JKR).

J.K. Rowlings Tovenaar van de Maand voor oktober 2005. Dit was het eerste nieuwe personage dat als Tovenaar van de Maand verscheen; de voorgaanden waren allemaal al eens verschenen op een Tovenaarskaart. LaFolles afbeelding op J.K. Rowlings website toont een treffende overeenkomst met romanschrijfster Barbara Cartland.

Lage Brug

Een brug nabij Huize Leeflang in Devon, een goed plekje om te vissen (RD20, 21).

Lancelot

Neef van tante Marga die rond 1900 in St. Holisto's werkte. Hij vertelde Marga dat de Perkamentussen Ariana nooit naar het ziekenhuis hadden gebracht. Marga had dus ook geen vermoeden dat Ariana ziek was. Tenslotte wijst het *niet* naar het ziekenhuis gaan erop dat iemand niet ziek is, toch (RD8)?

Hoewel de naam Lancelot erg bekend is door de verhalen over Koning Arthur en zijn ridders, is deze naam waarschijnlijk eerder gekozen omdat hij verwant is aan het woord 'lancet', wat een chirurgisch instrument is. 'The Lancet' *is de naam van één van de meest vooraanstaande Engelstalige medische tijdschriften.*

Langdradig Weekblad

(Eng. 'Venomous Tentacula')

Sprietige, donkerrode plant die af en toe met lange tentakels naar mensen reikt als hij tandjes krijgt (GK6, OF9).

'venomous' = Eng. 'giftig' + 'tentacle' = Eng. 'een lang flexibel uitsteeksel dat gebruikt wordt om dingen te pakken'

Lawson, Artemius

Een onverholen actievoerder voor de onderdrukking van de trollen. Hij heeft ernstige bezwaren tegen het vrij laten rondlopen van deze wezens. Hij verwijst naar trollen als 'wezens die meer dan een ton wegen, met hersenen ter grootte van een snotje'. Hij heeft eigenlijk wel gelijk (DP2).

Leach, Nobby

Minister van Toverkunst van

1962 tot 1968 (JKR).
'nobby' = Eng. dialect voor 'een rijke man, een aristocraat'

Leeftijdsgrens
Een dunne gouden lijn die op de vloer is getekend. Hij vervloekt iedereen die eroverheen loopt als ze te jong zijn. Albus Perkamentus gebruikte een Leeftijdsgrens om de Vuurbeker te beschermen (VB16).

Leeflang, Huize
Gelegen in de heuvels in de buurt van Greenwitch. Huize Leeflang ziet eruit als een hoge en zwarte kasteeltoren. De kamers binnen zijn rond en beschilderd met kleurige ontwerpen van bloemen en insecten. Een smeedijzeren trap loopt door het midden van de toren en verbindt de kamers met elkaar. De begane grond is de keuken. De eerste verdieping is een combinatie van een woonkamer en een werkplaats, die daar boven is Loena's slaapkamer (RD21).

Leeflang, Loena
(geb. 1981; Ravenklauw 1992; Strijders van Perkamentus)
Een heks uit Ginny's jaar die gewoon anders was dan de meeste mensen. Ze kleedde zich anders, kwam openlijk uit voor haar vreemde overtuigingen en in zekere zin leek ze zich helemaal niet bewust te zijn van wat er zich om haar heen afspeelde (bijv. OF10). Ze stopte haar toverstok achter haar oor om hem veilig te bewaren, droeg vreemde dingen als sieraden, zoals een ketting van boterbierkurken en radijsjes als oorbellen, waarvan ze denkt dat ze 'het vermogen om het ongeloofelijke te accepteren verbeteren' (RD20). Loena was vaak het doelwit van grappen. Achter haar rug om werd ze Lijpo Leeflang genoemd. Ondanks dit alles was Loena verrassend geduldig en welwillend. Ze vocht niet terug of leek het niet eens te merken, hoewel ze zich zeker bewust was van het meeste gepest (OF38). Loena bleek een trouw vriendin van Harry en zijn vrienden te zijn (bijv. OF39) en een heldhaftig lid van de Orde van de Feniks (bijv. OF35, RD32; *zie ook* BLC).
Zie SCAMANDER, ROLF

Leeflang, Mevr.
(† c. 1990)
De moeder van Loena. Mevrouw Leeflang 'kon heel goed toveren' en hield ervan om te experimenteren (OF38). Loena lijkt op haar moeder (RD21).

Leeflang, Xenofilus
Hoofdredacteur van *De Kibbelaar*, vader van Loena Leeflang en een vreemde snuiter. Onbekrompen van geest, stemde hij ermee in om Rita Pulpers' exclusieve interview met Harry te publiceren, waardoor de publieke opinie omsloeg (OF25; *zie ook* RD20, 21).
'xenophile' = Eng. 'iemand die

van ongewone dingen en andere culturen houdt en verschillen waardeert'

Leeghoofdmonitor

Fred en George transformeerden Percy's Hoofdmonitorbadge zodat er dit stond (GA4).

leerlingenkamers

Elke afdeling van Zweinstein heeft een leerlingenkamer die grenst aan de slaapzalen, waar veel leerlingen hun vrije tijd besteden. Elke kamer is uniek, in de stijl van de oprichter van de afdeling en de eigenschappen van zijn leerlingen. Griffoendor en Ravenklauw hebben beiden een toren met een ronde kamer aan de basis (SW7, RD30); Huffelpuf heeft een gezellige en uitnodigende leerlingenkamer nabij de keukens (BLC); en Zwadderich heeft een kerker onder het meer (RD23).

leeuw

Het dierensymbool van de afdeling Griffoendor (SW3, VB15).

Legilimentie

(lee-gie-lie-men-tsie)

Het magische vermogen om emoties en herinneringen uit iemands geest te halen. Iemand die Legilimentie beoefent wordt een Legilimens genoemd. Legilimentie is gemakkelijker als de uitspreker van de spreuk fysiek in de buurt van het doelwit is en wanneer het doelwit niet oplet, ontspannen of anderszins kwetsbaar is. Oogcontact is vaak essentieel, dus het is voor een Legilimens nuttig om zijn of haar doelwit verbaal tot oogcontact aan te zetten, met het bijkomende voordeel dat de emotionele status van het doelwit relevante herinneringen aan de oppervlakte kan brengen (OF24, 26).

Legilimens

(lee-gie-lie-mens)

Spreuk voor het beoefenen van Legilimentie (OF24). Deze term wordt ook gebruikt voor een tovenaar die de kunst van Legilimentie heeft geleerd en de gedachten van een ander kan waarnemen (OF37, HBP2).

'legens' = L. 'lezer' + 'mens' = L. 'geest, verstand'

Leidsman, Clemens

Gaf Ambrosius Flier (eigenaar van Zacharinus' Zoetwarenhuis) zijn eerste baan. Favoriete leerling van Hildebrand Slakhoorn en waarschijnlijk lid van de Slakkers (HBP4).

Lekke Ketel, de

Een kleine groezelige herberg aan Charing Cross Road die tussen een boekwinkel en een platenzaak is gelegen. De Lekke Ketel bevindt zich niet op de Wegisweg zelf, het dient eerder als een 'brug' tussen de twee werelden. De pub was rond 1500 door Daisy Dodderig gebouwd om 'als een toegangspoort tussen de Dreuzelwereld en de Wegisweg te dienen' (TK). De Lekke Ketel heeft boven kamers die te huur zijn en een bar en eetzaal op de benedenverdieping (GA3, 4, 5). De barman in de jaren '90 heette Tom (SW5, HBP6, 13). De huidige barmedewerker is Hannah Albedil (OBT/CH).

Lepelaar, Wilbert

(Eng. 'Slinkhard, Wilbert')

Auteur van *Magische Verdedigingstheorie*, een uiterst nutteloos boek voor het vak Verweer Tegen de Zwarte Kunsten dat werd gegeven door Omber. De kern van het boek was dat het slecht was om spreuken te gebruiken, ook al was het alleen maar als zelfverdediging (OF9 e.v.).

Slinkhard doet denken aan 'wegsluipen uit lafheid'. J.K. Rowling vertelde eens dat ze Droebels houding ten opzichte van de terugkeer van Voldemort koppelde aan het gedrag van Neville Chamberlain voor de Tweede Wereldoorlog, die de waarschuwingstekens negeerde over de ontluikende macht van Hitler en de nazi's en bereid was om aan alle eisen tegemoet te komen zodat er geen oorlog zou komen. Dit boek is duidelijk een voorbeeld van die denkwijze: op het eerste gezicht redelijk (aangezien vechten echt een uiterste maatregel moet zijn), uiteindelijk niets meer dan lafheid en capitulatie.

Lepert, Emma

(geb. 1983)

Een nieuwe leerling waarvan Harry zag dat ze werd gesorteerd (VB12).

leraarskamer

Wordt bewaakt door twee waterspuwers (OF17, RD31). Deze kamer, dicht bij de aankomsthal op Zweinstein (SW16), is een vrij betrouwbare plek om leraren te vinden als je ze overdag nodig hebt (SW8, GK16).

Leven en Leugens van Albus Perkamentus, Het

Door Rita Pulpers

Een biografie van Perkamentus die 900 pagina's telt. Hoofdstuk negen tot en met twaalf bespreken zijn moeder en zus. Hoofdstuk zestien bespreekt de eigenschappen van drakenbloed en beweert dat Perkamentus niet de eerste was om enkele van deze te ontdekken. Er is een heel hoofdstuk gewijd aan zijn relatie met Harry Potter (RD2). Het boek heeft ook een hoofdstuk getiteld 'Het Doel Heiligt de Middelen' waarin Albus Perkamentus' relatie met Gellert Grindelwald wordt besproken. Het hoofdstuk 'Het Doel Heiligt de Middelen' werd in zijn geheel in RD18 geciteerd.

Levenselixer

Een toverdrank die werd gemaakt met behulp van de Steen der Wijzen. Het verlengt het leven, maar om onsterfelijk te blijven, moet je het regelmatig drinken (HBP23). Nicolaas Flamel leefde meer dan 650 jaar door het te drinken (SW13).

Een levenselixer was een van de hoofddoelen voor alchemisten van over de hele wereld. Er werd gedacht dat dit drankje lang of een eeuwig leven zou schenken aan degene die het dronk. Het elixer werd door alchemisten uit verschillende tradities gezien als een vloeibare vorm van verschillende duurzame metalen, vooral goud, wat niet dof wordt en dus voor het eeuwige leven staat. De Steen der Wijzen, een legendarische substantie die andere metalen in goud kon veranderen, werd daarom beschouwd als een essentieel onderdeel voor het creëren van een levenselixer. Er is geen bewijs dat alchemisten de Steen der Wijzen of het levenselixer gevonden hebben, hoewel sommigen hun hele leven besteed hebben aan het zoeken.

Levicorpus

(lee-vie-cor-poes)

Hangt een persoon ondersteboven aan zijn enkel in de lucht. De tegenvloek is *Liberacorpus* (HBP12, RD26).

'levo' = L. 'optillen, verheffen' + 'corpus' = L. 'lichaam'

Levski

Jager voor het nationale team van Bulgarije tijdens het WK in 1994 (VB8).

Li, Su

(Ravenklauw 1991-1998)

Su's naam verschijnt in de kladversie van de klassenlijst van Harry's jaar die J.K. Rowling liet zien tijdens het 'Harry Potter and Me' TV interview (HPM). Volgens de klassenlijst is ze een halfbloed. Su is nooit in de canon verschenen maar haar naam wordt hier genoemd omdat ze blijkbaar in vroege plannen voor de boeken bestond.

Lia

(Zweinsteinleerling, jaren '90)

Vriendin van Katja Bell (HBP12).

Liberacorpus

(lie-be-ra-COR-poes)

Tegenvloek voor Levicorpus. Wanneer hij wordt uitgesproken over een persoon die aan zijn enkel opgehangen is door Levicorpus, valt die op de grond (HBP12, RD26).

'liber' = L. 'vrij' + 'corpus' = L. 'lichaam'

'licht als een veertje'

Een onbenoemde spreuk die ervoor zorgt dat het doelobject praktisch niets weegt (GA3).

Deze spreuk wordt niet in het boek genoemd, maar Harry denkt er wel over om zijn koffer 'zo licht als een veertje' te maken zodat hij hem tegelijk met zijn bezem kan dragen.

Liechtenstein

Een klein, bergachtig land dat

tussen Oostenrijk en Zwitserland ligt. Er wonen maar 33.000 mensen in Liechtenstein. Hoewel het geen belangrijke rol in de Dreuzelgeschiedenis speelde, heeft het een plaats in de tovenaarsgeschiedenis; de heksenmeesters van Liechtenstein weigerden om zich bij het Internationale Overlegorgaan van Heksenmeesters te voegen toen het voor het eerst werd gevormd. In Harry's Geschiedenis van de Toverkunst S.L.I.J.M.B.A.L. stond een vraag waarom dit het geval was, hoewel hij uiteindelijk nooit op het antwoord kwam (OF31).

Liefdesdrank

Toverdrank waardoor de drinker een zeer sterke bevlieging of obsessie voor iemand krijgt (HBP9). De duur van de effecten van een liefdesdrank varieert en hangt af van factoren zoals het gewicht van de persoon die de drank inneemt en de aantrekkelijkheid van de persoon waar de toverdrank de drinker mee geobsedeerd zou moeten maken (HBP6). De effecten verdwijnen op den duur vanzelf maar kunnen vernieuwd worden door volgende doses toe te dienen (HBP10). Na het innemen van een tegengif tegen een liefdesdrank vergeet de drinker niet wat hij deed terwijl hij onder de invloed ervan was, wat verschrikkelijk gênant kan zijn (HBP18).

Liefstra, Hannibal

(1634-1710)

Eenhoornexpert (TK).

Liguster, Herman

Naam die Harry gebruikte om zijn identiteit te verhullen toen hij in moeilijkheden kwam tegenover een paar Dooddoeners (RD23).

Ligusterlaan

Een laan in Klein Zanikem, Surrey. De Ligusterlaan is een gewone Dreuzelstraat met saaie, vierkante huizen. Op nummer 4 woont het gezin Duffeling (SW2).

Ligusterlaan, nummer 4

(Eng. 'Number four, Privet Drive)

Het huis van Herman en Petunia Duffeling. Hun zoon Dirk en hun neef Harry Potter woonden hier ook zestien jaar lang. Het huis ligt in Klein Zanikem, Surrey. Het huis is groot, vierkant en wordt brandschoon gehouden (SW1, OF3). Dit huis speelt een grote rol bij de bescherming van Harry tijdens zijn kinderjaren.

'privet' = een soort struikgewas dat voornamelijk voor heggen gebruikt wordt.

limoentjesfris

Wachtwoord om toegang te krijgen tot de badkamer van de klassenoudsten die op de vijfde verdieping van Zweinstein ligt (VB23, 25).

Lindaroos, Beaumont
(1742-1845)
Lindaroos was een pionier op het gebied van Kruidenkunde. Aan Lindaroos werd ook de ontdekking van Kieuwwier toegeschreven, hoewel Elladora Kettering het ongeveer een eeuw eerder al ontdekte (TK).

lintworm
Wachtwoord om in de Toren van Griffoendor te komen (HBP23).

Little People, Big Plans
Zie KLEINE MENSEN, GROTE PLANNEN

L

Liverpool
Een bekende stad aan de westkust van Engeland en enkele jaren terug de locatie van een concert van Celine Malvaria. Terwijl laatkomers naar het evenement vlogen vond er een botsing plaats boven de rivier de Mersey, die door Liverpool stroomt, waarbij drie bezemstelen betrokken waren (DP2).

Livius
Een van de twee tovenaars die volgens de geschiedenis de Zegevlier van Simon de Slegte afgenomen zouden kunnen hebben (RD21).

Llewellyn, 'Doldwaze' Dai
Beroemde Zwerkbalspeler voor de Caerphilly Catapults. Hij stond bekend om zijn roekeloze en waaghalzerige speelstijl. De St. Holisto's afdeling waar magische beten worden behandeld, is naar hem vernoemd (OF22).
Deze waaghals draagt de naam van twee beroemde mannen uit Wales. De beroemdste van de twee is een man met een adelijke titel die in hoge kringen verkeert en een zelfbenoemd rokkenjager is. De andere is echter een speler in het rugbyteam voor Wales, wat beter bij een Zwerkbalspeler past.

Loch Lomond
Misschien wel het beroemdste loch van Scotland. Er wonen Meermensen in Loch Lomond. Mirabella Valburg werd verliefd op een Meerman uit Loch Lomond.

Loch Ness
Een groot diep meer in de Hooglanden van Schotland. Hier woont het Monster van Loch Ness, een grote kelpie die de voorkeur geeft aan de vorm van een zeeslang. Het monster staat erom bekend dat het zich laat zien aan Dreuzels. Het Ministerie is zelfs van plan om het monster te verplaatsen (DP1).

Locomotor
(Lo-ko-MO-tor)
Verplaatst een object. Het spreukwoord 'Locomotor' wordt meestal gevolgd door een doelwoord, het object dat verplaatst moet worden (bijv. 'Locomotor koffer!'; OF3, 26, RD30).

'loco' = L. 'van een plaats' + 'motionem' = L. 'beweging'

Locomotor Mortis

(lo-ko-MO-tor MOR-tis)
'Vlock van Beentjeplak'
Plakt de benen van het slachtoffer aan elkaar zodat hij of zij niet in staat is om te lopen (SW13).
'loco' = L. 'van een plaats' + 'motionem' = L. 'beweging' + 'mortis' = L. 'dood'

Locomotorbezweringen

Een serie spreuken die het woord 'locomotor' gebruiken om objecten te verplaatsen. Meestal maakt de naam van het object deel uit van de spreuk. Parvati en Belinda oefenden deze toen ze zich voorbereidden op hun S.L.I.J.M.B.A.L.len (OF31).

Lodder & De Krimp

(Eng. 'Purge and Dowse')
Een oude leegstaande winkel in het Dreuzelgedeelte van Londen. Lodder & de Krimp is eigenlijk een façade die maakt dat Dreuzels St. Holisto's Hospitaal voor Magische Ziektes en Zwaktes niet kunnen zien. Tovenaars kunnen binnenkomen door te praten met de oude mannequin die in het raam staat en vervolgens dwars door het raam naar binnen te lopen (OF22).
Beide namen in de naam van de winkel hebben een interessante betekenis. 'Purge' betekent iets reinigen of schoonmaken door dat wat niet gewenst is weg te halen. Het wordt in medische zin gebruikt om te verwijzen naar het schoonmaken van de darmwegen. De medicatie die hiervoor wordt gebruikt wordt in het Engels een 'purgative' genoemd. 'Dowse' heeft geen medische betekenis, hoewel het in verband staat met het woord 'purge'. 'Dowse' of 'douse' betekent 'iets doordrenken met water'. 'Dowse' of 'douse' kan ook refereren aan een pseudowetenschappelijke procedure waarbij iemand een wichelroede vasthoudt en in de grond water probeert te vinden door rond te lopen. Hoewel het niet door de wetenschap geaccepteerd wordt, wordt deze methode vandaag de dag nog steeds gebruikt.

Lokaal 11

Ligt op de begane grond, in een gang tegenover de Grote Zaal. Dit lokaal werd door Firenze gebruikt om Waarzeggerij te geven, waar hij mee begon in 1995. Toen de leerlingen het lokaal ingingen, zagen ze dat het op een magische manier was veranderd in een bos, compleet met sterrenhemel (OF27).

Lolly's met bloedsmaak

Snoepjes die te koop waren bij Zacharinus' Zoetwarenhuis onder een bordje waarop 'Bijzondere smaken' stond (GA10).

Londen

Hoofdstad van Engeland, een van de grootste en bekendste steden in de wereld. Het is voor zowel Tovenaars als Dreuzels het handels- en regeringscentrum. Het Ministerie van Toverkunst bevindt zich in Londen (m.n. OF7, 34, RD12, 13), net als St. Holisto's Hospitaal (m.n. OF22, 23). Ook Grimboudplein bevindt zich hier, in de buurt van King's Cross Station (OF10) en ook de Lekke Ketel aan de Charing Cross Road (SW6 etc.).

Lorrebos, Levinius
(Orde van de Feniks)
(Eng. 'Mundungus Fletcher')
Een schurk wiens verdachte transacties altijd voor problemen zorgen (bijv. HBP12). Toch gelooft Albus Perkamentus dat hij, ondanks zijn onbetrouwbaarheid, heel handig kan zijn omdat hij dingen hoort die anderen niet horen (OF15, 16). Harry en de Wemeljongens vinden het leuk om tijd met hem door te brengen, omdat zijn verhalen de luisteraars helemaal dubbel van het lachen doen liggen. Lorrebos, of 'Lor' zoals hij ook wel genoemd wordt, is een enthousiaste drinker, rookt een stinkende pijp en vloekt verschrikkelijk (OF5). Levinius is een absoluut onbetrouwbare schoft (GK4, VB10, RD4).
'mundungus' = Eng. van het Spaanse 'een rottig ruikende tabak'

Lubbermans, Augusta
Marcels oma van vaders kant die hem opvoedt in plaats dat zijn ouders dat doen. Ze is een daadkrachtige, sterke vrouw. Marcel houdt van haar, maar hij is ook een beetje bang voor haar (GA7). In de lente van 1998, toen Marcel problemen voor de Dooddoeners veroorzaakte, werd Donders gestuurd om haar in hechtenis te nemen om de jongen onder druk te zetten. Het liep niet zo goed af voor Donders (RD31).

Lubbermans, Frank
(Orde van de Feniks)
Schouwer, populair in de Tovenaarswereld, die in de jaren '70 vocht tegen Voldemort en zijn aanhangers. Hij was lid van de Orde van de Feniks en Marcels vader (OF9, *zie ook* OF23).

Lubbermans, grootvader
Marcel vertelt na ondervraging aan Omber dat hij Terzielers kan zien omdat hij zijn grootvader zag sterven (OF21).

Lubbermans, Harfang
Volgens de stamboom van de familie Zwarts trouwde Harfang Lubbermans met Callidora Zwarts, dochter van Arcturus Zwarts. Er werden geen geboortedata gegeven voor Harfang, maar Callidora werd in 1915 geboren en schijnt nog steeds in leven te zijn (BFT).
In de Kronieken van Narnia *was het Huis van Harfang het grote (zelfs voor een reus) kasteel van een clan van Noordelijke Reuzen.*

Lubbermans, Lies

(Orde van de Feniks)

Een gerespecteerde Schouwer gedurende de Eerste Tovenaarsoorlog, vrouw van Frank Lubbermans. Lies heeft een rond gezicht; haar zoon Marcel lijkt veel op haar. Ze was samen met haar echtgenoot lid van de oorspronkelijke Orde van de Feniks (OF9; *zie ook* OF23).

Lubbermans, Marcel

(geb. 30 juli 1980; Griffoendor 1991; Strijders van Perkamentus; Kruidenkundeprofessor, begin 21e eeuw)

Een trouwe vriend van Harry en een ware Griffoendor. Marcel wordt beschreven als 'gezet'; hij lijkt op zijn moeder (OF23). Zijn moed is van een ander soort dan die van Harry. Het is de moed van kinderen die blijven proberen, ook al hebben ze in het verleden herhaaldelijk gefaald, van het onpopulaire kind dat nooit toegeeft aan groepsdruk, zelfs niet door zijn vrienden. Op Zweinstein was hij nogal vergeetachtig en had vaak moeite met toveren; het hielp niet dat professor Sneep hem zonder ophouden uitkoos om hem belachelijk te maken (bijv. GA7). Hoewel Bezemsteelvliegen (SW9) en Toverdranken (VB14) problematisch waren, blonk Marcel uit in Kruidenkunde (VB14). Toen hij lid werd van de Strijders van Perkamentus, verkreeg hij zelfvertrouwen en vaardigheid door louter hard werken (OF19 etc; *zie ook* OF36, HBP28, RD29, 36/e, BLC).

De Lucht in met de Cannons

Een boek met interessante feitjes over het Cambridge Cannons Zwerkbalteam (GK12). Het boek is geïllustreerd met bewegende plaatjes (VB2, 22).

Luchthuis, Artemisia

(1754-1825)

Eerste heks die Minister van Toverkunst werd. Ze bekleedde dit ambt van 1798 tot 1811 (TK).

Luchtkussenbezwering

De Luchtkussenbezwering creëert een onzichtbaar 'kussen' in de lucht (RD26).

Luiaardligging

Manoeuvre bij Zwerkbal waarbij een speler onder zijn bezem gaat hangen om een Beuker te ontwijken (OF17).

Lumos

(lu-mos)

Spreuk die ervoor zorgt dat een kleine bundel licht uit de punt van de toverstok van de uitspreker schijnt (GK15).

'lumen' = L. 'licht'

Lupos, Remus John

(1960-1998; Griffoendor, 1971; Klassenoudste, 1975; Orde van de Feniks, VTZK-docent, 1993-1994)

Vriend van James Potter en

Sirius Zwarts en één jaar de leraar Verweer Tegen de Zwarte Kunsten van Harry Potter. Hij was een erg kundige tovenaar en een uitstekende docent (bijv. GA7), hoewel zijn persoonlijke problemen hem degradeerden tot de onderkant van de Tovenaarssamenleving (GA17, HBP16). Op Zweinstein maakte Lupos deel uit van de 'Marauders' (GA17) en hij werd lid van de Orde van de Feniks nadat hij de school had verlaten (m.n. OF34-35, HBP28, RD4, 31, 35; *zie ook* RD25).

Zowel Lupos' voor- als achternaam heeft wolvenconnotaties. De mythologische stichters van Rome waren Romulus en Remus, die als baby werden gevoed door een wolvin. 'Lupos' komt van 'lupus' = L. 'wolf'. J.K. Rowling onthulde zijn middelste naam in een interview (WBD).

Lupos, Teddy

Zoon van Remus Lupos (RD11). Blijkbaar is hij een Transformagiër omdat op foto's te zien is dat zijn haar van kleur bleef veranderen als baby (RD25; *zie ook* RD/e, BLC).

Luxemburg

Een klein Europees land dat tussen Frankrijk, Duitsland en België in ligt. Luxemburg had een Zwerkbalteam dat, volgens Charlie Wemel, Schotlands team in 1994 tijdens de play-offs van het WK met grote cijfers versloeg (VB5).

Luxe Onderhoudskit voor Uw Bezem

Een cadeautje van Hermelien aan Harry voor zijn dertiende verjaardag. Het bevat onder andere een *Handboek voor Bezemonderhoud*, een pot Splinters Supersteelglans en een Staartsnoeier (GA1).

Lynch, Aidan

Zoeker voor het nationale Ierse Zwerkbalteam tijdens het WK van 1994 (VB8).

L

Maankalf

Een vreemd wezen dat danst in de maneschijn en waarvan de mest erg waardevol is (JKR).

maankijker

Een soort astronomisch model of instrument dat de fasen van de maan laat zien. Perkamentus had een maankijker in zijn kantoor (OF37). Hij werd uitgevonden door Perpetua Vanvelden.

maankikker

Iemand die geïnterviewd werd door *De Kibbelaar* stelde dat hij een zak met maankikkers had, om te bewijzen dat hij naar de maan was gevlogen op een Helleveeg 6 (OF10).

Maanling

Remus Lupos verkreeg deze naam als een van de 'Marauders' vanwege zijn aandoening (GA17).

Maansteen, Laura

(Huffelpuf, 1994)

Een meisje dat in Harry's vierde jaar gesorteerd werd (VB12).

Maanzaat, Melissa

(Zweinstein, 1991)

(Eng. 'Morag MacDougal')

Een jonge heks die in Harry's eerste jaar werd gesorteerd (SW7).

Volgens een vroege klassenlijst die J.K. Rowling tijdens een interview liet zien (HPM), was Morags naam oorspronkelijk misschien Isabel MacDougal. Als dit zo was (en dit document kan niet echt als tot de canon behorend worden beschouwd), is ze een leerling van Ravenklauw uit een volbloed familie (HPM).

Madame Kruimelaars Tearoom

Een kleine, volgepropte tearoom met overmatig prullerige decoratie (waaronder zwevende cupido's die roze confetti strooien). Deze ligt net naast de hoofdstraat van Zweinsveld. De enige leerlingen van Zweinstein die er lijken te komen zijn koppels tijdens een afspraakje (OF25).

Madame Mallekins, Gewaden voor Alle Gelegenheden

Een winkel aan de Wegisweg, naast Klieder&Vlek, en het voornaamste verkooppunt voor schoolgewaden van Zweinstein (SW5, HBP6). Tijdens een zomeruitverkoop bood de winkel een ruim assortiment aan magische gewaden aan en deed een 'gratis riem van kikkervel bij elke aankoop' (DP1).

Madame Primpernelle's
Te vinden op Wegisweg 275. Dit bedrijf brouwt Schoonheidsdrankjes. Ze hebben recentelijk geadverteerd in het vacaturekatern van de *Ochtendprofeet* omdat ze een Junior Toverdrank Maker zoeken (DP2).

Madame Reina's Magische Multivlekkenverwijderaar
Een magisch schoonmaakmiddel dat veelvuldig door Vilder wordt gebruikt (GK9) en dat in verschillende bezemkasten verspreid over Zweinstein wordt opgeslagen (VB18).

Maddock, Alasdair
Jager van de Montrose Magpies die een beetje te veel geïnteresseerd was in Dreuzelsporten (DP1, 2, 3).

Madeliefjeswortel
Een ingrediënt dat in gesneden vorm wordt gebruikt in Slinksap (GA7).
In Culpepers Complete Herbal *staat dat de geplette bloemen van madeliefjes gebruikt kunnen worden om zwellingen te verminderen (ze kunnen daarnaast ook gebruikt worden als geneesmiddel voor veel andere kwalen.)*

Mafalda
Een personage dat nooit in de boeken voorkwam, hoewel J.K. Rowling haar eerst in de Vuurbeker *had geschreven. Mafalda was een nicht van de Wemels, een Zwadderaar, die een zomer bij de Wemels kwam logeren. Ze was behoorlijk irritant maar voor Hermelien wel een gelijke op het gebied van intelligentie (JKR).*

Magi-Me-More
Een pil waarvan in de advertentie wordt gezegd dat het een tovenaar zich jonger en krachtiger laat voelen. De bijwerkingen van dit product klinken echter zeer vervelend, waaronder 'slagtanden'. Soms loont het om de kleine lettertjes te lezen (JKR).

Magie op haar Gruwzaamst
Een bibliotheekboek uit de Verboden Afdeling dat in de inleiding verwijst naar Gruzielementen, maar alleen om ze 'de meest verdorven magische uitvinding' te noemen en om te zeggen dat het boek er verder niks over zal vertellen (HBP18).

Magical Equipment Control
Zie MAGISCHE UITRUSTINGSDIENST

Magisch Verkeersbureau
Gelegen op de zesde verdieping van het Ministerie van Toverkunst. Deze afdeling houdt toezicht op onder andere Viavia's, bezemstelen (OF7), het Haard-

rooster (OF27) en Verschijnselen (VB6).

Magische Arrestatieteam
Ooit geleid door Bob Klare (HBP10). Dit team behoort tot het Departement van Magische Wetshandhaving en dient als politie voor de tovenaarswereld. Het team heeft onder anderen de Scherpspreukers in dienst om met gevaarlijke criminelen af te rekenen (GA11).

Magische Brouwsels en Drankjes
Door Arsenius Grein
Een Toverdrankenlesboek dat in 1991 op de boekenlijst stond voor eerstejaars van Zweinstein (SW5).

Magische drukpers
Xenofilus Leeflang heeft thuis een magische drukpers om exemplaren van *De Kibbelaar* te drukken (RD20).

Magische Hiërogliefen en Logogrammen
Boek dat Hermelien in haar vijfde jaar in de leerlingenkamer zit te lezen, waarschijnlijk voor het vak Oude Runen (OF26).
Een logogram is een symbool dat gebruikt wordt om een heel woord op te schrijven. Het alfabet dat de meeste talen tegenwoordig gebruiken heeft lettersymbolen die op zich of gecombineerd een geluid weergeven. We gebruiken bijvoorbeeld de letter B om het geluid aan het begin van het woord 'baby' weer te geven. Een logogram staat echter voor een heel woord in één keer, en is helemaal niet aan uitspraak gebonden. In moderne geschreven talen bijvoorbeeld staat het cijfer 3 voor het woord 'drie' in het Nederlands, terwijl het in het Spaans voor 'tres' staat. Een cijfer is een logogram. De term 'hiëroglief' verwijst naar een willekeurig symbool dat wordt gebruikt in een schrijfsysteem dat met logogrammen werkt. De bekendste zijn voor de meeste mensen de hiërogliefen van het oude Egypte. Hermelien leert Oude Runen uit dit boek, wat de suggestie wekt dat magische runen vaak logogrammen zijn. De runen die we kennen – een driekoppige Runespoor die het nummer drie symboliseert bijvoorbeeld – zijn logogrammen.

Magische Mediterrane Waterplanten en hun Eigenschappen
Barto Krenck Junior, vermomd als Dwaaloog Dolleman, gaf Marcel een exemplaar van dit boek na de eerste les Verweer Tegen de Zwarte Kunsten van Marcels vierde jaar (VB14); het ging onder andere over kieuwwier, een plant die af en toe erg van pas kan komen (VB35).

Magische Omroep Stichting (MOS)
Het equivalent van een radionetwerk in de tovenaarswereld. Het wordt door magie aangedreven

M

in plaats van door radiogolven of elektrische energie (JKR). De programmering bestaat onder andere uit programma's als de *Muzikale Heksenketel*, met Celine Malvaria en Gloria Gieterom (GK3, TK) en muziekuitzendingen waarin de Witte Wieven gedraaid worden (VB22), samen met waarschijnlijk *'Toots, Shoots, 'n Roots'* (JKR).

Magische Omroep Stichting, nieuws
Een regulier programma op de MOS. Het nieuws wordt, net zoals de *Ochtendprofeet,* sterk beïnvloedt door het Ministerie van Toverkunst (RD22).

M

Magisch Onderhoud
Een afdeling die de basisvoorzieningen van het hoofdkwartier van het Ministerie van Toverkunst onderhoudt, waaronder de magische ramen (OF7, RD12). Roel Malkander behoort tot de medewerkers (RD12). Heet in latere delen de 'Tovertechnische Dienst'.
Je kunt het bijna niet laten om je af te vragen of de waterhozen die in de kantoren van verscheidene mensen ontstonden toen het Ministerie door Dooddoeners was overgenomen, door Magisch Onderhoud werden veroorzaakt als subtiele manier om terug te vechten.

Magische Rampen en Catastrofes, Departement van
Een departement dat op de derde verdieping van het Ministerie van Toverkunst ligt, waar onder andere het Traumateam voor Toverongevallen, Revalideurs en eigenlijk iedereen die met overtredingen van het Statuut van Geheimhouding te maken heeft onder valt (RD23).

Magische Sport en Recreatie, Departement van
In 1689 tegelijk met het Statuut van Geheimhouding gevormd om toe te zien op de naleving van Zwerkbalregelingen en ervoor te zorgen dat de sport geen aandacht van Dreuzels zou trekken (m.n. OF7). Ludo Bazuyn was het afdelingshoofd (VB6) tot hij in 1995 ontslag nam. Het departement hielp samen met het Departement van Internationale Magische Samenwerking met het organiseren van het WK Zwerkbal en het Toverschool Toernooi (VB7, VB12). Ook andere sporten staan onder toezicht van dit Departement, zoals Fluimstenen. Maar wat zijn Fluimstenen nou in vergelijking met Zwerkbal?

Magische Uitrustingsdienst (Magical Equipment Control)
Een departement van het Ministerie dat ooit een waarschuwing deed uitgaan over slechte toverstokken, die werden verkocht door een straatventer genaamd Eerlijke Japie (*Eng. 'Honest Willy'*) Wagstaf (DP1).

Magische Verdedigingstheorie
Door Wilbert Lepelaar
Het boek dat Omber aan haar leerlingen Verweer Tegen de Zwarte Kunsten gaf en dat vooral leerde hoe je het gebruik van magie moest vermijden. Met andere woorden, het was waardeloos, zeker nu de Tovenaarswereld te maken kreeg met de terugkeer van Voldemort. Droebel was echter bang dat Perkamentus de lessen Verweer Tegen de Zwarte Kunsten zou gebruiken om een privéleger te trainen (OF15).

Magische Wetshandhaving, Departement van
Het grootste departement in het Ministerie van Toverkunst, ooit geleid door Barto Krenk senior (VB27) en later door Emilia Bonkel (OF8), Pius Dikkers (RD1) en Jeegers (RD12). De zes belangrijkste takken zijn het Schouwershoofdkwartier, Taakeenheid Ongepast Spreukgebruik, de Wikenweegschaar, de Magische Uitrustingsdienst, Misbruikpreventie van Dreuzelvoorwerpen en het Magische Arrestatieteam (m.n. OF7). Andere afdelingen die ooit werden opgezet zijn onder andere de Afdeling voor de Opsporing en Inbeslagneming van Vervalste Verdedigingsspreuken en Beveiligende Voorwerpen (HBP5) en de Registratiecommissie van Dreuzeltelgen die geleid werd door Dorothea Omber (RD13).

Magische Wetsraad
Waarschijnlijk een andere naam voor wat in latere boeken de Wikenweegschaar wordt genoemd. Deze raad was verantwoordelijk voor het behandelen van verschillende rechtszaken tegen belangrijke Dooddoeners na de eerste val van Voldemort in 1981. De raad werd geleid door Bartolomeus Krenck senior, het Hoofd van het Departement van Magische Wetshandhaving in die tijd (VB27, 30).
Vanaf boek vijf wordt de belangrijkste rechtbank van de Tovenaarswereld de Wikenweegschaar genoemd; het is heel goed mogelijk dat het dezelfde raad is, maar dat J.K. Rowling de naam nog niet had bedacht. Aan de andere kant is het ook goed mogelijk dat de Magische Wetsraad speciaal in het leven was geroepen om met gevangen Dooddoeners af te rekenen.

Magister, Marlène
(†juli 1981; Orde van de Feniks)
Een lid van de Orde van de Feniks in de jaren ’70 (SW4, VB30, OF9, RD10).

Magizoölogie
(Eng. ‘Magizoology’)
Het bestuderen van fabeldieren van over de hele wereld (FD); op Zweinstein wordt dit gegeven in de vorm van het vak Verzorging van Fabeldieren (GA5).
‘magie’ + ‘zoölogie’ = ‘het bestuderen van dieren’

Magizoology
Zie MAGIZOÖLOGIE

Magnolialaan
'Een paar straten verwijderd' van de Ligusterlaan (GA3). De Magnolialaan is een straat waar een aantal van Dirks vrienden waarschijnlijk woont, omdat hij ze gedag wenste 'bij de kruising met de Magnolialaan' toen ze allemaal naar huis liepen (OF1).

Magnoliastraat
Ook te vinden in Klein Zanikem. De Magnoliastraat ligt aan de andere kant van de Magnolialaan ten opzichte van de Ligusterlaan (OF1).

Magorian
Treedt op als de leider van de centauren van het bos. Hij is niet zo onbezonnen als Ban, maar hij vertrouwt mensen niet (OF30, RD36).

mahonie
Een soort toverstokkenhout dat meneer Olivander gebruikte om James Potters eerste toverstaf te maken, die 'prima was voor transfiguratie' (SW5).

Maidenhead
Een stad bij de rivier de Theems in Berkshire, ten westen van Londen. In een artikel van de *Ochtendprofeet* over Halloweenvieringen die uit de hand liepen, wordt een barbecue uit Maidenhead genoemd als een voorbeeld van een tovenaarsfeestje dat uit de hand gelopen is (DP4).

Majorca
Een mediterrane vakantiebestemming waar de Duffelingen een vakantiehuisje wilden kopen (GK1) en waar Petunia's vriendin Yvonne ooit op vakantie ging (SW2).

Malfidus, Abraxas
Draco's grootvader die stierf aan de Drakenpest (HBP9).

Malfidus, Draco
(geb. 5 juni 1980; Zwadderich 1991; Zwerkbal Zoeker 1992-?; Klassenoudste, 1995; Inquisitiekorps)
(Eng. 'Draco Malfoy')
De aartsrivaal van Harry Potter, zoon en enig kind van Lucius en Narcissa Malfidus. Malfidus aanbidt zijn strenge vader en zijn moeder is dol op hem. De rivaliteit tussen Harry en Draco begon al op de Zweinsteinexpress aan het begin van hun eerste jaar (SW6) en ging de volgende zes jaar verder in de lessen, in de gangen en op het Zwerkbalveld (bijv. SW9, GK10, 11, etc.). Draco is een goede leerling, al wenst hij dat er op Zweinstein daadwerkelijk les in de Zwarte Kunsten wordt gegeven, niet alleen in het Verweer ertegen (VB11). Draco werd maar zelden gezien zonder zijn twee vrienden, Korzel en Kwast, die

veel groter dan hij waren en als bodyguards dienden (bijv. SW6; *zie ook* RD/e, PC-JKR2). Draco heeft witblond haar en een bleek, puntig gezicht (SW5).

'draco' = L. 'draak'; 'malfoy' = Fr. 'kwade bedoelingen'

Malfidus, Lucius

(geb. rond 1954; Zwadderich 1965; Klassenoudste 1969)

Rijke, hooghartige tovenaar, vader van Draco Malfidus. Lucius was tijdens Voldemorts eerste greep naar de macht een Dooddoener, maar na de val van Voldemort 'kwam hij terug en zei dat hij het nooit zo bedoeld had' (GK3). Hij gebruikte zijn positie in de tovenaarswereld om macht uit te oefenen in het Ministerie van Toverkunst, waarbij hij mensen imponeerde met de 'zuiverheid' van zijn bloed en het aantal Galjoenen dat hij doneerde (GK14, OF9; *zie ook* OF34, RD1).

'lucius' van 'lux' = L. 'licht' waarschijnlijk een verwijzing naar 'Lucifer', een naam voor de Duivel die 'licht-drager' betekent.

Malfidus, Villa

Een mooie oude villa met veel grondgebied (RD1) gelegen in Wiltshire in het zuidwesten van Engeland (OF15). Draco Malfidus groeide hier op met zijn ouders, Lucius en Narcissa (*Zie ook* RD1, 23, 26).

Malfidus, Narcissa Zwarts

(geb. 1955; Zwadderich, c. 1966; Dood)

Vrouw van Lucius en Draco's moeder; blond, blauwe ogen en een hooghartige uitdrukking (VB8). Narcissa was dol op haar zoon (bijv. VB11, 13) en zou alles doen om haar familie te beschermen (HBP2). Toen gebeurtenissen de familie uit elkaar dreigden te rukken, werd zij de sterke persoon die alles bij elkaar hield en deed wat nodig was om haar zoon en man veilig te stellen (RD1, 35).

'Narcissa' is de vrouwelijke vorm van de naam Narcissus uit de Griekse mythologie. Narcissus werd verliefd op zichzelf en stierf terwijl hij naar zichzelf staarde.

Malfidus, Scorpius Hyperion

(geb. 2006; Zweinstein, 2017)

Zoon van Draco Malfidus, hij lijkt op hem qua uiterlijk (RD/e).

'Scorpius' = L. 'schorpioen' 'Hyperion' = een Titaan (de oorspronkelijke goden) in de Griekse mythologie (ITV-YIL)

Malkontent tot Maling, Heer Hendrik van

De volledige naam van het spook van Griffoendor, beter bekend als Haast Onthoofde Henk (SW7, etc.).

Malvijn, de zusjes

(Leerlingen van Zweinstein, jaren '90)

Tweelingzussen wier vijfjarige broertje in de lente van 1997 door Fenrir Vaalhaar werd gebeten (HBP22).

Mallekin, Madame
(Eng. 'Madam Malkin')
Eigenaar van een gewadenwinkel in de Wegisweg genaamd 'Madame Mallekin, Gewaden voor Alle Gelegenheden'. Ze is een gedrongen heks die meestal er vriendelijk is (SW5), hoewel ze erg ongerust raakt als er toverstokken worden getrokken in haar winkel (HBP6).
'malkin' = Eng. 'een slordige vrouw'

M

Malkander: Alfred, Elsje en Maaike
Kinderen van Roel en Maria Malkander, die zeer bezorgd waren over hun moeders veiligheid (RD13).

Malkander, Maria Elizabeth
Getrouwd met Roel Malkander, werkzaam bij de Tovertechnische Dienst. Haar ouders waren groenteboer. Maria, een kleine vrouw met donker haar in een knotje, moest voor de Registratiecommissie van Dreuzeltelgen komen om uit te leggen van wie ze haar toverstok 'gestolen' had (RD13).

Malkander, Roel
Een tovenaar die werkte voor de Tovertechnische Dienst bij het hoofdkwartier van het Ministerie van Toverkunst in Londen. Hij is de man van Maria Elizabeth Malkander. Roel was buiten zijn weten om betrokken bij het plan van Harry, Ron en Hermelien om het Ministerie binnen te komen (RD12, 13).

Mallemour, madame Olympe
(Eng. 'Maxime, madam Olympe')
Schoolhoofd van Beauxbatons, wordt zowel om haar werk als schoolhoofd (VB29) als om haar magische vermogens gerespecteerd (OF20). Hoewel ze een halfreus is en de lengte heeft om het te bewijzen, ontkent ze in het openbaar haar afkomst (VB23) en gaat ze tegen alle stereotypes over reuzen in, aangezien ze elegante zijde en juwelen draagt en zeer goed kan dansen (VB29; *zie ook* VB19, VB23, VB28, HBP30).
'maxime' = L. 'het grootste' + 'Olympus' = de berg waar volgens de Griekse mythologie de goden leefden.

Malvaria, Celine
(geb. 1917)
(Eng. 'Celestina Warbeck')
Staat bekend als de 'Zingende Tovenares' (GK3) en als een van de bekendste muzikale artiesten in de Tovenaarswereld (TK). Haar hits zijn onder andere 'Een Ketel Vol Met Warme Liefde' en 'Je Hebt Mijn Hartje Weggetoverd' (HBP16). Ze heeft

onder andere in Liverpool (DP2) en Exmoor (JKR) concerten gehouden en ze staat erom bekend dat ze met een groep feeksen als achtergrondzangeressen optreedt (DP4). Mevrouw Malvaria zingt ook kerstconcerten op de MOS, waar de familie Wemel elk jaar (min of meer) enthousiast naar luistert (HBP16).

Een 'celesta' is een toetseninstrument dat een bel-achtige, vluchtige klank produceert. Het is te horen in Tsjajkovski's 'Dans van de Suikerfee' en John Williams' 'Hedwig's Theme' uit de Potterfilms.

malve

(Eng. 'Mallowsweet')

Een plant die, samen met salie, verbrandt wordt als onderdeel van het waarzeggerijritueel van de centauren. Ze bestuderen de dampen en vlammen om de resultaten van het sterren kijken te verfijnen (OF27).

Er zijn verscheidene planten die 'mallow' worden genoemd, waaronder de marsh mallow, waarvan de wortels oorspronkelijk gebruikt werden om marshmallows te maken.

Mandragora

Ook wel bekend als alruinwortel. Deze plant wordt gebruikt om de Vitaliserende Alruindrank te maken. Dit is een krachtige toverdrank die de effecten van Verstening kan tegengaan (GK9). Zaailingen van de Mandragora zijn kleine plukkerige plantjes, paarsgroenig van kleur, en er groeit iets dat op een baby lijkt op de plaats van de wortel (GK6). Het gehuil van een Mandragora is fataal voor mensen – zelfs het gehuil van een jonge plant kan iemand enkele uren bewusteloos maken – dus er moeten speciale maatregelen genomen worden om ermee om te gaan (GK6, RD31).

J.K. Rowlings versie van de Mandragora komt rechtstreeks uit de folklore, hoewel het opgesierd is met haar typische humor. Krachtige tovenaars van vroeger dachten dat de wortel op een mens leek en hij zou daardoor sterke magische krachten hebben. Wanneer deze uit de grond werd getrokken zou de wortel een kreet slaken die eenieder die het hoorde zou doden. Het vereiste nogal drastische maatregelen om hem te pakken te krijgen. Een bron oppert om een hond aan de deels uitstekende wortel te binden en dan snel weg te lopen. De hond zou dan proberen te volgen en de wortel uit de grond trekken. De hond zou dood gaan door de gil (wat eenzelfde superieure houding ten opzichte van dieren laat zien als we die zien in de tovenaarswereld). Sommige alchemisten dachten dat Mandragora's de oorspronkelijke menselijke vorm hadden, zoals God die vanuit aarde had geschapen. Ze werden dus gekweekt met een variatie van vreemde rituelen en procedures in de hoop een 'homunculus' te maken, een kleine op een dier lijkende mensachtige die de alchemist die hem gemaakt heeft zou dienen.

Mannen die Te Veel van Draken Houden

Harry en Hermelien keken in dit boek toen ze naar een makkelijke spreuk zochten om met een draak om te gaan, maar konden niets vinden (VB20).

Mantel van Onzichtbaarheid

Een van de Relieken van de Dood, volgens de legende een mantel die eens van de Dood zelf was. In feite is de mantel vele jaren geleden gemaakt door de gebroeders Prosper en behoorde oorspronkelijk Ignotus Prosper toe. In tegenstelling tot alle andere Onzichtbaarheidsmantels is deze Mantel perfect, vervaagt nooit, en kan hij zowel degene die hem draagt als anderen beschermen. De mantel werd generaties lang van vader op zoon doorgegeven totdat hij uiteindelijk aan de laatst levende afstammeling van Ignotus werd gegeven: Harry Potter (RD5).

mantichore

Een intelligent wezen, in staat tot intelligente spraak, maar het werd als beest geclassificeerd vanwege zijn gewelddadige neigingen. Een mantichore heeft het hoofd van een mens, het lichaam van een leeuw en de giftige staart van een schorpioen (VB24). In 1296 heeft een mantichore iemand zwaar verwond, maar ze lieten hem gaan omdat niemand erbij in de buurt durfde te komen (GA11).

De mantichore komt oorspronkelijk uit de Perzische mythologie. De naam komt van het Perzische 'martikhoras' wat 'menseneter' betekent. Net als een sfinx zou een mantichore een raadsel aan zijn slachtoffers voorleggen voordat hij ze opat.

Marauders

De bijnaam die James Potter, Sirius Zwarts, Remus Lupos en Peter Pippeling zichzelf gaven. Zij waren degenen die de Sluipwegwijzer (*Eng. 'Marauder's Map'*) hebben gemaakt (GA17, HBP21).

maretak

In de voortuin van het huis van de Leeflangs staat een bordje met 'Pluk uw Eigen Maretak' (RD20). Dobby versierde de Kamer van Hoge Nood met maretak (OF21).

Maretak was een van de heiligste planten van de druïden. Het stond onder andere voor levenskracht en vruchtbaarheid, wat op zijn beurt de gewoonte van kussen onder een maretak in de hand werkte.

Marga, tante

(1890-heden)

Een oudtante van de Wemels die behoorlijk excentriek en openhartig is. Ze lijkt geen grammetje tact te bezitten; maar op haar eigen aparte manier is ze toch aardig en gul (HBP29, RD5, 8, 24).

Marius
Tovenaar die met een Deugendetector voor Goudgrijp staat (RD24).

Mark
Mark hoort bij Dirks bende, wat al genoeg over hem zegt (SW3, OF1).

Mars repen
Harry's idee van een uitstekende traktatie – in ieder geval tot hij het karretje van de Zweinsteinexpress bezocht en hij tovenaarssnoep ontdekte (SW6).

Marsman, Ernst
(geb. 1980; Huffelpuf, 1991; Klassenoudste 1995; Strijders van Perkamentus)
Hoewel hij een enigszins pompeus figuur is, is hij loyaal en zit zijn hart op de juiste plek (GK15, OF13, 16, RD31, 32). Ernst werd in zijn vijfde jaar klassenoudste, samen met zijn beste vriendin Hannah Albedil (OF10).

Marsman, Melania
(1901-1991)
Vrouw van Arcturus Zwarts, Sirius' grootmoeder aan vaderskant (BFT).

Marter, Erik
Een slecht geschoren bewakingstovenaar bij het Ministerie van Toverkunst, die achter de bewakingsbalie in het Atrium zit waar bezoekers hun toverstok moeten tonen voor registratie (OF7, 14).

Martha
Een Dreuzelmeisje dat in Marten Vilijns weeshuis werkte in de tijd van Perkamentus' bezoek (HBP13).

Masking Fog
Zie VERBERGENDE MIST

Mauve, Koningin
Middeleeuwse heks uit Ierland die daar jonge heksen en tovenaars opleidde (TK)
Volgens de Ierse mythologie was Mauve een krijgerskoningin die in de 1e eeuw v. Chr. leefde. Ze is misschien wel het bekendst vanwege de oorlog die ze uitvocht om de bruine stier van Ulster op te eisen. Ze wilde die hebben omdat ze dan welvarender zou zijn dan haar man.

McBride, Dougal
Zoeker van Pride of Portee (DP3).

McLeod, Cormack
Manager van de Montrose Magpies (DP2, 3).

McTavish, Tarquin
(geb. 1955)
Tovenaar die in de problemen kwam omdat hij zijn buurman op magische wijze in een theepot stopte (JKR).

M

Medaille voor Magische Uitmuntendheid
Prijs die vijftig jaar geleden aan Marten Vilijn werd gegeven. Aangezien Marten een van de slimste leerlingen was die ooit naar Zweinstein gingen, zou dit een prijs geweest kunnen zijn voor een prestatie in zijn studie (GK13).

Medaillon van Regulus Zwarts
Een gewoon niet-magisch medaillon dat Regulus Zwarts als afleiding achterliet. Jaren later gaf Harry Regulus' medaillon aan Knijster als cadeautje, waarmee hij diep ontzag en dankbaarheid verworf bij de huis-elf (RD10).

Medaillon van Zwadderich
Een zwaar gouden medaillon dat het teken van Salazar Zwadderich draagt (een rijkversierde, slangachtige Z) en van oorsprong het eigendom van Asmodom Mergel is. Het medaillon had een vreemde, tragische geschiedenis, werd overgedragen van de ene persoon op de andere en trok een spoor van ellende achter zich (OF6, HBP20, RD13, 19).

Medische toverkunst
Helende toverkunst die uitgevoerd wordt door Helers (OF22) of af en toe door Toverzorgers (VB8) of heksendokters (DP1). St. Holisto's Hospitaal voor Magische Ziektes en Zwaktes is in Groot-Brittannië de voornaamste instelling voor medische toverkunst (OF22), daarnaast is er ook de ziekenzaal op Zweinstein (SW8). Medische toverkunst kan gebroken botten helen en weer terug laten groeien (SW9, GK10, RD25), tanden opknappen en vervangen (VB23, RD5), verlichting brengen bij verkoudheid (GK8) en de schade herstellen die door de kracht van gedachten veroorzaakt is (OF38). Alles wordt gedaan door middel van behandelingen die variëren van gecompliceerde toverdranken (OF38) en spreuken tot chocolade (GA5).

M

Meer, het
Voor het kasteel ligt een groot meer waar de grote inktvis, de Meermensen en Wierlingen wonen. Eerstejaars reizen voor de eerste keer naar het kasteel over dit meer in door magie voortgedreven bootjes (SW6).
Hoewel er nooit zo naar wordt verwezen in de boeken, zou een meer in Schotland beter een loch genoemd kunnen worden.

Meermans
De taal van de Meermensen, die ook door sommige tovenaars gesproken wordt – waaronder Barto Krenck Senior (VB7) en Albus Perkamentus. Het klinkt boven water als gekras, maar onder water klinkt het gewoon als Engels dat met een krakerige stem wordt gesproken (VB26).

Meermensen

Intelligent volk dat in het water leeft. Ze hebben hun eigen cultuur en sociale structuur ontwikkeld en houden erg van muziek (VB26). Meermensen kunnen over de hele wereld worden gevonden, waaronder in Schotland in het meer bij Zweinstein (VB26) en in Loch Lomond (TK). De meermensen van Zweinstein hebben een grauwe huid en lang groen haar (VB26). Meermensen leven in onderwaterdorpen die bestaan uit primitieve stenen huisjes (VB26).

Meermensen (ook wel zeemeerminnen genoemd) kwamen al voor in zeer oude folklore. Beschrijvingen van over de hele wereld lijken erg op elkaar: een wezen dat de staart van een vis heeft tot aan het middel, met de torso, de armen en het hoofd van een vrouw. In sommige verhalen doden zeemeerminnen per ongeluk mensen omdat ze vergeten dat deze niet onder water kunnen ademen. In andere verhalen lokken de meerminnen expres zeelieden door hun schepen te laten zinken en hen te verdrinken als ze in de zee terechtkomen.

megafoon, magische

Apparaat dat gebruikt wordt om Zwerkbalcommentaar te geven (GA15, HBP14, 19), om aankondigingen aan alle leerlingen te doen (GK14) en om een groep demonstranten toe te spreken (DP2).

meidoorn

Een houtsoort die gebruikt wordt voor toverstokken. Draco Malfidus' toverstok is van meidoorn gemaakt (RD24).

Draco's verjaardag, 5 juni, valt binnen Huath, de maand in de Keltische maankalender waar de meidoornboom symbool voor staat. De traditionele kennis die wordt geassocieerd met de meidoorn is tegenstrijdig: bij de Grieken en de Romeinen stond het voor hoop en huwelijk, maar bij de Kelten stond het voor hekserij en pech. De meidoorn heeft immers mooie bloemen en hele scherpe doornen. In de folklore wordt de meidoorn vooral in verband gebracht met elfjes. Een enkele meidoorn zou zelfs een teken zijn dat naar het rijk van de elfen wees, terwijl een open plek in het bos met meidoorns, eiken en essenbomen de plek zou zijn waar elfen zichtbaar voor de mensen waren. Volgens de traditie mag het meidoornhout voor een toverstok alleen op Beltane verzameld worden, een feestdag die gevierd wordt halverwege mei in Ierland en Schotland.

Meliflua, Araminta

Nicht van Sirius Zwarts' moeder; ze probeerde er een wet door te krijgen die het legaal zou maken om op Dreuzels te jagen (OF6).

Mepderop, Osino

(geb. 1976)

Lid van de Witte Wieven; zie voor meer informatie de Tovenaarskaarten (TK).

Merg en Beenbezwering

(Eng. 'Caterwauling Charm')

Een spreuk die een alarm af laat gaan. Als een onbevoegd persoon het betoverde gebied ingaat, klinkt het gejammer van een krolse kat als sirene. Zweinsveld was betoverd met de Merg en Beenbezwering die afging als iemand na spertijd over straat liep.

'caterwaul' = Eng. 'een schreeuwend geluid maken dat klinkt als een kat tijdens het paarseizoen'

Mergel, het huis

(Eng. 'Gaunt')

Mistroostig huisje, gelegen in de bossen net buiten Havermouth. Het huis van Asmodom Mergel en zijn twee kinderen, Morfin en Merope (HBP10, 23).

'gaunt' = Eng. 'heel erg dun, specifiek door ziekte, honger of kou'

Mergel, Asmodom

Marten Vilijns grootvader aan moeders kant. Hij was klein en gedrongen, met rare lichaamsverhoudingen waardoor hij een beetje op een aap leek. Asmodom droeg een gouden ring met het Prospersymbool erin gekerfd, een symbool dat hij niet begreep en waarvan hij dacht dat het het familiewapen was (HBP10).

Mergel, Merope

(geb. c. 1908, † 31 dec. 1926)

Dochter van Asmodom Mergel en moeder van Marten Vilijn. De 18-jarige Merope werd geslagen en mishandeld door haar vader. Meropes tragische leven en dood waren het begin van de dramatische gebeurtenissen in de volgende 50 jaar van de Tovenaarsgeschiedenis (HBP10, 13).

De ster Merope is een van de Plejaden, een felle sterrenhoop van zeven sterren in het sterrenbeeld Stier. Merope was ook een personage in de Griekse mythologie, een nimf die de dochter was van Atlas, een Titaan. Merope trouwde met een sterveling, Sisyphus, de koning van Korinthe. Ze schaamde zich hier zo voor dat ze haar gezicht verborg tussen de sterren, wat de reden is dat de minst heldere ster van de Pleiaden haar naam draagt.

Mergel, Morfin

Zoon van Asmodom Mergel, broer van Merope. Een Sisseltong en een sociopaat. Morfin werd naar Azkaban gestuurd vanwege zijn anti-Dreuzelmisdragingen (HBP10, 17).

Merk, het

Een bezwering die over alle minderjarige tovenaars wordt uitgesproken om toverkunst die in hun nabijheid wordt uitgevoerd te detecteren (GK2). Het Merk wordt automatisch verwijderd als een tovenaar zeventien wordt (RD4, 7, 11).

Merlijn

Wordt als de meest beroemde tovenaar aller tijden gezien, lid van

het hof van Koning Arthur en gespecialiseerd in Bezweringen (SW6). Merlijn was van mening dat tovenaars Dreuzels zouden moeten helpen, en stelde daarvoor de Orde van Merlijn in om wetten te steunen die Dreuzels beschermden en voordeel opleverden (TK).
Merlijn is waarschijnlijk de bekendste tovenaar uit de folklore, voorkomend in verscheidene verhalen over de geschiedenis van Groot-Brittannië. Hij is het bekendst als adviseur van Koning Arthur, hoewel zijn rol in de verhalen niet consequent is en hij soms als kwaadaardig wordt neergezet. Door de eeuwen heen wordt Merlijn in de folklore het vaakst gezien als de wijze magiër die Arthurs geboorte en uiteindelijke troonsbestijging bekokstoofde.

'Merlijns Baard!'
Een uitroep van verbazing, die Arthur Wemel regelmatig gebruikt (VB7). Er zijn ook verschillende variaties op deze uitroep (RD12).

Mersey, rivier de
Een drievoudig bezemongeluk vond boven deze rivier plaats, waarbij tovenaars betrokken waren die raceten om naar een concert van Celine Malvaria in Liverpool te komen (DP2).

Merwijn de Kwaadwillige
Middeleeuwse tovenaar die bekendstaat om het maken van veel nare vloeken en bezweringen (TK).

Mes op de Keel, het
(Eng. 'The Hanged Man')
De dorpskroeg in het dorpje Havermouth waar de inwoners zich verzamelden om te roddelen over de familie Vilijn (VB1).
De Engelse naam is ook te vinden in een tarotset. Het betekent dat een vrager gevangen zit of vastzit in een positie, mogelijk tussen twee tegenovergestelden. In dit geval is het Frank Braam die vastzit, aangezien hij altijd verdacht wordt van moorden die hij niet gepleegd heeft, terwijl er niets bewezen kan worden.

Mestbom
Stinkend fopartikel dat Alberich Oberon uitvond (TK). Deze magische stinkbommen verspreiden een walgelijke lucht als ze gegooid worden. Ze zijn erg handig als afleiding, of om Argus Vilder te pesten (bijv. GA10, 11 OF30).

Met het Oog op Potter
Een radioprogramma dat Leo Jordaan (zijn schuilnaam was 'Rivier') tijdens de tweede Oorlog tegen Voldemort presenteerde. Elke week was deze uitzending verborgen achter een ander wachtwoord op de radio. De uitzending behandelde nieuwsonderwerpen die door de *Ochtendprofeet* en andere gewone media werden gene-

geerd. Ze berichtten ook over de verzetsacties van de Orde van de Feniks (RD22).

metaalbezweerder

Een tovenaarsarbeider vergelijkbaar met een Dreuzelmetaalsmid (TK).

Metamorf-Medaillons

Een ketting die door een straatventer werd verkocht en die een persoon naar believen van uiterlijk kon laten veranderen: in werkelijkheid maakte deze ze oranje en veroorzaakte vreemde wratten. Hoewel dit technisch gezien een verandering van het uiterlijk is, is het waarschijnlijk niet wat de koper in gedachten had (HBP5).

Metamorfotiaanse Marteling

(Eng. 'Transmogrifian Torture')

Toen mevrouw Norks Versteend was, verklaarde Gladianus Smalhart stellig dat ze gedood was door de Metamorfotiaanse Marteling (GK9).

'transmogrify' = Eng. 'veranderen of erg vervormen, vaak met een grotesk of grappig effect'

Meteomaledictus Recanto

(Eng. 'Meteolojinx Recanto')

Een van de spreuken dic de Tovertechnische Dienst gebruikt om het weer op het Ministerie van Toverkunst te beheersen: in dit geval stopt het de regen (RD13).

'meteorologia' = Gr. 'meteorologie' + 'jinx' = Gr. vervloeking + 'recanto' = L. 'terughouden; terugtoveren, wegtoveren'

Miasma, Meermensleidster

De leidster van de meermensengemeenschap in het meer van Zweinstein. Ze staat op goede voet met Perkamentus, wat heel wat zegt omdat ze alleen Meermans spreekt.

Mier, Elias

Schrijver van *Bloedbroeders: Mijn Leven Tussen de Vampiers*. Hij was samen met zijn vriend Sanguini te gast op het kerstfeestje van Slakhoorn. Hij wordt omschreven als 'een kleine man met een bril' (HBP15).

Middeleeuwse Toverkunst Nader Verklaard

Een van de boeken die Harry, Ron en Hermelien bekeken toen ze zich voorbereidden op de Tweede Opdracht van het Toverschool Toernooi (VB26).

Middellandse Zee

Grote zee die Europa van Afrika scheidt. Op de een of andere manier krijgen Meermensen (waaronder de Griekse Sirenen), de hippocampus en de zeeslang het voor elkaar om ongezien in deze druk bevaren zee te leven. De Middellandse Zee is ook de natuurlijke leefomgeving van Kieuwwier, zoals beschreven wordt in *Magische*

Mediterrane Waterplanten en hun Eigenschappen (VB35).

Mijlstenen op de Weg der Bezweringen

Studieboek voor vijfdejaars Zweinsteinleerlingen (OF31).

Mijmerzoet, Galatea

(Eng. 'Galatea Merrythought')

Lerares Verweer Tegen de Zwarte Kunsten van c. 1895 tot c. 1945 (HBP20).

Gezien het vak waar ze les in gaf, is haar naam interessant. Een positieve mentale instelling komt zeker van pas als verdediging tegen welke Duistere toverkunst dan ook. In sommige gevallen, bijvoorbeeld de Patronus, zijn 'vrolijke gedachten' een voorwaarde voor spreuken om effectief te zijn. 'Galatea' was de naam van een mythologische zeenimf.

Mijn Betoverende Ik

Door Gladianus Smalhart

Smalharts autobiografie, die blijkbaar net was verschenen in de zomer van 1992, aangezien hij er toen signeersessies voor hield (GK4).

Mimbulus Mimbeltonia

Het wachtwoord om in de Toren van Griffoendor te komen (OF11).

Tevens een erg zeldzame Assyrische plant die op een grijze cactus lijkt, maar dan met steenpuisten in plaats van stekels. De puisten spuiten met Stinksap als hij aangeraakt wordt. Deze plant is een favoriet van Marcel Lubbermans, die er eentje van zijn oudoom Algie kreeg voor zijn vijftiende verjaardag. Net als zijn eigenaar groeide de plant dat jaar erg hard (OF10, 11, 38).

De naam komt waarschijnlijk van het geslacht planten dat Mimulus *wordt genoemd. In de leer van bloemengeneeskunde, zoals ontwikkeld door de Britse wetenschapper Dr. Edward Bach in de jaren '20, zou een essentie van de bloem van de* Mimulus *tegen zenuwen en angst werken.*

M

Minister van Toverkunst

Hoofd van de Tovenaarsregering. Het is een positie die veel eer en aanzien met zich mee brengt, evenals een grote verantwoordelijkheid. Helaas hebben de handelingen van recente Ministers tot veel leed en ellende gezorgd in de wereld.

Bekende Ministers van Toverkunst:

- 1798-1811: Artemisia Luchthuis, eerste heks die Minister van Toverkunst werd (TK)
- 1811-1819: Gerrit Zwalp (FD, TK)
- 1819-1865: onbekend
- 1865-1903: Faris 'Spuitgat' Spavin (JKR)
- 1903-1962: onbekend
- 1962-1968: Nobby Leach (JKR)
- 1968-1980: onbekend
- 1980-1990: Milène Boterberg

- 1990-1996: Cornelis Droebel
- 1996-1997: Rufus Schobbejak
- 1997-1998: Pius Dikkers
- 1998-?: Romeo Wolkenveldt

Ministerie, Auto's van het
Auto's die met magisch gemak door het verkeer rijden. Het Ministerie heeft ze wel eens aan de Wemels uitgeleend (GA5, HBP6).

Ministerie van Toverkunst
De overheid van de Tovenaarswereld in Groot-Brittannië. Haar grootste taak is om ervoor te zorgen dat de Dreuzels niets te weten komen van een volledige samenleving met magische mensen (SW5). Het is een enorme, gecompliceerde en inefficiënte bureaucratie, net zoals de meeste overheden. Het Ministerie bestaat uit zeven departementen waarvan het Departement van Magische Wetshandhaving het grootste is (OF7). De verschillende Departementen, Comités, Raden en Bureaus maken en bekrachtigen wetten en regelingen. Behalve het geheimhouden van de Tovenaarswereld regelt het Ministerie ook de handel en internationale relaties.

M

Ministerie van Toverkunst, Decreet uit 1631
Wetgeving die alle 'Niet-Menselijke Magische Wezens' verbood een toverstok te dragen (JKR).

Ministerie van Toverkunst, hoofdkwartier
Groot overheidsgebouw dat in het centrum van Londen ligt (OF7, RD12, 13). Het daadwerkelijke gebouw bevindt zich onder de grond, hoewel er magische ramen zijn. Die laten het weer zien dat het Magisch Onderhoud voor die dag heeft gekozen, van zonneschijn tot orkanen.
Overzicht van de verdiepingen:

- *Eerste Verdieping:* Minister van Toverkunst en Persoonlijke Staf
- *Tweede Verdieping:* Departement van Magische Wetshandhaving
- *Derde Verdieping:* Departement van Magische Rampen en Catastrofes
- *Vierde Verdieping:* Departement van Toezicht op Magische Wezens
- *Vijfde Verdieping:* Departement van Internationale Magische Samenwerking
- *Zesde Verdieping:* Magisch Verkeersburau
- *Zevende Verdieping:* Afdeling Magische Sport en Recreatie
- *Achtste Verdieping*: Atrium
- *Negende Verdieping:* Departement van Mystificatie
- *Tiende Verdieping:* Rechtzalen

Ministeriële Richtlijn Betreffende de Behandeling van Niet-Magische Deels-Menselijke Wezens
Een beleidsregel van het Mi-

nisterie waaraan Percy zich irriteerde (VB10).

Minsk

De hoofdstad van Wit-Rusland, een Oost-Europees land dat ooit onderdeel uitmaakte van de Sovjet-Unie. Hagrid en madame Mallemour reisden door Minsk toen ze op weg waren om de reuzen te ontmoeten in de bergen (OF20).

Het feit dat Hagrid en madame Mallemour door Minsk reisden betekent dat de bergen die ze bezochten waarschijnlijk in Rusland lagen en dat ze door heel Europa hebben gereisd.

Mintkikkers

Pepermunttoffees in de vorm van padden (GA10, GA13)

Misbruik van Toverkunst, Afdeling

Dit stond in het eerste W.O.M.B.A.T. examen als een mogelijk antwoord, wat impliceert dat het een onderdeel van het Ministerie is (JKR). Dit was echter waarschijnlijk een verwarring tussen Misbruikpreventie van Dreuzelvoorwerpen en de Taakeenheid Ongepast Spreukgebruik (wat waarschijnlijk in het examen had moeten staan).

Misbruikpreventie van Dreuzelvoorwerpen, Afdeling

Een afdeling van het Departement van Magische Wetshandhaving die uit twee personen bestaat. Zij wordt niet eens belangrijk genoeg gevonden om een raam te krijgen (OF7). Arthur Wemel werkte jarenlang op deze afdeling, samen met een oude heksenmeester die Peeters heet. De afdeling moet betoverde voorwerpen uit de handen van Dreuzels houden en wetgeving maken die legaal - en illegaal - gebruik van Dreuzelvoorwerpen duidelijk maakt (GK3).

Misericordia, Carola

(1298-1401)

Vertegenwoordigster van de Feeksen op een bijeenkomst van de Tovenaarsraad in de 14e eeuw (TK).

'misericordia' = L. 'medelijden, medeleven, genade, zachtaardigheid'

Misuse of Magic Office

Zie MISBRUIK VAN TOVERKUNST, AFDELING

Mnemosyne Clinic for Memory Modification

Zie MNEMOSYNE KLINIEK VOOR GEHEUGENMODIFICATIE

Mnemosyne Kliniek voor Geheugenmodificatie

Met de slogan, 'Helpt heksen en tovenaars al sinds 1426 om hun verstand terug te vinden', adverteert de Mnemosyne Kliniek dat ze spreuken uitvoeren die gebrekkige geheugens fiksen (DP4).

Van 'mnemonikos' = Gr. 'met betrekking tot of van het geheugen'

Mobiliarbus
(MO-bi-lie-AR-bus)
Spreuk die een boom verplaatst (GA10). De basisspreuk voor het verplaatsen van dingen begint met het voorvoegsel '*Mobili-*.' Het is de taak van degene die de spreuk gebruikt om het juiste Latijnse woord te vinden voor het object dat verplaatst moet worden, in dit geval een boom.
'mobilis' = L. 'beweegbaar' + 'arbor' = L. 'boom'

Mobilicorpus
(MO-bi-lie-KOR-pus)
Spreuk die een lichaam verplaatst. De basisspreuk voor het verplaatsen van dingen begint met het voorvoegsel '*Mobili-*', het Latijnse woord voor 'lichaam' is eraan vastgeplakt (GA19, 20).
'mobilis' = L. 'beweegbaar' + 'corpus' = L. 'lichaam'

'Modderbloedje'
Een minachtende term die door 'puurbloed' tovenaars wordt gebruikt om iemand te beschrijven die van Dreuzels afstamt. Hij werd ooit als ontzettend grof gezien en hoorde niet gebruikt te worden in net gezelschap. Helaas werd het gewoner tijdens Voldemorts Tweede Oorlog tegen de Tovenaarswereld (GK7, etc.).

Moestafa, Hassan
In 1994 voorzitter van de Internationale Zwerkbalfederatie. Hij was scheidsrechter bij het Wereldkampioenschap. Moestafa is klein, mager en kaal en heeft een enorme snor (VB8).

Moderne Magische Geschiedenis
Harry wordt volgens Hermelien genoemd in dit boek. Ze las het als voorbereiding op haar eerste jaar op Zweinstein (SW6).

Molm
(Zweinstein 1991)
Een leerling uit hetzelfde jaar als Harry, maar gesorteerd in een andere afdeling (SW7).

MoM
Veelgebruikte afkorting in het fandom en zelfs door J.K. Rowling zelf voor het Engelse Ministry of Magic (Ministerie van Toverkunst).

Monsterlijke Monsterboek, Het
Het verplichte lesboek voor Verzorging van Fabeldieren in Harry's derde jaar. Het boek probeerde iedereen die het probeerde te openen te bijten, wat nogal wat problemen veroorzaakte voor de eigenaar van Klieder en Vlek (GA4, 6).

Monsters aan Mootjes Deel Drie
Een videospel dat Dirk leuk vond. Het klinkt inderdaad als iets dat hij leuk zou vinden (VB2).

Montmorency, Laverne de
(1823-1893)
Bedacht een aantal liefdesdrankjes (TK).

Montrose Magpies
Een Zwerkbalteam in de Britse en Ierse competitie (DP1-4).

Mook
Een kleine magische hagedis die naar willekeur kan krimpen (RD7).

Mookvel, buideltje van
Harry krijgt er een van Hagrid voor zijn zeventiende verjaardag. Zoals Hagrid uitlegt, kan alleen de eigenaar spullen uit dit zeldzame voorwerp halen (RD7, 10, 18).

Moonshine, Regulus
Een professor die beweerde dat hij een toverdrank had die het 'natuurlijke verlangen van feeksen om mensenvlees te eten' zou verminderen. Door toedoen van zijn proefpersonen misten er verscheidene stukken vlees in zijn gezicht en nek (DP4).
'moonshine' = Eng. 'maanlicht, illegaal gestookte drank, onzin'

Mopsus
Waarzegger uit het oude Griekenland; zie voor meer informatie de Tovenaarskaarten (TK).
Mopsus was een oude Griekse waarzegger die een rivaal was van Calchas, een andere waarzegger. Beide waarzeggers deden voorspellingen over een aanstaande wedstrijd. Toen de voorspellingen van Mopsus juist bleken, en die van Calchas verkeerd, stierf die laatstevan verdriet.

Mopsy
Een personage dat eerst voorkwam in VB, een rare hondeneigenaar die aan de rand van Zweinsveld woonde en Sirius Zwarts adopteerde, in de veronderstelling dat hij een zwerfhond was. Rowling verwijderde het personage 'omdat ze niks toevoegde aan het plot' (JKR).

Moran
Heks die Jager was van het Ierse Zwerkbalteam, een van de leden van het bekende Jagerstrio 'Troy, Mullet en Moran' (VB8).

Mordaunt, Ethelbard
Tovenaar wiens buurvrouw, Elladora Guffy, nogal gek was van het mensen in de maling nemen. Ethelbard stuurde een klaagbrief over Guffy naar de *Ochtendprofeet* (DP1).

Morfo, Emeric
Auteur van *Gedaanteverandering: Een Boek voor Beginners* (SW5).

Morgan, Valmai
Jager die Wilda Griffiths verving in het team van de Holyhead Harpies (DP3, 4).

Morgana
Een vogel-Faunaat en de halfzus van Koning Arthur. Ze was een duistere tovenares en vijand van Merlijn. Zie voor meer informatie de Tovenaarskaarten (TK). Ze stond op een van de eerste Chocokikkerplaatjes die Harry ooit

M

zag (SW6).
De legendarische figuur Morgana (ook Morgan le Fey) neemt verschillende vormen aan in verschillende verhalen waar ze in voorkomt. Oorspronkelijk was Morgana een fee ('le fey' = Fr. 'de fee'). In latere versies was ze Arthurs halfzus die wat had met een van de ridders en vervolgens van de Koning vervreemdde. Ze was vele jaren een vijand van Arthur en Guinevere, maar verzoende zich later met hen. Ze was een van de tovenaressen die Arthur, dodelijk verwond, naar Avalon brachten om geheeld te worden.

M

Morholt
Een reus uit de Oudheid, broer van de Koning van Ierland. Zie voor meer informatie de Tovenaarskaarten (TK).
Morholt is geen reus maar een machtige Ierse strijder in Britse volksverhalen, waaronder de verhalen over Arthur. In een vroeg verhaal komt Morholt naar Engeland om een schuld aan Ierland op te halen, waarna Tristan met hem vecht om de schuld op te heffen. Deze verwondt Morholt zwaar, waarbij hij een stuk van zijn zwaard in de wond achterlaat, maar de Ierse strijder verwondt op zijn beurt Tristan met een vergiftigde speer. Het lukt Morholt om terug te gaan naar Ierland om te sterven. Tristan, die ook vergiftigd is en eveneens stervende, reist vermomd naar Ierland om genezen te worden, maar wordt ontdekt als het stuk dat van zijn zwaard mist bij het stuk zwaard dat uit de wond van Morholt komt blijkt te passen. In de verhalen van Koning Arthur is Morholt een ridder van de Ronde Tafel.

Morsmordre
(mors-MOR-dre)
'Het Duistere Teken'
Laat een enorme lichtgevende schedel in de lucht verschijnen, bestaande uit groene vonken met een slang die uit de mond van de schedel komt. Alleen Dooddoeners kennen deze spreuk. Ze laten dit beeld in de lucht verschijnen als ze hebben gemoord. Het Duistere Teken veroorzaakte paniek bij het WK Zwerkbal van 1994 (VB9).
'mors' = L. 'dood' + 'mordere' = L. 'bijten'

MOS
Zie MAGISCHE OMROEP STICHTING

Mosag
Een Acromantula, door Hagrid gevonden om vrouw te worden van Aragog (GK15). Aragog en Mosag hebben samen een enorme familie van Acromantula's voortgebracht (HBP22).
'mosag' = Eng. straattaal: 'een erg lelijk meisje'

motorfiets, vliegende
Een wonderbaarlijke magische vliegmachine die ooit eigendom was van Sirius Zwarts. Hij is

enorm, groot genoeg om Hagrid te dragen (of misschien vergroot hij zich magisch om zo bij zijn berijder te passen; SW1, RD4).

Muggle guard

Zie DREUZELWACHT

Muil

Hagrids huisdier en metgezel. Muil is een enorme zwarte wolfshond (SW8, VB13) en blaft oorverdovend (SW15). Muil ziet eruit als een vrij eng beest maar is eigenlijk een lafaard. Hij lijkt vooral Ron graag te mogen (SW8). Muil woont in Hagrids hutje; zijn mand ligt in de hoek van de enige kamer van het hutje.

Wolfshond is een andere naam voor Duitse Dog. Wolfshonden staan er om bekend dat ze vriendelijk zijn, zelfs tegen kleine kinderen, maar ze hebben hun naam verdiend omdat ze gebruikt werden om op woeste wilde dieren te jagen zoals beren en herten.

Mullet

Heks die Jager was van het Ierse Zwerkbalteam, lid van het bekende Jagerstrio 'Troy, Mullet en Moran' (VB8).

Mummels, Martin

Fictief personage in een tovenaarsstripboek dat Ron las, *De Avonturen van Martin Mummels, de Dolle Dreuzel* (GK3).

mummie

Een geconserveerd menselijk lichaam dat in stroken stof is gewikkeld. Parvati Patil is er bang voor (GA7). Toen de Wemels langs de tombes in Egypte reisden kwamen ze gemuteerde skeletten van Dreuzels tegen die waren vervloekt door spreuken die door Egyptische tovenaars op de tombes waren geplaatst. Misschien lijken de mummies waar Parvati bang voor is hierop (GA1).

Munter, Marie

(Zweinstein, jaren '70)

Leerling van Zweinstein in dezelfde periode als Lily Evers en Severus Sneep (RD33).

Munter, Natalie

(Griffoendor, 1994)

(Eng. 'Natalie McDonald')

Zweinsteinleerlinge (VB12).

Dit personage is vernoemd naar een Canadees meisje dat eind jaren '90 naar J.K. Rowling schreef. Natalie was in die tijd terminaal ziek en J.K. Rowling schreef terug en vertelde haar een paar van de geheimen van de boeken die nog moesten komen. Helaas was Natalie al gestorven tegen de tijd dat de brief arriveerde. Natalies moeder reageerde op de brief en zij en J.K. Rowling zijn daarna vrienden geworden. J.K. Rowling sorteerde Natalie in Griffoendor als een eerbetoon aan de moed van het meisje (Mac).

Murmelio

(mur-MEE-lie-o)

(Eng. 'Muffliato')

Een spreuk die Harry leerde van de aantekeningen van de Halfbloed Prins in zijn toverdrankenboek. Deze vult de oren van mensen in de buurt met gegons, waardoor ze geen gesprekken kunnen afluisteren. Hermelien keurde deze spreuk af (HBP12, verg. RD7, RD14).

'muffle' = Eng. 'iets inpakken om geluid te dempen'

Murtlap

Een magisch waterwezen. Van de tentakels kan een gele vloeistof worden gemaakt, Murtlapaftreksel, dat wonden verzacht en heelt (OF15, 18, 26).

Musley

Musley, een dorp naast Havermouth, ligt ongeveer 320 kilometer van Klein Zanikem (dus het ligt waarschijnlijk ergens in Yorkshire). Musley is ongeveer 9,5 kilometer van Havermouth verwijderd, en bevat een klein politiebureau dat beide dorpen overziet (VB1).

De Muzikale Heksenketel

Een populair programma van de MOS (Magische Omroep Stichting) met Celestina Malvaria. Molly Wemel luistert ernaar (GK3).

Mystificatie, Departement van

Onderdeel van het Ministerie van Toverkunst, diep op de laagste verdieping gelegen, waar tovenaars die Verbloemisten genoemd worden onderzoek doen naar de diepste mysteries van het bestaan. Ze doen onderzoek en experimenteren in verschillende kamers die rond een centrale, ronde kamer met zeer veel deuren liggen (OF24, 34). Onder de krachten die onderzocht worden zijn tijd, dood, gedachten en liefde (OF34, 35). Vanwege de geheimzinnige aard van het werk dat in het Departement van Mystificatie gedaan wordt, doen er vaak vreemde geruchten de ronde over wat daar gebeurt (OF18).

N

Nagini

(† 1998)

Voldemorts gigantische slang. Als Sisseltong had Voldemort een ongewone macht over slangen. Zijn binding met en beheersing over Nagini waren echter buitengewoon sterk (m.n. OF21, HBP23, RD17, 36).

'Nagini' = vrouwelijke godheid in de vorm van een slang, van 'naga' = Sanskriet voor 'slang'.

In zowel het Hindoeïsme als het Boeddhisme zijn de Naga godheden die de vorm van slangen aan kunnen nemen. De vrouwelijke versie van een Naga heet een Nagini. Naga zijn in verhalen meestal kwaadaardige wezens die continu strijden met de Garuda, een gigantische man-vogel.

Nagnok

Een kobold in Goudgrijp, ettelijke eeuwen geleden. Hij was betrokken bij een hoogst onfortuinlijk ongeluk (JKR).

Necroot

(Eng. Inferius, -i)

Dode lichamen die behekst zijn zodat ze gehoorzamen aan de Duistere Tovenaar door wie ze gemaakt zijn (HBP4, 16, RD10).

'inferi' = L. 'de doden'

Er bestaan in veel culturen legenden en verhalen over tot leven gewekte lijken, met name in de voodoreligie. De term 'zombie' wordt vaak gebruikt voor een tot leven gewekt lijk, wat interessant is omdat zombies in de nieuwsbrieven van de Ochtendprofeet *worden genoemd en dezelfde als Necroten kunnen zijn. In de folklore en de hedendaagse cultuur worden zombies afgeschilderd als wezens die geen eigen geest hebben en met hun armen uitgestoken voortschuifelen, in de hoop levende mensen te vinden om ze te verslinden.*

Nest, het

Een tovenaarshuis, eigendom van de familie Wemel. Het is minstens vier verdiepingen hoog, en zo raar gebouwd dat het wel door toverkunst omhoog gehouden moet worden (GK3). Het staat dicht bij het dorpje Greenwitch, maar het is zo goed verborgen dat zelfs de postbode niet eens weet waar het is (VB3). De begane grond bestaat uit de keuken en de woonkamer. De volgende verdiepingen zijn slaapkamers, met

Rons kamer helemaal bovenin. Er woont een klopgeest op zolder (GK3, VB10, RD6). Harry Potter houdt van dit huis en het heeft voor hem vaak als toevlucht gediend. De tuin buiten het Nest wordt omringd door knoestige bomen en muren, veel onkruid, en te lang gras, een grote vijver, en veel kabouters (GK3). Het landgoed heeft ook een klein veld dat door bomen aan het zicht wordt onttrokken, waar de kinderen Zwerkbal spelen (VB10), en een stenen schuurtje dat dient als bezemschuur (HBP4). Er zijn gewoonweg teveel mensen om in de kleine keuken te eten als de hele familie thuis is gedurende de zomervakanties en Hermelien en Harry er ook zijn, dus dan eten ze het avondeten in de tuin (VB5, RD7).

Wezels zijn solitaire dieren die in holen wonen die ze hebben overgenomen van andere dieren. J.K. Rowling plaatst de solitaire familie Wemel in een huis dat ze het Nest noemen – het ziet eruit alsof het ooit een grote stenen varkensstal was. Het is interessant dat er net buiten het echte stadje Ottery St Mary een boerderij ligt die Burrow Hill Farm (Boerderij Nest Heuvel) heet.

Netel, Z.

Een van de mensen die de Snelspreukcursus gevolgd hebben. Ze schrijft dat ze vóór ze deze cursus deed werd uitgelachen om haar armzalige pogingen tot toveren.

Neusbijtende theekopjes

Een artikel dat in Zonko's Fopmagazijn verkocht wordt (GA14).

Neusbloednoga

Het populairste onderdeel van Fred en George's Spijbelsmuldozen. Door dit snoepje krijg je een bloedneus, en hierdoor kun je onder de les uit komen (HBP6). Het ene uiteinde zorgt ervoor dat je neus gaat bloeden, terwijl het andere uiteinde van het snoepje maakt dat het bloeden direct stopt (OF14).

Nicole

Een 'jonge heks met kort blond haar' die tijdens de zomer voor Harry's zesde jaar winkelbediende was in de Tovertweelings Topfopshop aan de Wegisweg (HBP6).

'Niet-Menselijke Magische Wezens'

Een grote categorie wezens die geen toverstokken mogen dragen volgens het toverstafverbod van 1631. Hieronder vallen onder andere kobolden en huis-elfen (JKR).

Nieuwe Theorie der Getalsymboliek

Dit boek gaf Harry aan Hermelien als kerstcadeautje tijdens hun vijfde jaar (OF23).

Nigellus, Firminus

Zie ZWARTS, FIRMINUS NIGELLUS

Nimbus Bezemstelenfabriek

Een bedrijf dat sinds 1967 de marktleider is in het maken van hoogwaardige sportbezemstelen. Dit bedrijf werd opgericht door Dirk Withoorn (TK). Harry's eerste bezemsteel was een Nimbus 2000, aan hem gegeven door professor Anderling (SW10, GK7).

'nimbus' = L. 'wolk'

'Nobele en Aloude Geslacht Zwarts, het'

De titel die het geslacht Zwarts zichzelf gegeven heeft. Ze waren trots op hun status als puurbloed en beschermden deze dan ook (OF6, BFT).

Nogtands

Duistere magische wezens, soms wordt er voor de sport op gejaagd (HBP7).

Noordzee, de

Een zee die ten noorden en ten oosten van Groot-Brittannië ligt. Azkaban ligt op een eiland in het midden van de Noordzee (HBP1).

Noordertoren

Een van de torens van Zweinstein. Hier liggen de kamers van Zwamdrift en het klaslokaal voor de lessen Waarzeggerij (GA16). Je komt in het klaslokaal via een zilveren ladder die door een valluik gaat (GA6).

Noorse Bultrug

Een drakensoort, inheems in Noorwegen. De draak heeft zwarte schubben en karakteristieke zwarte ribbels op zijn rug. Hagrid heeft ooit een ei van een zwarte Bultrug uitgebroed, hij noemde het jong Norbert (SW14).

Noot

(Eng. 'Nott')

Iemand die al lange tijd Dooddoener was (OF35, HBP20). Zijn zoon heet Theodoor Noot, en zit in Zwadderich, in hetzelfde jaar als Harry (JKR).

Noot, Theodoor

(geb. 1980; Zwadderich 1991)

De zoon van Dooddoener Noot. Theodoor is een broodmagere jongen (OF26). Hij is nogal op zichzelf, en voelt er weinig voor om zich bij een groepje leerlingen aan te sluiten (JKR).

Norbert / Norberta

Een draak die uitgebroed en twee weken lang grootgebracht werd door Hagrid in zijn hut op Zweinstein. Het pakte niet al te best uit (SW14, 17, RD7).

Norks, Mevrouw

(Eng. 'Norris, Mrs')

Een poes die het eigendom is van Argus Vilder. Ze helpt hem om op de gangen van Zweinstein te patrouilleren. Mevrouw Norks is een broodmagere grijze poes die altijd op zoek is naar ordever-

N

stoorders (SW8). Vilder is verzot op haar, hij praat de hele tijd tegen haar en noemt haar 'mijn liefje'. Ze hebben een onverklaarbare verbinding met elkaar, waardoor Vilder direct aan komt rennen wanneer Mevrouw Norks iemand betrapt die de regels overtreedt (GK8).
De poes van Vilder is vernoemd naar een personage uit het boek Mansfield Park *dat geschreven werd door Jane Austen. In dit boek was Mevrouw Norris een bemoeiziek, oppervlakkig personage dat zich veel bemoeide met de hoofdpersoon Fanny Prince.*

Normengard
(Eng. 'Nurmengard')
Een gevangenis die gebouwd is door Gellert Grindelwald. Zijn motto – 'Het Doel Heiligt De Middelen' – stond boven de deur. Hoewel de gevangenis bedoeld was om zijn vijanden vast te houden, werd hij er zelf gevangengezet nadat hij verslagen was door Albus Perkamentus (RD18, 23).
De naam van deze gevangenis komt van het Justitiepaleis in de stad Neurenberg, in Duitsland. Hier werden na de Tweede Wereldoorlog de beroemde naziprocessen gevoerd. In dit paleis zit ook een gevangeniscomplex. Neurenberg was zowel voor als tijdens de Tweede Wereldoorlog lange tijd de plaats voor bijeenkomsten van de nazi's. Hierdoor werden de processen en de gevangenis een symbool voor de nederlaag van de nazi's en het zegevieren van het recht.

Notering, Honoria
(1665-1743)
Oprichtster van het Genootschap voor de Hervorming van Feeksen (TK).

Nottingham
Een grote stad in Engeland. Dichtbij Nottingham werd tijdens de Eerste Oorlog tegen Voldemort een koboldenfamilie vermoord (OF5).

Nox
(noks)
Spreuk die het licht uit de toverstaf, dat eruit komt wanneer je de spreuk Lumos uitspreekt, uitdooft (GA17).
'nox' = L. 'nacht'

Nozel, Onno
(Zweinsteinleerling c. 1970)
(Eng. 'Davy Gudgeon')
Roekeloze leerling die ooit langs de Beukwilg probeerde te komen, waarbij hij bijna een oog kwijtraakte (GA10).
'gudgeon' = Eng. 'een kleine zoetwatervis die als aas wordt gebruikt; een onnozel persoon'

Numerologie en Grammatica
Een lesboek voor Voorspellend Rekenen. Hermelien heeft er een exemplaar van (GA16).
Het is ogenschijnlijk raar dat de titel van een boek voor Voorspel-

lend Rekenen het woord 'grammatica' in de naam heeft. Dit woord kan echter gebruikt worden om de basiselementen van elke vorm van kunst of wetenschap uit te drukken. In dit geval wijst de term erop dat dit boek de 'basisgrammatica' of structuur van Voorspellend Rekenen behandelt, evenals de theorieën die bij Numerologie horen, waar de wat meer esoterische ideeën van het vak onder vallen.

Nurgels

(Eng. 'Nargle')

Dieren waarvan Loena denkt dat het in maretak gaat zitten (OF21).

Oakby, Idris
(1872-1985)
Oprichter van de S.S.S. – de Stichting voor de Steun aan Snullen (JKR).

Oberon, Alberich (ook Alberic)
(1803-1882)
Een tovenaar die de uitvinder is van de Mestbom (TK, SW6).

Obscura
(Ob-SCUU-raa)
Hermelien gebruikte deze spreuk om Firminus Nigellus Zwarts te blinddoeken. Aangezien Firminis Nigellus een schilderij was, verscheen de blinddoek op een magische wijze; hij werd eroverheen geschilderd (RD15).
'obscuro' = L. 'bedekken, verduisteren, verbergen'

Obscura, Clara
(† c. 1981; Orde van de Feniks)
Een lid van de Orde van de Feniks in de jaren '70 (OF9).

Oblansk, meneer
De Bulgaarse Minister van Toverkunst die samen met Cornelis Droebel het WK Zwerkbal bekeek in de Topbox (VB8).
Dit is waarschijnlijk niet de naam van de Minister. Droebel probeerde hem voor te stellen aan de familie Malfidus, maar struikelde over de naam ('Meneer Oblansk – Obalonsk – meneer – nou ja, de Bulgaarse Minister van Toverkunst'). Droebel deed het af met een ondiplomatiek 'hij verstaat toch geen woord van wat ik zeg, dus laat die naam maar zitten' (VB8). Het bleek dat de Minister prima Engels kon spreken, maar hij liet Droebel maar aanmodderen. De vraag blijft welke andere blunders Droebel heeft gemaakt terwijl hij dacht dat zijn woorden toch niet begrepen werden.

Occlumentie
Occlumentie is de kunst van het op magische wijze verdedigen van de geest tegen pogingen om deze te lezen of te beïnvloeden; het is de defensieve tegenhanger van Legilimentie. Een beoefenaar van Occlumentie wordt een Occlumens genoemd. Bij Occlumentie in zijn basisvorm moet je je geest leegmaken van gedachten en emoties, zodat de Legilimens geen emotionele banden kan vin-

den met herinneringen die hij wil zien. De gevorderde vorm ervan stelt de gebruiker van Occlumentie in staat om enkel de gevoelens en geheugens te onderdrukken die een tegenstelling zijn van wat de gebruiker wil dat de Legilimens gelooft, zodat de Occlumens kan liegen zonder zichzelf te verraden (OF24).
'occulto' = L. 'verstoppen, geheimhouden, verbergen' + 'mens' = L. 'geest'

Ochtendprofeet

De voornaamste krant binnen de tovenaarswereld. De huidige hoofdredacteur is Barnabas Botterijk (HBP4). Het hoofdgebouw staat in de Wegisweg (DP) en men geeft elke dag een krant uit. Gewoonlijk wordt deze krant per uil bezorgd (SW5, VB28, OF12, HBP11). Er wordt ook een avondeditie, de *Avondprofeet* uitgegeven (GK5).
J.K. Rowling laat in de boeken niet veel sympathie richting de pers zien. De Profeet *is niet de enige krant in de tovenaarswereld, maar wel de krant die het meest wordt gelezen. J.K. Rowling laat zien dat de* Ochtendprofeet *zichzelf tot een propagandamiddel van het Ministerie van Magie laat worden, waarbij de krant van moment tot moment van standpunt verandert. De* Ochtendprofeet *schreef een jaar lang dat Harry Potter gek en gevaarlijk was, geheel naar het standpunt van het Ministerie. Maar slechts twee weken na Voldemorts verschijning op het hoofdkwartier van het Ministerie, noemden ze hem bij de* Ochtendprofeet *al 'de Uitverkorene'. J.K. Rowling bekritiseert echter ook de mensen die alles geloven wat er in de* Ochtendprofeet *staat. Het meest verontrustende voorbeeld hiervan is wanneer Molly Wemel nogal afstandelijk is richting Hermelien vanwege de roddels die door Rita Pulpers werden geschreven. Je zou toch denken dat Molly wel beter zou weten. Maar J.K. Rowling wil hiermee duidelijk maken dat zelfs de beste mensen, met de beste bedoelingen, beïnvloed kunnen worden door dingen die ze lezen in de pers...of op het internet.*

Ochtendwater

(Eng. 'Upper Flagley')
Een stadje in Yorkshire waar veel tovenaars tussen de Dreuzels wonen (RD16, 22).

Oddpick, Winkus

Schreef na de Chipping Clodbury rel een column in de *Ochtendprofeet* genaamd 'Waarom kunnen kobolden niet meer op elfjes lijken?' (DP3).

Odius

Uitbater van Odius en Oorlof in de Verdonkeremaansteeg; een gladde en vleiende man die Lucius en Draco Malfidus bijna aanbad, maar over hen mopperde toen ze de winkel hadden verlaten (GK4, HBP6).

Odius en Oorlof
Een winkel in de Verdonkeremaansteeg die zich bezighoudt met het kopen en verkopen van Duistere Magische voorwerpen (GK4, HBP6). De winkel heeft door de jaren heen een aantal zeer ongewone werknemers gehad (HBP20).

'Odo de Held'
Een drankliedje voor tovenaars (RD8).

Oeganda
Afrikaans land in Oost-Afrika. Het nationale team van Oeganda versloeg Wales bij het WK Zwerkbal (VB5).

oehoe
Draco Malfidus ontving brieven en pakjes van thuis van een grote oehoe (SW9).
Het is niet verrassend dat de familie Malfidus een oehoe gebruikte, de grootste uil die in Engeland te vinden is.

Officiële Fluimstenenclub
Deze club heeft een kantoor op de zevende verdieping van het Ministerie van Toverkunst (OF7).

Og de Onbetrouwbare
Een heel oneerlijke kobold: zie voor meer informatie de Tovenaarskaarten (TK).

Oggy
Jachtopziener van Zweinstein in de tijd van Molly Wemel, waarschijnlijk de man die de functie vóór Hagrid bekleedde. Molly leek hem wel te mogen (VB31).

Ogenstein, David
(geb. 1968)
Hoofd van de Z.W.E.T.S., de Zwerkbal Wetgeving en Toezicht Stichting (TK).

Olgaarden, Gilbert
(1390-1441)
Beroemde reuzendoder; doodde de beroemde reus Hengist van Hoog Baanstra (TK).

Olivander, meneer
Een oude toverstokkenmaker die de eigenaar is van een winkel op de Wegisweg (SW5, HBP6). Olivander heeft bleke, maanachtige ogen. Harry voelt zich bij hem een beetje ongemakkelijk, aangezien hij even gefascineerd lijkt door de krachten van de toverstokken die gebruikt worden voor het kwaad als de toverstokken die voor het goede gebruikt worden. Olivander herinnert zich iedere toverstok die hij ooit verkocht heeft, en begroet mensen door de kenmerken van hun toverstok te noemen (SW5, RD24; *zie ook* HBP6, RD5, 23).

Olivander
('Maker van exclusieve toverstokken sedert 382 v. Chr.)
Een smal, klein winkeltje op de Wegisweg waar iedereen komt

om toverstokken te kopen (SW5; *zie ook* HBP6, RD5).

Omber, Dorothea Johanna
(lerares VTZK 1995-1996; Schoolhoofd 1996)
(Eng. 'Dolores Jane Umbridge')
Secretaris-Generaal van de Minister (OF8). In de herfst van 1995 werd ze door het Ministerie aangesteld als lerares VTZK op Zweinstein (OF12), maar ook om de autoriteit van Perkamentus op school aan te tasten. Uiteindelijk werd ze de Hoog-Inquisiteur van Zweinstein. Deze positie gebruikte ze om de werknemers en leerlingen angst aan te jagen door onder andere het inspecteren van lessen, verschrikkelijke straffen uit te delen(OF13), en onderdrukkende Onderwijsdecreten uit te schrijven (bijv. OF17, 26). Omber bleef de daaropvolgende jaren ook voor het Ministerie werken (RD13, *zie ook* BLC).
Omber en haar rol binnen het Ministerie komen op een ijzingwekkende manier overeen met de manieren waarop de nazi's de Duitse bevolking manipuleerden nadat Hitler in 1933 kanselier geworden was. De nazi's kwamen aan de macht door in te spelen op de angsten van mensen en hun verandering te beloven. Vervolgens brachten ze critici snel en op brute wijze tot zwijgen, intimideerden hen, of dwongen hen om samen te werken met de machthebbers. Ze zorgden ervoor dat ze invloed kregen op de media en de ideeën die mensen door boeken zouden kunnen krijgen. Ook vaardigden ze decreten uit die het ontstaan van verzet zouden moeten voorkomen. Omber verbrandde dan wel geen boeken, maar het lijkt erop dat ze de andere nazi-tactieken wel goed toepaste.
'dolor' = L. 'pijn, droefheid, rouw, afschuw' + 'Umbridge' = homoniem voor het Engelse woord 'umbrage' = 'verontwaardigd zijn', van 'umbra' = L. 'schaduw, geest'.
NB. In een vroege planningstabel voor Orde van de Feniks *was de voornaam van Omber 'Elvira' (JKR).*

Omber, kantoor in Ministerie van Toverkunst van
Een mooi kantoor op de eerste verdieping van het Ministerie van Toverkunst. Het kantoor kwam Harry op een akelige manier bekend voor. Het was helemaal gevuld met kant, bloemen, en schattige kittens. Tevens was het magische oog van Dwaaloog Dolleman verwerkt in de deur, zodat Omber haar werknemers kon bespioneren (RD13).

Omberitis
Een niet-bestaande (maar leuke) ziekte die op Zweinstein rondwaarde nadat Omber Schoolhoofd was geworden. Als gevolg van de ziekte stopten Fred en George met school. Omber kwam er nooit achter wat de ziekte veroorzaakte, en zag met lede ogen aan dat leerlingen haar lessen verlie-

ten om 'met bosjes tegelijk naar de ziekenzaal te gaan' (OF30).

Omgekeerde Spreukeffect
Zie PRIORI INCANTATEM

Omniscoop
(Eng. 'Omnioculars')
Magische apparaten die op een soort koperen verrekijker lijken, behalve dat ze bedekt zijn met knoppen en wijzers (VB7).
'omni' = L. 'alles' + '-oculars' komt van het Engelse woord 'binoculars', wat van 'olucus' komt = L. 'oog'

Onbreekbaarheidsbezwering
Een spreuk die ervoor zorgt dat een voorwerp, bijvoorbeeld een glazen pot, niet kan breken (VB37).

Onbreekbare Eed
Een magisch contract, waar door de uitspreker toezicht op wordt gehouden. Het verbreken van het contract leidt tot de dood (HBP16). Als men instemt met elke clausule van de eed komt er '[e]en dun lint van oogverblindend vuur' uit de toverstok van degene die de binding uitvoert. Dit lint windt zich dan rond de ineengeslagen handen van de deelnemers (HBP2).

Onderscheiding wegens Uitzonderlijke Verdiensten voor de School
Gouden schild dat ooit werd toegekend aan Marten Villijn voor zijn optreden toen de school in gevaar was. Zijn onderscheiding wordt in de prijzenkamer op Zweinstein bewaard (GK13). Harry en Ron ontvingen in hun tweede jaar ook een Onderscheiding wegens Uitzonderlijke Verdiensten voor de School (GK18).

Onderwijsdecreten
Tijdens Ombers memorabele jaar op Zweinstein vaardigde het Ministerie van Toverkunst zeven Onderwijsdecreten uit om haar in staat te stellen om steeds meer macht over de school te krijgen. Ze gaven het Ministerie onder andere de macht om nieuwe leraren aan te stellen (OF15), studentenorganisaties te verbieden (OF17), te voorkomen dat leraren hun studenten informatie gaven die geen betrekking had op hun vak (OF25), *De Kibbelaar* te verbieden (OF26) en Omber te promoveren van docent tot Hoog-Inquisiteur (OF15) en tot schoolhoofd (OF28).
De reeks Decreten die het Ministerie invoert, zijn een echo van het type Wetten die meteen ingevoerd werden in Duitsland nadat Hitler in 1933 tot rijkskanselier was benoemd en de partij van de nazi's vervolgens al hun rivalen het zwijgen probeerde op te leggen. Een van deze eerste Wetten was de 'Wet voor de Bescherming van Duits bloed en Duitse eer', die demonstraties, vrijheid van meningsuiting en vrijheid

van de drukpers beperkte en het bevel gaf tot inbeslagneming van literatuur die als staatsgevaarlijk werd beschouwd.

'Onderzoek naar Dreuzelverdenkingen Over Magie, Een'
Dit onderzoek, uitgevoerd door het Ministerie van Toverkunst en geleid door professor Phoebus Penrose, toont aan dat Dreuzels minder stom zijn dan algemeen gedacht wordt door tovenaars. De bevindingen werden in de *Ochtendprofeet* geplaatst (DP1).

Ongans
Een Schouwer die met onder anderen Tops, Barsing en Donder tijdens Harry's zesde jaar op Zweinstein was gestationeerd (HBP8).

Ongewensten
Deze term werd gebruikt om de meest gezochte 'criminelen' aan te duiden, die waarschijnlijk allemaal leden van de Orde van de Feniks waren (RD13).
De term 'ongewensten' (Unerwünschten) werd door de nazi's gebruikt voor mensen zoals joden, homoseksuelen, zigeuners en communisten. Zij moesten verstoten worden uit de 'perfecte' Duitse samenleving.

Onleesbaar maken
Er kunnen spreuken worden uitgesproken over gebouwen, bijvoorbeeld Grimboudplein 12, die deze huizen Onleesbaar maken. Dit betekent dat de huizen niet op kaarten gezet kunnen worden (VB11). Het is zowel een anti-Dreuzelbezwering als een voorzorgsmaatregel om te voorkomen dat tovenaars de plaats kunnen vinden (OF6).

Onnaspeurbare Zwelspreuk
Een spreuk die ervoor zorgt dat je een groot aantal handige spullen mee kunt nemen in een kleine zak (RD9). Het is niet duidelijk hoe deze spreuk precies werkt, maar de zak zwelt zo erg dat er een compleet schilderij in past (RD12), terwijl het nog klein genoeg blijft om het hele geval in je sok te verstoppen (BLC).

Ontmaskeraars van Duistere Tovenaars
Een andere naam voor Schouwers (VB11).

Ontmommingswater
Een magische waterval die over het spoor van Goudgrijp kan worden losgelaten, waarvan Grijphaak zegt dat hij 'alle betoveringen en magische vermommingen wegspoelt' (RD26).

Ontraceerbare Vergiffen
Een van de vele dingen waar derdejaars een opstel over moesten schrijven voor de lessen Toverdranken van Sneep. Dit 'lastige' werkstuk moest vlak na de kerstvakantie ingeleverd worden (GA12).

ontsmettende toverdrank
Medische magie: een paarse vloeistof die madame Plijster gebruikt om wonden schoon te maken (VB20).

Ontwapeningsspreuk
Zie EXPELLIARMUS

Ontwasem de Toekomst door Cassandra Vablatsky
Een verplicht boek voor Waarzeggerij in Harry's derde jaar (GA4). Ron en Harry gebruikten dit boek het schooljaar daarop nog steeds als naslagwerk voor Waarzeggerijopstellen (VB14).

Onvergeeflijke Vloeken
De naam die gegeven is aan drie vloeken – de Cruciatusvloek, de Imperiusvloek en de Vloek des Doods. Het gebruik van deze vloeken wordt bestraft met levenslange opsluiting in Azkaban (VB14). Ze worden allemaal veelvuldig gebruikt door de Dooddoeners, en af en toe door de 'goeden' (RD26, 29).
Toen een lezer aan J.K. Rowling vroeg waarom ze Harry de Onvergeeflijke Vloeken liet gebruiken, antwoordde ze dat hij 'net zoals Sneep gebreken heeft en sterfelijk is', hij laat zich soms ook meeslepen door 'woede en soms ook door arrogantie'. Deze gebreken leiden in combinatie met de soms extreme situaties waar hij zich in begeeft tot verkeerde beslissingen van zijn kant (BLC). Als verhaaltechniek is Harry's gebruik van Imperio *en* Crucio *echter steeds belangrijker naarmate het laatste gevecht dichterbij komt. Als we hem deze vloeken zien gebruiken beseffen we dat hij ook de Vloek des Doods had kunnen gebruiken, mocht dat nodig zijn geweest. Een deel van de dramatiek in het laatste gevecht komt door het nadenken over het feit of Harry in staat zou kunnen zijn tot moord.*

Onzichtbaarheidsbezwering/ spreuk
Een van deze spreuken werd over een Zwerkbalstadion in Exmoor uitgesproken in een poging om het voor de Dreuzels te verbergen; de spreuk had niet het beoogde effect aangezien geen enkele toeschouwer de wedstrijd nog kon vinden (DP1).

Onzichtbaarheidsmantel
Zie MANTEL VAN ONZICHTBAARHEID

onzichtbare inkt
Hermelien suggereert dat Villijns dagboek leeg lijkt omdat het geschreven is in onzichtbare inkt; Aperecium onthulde echter niets (GK13). Sneep vroeg zich ook af of de Sluipwegwijzer een brief was die geschreven was met deze inkt (GA14).

Onzichtbare Onzichtbaarheidsboek, Het
De Klieder en Vlekboekhandel maakte ooit veel verlies op dit

boek, aangezien ze de exemplaren die ze hadden besteld nooit konden vinden (GA4).

oog, magisch

Dwaaloog Dolleman heeft een magisch oog waarmee hij behalve in alle richtingen ook door muren, plafonds en Onzichtbaarheidsmantels kan kijken (VB25, OF9, RD14).

Oorlof, Caractacus

(Eng. 'Herbert Burke')

Een van de oprichters van Odius en Oorlof, een winkel in de Verdonkeremaansteeg. Hij wordt omschreven als een kleine oude man met 'een pluk haar die zijn ogen helemaal bedekt.' Oorlof was een geniepig mannetje dat het niet erg vond om mensen op te lichten die naar hem kwamen om hun schatten te verkopen (HBP13) of om zijn werknemers naar rijke tovenaars te sturen om hen hun dierbare erfgoed te ontfutselen (BHP20).

De Engelse naam heeft twee mogelijke betekenissen. William Burke was een bekende moordenaar en grafrover in Schotland in de vroege 19e eeuw. De zin 'to burke' heeft nu de betekenis 'iemand laten stikken.' De andere betekenis is het woord 'berk' dat Britse straattaal is voor een idioot of een afstotelijk iemand. Sirius Zwarts noemde zichzelf en James arrogante kleine 'berks' (idioten) toen ze samen op Zweinstein zaten (OF29).

Oorlof, Herbert (Burke, Herbert)

De echtgenoot van Belvina Zwarts, de dochter van het schoolhoofd van Zweinstein Firminus Nigellus Zwarts. Zij hadden twee zonen en een dochter (naamloos; BFT). Wellicht familie van Caractacus Oorlof van Odius en Oorlof.

Oorlogen, Tovenaars-

Zie EERSTE TOVENAARSOORLOG *en* TWEEDE TOVENAARSOORLOG.

Oorverdovers

Kleine metalen voorwerpen die een luid kletterend metalen geluid maken als ze worden geschud; worden gebruikt om draken in bedwang te houden in Goudgrijp (RD26).

oorwarmers

Deze moeten worden gedragen als je bezig bent met Mandragora's, want hun kreet is dodelijk (GK6).

Normale oorwarmers zouden hier niet geschikt voor zijn, want deze houden niet al het geluid tegen. Het moeten magische oorwarmers zijn.

Oost-Londen

Een district in het oosten van Londen, stond vroeger bekend als een arm gebied. In 1995 werd een serie magische grappen over Dreuzels in dat gebied onderzocht door het Ministerie van Toverkunst (OF7).

opalen halsketting
Een Duister Object met een gevaarlijke vloek (GK4) en een prijskaartje van 1500 Galjoenen, te koop in Odius en Oorlof (*zie ook* HBP6, 12, 27).

opgetrommelde voorwerpen
De optrommelspreuk creëert voorwerpen vanuit het niets (bijv. GK11, GA9). De meeste opgetrommelde voorwerpen verdwijnen weer na een paar uur (SN). Sommige dingen kunnen simpelweg niet opgetrommeld worden; Grondels Wet van de Elementaire Transfiguratie stelt dat er vijf van deze uitzonderingen bestaan, waarvan eentje voedsel is (RD15, 29). Tovenaars toveren af en toe een stoel tevoorschijn (een stoel uit het niets optrommelen; bijv. OF8, 22). Optrommelspreuken zijn vergevorderde magie – op Zweinstein wordt het als P.U.I.S.T.niveau gezien (OF13).

Opkomst en Ondergang van de Zwarte Kunst, De
Harry wordt in dit boek vermeld. Hermelien had het gelezen voordat ze hem voor het eerst ontmoette aan boord van de Zweinsteinexpress (SW6). Het bespreekt ook het Duistere Teken (VB9).

Opmerkelijke Magiërs van ons Tijdsgewricht
Een boek in de bibliotheek van Zweinstein. Hierin zochten Harry, Ron en Hermelien vergeefs naar Nicolaas Flamel (SW12).

Oppepdrank
Een rode toverdrank die door Tilden Toots wordt verkocht en aangeprezen tijdens zijn radioprogramma, *'Toots, Shoots 'n' Roots'.* Hij kan blijkbaar samen met een Herkiemingsdrank worden gebruikt om een dode Fladderbloem tot leven te wekken (JKR).
Zie het lemma van de Herkiemingsdrank voor details over het gebruik van deze toverdrank op J.K. Rowlings website.

Opperste Hotemetoot
(Eng. 'Supreme Mugwump')
Het hoofd van de Wereldbond van Toverlieden (SW4, OF15, 31, 38).
De term 'Mugwump' verwijst naar een leider, en stamt af van een Algonkisch woord dat 'groot leider' betekent (Algonkische talen worden door een aantal inheemse Amerikanen van Indiaanse stammen gesproken).

Oppertafel
Een lange tafel die op een verhoogd platform staat aan het einde van de Grote Zaal. Dit is waar de leraren zitten, zichtbaar voor de rest van de school (SW7 etc.).

Oppugno
(oh-PUG-noh)
Een spreuk die ervoor zorgt dat iets in de aanval gaat (HBP14).
'oppugno' = L. 'aanvallen, bestormen'

Oppur

De titel voor de leider van een Reuzenkolonie. De taaiste, sterkste Reus houdt deze titel meestal voor de rest van zijn leven, maar dat zou wel eens niet erg lang kunnen zijn (OF20).

Opsporing en Inbeslagneming van Vervalste Verdedigingsspreuken en Beveiligde Voorwerpen, Afdeling voor de

Een afdeling op het Ministerie die als gevolg van de terugkeer van Voldemort werd opgericht en die geleid werd door Arthur Wemel (HBP5).

Het Ministerie reageert op de dreiging van de terugkeer van Voldemort door, je had het kunnen verwachten, het creëren van nieuwe bureaucratie.

Opvouwbare Ketel

Een ketel die kleiner gemaakt kan worden, misschien om hem makkelijk draagbaar te maken (SW5).

Orchidea

(or-CHIE-dee-aa)

Spreuk waarmee een boeket van bloemen uit de toverstok komt (VB18).

'Orchideae' = L. 'naam voor de plantenfamilie van orchideeën'

Orde van de Feniks

Een verzetsorganisatie die oorspronkelijk in de jaren '70 gevormd werd door Perkamentus om strijd te leveren tegen Voldemort. Het bereikte weinig in de Eerste Oorlog doordat een groot aantal van zijn leden vermoord werd (OF9). De Orde herleefde in 1995 (OF5). De leden communiceerden door de Patronusbezwering te gebruiken (RD9).

Orde van Merlijn

Een prijs die wordt gegeven aan heksen en tovenaars die grootse daden hebben verricht (SW4, GK6, 13, GA10, 21, OF6, 19, HBP7, RD10, TK).

Hoewel we de Orde van Merlijn nu als een prijs beschouwen, suggereert de tekst van de Tovenaarskaart van Merlijn dat hij oorspronkelijk bedacht werd door Merlijn zelf, als een organisatie die regels maakte tegen het gebruik van magie op Dreuzels. Met uitzondering van Tilly Toorn heeft geen van de ontvangers van de Orde van Merlijn die we kennen uit de boeken specifiek iets gedaan om Dreuzels te beschermen.

Org de Onreine

(17e eeuw)

Rebellenleider van de Kobolden (TK, JKR).

Orin de Lelijke

(14e eeuw)

Vertegenwoordiger van de Kobolden tijdens een Tovenaarsraad; zie de Tovenaarskaarten voor meer informatie (TK).

Oswald de Ongenietbare
Een van de tovenaars die de Zegevlier ooit in hun bezit hadden (RD21).

Ouagadougou
Een stad in Burkina Faso. Ouagadougou wordt genoemd door Gladianus Smalhart als de locatie van een van zijn fictieve heldendaden (GK9).

Oudzand, Gerard
(1342-1379)
Het eerst bekende slachtoffer van de Drakenpest (TK).
Gunhilda van Goormeer leed volgens Fabeldieren en Waar Ze te Vinden *echter al 250 jaar eerder aan de Drakenpest. Misschien is Oudzand de eerste die echt stierf aan de ziekte.*

Oude Klares Jonge Borrel
(Eng. 'Firewhisky')
Sterke drank voor tovenaars. Er zijn veel soorten drank verkrijgbaar in de Tovenaarswereld, maar niets geeft zo'n kick als Oude Klares Jonge Borrel (GK6, VB10, RD5, 25).
In het Engels is de spelling van 'Firewhisky' bijna altijd zonder de 'e' voor de laatste 'y', wat aangeeft dat het waarschijnlijk Schots is, niet Iers. Toch wordt de Ierse spelling een keer gebruikt in HBP15, wanneer er verwezen wordt naar Regina Valsters Chocoketels.

oude magie
Een vorm van toverkunst die niet door tovenaars met toverstokken wordt uitgevoerd, maar die deel uitmaakt van de 'magie-heid' van het universum. De oude magie is onlosmakelijk verbonden met de concepten van liefde en dood. Deze magie kan niet worden veranderd of geblokkeerd door de handelingen van tovenaars. Er moet juist rekening mee worden gehouden en deze moet worden geaccepteerd als onderdeel van de manier waarop de wereld werkt. In sommige gevallen kan deze magie worden geactiveerd, maar meestal bestaat deze gewoon wanneer er aan bepaalde voorwaarden wordt voldaan, zeker als het gaat om de bedoelingen en houdingen van tovenaars.
Zie ook STOKKENLEER
Deze twee oude magische concepten van liefde en dood zijn essentieel voor het plot van de Harry Potterboeken. Ten eerste, totale zelfopofferingsgezinde liefde verschaft magische bescherming, zoals met name te zien is in de bescherming die Lily aan Harry gaf (m.n. VB33). Ten tweede, het redden van iemands leven veroorzaakt een levensschuld. Sneep had aan James zijn leven te danken omdat James hem waarschuwde voor een potentieel gevaarlijke ontmoeting (SW17). De reacties van de personages op deze twee magische realiteiten zijn de drijvende kracht achter het plot (m.n. RD33).

Oude Runen

Magische symbolen en hiëroglie-fen die worden gebruikt voor het schrijven van sommige oude teksten (RD7) en voor andere magische geschriften. Zweinsteinleerlingen kunnen Leer der Oude Runen als keuzevak kiezen. Het vak wordt door Bathsheba Babbling onderwezen (JKR).

De boeken voor dit vak zijn onder andere *Oude Runen Eenvoudig Verklaard* (GK14, JKR), *Magische Hiërogliefen en Logogrammen*, *Spelmans Complete Catalogus der Syllaben* (OF26) en diverse woordenboeken (GA12). Rondom Perkamentus' Hersenpan zijn runesymbolen gegraveerd (VB30). De runen die tot nu toe bekend zijn, zijn Demiguise (nul), Eenhoorn (één), Graphorn (twee), Runespoor (drie), Fwoeper (vier), Quintaped (vijf), Salamander (zes), Acromantula (acht), Hydra (negen; JKR) evenals Ehwaz (verbond) en Eihwaz (verdediging; OF31).

Runen zijn afkomstig van een gegraveerd alfabet dat vanaf de tweede eeuw werd gebruikt om de Germaanse talen uit Noord-Europa op te schrijven. Volgens de Scandinavische legende waren de runen door de goden geschonken. Runen bestonden alleen maar uit rechte lijnen omdat ze in hout of steen waren gegrift. In het Harry Potter-universum zijn de runen blijkbaar niet verbonden aan bestaande runenalfabetten. Het feit dat ze naar magische wezens zijn vernoemd, wijst erop dat J.K. Rowling haar 'runen' als magische symbolen uit de Tovenaarstraditie had bedoeld, niet afgeleid van de oude Dreuzelalfabetten.

Oude Runen Eenvoudig Verklaard

Hermelien begon dit tijdens haar tweede jaar te lezen, niet lang nadat ze Leer der Oude Runen als keuzevak voor het volgende jaar had gekozen (GK14). Een pagina van dit boek toont een verzameling van runen die te maken hebben met magische wezens en staan voor de getallen 0 tot en met 9. Het is interessant dat het symbool voor nummer zeven niet wordt gegeven omdat het nog ontdekt moet worden (JKR).

Oude Runen: Vertalen voor Gevorderden

Hermelien las een exemplaar van dit boek na haar bezoek aan de Wegisweg voorafgaand aan haar zesde jaar; het is waarschijnlijk een van de lesboeken op P.U.I.S.T.-niveau voor Leer der Oude Runen (HBP7).

Oude en Vergeten Spreuken en Bezweringen

Een spreukenboek dat Harry, Ron en Hermelien bestudeerden terwijl ze Harry voorbereidden op de Tweede Opdracht van het Toverschool Toernooi (VB26).

Overzicht van Recente Ontwikkelingen in de Toverkunst, Een Een boek uit de bibliotheek van Zweinstein waarin Harry tevergeefs zocht naar Nicolaas Flamel (SW12).

Paans, Meneer

Een campingeigenaar op de plek waar het WK Zwerkbal van 1994 gehouden werd. De Kannewassers verbleven op zijn camping (VB7).

Paardeblomsap

Drank die Hagrid serveerde toen Harry op bezoek kwam (OF38).

paarden, vliegende

De vliegende koets van Beauxbatons wordt door twaalf gigantische paarden door de lucht getrokken. Deze uitzonderlijke dieren zijn erg sterk en moeten nogal 'krachtig aangepakt' worden. Hiervoor werd Hagrid ingeschakeld (VB15). *Zie ook* TERZIELERS; *verg.* HIPPOGRIEF.

Pegagus was een gevleugeld paard uit de Griekse mythologie. Hij was de zoon van Poseidon. De held Bellerophon nam Pegasus gevangen met een gouden hoofdstel en reed op hem naar de strijd tegen de Chimaera en de Amazones. Pegasus trouwde met Euippe en hun nageslacht waren de voorouders van alle andere vliegende paarden.

padden

Zweinsteinleerlingen mogen een pad als huisdier hebben, maar Hagrid zegt dat ze 'uit de mode' zijn, dus als je er een hebt, lacht iedereen je waarschijnlijk uit (SW5). Het ligt dan ook in de lijn der verwachting dat Marcel naar Zweinstein komt met een pad genaamd Willibrord, een cadeau van een ouder familielid (SW6). Ondanks hun impopulariteit zijn padden (in elk geval in grote hoeveelheden) waardevol genoeg om gestolen te worden, te oordelen naar Levenius' verhaal op Harry's eerste avond op Grimboudplein (OF5).

paddenstoelen, kwakende

De tweedejaars gebruikten deze plant bij de Kruidenkundelessen (GK14).

Paddington Station

Een van de hoofdstations in Londen. Hier komen alle treinen vanuit West-Engeland aan. Op Harry's elfde verjaardag, nadat hij voor het eerst naar de Wegisweg was geweest, nam Hagrid Harry hier mee naartoe om hem op de trein terug naar de Duffelingen te

zetten. Voordat Harry's trein vertrok, aten ze samen bij een snackbar op het station (SW5).
Treinen die vanaf Paddington vertrekken komen niet langs Surrey. Het is dus een beetje raar dat Hagrid Harry hier mee naartoe genomen heeft toen Harry naar Klein Zanikem moest.

Painswick
Een klein stadje in Gloucestershire, in de Cotswolds. Hier kwam in 1836 een menigte van driehonderd mensen samen om Xavier Rastering te zien tapdansen. Het optreden werd beroemd omdat hij midden in dit optreden verdween, en er nooit meer iets van hem gezien of gehoord is (TK).

Pais, Placidus
(c. 1946-1996)
Een grijze tovenaar met een droevige uitdrukking op zijn gezicht die werkte voor het Departement van Mystificatie (VB7, OF8). Pais raakte eind 1995 onder mysterieuze omstandigheden zwaargewond en werd naar het St. Holisto's gestuurd (OF19, 23, 25).
Volgens een (niet tot de canon behorende) planningskaart voor de Orde van de Feniks, was de Dooddoener Walden Vleeschhouwer de 'zwaar ademende oude man met een oortrompet' die Pais in St. Holisto's bezocht op kerstavond. Het is zeer waarschijnlijk dat Vleeschhouwer de 'vriend' was die Pais de Duivelsstrik bracht (JKR).

pak!
Een spreuk die ervoor zorgt dat spullen zichzelf in een koffer gaan plaatsen (OF3).
Dit is niet de spreuk zelf, en ook niet de naam ervan. Tops beweegt haar toverstok toevallig op hetzelfde moment dat ze het woord 'pak!' zegt.

Palagon, Heer
(Eng. 'Cadogan')
Een kleine ridder in een schilderij dat op de overloop op de zevende verdieping hangt, niet ver van de Zuidertoren. Een rare figuur wiens bravoure zijn gezonde verstand overtreft en die uitblinkt in queesten en uitdagingen. In een noodgeval was Heer Palagon ooit gevraagd de leerlingenkamer van Griffoendor te bewaken (hij was het enige schilderij dat dapper genoeg was voor deze taak). Hij bedacht absurde wachtwoorden en veranderde deze dagelijks. Heer Palagon heeft een enorm zwaard en een kleine dikke pony (GA6, 9, OF12; *zie ook* RD31).
De Engelse naam verwijst naar de naam van een raar type theepot zonder opening aan de bovenkant.

palissander
(Eng. 'rosewood')
Een houtsoort geschikt voor toverstokken waarvan de toverstok van Fleur Delacour is gemaakt (VB18).
Palissander is een mooie, rijk gekleurde houtsoort die veel wordt gebruikt voor fijne houtbewerking zo-

als muziekinstrumenten of meubels. Het hout heeft een zoete geur die vele jaren blijft hangen, vandaar de Engelse naam. Als het wordt afgehakt verandert palissander zichtbaar van kleur, van geel en oranje naar een dieprode kleur. Het hout is heel kostbaar en daarom zijn sommige soorten bedreigd. In de folklore wordt palissander in verband gebracht met de hoogste godinnen: Afrodite, Venus, Hera, enzovoorts.

papieren vliegtuigjes

Paarse papieren vliegtuigjes die worden gebruikt om berichten tussen departementen binnen het Ministerie van Toverkunst te versturen. Ze vliegen zelfstandig door het gebouw. Het Ministerie van Toverkunst stapte over van uilen op vliegtuigjes omdat de uilen er een rommeltje van maakten als ze binnen heen en weer vlogen (OF7).

Paracelsus

(para-SEL-sus)

Een 'geheimzinnige tovenaar' waar weinig over bekend is (TK). Er staat een borstbeeld van hem in een gang in Zweinstein. Foppe laat dit borstbeeld wel eens op hoofden van mensen vallen (OF14).

Paracelus werd in 1493 in Oostenrijk geboren onder de naam 'Philip von Hohenheim'. Hij was arts en astroloog en leverde belangrijke bijdragen aan de geneeskunst. In tegenstelling tot de meeste geleerden van die tijd vond hij zichzelf absoluut geen tovenaar. Hij minachtte veel van zijn medegeleerden – onder anderen Nicolas Flamel en Cornelius Agrippa – en wees hun ideeën af. Hij was nogal arrogant en zelfgenoegzaam. Hij gaf zichzelf de titel Paracelsus, wat 'groter dan Celsus' betekent (Celsus was een beroemde Romeinse geleerde).

Paralitis

(PAA-raa-lie-tis)

'Lamstraal', 'Verlammingsspreuk', 'Paralitisspreuk'

tegenbezwering: 'Renervatio'

(Eng. 'Stupefy')

Een spreuk die vaak gebruikt wordt. Hij ziet eruit alsof er een rode lichtstraal geschoten wordt en maakt iemand bewusteloos (VB9, 29, OF21, etc.).

'stupefacere' = L. 'bewusteloos maken', van 'stupeo' = L. 'bewusteloos slaan'

Parcival Zonderling-Zonderland

Een bebaard spook dat het Jachtgezelschap de Koplopers voorzit. Henk noemt hem spottend 'meneer Dubbel en Dwars Onthoofde - Zonderling' (GK8, RD31).

Parijs

De hoofdstad en grootste stad van Frankrijk, en een van de grootste steden van de wereld. Voddeleurs Couture heeft hier een vestiging (net als in Londen en Zweinsveld; VB8).

In een vroege, handgeschreven versie van deel één zegt J.K. Rowling dat Flamel in 1765 gesignaleerd was in de Opera van Parijs. Deze zin heeft de uiteindelijke versie van het boek echter niet gehaald (JKR).

Park, Patty

(Zwadderich 1991; Klassenoudste 1995; Inquisitiekorps)

Een onaardig meisje uit Zwadderich in Harry's jaar (SW8). Ze wordt omschreven als iemand met 'het gezicht van een pekinees' (GA6, VB27). Ze is de leidster van een 'groep meiden uit Zwadderich' die het leuk vindt om andere leerlingen belachelijk te maken. Hermelien is met name hun slachtoffer (OF25).

J.K. Rowling heeft een hekel aan het personage Patty. Hierover zegt ze: 'Ik verafschuw Patty Park, zij is het evenbeeld van elk meisje dat mij op school pestte. Ze is de "Anti-Hermelien" (PC-JKR2).' Ergens anders (RAH) zegt ze dat de meeste meisjes wel iemand als Patty kennen, te oordelen aan de brieven die ze ontvangt.

Paskwil, Juffrouw

Kist noemde Parvati Patil zo toen hij zich haar naam niet kon herinneren (GK9).

Patil, Padma

(Ravenklauw, 1991; Klassenoudste, 1995; Strijders van Perkamentus)

Eeneiige tweelingzus van Parvati, hoewel ze in verschillende afdelingen zitten (VB12; *zie ook* VB24, OF16, RD19).

Patil, Parvati

(Griffoendor, 1991; Strijders van Perkamentus)

Eeneiige tweelingzus van Padma (VB22). Ze is de beste vriendin van Belinda Broom (SW10), en ze houden beiden van Waarzeggerij (GA6). Hun favoriete tijdverdrijf is giechelen en een beetje roddelen (VB22, OF13, HBP13). Parvati was een van de eerste leerlingen die lid werden van de Strijders van Perkamentus (OF16) en kende een redelijk goede Gruizelvloek (OF19). Ze heeft lang, donker haar dat ze in een vlecht draagt (VB15).

Patronus

De herkenbare vorm die door de Patronusbezwering wordt geproduceerd. Hij heeft de vorm van een dier en verschilt per heks of tovenaar (RD28). Perkamentus paste de Patronusbezwering aan zodat hij als boodschapper kon dienen voor de Orde van de Feniks (JKR). Als je de spreuk correct uitspreekt, lijkt het alsof de Patronus praat met de stem van de tovenaar die de spreuk uitgesproken heeft (RD7).

Bekende Patronussen:

- Harry – edelhert
- Hermelien – otter
- Ron – terrier
- Desiderius – geit
- Sneep – hinde

- Anderling – kat
- Omber – kitten
- Loena – haas
- Ernst Marsman – mannetjesvarken
- Simon – vos
- Cho – zwaan
- Tops – wolf
- Romeo – lynx
- Perkamentus – feniks

Patronusbezwering

Zie EXPECTO PATRONUM

Pauncefoot, Randolph

Fan van de Magpies die het niet veel kon schelen of hun Jager Dreuzelsporten uit wilde proberen, hoewel hij wel opmerkte dat je toch wel een beetje gek moest zijn om te gaan golfen (DP3).

Pechtol, Heer

(Eng. 'Luckless, Sir')

Een Dreuzelridder in het verhaal 'De Fontein van het Fantastische fortuin' in *De Vertelsels van Baker de Bard*. Heer Pechtol was samen met drie heksen, Amata, Astmalia en Armethea op zoek naar een slok van het genezende water van de Fontein (VBB).

Zijn naam is waarschijnlijk een verwijzing naar 'Sir Luckless Woo-All', een ridder die in enkele epigrammen van Ben Johnson (1616) wordt aangesproken: 'Sir LUCKLESS, troth, for luck's sake pass by one; He that wooes every widow, will get none.'

Peeters

Een oudere tovenaar die samen met Arthur Wemel op het Ministerie werkte (OF7, VB7, RD14).

Peeters

De naam die Professor Kist per ongeluk noemt als hij Harry bedoelt (OF17).

Je moet wel heel erg niet van deze wereld zijn om Harry Potters naam niet te kennen, dunkt me?

Pekel, Sally

(Zweinstein 1991)

Een leerling uit hetzelfde jaar als Harry (SW7)

Het lijkt erop dat Sally's naam 'verdwenen' is tussen Harry's eerste en vijfde jaar, hoewel ze net voor hem Gesorteerd werd (SW7). Maar toen de alfabetische lijst voor de S.L.I.J.M.B.A.L.-examens opgelezen werd, kwam haar naam daar niet op voor (OF31). Ze heeft Zweinstein dus blijkbaar voor het vijfde jaar verlaten.

Penhamer, Bob

Een vooraanstaande medewerker van Magisch Onderhoud op het Ministerie van Toverkunst (RD13).

Penrose, Professor Phoebus

Professor Phoebus was voorzitter van een comité dat een verslag publiceerde met de titel 'Een Onderzoek naar Verdenkingen van Dreuzels wat Magie Betreft'. Het verslag gaat over graancirkels (eigenlijk 'Verdraaide Granen'), ontsnapte Slurken die door Dreuzels UFO's genoemd worden, en het voortdurende probleem om de kelpie in Loch Ness te verstoppen (DP1).

penvriend

Een jonge tovenaar in Brazilië die jaren geleden met Bill Wemel schreef (VB7).

peperadem

Harry kwam deze spreuk tegen toen hij op zoek was naar een wapen tegen de draak van de Eerste Opdracht van het Toverschool Toernooi. Hij kwam tot de conclusie dat hij hiermee enkel de vuurkracht van de draak zou vergroten (VB20).

Peperdrank

Een toverdrank die uitgevonden werd door Govert Wipschoten (TK). Hij geneest verkoudheid. De drank laat stoom uit de oren van de drinker komen (GK8).

Peperduiveltjes

Kleine zwarte snoepjes die als omschrijving '[s]puw vuur voor je vrienden' hebben (GA5, 10).

perkament

Tovenaars schrijven op rollen perkament in plaats van op Dreuzelpapier (OF3).

Echt perkament is heel dik en zwaar. Het wordt gemaakt van de huid van schapen of geiten. Gezien de hoeveelheid perkament die ze in de tovenaarswereld gebruiken, moeten er wel heel wat schapen gefokt en gevild worden.

Perkamentus, Albus Parcival Wolfram Bertus

(juli of augustus 1881-1997; Griffoendor, 1892; Klassenoudste; Hoofdmonitor, 1898; leraar Transfiguratie, jaren '20 tot jaren '40; Schoolhoofd, jaren '50 tot 1997; Orde van de Feniks).

(Eng. 'Dumbledore, Albus Percival Wulfric Brian')

Wordt door velen beschouwd als de grootste tovenaar van het moderne tijdperk. Perkamentus heeft het aanbod om Minister van Toverkunst te worden afgeslagen (SW5). Hij wilde liever hoofd van de Wikenweegschaar en Schoolhoofd van Zweinstein zijn, een positie die hij bijna 40 jaar heeft bekleed. Deze rollen oefende hij met stille wijsheid en kracht uit. Toen hij jong was werd hij verliefd op Gellert Grindelwald (OBT/CH) en was een tijdje geobsedeerd door Gellerts gevaarlijke filosofie dat Tovenaars superieur waren, en de zoektocht naar de Relieken van de Dood (RD18). Na een tijdje realiseerde hij zich dat Grindelwalds pad een kwaad pad was en dat het zijn eigen fout was dat hij door de realiteit uit het oog te verliezen zijn hart had verloren (RD35). Deze fout zorgde voor tragische gebeurtenissen in zijn familie, waar

hij zich de rest van zijn leven schuldig over voelde (RD28, 35). Perkamentus wijdde de laatste helft van zijn leven aan de strijd tegen Voldemort, waarvoor heeft hij in de jaren '70 onder andere de Orde van de Feniks oprichtte (OF4). Perkamentus was de Relieken van de Dood echter niet vergeten, en het is hem gelukt om ze alle drie te vinden, op verschillende momenten (RD33, 35).
'albus' = L. 'wit'
Parcival naar zijn vader; 'dumbledore' = 18e eeuwse Engelse naam voor 'hommel'; 'wolfram' = Angelsaksisch voor 'wolfskracht' of 'heerser over wolven'. Tevens een 12e eeuwse Britse kluizenaarsheilige die bekendstond om zijn wonderen en profetieën.
Het personage Albus Perkamentus is veel complexer dan je in eerste instantie zou denken. In het eerste hoofdstuk van boek één, laat J.K. Rowling ons zijn excentrieke, zachtaardige humor en zijn geloof in het geven van tweede kansen aan mensen zien. Dit beeld, van een aardige beschermer en gids, wordt door de hele serie heen in stand gehouden. Er zit echter een donkerdere kant aan zijn persoon, een die je niet ziet tot aan het zevende boek. Hij schaamde zich heel erg voor sommige dingen die hij in zijn jeugd had gedaan – en gedacht. Hij leerde op de harde manier de verleidingen en nadelen kennen die macht met zich mee brengt en hij wijdde de rest van zijn leven aan het begrijpen en indammen van de duistere neigingen die in de Tovenaarswereld aanwezig zijn. Zelfs aan het einde van zijn lange leven werd Perkamentus zo in de verleiding gebracht door de eigenschappen van de Steen van Wederkeer dat hij de ring om zijn vinger deed en getroffen werd door een dodelijke vloek. Wanneer we ons bewust zijn van de donkere kanten van zijn persoonlijkheid en verleden, kunnen we zijn daden in de serie begrijpen. Ze zijn namelijk zowel als groothartig als manipulatief te beschouwen.

Perkamentus, Ariana
(1884 of 1885 – 1899)
Het jongere zusje van Albus en Desiderius Perkamentus en de dochter van Kendra en Parcival Perkamentus. Toen ze zes jaar oud was werd ze aangevallen door drie Dreuzels die in paniek raakten omdat ze haar hadden zien toveren. Ze werd hierdoor zo getraumatiseerd dat ze er nooit meer bovenop kwam en continu zorg en toezicht nodig had. Desiderius sloot haar in zijn hart, en had jaren later haar portret nog op zijn schoorsteenmantel staan (RD2, 28).

Perkamentus, Desiderius
(geb. 1883 of 1884; Zweinstein 1895; Orde van de Feniks)
Een lange, magere, knorrige oude man met lang grijs haar en een baard (OF16). Hij was de broer van Albus Perkamentus en de

barman van de Zwijnskop in Zweinsveld (OF16). Als kind had hij een goede relatie met zijn zus, en toen hun familie iets verschrikkelijks overkwam, gaf hij Albus de schuld (RD2, 18, 28). Desiderius was lid van de Orde van de Feniks (OF9). Moreel gezien is hij een dubbelzinnig iemand, hij gaat om met niet helemaal zuivere clientèle, en doet mee met illegale activiteiten (HBP12) maar kan ook een sterke bondgenoot zijn (RD31). Hij heeft een vreemde affiniteit met geiten (VB24, RD2).

P

Perkamentus, Kendra

(† zomer 1899)

De moeder van Albus, Desiderius en Ariana Perkamentus; de vrouw van Parcival. In het roddelboek van Rita Pulpers, *Het Leven en de Leugens van Albus Perkamentus*, staat dat ze 'trots en hooghartig' is (RD11, 16).

Perkamentus, Parcival

De vader van Albus, Desiderius en Ariana; man van Kendra. Hij stond bekend als een Dreuzelhater nadat hij de drie Dreuzeljongens die zijn dochter Ariana getraumatiseerd hadden in c. 1850 had aangevallen (RD2, 28).

Permanente Plakbezwering

Een nogal irritante bezwering. Hij plakt dingen zo goed aan de muur dat ze niet meer los kunnen geraken (OF6, RD10).

Perron Negen Driekwart

Een verborgen perron in het King's Cross Station in Londen, het perron waar de Zweinsteinexpress vanaf vertrekt. Het perron kan bereikt worden door dwars door de massieve metalen scheiding tussen perron negen en tien te lopen, die dan verandert in een smeedijzeren poort. Aan de andere kant van deze poort lijkt het op een omgeving van honderd jaar geleden: een mooie scharlakenrode stoomtrein wacht hier. Honderden gezinnen lopen over het met stoom gevulde perron, ze stoppen koffers in de wagons, en nemen afscheid van hun kinderen aan het begin van het schooljaar (SW6, RD/e).

Perron 9 ¾ zit vol met romantische beschrijvingen, en dat is ook zo bedoeld. J.K. Rowlings ouders hebben elkaar ontmoet in het King's Cross Station, en het maakt deel uit van haar jeugdverhalen die ze aan Harry's leven toe wilde voegen (HPM). Deze romantiek is in veel scènes terug te vinden, bijvoorbeeld wanneer de trein optrekt uit het station, terwijl Ginny er zwaaiend achteraan rent (SW6), of wanneer Harry zijn kinderen naar school stuurt, en hij nog steeds aan het zwaaien is wanneer de trein de hoek om gaat en uit het zicht verdwijnt (RD/e).

Peru

Het land in Zuid-Amerika waar ze het gekst zijn op Zwerkbal.

Het nationale team van Peru werd verpletterend verslagen in de halve finales van het Wereldkampioenschap van 1994 (VB5). Instant Duistergruis komt hier ook vandaan (HBP6).

Peruviaans Instant Duistergruis

Een poeder dat door Tovertweelings Topfopshop wordt geïmporteerd om als verdediging te worden gebruikt (HBP6). Wanneer je dit poeder gooit maakt het het omringende gebied zo donker dat zelfs het licht van een toverstok hier niet doorheen kan komen (HBP29).

Pest Advisory Board

Een onderdeel van het Ministerie dat een lijst van veelvoorkomend ongedierte bijhoudt. Ook geeft het advies met betrekking tot het verwijderen ervan (JKR).

Petrificus Totalus

(pe-TRIE-fie-cus to-TA-lus)
'Totale Verstijving'

Een spreuk die het lichaam van het slachtoffer volledig doet verstijven. Hermelien spreekt deze spreuk aarzelend uit over Marcel Lubbermans, wanneer hij hen er van probeert te weerhouden om achter de Steen der Wijzen aan te gaan (SW16). De spreuk wordt veel gebruikt door leden van de SvP, hoewel een andere heks of tovenaar hem gemakkelijk op kan heffen (OF35).

'petrificare' = L. ' van steen maken' + 'totalis' = L. 'geheel'

Piek, Arend

(1677-1761)

Beroemde tovenaar die de Zeeslang van Cromer verslagen heeft (TK).

piepende Suikermuizen

Tovenaarssnoepje (OF26).

Pieper, Zebedeüs

(1750-1839)

Schrijver van het boek *Waarom Ik Niet Insliep Toen de Augurei Riep* en een expert op het gebied van magische vogels (TK).

Pieren

(Ravenklauw, jaren '90; Zwerkbal Jager c. 1995-1996)

Leerling van Zweinstein (OF30, 31).

Piertotum Locomotor

(pie-ehr-TOO-toem lo-Ko-MOO-tor)

Een variant van de Locomotor-spreuk, die wordt gebruikt om harnassen en standbeelden tot leven te wekken (RD30).

'pier' = ? + 'totum' = L. 'geheel, alles' + 'loco' = L. 'van een plaats' + 'motionem' = L. 'bewegen'.

Wat betekent 'pier'? Nou, dit is het beste wat ik kon bedenken: 'pier' = Eng. 'ondersteuning van een brug' wat volgens etymologische woordenboeken via het Frans van 'petra' = L. 'steen' komt, en om-

P

dat deze spreuk alle stenen standbeelden laat bewegen, is het ook nog eens enigszins logisch.

Pietje het Kanariepietje

In de zomer van 1996 wist Harry dat Voldemort nog niet openlijk de aanval had geopend, omdat het Dreuzeljournaal over iets normaals berichtte zoals Pietje het Kanariepietje, een vogel die kon waterskiën (OF1).

Pilling, Justus

(1862-1953)

Een hoofd van het Departement van Magische Wetshandhaving (TK)

De naam 'Justus' is een homoniem voor het woord 'justice' (Eng. = 'gerechtigheid') Het is een toepasselijke naam voor iemand die hoofd is van het grootste wetshandhavinginstituut van de regering.

Pineut, Roderick

(1889—1987)

Zoeker van het nationale team van Engeland en de Tutshill Tornados (TK).

Pinkel, Arie

Een tovenaar die aan de verkeerde kant van een Deugendetector stond nadat de Kobolden de beveiliging van Goudgrijp hadden verhoogd (HBP6).

Pinkstone, Carlotta

(geb. 1922)

Beroemd vanwege haar campagne om het Statuut van Geheimhouding op te heffen. Hierdoor had ze meerdere malen een aanvaring met het Ministerie (JKR).

Pippeling, Peter 'Wormstaart'

(1960-1998; Griffoendor, 1971; Orde van de Feniks)

Een van de 'Marauders'. Een leerling uit Griffoendor die James, Sirius en Lupos verafgode (GA10). Pippeling had een zwakke wil, hij volgde iedereen die de meeste macht had (bijv. GA19). Peters leven hing aan elkaar van de tragediën, verraderij en bedrog (*zie ook* VB33, HBP2, RD1, RD23).

Pips, Dagbert

Eigenaar van Pumpkins 'R Us, die zich beklaagde tegenover een verslaggever van de *Ochtendprofeet* dat een beperking op Halloweenfeesten de 'pompoentelers hard zou raken' (DP4).

Een ander woord in het Engels voor een zaad van een vrucht is 'pip'. Dus zijn naam is een passende achternaam voor iemand die een pompoenenzaak beheert.

piramiden

Gigantische stenen graven, waarschijnlijk de best herkenbare oude gebouwen ter wereld. Een aantal van de beroemdste piramiden staat in Egypte. Tovenaars hebben ontdekt dat deze piramiden werden beschermd door vloeken die er door vroegere tovenaars over waren uitgesproken. De familie Wemel bezocht een aantal van deze piramiden toen ze in de zomer van 1993 naar Egypte gingen. Daar zagen ze onder andere misvormde skeletten van Dreuzels die ingebroken hadden en volgens Ron 'extra hoofden hadden gekregen en zo' (GA1). Fred en George probeerden Percy op te sluiten in een piramide, maar ze werden helaas betrapt door Mevrouw Wemel (GA4).

pissebedden

Kleine geleedpotigen die op donkere, vochtige plekken onder stenen of hout leven. Boomtrullen eten deze dieren (OF13). Mensen die Gwendoline Jacobs irriteren, hebben doorgaans de neiging om erin te veranderen (DP1).

Pius Dikkers

Hoofd van het Departement van Magische Wetshandhaving (RD1) tot de dood van Rufus Schobbejak, toen hij Minister van Toverkunst werd (RD11). Pius had lang zwart haar, een baard en een prominent voorhoofd (RD13, 31).

plafond, betoverd

Sommige tovenaarsinstellingen hebben betoverde plafonds in hun grootste en belangrijkste kamers. Het plafond van Zweinsteins Grote Zaal is zo betoverd dat het de lucht buiten imiteert (bijv. SW7, GA9, VB12, 13). Soms wordt de betovering veranderd bij een speciale gelegenheid. Er viel warme droge sneeuw naar beneden bij de kerstviering (GK12) en er dwarrelde gekleurde confetti naar beneden tijdens Smalharts feestelijkheden op Valentijnsdag (GK13). Het plafond van het Atrium van het Ministerie van Toverkunst lijkt ook betoverd te zijn om de kleur van de lucht buiten te benaderen. 's Morgens vroeg is het pauwblauw (OF7) en donkerblauw in de avond (OF34).

Plank, Meneer en Mevrouw

Worden aan Harry door Olivier voorgesteld bij het WK Zwerkbal (VB7).

Plank, Olivier

(Griffoendor, 1987-1994; Zwerkbal Wachter en Aanvoerder c. 1990-1994)

Aanvoerder van het Zwerkbalteam van Griffoendor wanneer Harry voor het eerst naar Zweinstein komt. Hij was waarschijnlijk op dat moment de grootste Zwerkbalfanaat op de school (SW7). Olivier staat bekend om zijn gepassioneerde, lange toespraken in de kleedkamer (SW11, GK7, GA8) en wordt behoorlijk depressief wanneer ze verliezen (GA9). Fred Wemel zei, terecht, eens dat Plank het volledige Zwerkbalteam van Zwadderich wel had willen 'uitroeien', alleen had hij daar niet mee weg kunnen komen (HBP19).

P

Platbroek, Jason
(1446 – 1557)
Een beroemde seriemoordenaar van Kobolden (TK). De moorden door Platbroek worden door velen als reden voor de opstand onder de Kobolden in 1612 gezien (JKR).

PlayStation
Dirk had een PlayStation, tot hij deze bij een woede-uitbarsting uit het raam gooide. Zijn favoriete spel was Monsters in Mootjes Deel Drie (VB2).
J.K. Rowling schreef deel vier in 1999, toen de term PlayStation heel vaak als vervanging voor het woord 'spelcomputer' gebruikt werd. Het probleem is echter, dat de gebeurtenissen in deel vier in de jaren 1994 en 1995 plaatsvinden, en de PlayStation was toen nog niet te koop in Groot-Brittannië. Maar dat maakt niet zoveel uit, het is sowieso al twijfelachtig of J.K. Rowling zich verdiept heeft in de geschiedenis van de PlayStation toen ze het boek schreef. In plaats daarvan heeft ze gewoon de naam gebruikt van de populairste spelcomputer van dat moment, zonder te beseffen dat ze een fout in de datering heeft gemaakt. Niemand weet precies wanneer dingen zich afspeelden in het universum van Harry Potter. Misschien werd de PlayStation daar wel in 1994 verkocht.

Pleegzuster Bloedbonbon
Een klein paars snoepje dat door Fred en George is uitgevonden. De ene helft veroorzaakt een bloedneus. De andere helft stopt het bloeden (OF14).

Plijster, Poppy
(Eng. 'Pomfrey, Poppy')
De verpleegster op Zweinstein. Ze is erg goed in het genezen door middel van spreuken, toverdranken, kruiden en andere geneesmiddelen (SW17). Onder de dingen die we haar hebben zien doen, zijn onder andere het weer laten aangroeien van botten (GK10), het genezen van een beet van een giftige draak (SW14), het oplappen van de neus van Herpine Zoster nadat zij haar neus per ongeluk had wegvervloekt (VB13), het weghalen van baarden (VB16), en te groot gegroeide tanden weer laten krimpen (VB23). Mevrouw Plijster probeert er zo goed mogelijk voor te zorgen dat haar patiënten rust en stilte om zich heen hebben en aarzelt zelfs niet om Perkamentus weg te sturen wanneer ze dat nodig acht (SW17, GA21). Ze is al een hele tijd de verpleegster van Zweinstein, aangezien ze er al was toen de 'Marauders' nog op school zaten (GA18).
'poppy' = een bloem waar een aantal verschillende medicijnsoorten vandaan komt, onder andere morfine en codeïne. 'Pomfrey' = kan een verwijzing naar het woord 'comfrey' zijn. Dit is een kruid dat in de Middeleeuwen veel werd ge-

bruikt als middel tegen inwendige bloedingen.

Plimpy

Een magische vis. De rivier achter het huis van de Leeflangs bevat Zoetwaterplimpies. Xenofilus gebruikt deze dieren om er soep van te maken (RD20). Luna draagt een Snotwortel om Boerende Plimpies weg te jagen (HBP20).

Plonk, Norbert

(1888-1957)

(Eng. 'Twonk, Norvel')

Tovenaarsheld; zie voor meer informatie de Tovenaarskaarten (TK).

'twonk' = Eng. straattaal 'idioot, dwaas'

Plopper, Octavius

Tovenaar die in de vroege lente van 1997 verdween, wat door de *Ochtendprofeet* werd gemeld. Er werd gezegd dat de verdwijning in verband stond met een aanval van Dooddoeners (HBP21).

Pluimpje

Een van de kittens/Kwistels van mevrouw Vaals waar Harry niet bijzonder op gesteld is (SW2).

Pluimplukkers Verenwinkel

(Eng. 'Scrivenshaft's Quill Shop')

Een winkel in Zweinsveld (OF16).

'scrivener' = archaïsch Eng. 'professionele schrijver, kopiist' + 'shaft', dat in het Engels het handvat van een pen kan betekenen.

Pluisje

Hele gevaarlijke en grote driekoppige hond die het eigendom is van Rubeus Hagrid. Pluisje slaapt enkel als hij muziek hoort (SW16, SW11). Hagrid liet Pluisje los in het Verboden Bos (BP).

De driekoppige hond in de Griekse mythologie heet Cerberus en bewaakt de poorten van Hades. J.K. Rowling heeft een aantal van Cerberus' eigenschappen voor Pluisje geleend, vooral het feit dat hij in slaap gebracht kan worden door muziek.

Plunkett, Josiah

Zwerkbalscheidsrechter bij de wedstrijd tussen Pride of Portree en Appleby Arrows. Tijdens deze wedstrijd veranderde een van de Zoekers het hoofd van een andere Zoeker in een kool (DP3).

Pneumanische Vlijmkiller

Iets dat Cornelius Droebel in 1995 had – volgens Loena Leeflang tenminste. Het is waarschijnlijk een of ander wezen, maar niemand weet het precies… (OF18).

Poe-Pie-Nee

Een product van Tovertweelings Topfopshop (natuurlijk) dat constipatie veroorzaakt – en dat het onderwerp is van een nogal interessante advertentie op de etalageruit van de winkel (HBP6).

P

Poetsspreuken
Verscheidene spreuken die van pas komen in en om het huis (JKR). Een voorbeeld is Sanitato (OF3).

Poke, Royden
Een van de afgevaardigden van het Departement van Toezicht op Magische Wezens bij een ontmoeting met het Broederschap van Kobolden in Chipping Clodbury (DP3).

Pompoenprik
Iets lekkers, waarschijnlijk een drank, die Fred en George meebrachten uit Zweinsveld (GA13).

Pompoensap
Een drank die meestal gekoeld wordt geserveerd. Hij is verkrijgbaar op de Zweinsteinexpress en in Zweinstein zelf (GK5, GA6). Het lijkt erop dat dit de drank bij uitstek is voor de meeste tovenaarskinderen. Ze kiezen deze meestal als ze iets drinken. Als ze ouder worden gaan ze Boterbier en zelfs Oude Klares Jonge Borrel (RD5) drinken.

Pompoentaartje
Snack die op de Zweinsteinexpress verkocht wordt (SW6).

Pompspreuk
Spreuk om water mee op te laten drogen (VB26).

Pootjes
Een van de katten, of mogelijk Kwistels, van Mevrouw Vaals (SW2).

Porlock
Een magisch wezen dat bestudeerd wordt bij Verzorging van Fabeldieren (OF15, 20).
Porlock is een klein kuststadje in Somerset, vlak bij Exmoor.

Portree
Zie PRIDE OF PORTREE

portretten
Een schilderij van het gezicht van iemand. De portretten van tovenaars zijn erg levensecht, omdat de tovenaars die erin zitten kunnen praten en gesprekken kunnen voeren. Het is echter wel zo dat de tovenaars niet zo echt zijn als spoken dat zijn, want ze kunnen alleen de ‘kenmerkende uitdrukkingen’ uit het leven van de tovenaar in kwestie herhalen. De levensechtste portretten hangen in het kantoor van het schoolhoofd van Zweinstein, omdat de vroegere schoolhoofden hun ‘aura’ in deze kamer achterlieten (EBF). Een goed voorbeeld hiervan vormen Firminus Nigellus (RD15) en Perkamentus (RD33). Het lijkt erop dat zij veel meer kunnen dan kenmerkende uitdrukkingen herhalen, in tegenstelling tot dan bijvoorbeeld het portret van Sirius’ moeder (OF6).

Portugese Langsnuitdraak
Een drakensoort die niet wordt genoemd in *Fabeldieren en Waar Ze te Vinden*. Hij komt voor in het boek *Drakenfokken als Broodwinning en Tijdverdrijf*. De Langsnuit heeft lichtgroene schubben en donkere ogen. Ze komen voor in het noorden van Portugal, rond Geres, een gebied met veel rotsige pieken en valleien (JKR).

Portugese Long Snout Dragon
Zie PORTUGESE LANGSNUITDRAAK

Portus
(Por-toes)
Een spreuk die van een voorwerp een Viavia maakt (OF22).
'portus' = L. 'deur'

Postelijn, Jimmy
(Griffoendor, 1994; Zwerkbal Drijver 1996-?)
Een korte, stevige gebouwde jongen die twee jaar jonger is dan Harry. Hij is een wild spelende Zwerkbalspeler (HBP11).

postkantoor (Dreuzel)
De Wemels hebben het Dreuzelpostkantoor in Ottery St Catchpole enkele keren gebruikt, maar Molly merkt hierbij op dat de postbode waarschijnlijk niet weet waar Het Nest staat (VB3, 11).
Het is heel waarschijnlijk dat een Tovernaarshuis als Het Nest Dreuzelafwerende spreuken heeft om de aandacht van de Dreuzels af te leiden. In dit geval kunnen we ervan uitgaan dat de Dreuzelpostbode heel toevallig niet ziet dat er een huis staat aan die specifieke oprit.

postkantoor (tovenaars)
Gelegen in Zweinsveld. Het is een kantoor dat helemaal gevuld is met uilen die wachten op brieven om te bezorgen (GA22).

Potsierlijke Patentbureau
Dit kantoor maakt onderdeel uit van het Departement van Magische Sport en Recreatie en bevindt zich op de zevende verdieping van het Ministerie van Toverkunst.

Potter, Albus Severus
(geb. 2006; Zweinstein, 2017)
Het tweede kind van Harry en Ginny Potter, vernoemd naar Albus Perkamentus en Severus Sneep (RD/e).

Potter, Charlus
(20e eeuw)
Man van Dorea (Zwarts) Potter en de vader van één zoon (BFT).

Potter, Dorea (Zwarts)
(1920-1977)
De dochter van Cygnus en Violetta (Bullemans) Zwarts, de zus van Cassiopeia, en de vrouw van Charlus Potter, ze kregen samen één zoon (BFT).
Het is twijfelachtig of Dorea Harry's grootmoeder is, want J.K. Rowling heeft gezegd dat James' ouders 'oud voor tovenaars' waren toen

ze overleden (TLC), maar Dorea overleed al toen ze 57 was (BFT).

Potter, Harry James

(geb. 1980; Griffoendor 1991; Zwerkbal Zoeker, 1991-1997, Aanvoerder, 1996-1997; Strijders van Perkamentus; de Slakkers)

Het was Harry's lot om een held te worden – er was een profetie over hem uitgesproken (OF37) en ten tijde van zijn geboorte waren zijn ouders actief in de strijd tegen Voldemort en de Dooddoeners. Na de rare gebeurtenissen in Goderics Eind waarbij Harry's ouders kwamen te overlijden, Harry een litteken in de vorm van een bliksemschicht op zijn voorhoofd kreeg, en niet te vergeten, Voldemort volledig verdween (RD17), werd hij toen hij één jaar oud was naar de Duffelingen, zijn Dreuzelfamilieleden gestuurd. Hier werd hij tien jaar lang gekleineerd en verwaarloosd. Op elfjarige leeftijd werd zijn ware identiteit aan hem bekend gemaakt (SW4) en ging hij voor het eerst naar Zweinstein. Hij werd in de afdeling Griffoendor gesorteerd (SW7) en werd de Zoeker voor het Zwerkbalteam van deze afdeling. Hij raakte erg goed bevriend met Hermelien Griffel en Ron Wemel (SW6). Met hun steun nam Harry het een aantal keren op tegen de herboren Voldemort en zijn Dooddoeners (m.n. GK17, VB32, OF37). Tijdens deze jaren werd de vreemde binding tussen Voldemort en Harry steeds opvallender. Dit zorgde ervoor dat Harry, met de hulp van Perkamentus, geheimen betreffende het bestaan van de Heer van het Duister te weten kon komen. Door deze geheimen kon hij zijn tegenstander stukje bij beetje verzwakken. Bij hun laatste confrontatie werd de profetie vervuld (RD35).

Potter, James

(geb. c. 2005; Griffoendor 2016?)

De oudste zoon van Harry en Ginny Potter. Hij is vernoemd naar Harry's vader. Het lijkt erop dat hij zowel eigenschappen van de Wemels – mensen storen terwijl ze zoenen – als van zijn naamgenoot geërfd heeft. Hij stal namelijk de Sluipwegwijzer uit het bureau van zijn vader (BLC).

Potter, James 'Gaffel'

(27 Maart, 1960 - 31 Oktober, 1981; Griffoendor 1971; Zwerkbal Jager; Hoofdmonitor 1977 Orde van de Feniks)

De vader van Harry Potter. Op Zweinstein was hij erg populair; hij was een Jager (SCH2) en hield ervan om te pronken (OF28). Hij was een van de 'Marauders', de jongens die Faunaat werden en de Sluipwegwijzer maakten (GA22). James keek nogal neer op Sneep (GA19). Hij 'kreeg wat minder kapsones' in zijn zevende jaar, werd toen Hoofdmonitor, en kreeg verkering met Lily Evers, waarmee hij later trouwde (SW3,

OF9, 30). James ging bij de Orde van de Feniks (OF9, 30), maar werd verraden. Vervolgens werden hij en Lily op 31 Oktober 1981 in hun huis aan de Halvemaanstraat vermoord (RD17).

Potter, Lily

(geb. 2008, Zweinstein 2019)

Het jongste kind en de enige dochter van Harry en Ginny Potter, vernoemd naar Harry's moeder Lily. Net als haar moeder dat was 28 jaar geleden, was Lily jaloers toen ze op Perron 9¾ stond, en ze haar oudere broers naar Zweinstein zag vertrekken (RD/e).

Potter, Lily Evers

(30 januari 1960 - 31 Oktober 1981; Griffoendor 1971; Hoofdmonitor 1997; Slakkers; Orde van de Feniks)

De moeder van Harry Potter, van haar heeft hij zijn groene ogen (OF28). Lily was een getalenteerde heks (HBP4) en kwam uit een Dreuzelfamilie. Ze had een zus die Petunia heette. Lily kwam erachter dat ze een heks was toen ze in de speeltuin bevriend raakte met een jonge tovenaar (RD33). Na Zweinstein ging Lily bij de Orde van de Feniks om tegen Voldemort te kunnen vechten (OF9, 30) en trouwde ze met James Potter (OF30). Hun enige zoon, Harry Potter, werd geboren op 31 juli 1980 (*zie ook* OF37, RD33, 36).

Potter, meneer en mevrouw

De ouders van James, een rijk en al wat ouder stel toen hij, hun enige zoon, geboren werd. Ze zagen hem als een 'geschenk' en verwenden hem zijn hele jeugd (TLC, AOL). Ze waren aardig genoeg om James zijn beste vriend Sirius bij hen in te laten trekken toen hij was weggelopen van huis (OF6).

Praktische Huishoudelijke Magie

Door Zamira Gulch

Een boek met oplossingen voor alledaagse problemen (DP3).

Praktische Verdedigingsmagie als Wapen Tegen de Zwarte Kunsten

Het kerstcadeau dat Harry in zijn vijfde jaar van Sirius en Lupos kreeg (OF23).

preivloek

Zorgt ervoor dat er prei uit de oren van het doelwit groeit (GA15).

Premier

De premier is een van de weinige Dreuzels waar de tovenaars hun bestaan aan onthullen. Voor hem is het erg frustrerend, al helemaal wanneer gebeurtenissen in de Tovenaarswereld negatief uitpakken voor zijn kiesdistrict en hij hier niets aan kan doen. Er hangt een klein portret in het kantoor van de Premier, dat aankondigt wanneer de Minister voor Toverkunst eraan komt (HBP1).

Preutel, Doris

De Kibbelaar publiceerde in de zomer van 1995 een interview met haar, waarin ze zegt dat Sirius Zwarts eigenlijk Stef Blinker is. Hij zou een alibi hebben omdat zij op de avond dat de Potters vermoord werden een romantisch dinertje met hem had (OF10).

Pride of Portree

Een Zwerkbalteam in de Ierse competitie (DP1-4).

prijzenkamer

Zweinstein heeft op de derde verdieping een prijzenkamer waar alle oude onderscheidingen, trofeeën, beeldjes, bekers, schalen, schilden en medailles in kristallen vitrines worden bewaard. Er is ook een lijst met alle Hoofdmonitoren (SW9, GK7, GK13). Foppe houdt ervan om rond te dansen in de prijzenkamer (GA10, VB25).

In de eerste film bezoeken we de prijzenkamer waar Harry een plakkaat ziet dat de namen van beroemde Zwerkballers van Griffoendor toont. De naam van zijn vader staat op dat plakkaat, waar hij wordt vermeld als Zoeker uit 1972. Dit helpt om het verhaal op gang te houden maar de gegevens komen niet overeen met de feiten die elders worden gegeven. James Potter kwam in 1971 op Zweinstein. Dit betekent dat hij deze onderscheiding ofwel aan het eind van zijn eerste jaar ontving, toen hij nog niet eens bij het team zat, of aan het begin van zijn tweede jaar, toen hij en op zijn hoogst twee wedstrijden gespeeld had. Ook was James volgens J.K. Rowling een Jager.

Prikkelmix

Toverdrank die de vijfdejaars bij Toverdranken moesten maken. Dit kostte Harry geen enkele moeite omdat Sneep hem eindelijk eens niet lastigviel (OF29).

Primpernelle, Madame

(Eng. 'primp')

Een heks die een aantal verschillende schoonheidsdrankjes verkoopt in de Wegisweg (DP2).

'Primp' = Eng. 'met zorg aankleden, jezelf opmaken'. Samengevoegd met 'pimpernel', een rode bloem die meestal 'scarlet pimpernel' genoemd wordt.

Prins, Ellen

De moeder van Severus Sneep, een heks (HBP13). Ze wordt omschreven als een mager meisje met een norse blik (HBP25). Ellen was Aanvoerder van het Fluimstenenteam van Zweinstein toen ze daar op school zat (HBP25). Haar man was Tobias Sneep, een Dreuzel die haar slecht behandelde (HBP30).

***Priori Incantatem* (prie-OR-ie in-kan-TAA-tem)**

'Omgekeerde Spreukeffect'

Het vreemde magische effect dat plaatsvindt wanneer twee to-

verstokken waarvan de kern gemaakt is van materiaal van dezelfde grondstof, gedwongen worden om met elkaar te duelleren. Het effect is een spookachtige voorstelling van de laatste spreuken die een van de toverstokken heeft uitgesproken, in omgekeerde volgorde van uitspraak (VB36). Welke toverstok dit spreukeffect laat zien, ligt aan de wilskracht van de twee tovenaars in kwestie (VB34, verg. RD5).
'prior' = L. 'eerder, voorgaand' + 'incantatare' = L. 'betoveren'

Prior Incantato
(prie-OR in-can-TAA-too)
Een spreuk die, wanneer je deze over een toverstok uitspreekt, deze verplicht om een spookbeeld van de laatste spreuk die hij heeft gedaan te laten zien. De beelden kunnen ongedaan worden gemaakt met de spreuk *Deletrius* (VB9).

privékliniek
Een ziekenhuis in Londen waar de Duffelingen Dirk op 1 september 1991 mee naartoe namen om hem van zijn varkensstaart af te laten komen (SW6).

Proeve van Uitzonderlijke Intelligentie en Superieure Toverkunst
(P.U.I.S.T.)
Een standaardexamen dat door alle leerlingen van Zweinstein aan het einde van hun zevende jaar afgelegd wordt. Deze examens worden afgenomen door de Toverexamenraad. Ze worden gegeven op dezelfde data als de S.L.IJ.M.B.A.L.-examens die aan vijfdejaars leerlingen gegeven worden. Om verschillende beroepen in de Tovenaarswereld te kunnen beoefenen, heb je voor verschillende vakken verschillende minimumscores nodig (GA16).
De P.U.I.S.T.-en staan gelijk aan de A-levelexamens in Engeland. Dit zijn de standaardexamens die daar gegeven worden voor je naar de universiteit kunt.

P

Profetie
Een profetie is een ongebruikelijk magisch verschijnsel waarbij iemand met de gave van het Zien informatie over de toekomst geeft. Een profetie is meestal op cryptische wijze verwoord en vereist dus wat interpretatie. Profetieën worden opgenomen en opgeslagen in glazen bollen in de Hal der Profetieën in het Departement van Mystificatie (OF34).
J.K. Rowling heeft op haar website meer geschreven over de aard van profetieën. Ze zei hier: 'betreffende profetieën blijft het tweeledig, niet alleen voor de lezers, maar ook voor de personages. Profetieën zijn meestal (denk aan Nostradamus!) vatbaar voor veel verschillende interpretaties. Dat is zowel hun kracht als hun zwakte (JKR). Veel van de plot van de boeken draait om de

profetie over Voldemort en Harry. Het is zelfs zo dat Voldemorts gebrek aan beoordeling betreffende de tweeledigheid van de profetie – en zijn eigen verwaandheid omdat hij dacht dat hij de profetie in zijn geheel begreep – bracht hem ertoe om bepaalde acties te ondernemen. Deze acties maakten echter dat wat hij wilde vermijden juist bewerkstelligd werd.

Prometerniaans vuur
(Eng. 'Gubraithian Fire')
Spreuk om het doelobject eeuwig te laten branden (OF20).
Deze naam komt van de Schotse uitdrukking 'gu braith', wat 'voor altijd' betekent.

Protego
(pro-TEE-goo)
'Schildspreuk'
Een spreuk die een onzichtbare magische barrière opricht om spreuken af te weren (VB31, OF25, 26, 35, 36, HBP6, 9, RD9, 15, 19, 26, 36).
'protego' = L. 'verdedigen'

Protego Horribilis
(pro-TEE-goo ho-RIE-Bie-lis)
Een geavanceerde Schildspreuk die door Banning uitgesproken werd om de verdediging van Zweinstein tegen de Dooddoeners te ondersteunen (RD30).
'protego' = L. 'verdedigen' + 'horribilis' = L. 'verschrikkelijk, angstaanjagend'

Protego Totalum
(pro-TEE-goo too-TAL-um)
Een semi-permanente variant van de Schildspreuk, wordt door Hermelien routinematig rond de kampeerplekken van het trio uitgesproken om deze te beschermen (RD14).
'protego' = L. 'verdedigen' + 'totalum' = L. 'totaal, geheel'

Proteusbezwering
(PRO-tee-us)
(Eng. 'Protean Charm')
Een ingewikkelde bezwering die Hermelien uitsprak over nep-Galjoenen die door de SvP werden gebruikt om de ontmoetingstijden door te geven. Als Harry de datum op zijn munt veranderde, veranderden de data op de andere Galjoenen automatisch mee. Het is een spreuk van P.U.I.S.T.-niveau (OF19).
'protean' = Eng. 'de mogelijkheid hebben om direct een andere gedaante aan te nemen', komt van Proteus, een zeegod uit de Griekse mythologie die zijn gedaante snel kon veranderen.

Protser, Fabian en Gideon
('Eng. 'Prewett')
De broers van Molly Wemel (JKR, OF9). Ze behoren tot de 'beste heksen en tovenaars van deze tijd' (SW4). Toen Harry zeventien werd gaven de Wemels hem het gebruikelijke cadeau, een horloge. Het horloge dat ze aan hem gaven is van Fabian geweest (RD7).

Deze achternaam komt van een van J.K. Rowlings beste vriendinnen toen ze in Portugal verbleef, Jill Prewett. Het derde boek is opgedragen aan haar en een andere goede vriendin, Aine Kiely.

Protser, Ignatius

De man van Lucretia Zwarts en de peetoom van Sirius Zwarts (BFT).

J.K. Rowling heeft expres bekende namen aan de stamboom van de familie Zwarts toegevoegd, om te laten zien dat de verschillende families met puur bloed allemaal aan elkaar verwant waren. Protser is de meisjesnaam van Molly Wemel, en Percy Wemels tweede naam is Ignatius en is dus waarschijnlijk naar dit familielid vernoemd.

Proviste, Alain

(Eng. 'Bonaccord, Pierre')

De eerste Opperste Hotemetoot van het Internationaal Overlegorgaan van Heksenmeesters.

Proviste wilde de relatie tussen tovenaars en trollen verbeteren, maar kwam erachter dat sommige tovenaars dat niet zo'n goed idee vonden (OF31).

'Bon' = Fr. 'goed' + 'accord' = Eng. 'harmonie of aansluiting'

Psyche van de Hippogrief, de

Ron bestudeerde dit boek om zich voor te bereiden op een hoger beroep bij het Comité ter Vernietiging van Gevaarlijke Wezens (GA15).

Ptolemaeus

Een beroemde tovenaar die op een Chocokikkerplaatje staat (SW6, TK).

Ptolemaeus, wiens volledige naam Claudius Ptolemaeus was, leefde 83-161 n.Chr. in Egypte. Hij was een geleerde die boeken over astronomie, wiskunde en astrologie schreef. Vele van deze boeken waren van grote invloed op het wetenschappelijk denken in de westerse en islamitische cultuur.

Pudding Lane

De straat waar in 1666 de Grote Brand van Londen uitbrak; men verschilt met elkaar van mening waar de brand precies begon. Volgens de Dreuzels begon hij in een Dreuzelbakkerij, volgens de tovenaars in de kelder van het huis ernaast, waar een jonge Groene Huisdraak gehouden werd (JKR).

Pufpeul

Plant met dikke roze peulen waar bonen in zitten. Ze veranderen meteen in bloeiende planten als je ze laat vallen (GA8).

P.U.I.S.T-en

Zie PROEVE VAN UITZONDERLIJKE INTELLIGENTIE EN SUPERIEURE TOVERKUNST

Pukkelpoetser

Een Fashionfeeksproduct dat verkocht wordt bij Tovertweelings Topfopshop. Het werkt gegarandeerd binnen tien seconden (HBP6). Blijkbaar heeft Marina Elsdonk het product nog niet ontdekt (HBP7).

Pulkerik

Een magisch wezen dat lijkt op een klein pluizeballetje. Deze aardige wezens worden veel als huisdieren gehouden, vooral door tovenaarskinderen. Tovertweelings Topfopshop fokt en verkoopt klein Pulkerikken, die ze Ukkepulken noemen (HBP6).

Pulking, Pieter

(geb. 1980)

Een Dreuzeljongen en de beste vriend van Dirk, die wordt omschreven als 'mager, met een ratachtig gezicht' (SW2). Pieter gaat samen met Dirk naar Ballings (SW3).

De overeenkomsten tussen Pieter en Peter Pippeling zijn opvallend. Hij is een meeloper, hangt rond bij de sterke kinderen en doet mee met hun pesterijen. Hun voor- en achternamen beginnen beiden met een P, en Pieter is eigenlijk een variant op de naam Peter. Om het helemaal af te maken, omschrijft J.K. Rowling Pieter als iemand 'met een ratachtig gezicht' (SW2).

Pullover United

Een Zwerkbalteam in de Ierse competitie. De coach heet Philbert Deverill. Het team heeft onlangs de kleuren van de gewaden veranderd van modderbruin naar felblauw (DP2). Olivier Plank speelde bij dit team als een reserve-Wachter toen hij in 1994 van Zweinstein ging (VB7).

Pulpers, Rita

(geb. c. 1951)

(Eng. 'Skeeter, Rita')

Verslaggeefster voor de *Ochtendprofeet*, staat bekend om haar brutaliteit en haar sensationele schrijfstijl. Ze draagt een bril met ingelegde juwelen en heeft een Fantaciteer-veer bij zich die ze gebruikt om bloemrijk proza mee te schrijven, vol met toespelingen en versluierde beschuldigingen (VB18, 27, OF25, RD2, 18).

'skeeters' = straattaal voor een mug, een bloedzuigende lastpak... Erg passend.

Pumpkins R Us

De eigenaar van Pumkins R Us werd geïnterviewd voor een artikel in de *Ochtendprofeet.* Hij was nogal boos omdat er vanuit het Ministerie nieuwe wetgeving werd ingevoerd betreffende Halloweenversieringen, en hij was bang dat deze wetgeving zijn handel zou schaden (DP4).

Punnik, Adriaan

(Zwadderich, 1989 of 1990; Zwerkbal Jager c. 1991-1996)

Een leerling in Zwadderich die speelde in de wedstrijden tegen Harry's team van Griffoendor (SW11, OF19).

Omdat hij in het team van Zwad-

derich zat tijdens Harry's eerste jaar, was hij in ieder geval een jaar verder dan Harry. Aangezien hij er nog steeds was in Harry's vijfde jaar, kan hij niet meer dan twee jaar verder zijn, tenminste, als hij een beetje kan leren.

Putters, Rudy

Een tovenaar die met Ludo Bazuyn wedde op de uitslag van het WK (VB7).

puurbloed

Volgens sommige tovenaars is het zijn van een 'puurbloed' - wat betekent dat je geen Dreuzelvoorouders hebt — een statussymbool van de elite. Het is een vorm van racisme, maar families zoals Malfidus (GK7), Zwarts (OF6) en Mergel (HBP10) houden er al generaties lang aan vast. Zij willen dan ook niet trouwen met mensen die afstammen van Dreuzels. Het woord is gebruikt als wachtwoord om toegang tot de leerlingenkamer van Zwadderich te krijgen (GK12).

Pyrites, Argis

Een personage dat in eerdere proefversies van SW1 voorkwam maar uiteindelijk weggehaald werd. Zijn naam betekent 'goud der dwazen'. J.K. Rowling omschreef hem als een dienaar van Voldemort, een dandy die witte handschoenen droeg (JKR).

quid agis
Wachtwoord om in de Toren van Griffoendor te komen (HBP24).
'quid agis' = L. 'hoe gaat het?'

Quietus
(KWIE-tus)
Draait het effect van *Sonorus* terug, zodat de stem van de spreker weer een normaal volume krijgt. Ludo Bazuyn gebruikte dit samen met *Sonorus* om voor een groot publiek te kunnen spreken tijdens het WK Zwerkbal en het Toverschool Toernooi (VB8).
'quietus' = L. 'stil, vredig'

Quigley
Drijver voor het Ierse nationale Zwerkbalteam (VB8).
Quigley is vernoemd naar een van J.K. Rowlings vrienden, net als de andere leden van het Iers nationaal Zwerkbalteam.

Quigley, Finbar
Aanvoerder en Drijver van de Ballycastle Bats en mogelijk dezelfde persoon als de Quigley van het Ierse nationale Zwerkbalteam (DP1, 2).

Quince, Hambledon
(geb. 1936)
Ontwikkelde een bizarre theorie over de oorsprong van tovenaars en Dreuzels (JKR).

Quintaped
Een gevaarlijk, vijfbenig magisch wezen (JKR).
'quint' = L. 'vijf' + 'ped' = L. 'voet'

Quintaped (rune)
De rune voor het getal 5 is een eeuwenoud symbool dat exact op een Quintaped lijkt, vanwege de vijf poten van het wezen. De betekenis komt voor in *Oude Runen Eenvoudig Verklaard* (JKR).

Quen Po
(1443-1539)
Een Chinese Fabeldierenspecialist; zie de Tovenaarskaarten voor meer informatie (TK).

Raadsel van de Toverdranken
Een obstakel dat door Sneep is gemaakt om de Steen der Wijzen te beschermen. Hij zette zeven flesjes met verschillende afmetingen en vormen neer, elk met verschillende toverdranken en liet een raadsel achter dat, eenmaal opgelost, zou onthullen welke toverdrank gedronken moest worden om veilig naar de volgende kamer te gaan (SW16).
Fans hebben dappere pogingen gedaan om het raadsel op te lossen. Het is echter onmogelijk om het helemaal op te lossen omdat de beschrijving van de scène in boek twee belangrijke feiten niet vermeldt: de locatie van de 'dwergen' en de 'reuzen' fles. Gelukkig had Hermelien alle aanwijzingen die ze nodig had en loste het raadsel op. Nog gelukkiger was dat Krinkel een beetje toverdrank in de fles overliet. Als hij slim was geweest, had hij het hele ding geleegd om iedereen die hem probeerde te volgen dwars te zitten.

Radford, Mnemone
(1562-1649)
De eerste Revalideur van het Ministerie van Toverkunst en de tovenaar die een paar nuttige geheugenbezweringen heeft uitgevonden (JKR).
Van 'mnemonikos' = Gr. 'van of heeft te doen met geheugen'

Radijsjes
(Eng. 'Dirigible Plums')
Vruchten die in de buurt van het huis van de Leeflangs groeien. Ze zouden de drager moeten helpen om het ongewone te accepteren (RD20). Dat is waarschijnlijk waarom Loena deze vruchten als oorbellen draagt (OF13).

Ragnok
Een kobold die enige invloed heeft. Bill, die bij Goudgrijp werkt, kent Ragnok (OF5).

Ragnok de Duivengeteende
Auteur van *Kleine Mensen, Grote Plannen* en een koboldenrechtenactivist (DP3).

Ragnok the Pidgeon-Toed
Zie RAGNOK DE DUIVENGETEENDE

Ragnok de Eerste
Een koboldenkoning rond het jaar 1000 die volgens de koboldenlegende de ware eigenaar van het zwaard van Griffoendor

was; Goderic Griffoendor stal het zwaard van hem (RD25). De legende is niet waar (BLC); maar hij zou een bloederige koboldenopstand in de 17e en 18e eeuw kunnen hebben uitgelokt (JKR).

ramen, betoverde

Het gebouw van het Ministerie van Toverkunst kan geen ramen hebben omdat het zich onder de grond bevindt. In plaats daarvan hebben de belangrijkste kantoren en sommige gangen betoverde ramen. Het Departement Magisch Onderhoud (RD: Tovertechnische Dienst) is hier verantwoordelijk voor; zij beslissen elke dag welk weer er wordt getoond (OF7). Tevens zijn ze verantwoordelijk voor de reparatie van de ramen als er spreuken verkeerd gaan, zoals de regen in het kantoor van Jeegers (RD12). De laatste keer dat dit departement een loonsverhoging wilde, had het Ministerie twee maanden lang last van storm (OF7).

Rastering, Xavier

(1750-1836)

Een extravagante tovenaar die tapdanser is; zie voor meer informatie de Tovenaarskaarten (TK).

ratten

In de Betoverende Beestenbazaar stond een kooi vol met zwarte ratten die hun staarten als springtouw gebruikten; de verkoopheks opperde dat hun levensspanne groter zou zijn dan die van een normale rat (drie jaar) omdat ze magisch zijn (GA4).

Ravenklauw, afdeling

Een van de vier afdelingen van Zweinstein, die boven alles waarde hecht aan intelligentie en leren (SW7, VB16). Het hoofd van Ravenklauw is Professor Filius Banning (HBP29), en de afdelingsgeest is de Grijze Dame, Helena Ravenklauw (RD31). Het afdelingswapen is blauw met zilver en beeldt een adelaar uit (VB15).

Ravenklauw, Helena

De dochter van Rowena Ravenklauw. Ze staat nu bekend als de Grijze Dame, de afdelingsgeest van Ravenklauw (RD13).

Ravenklauw, Leerlingenkamer van

Deze leerlingenkamer is gelegen in de Toren van Ravenklauw en versierd in de afdelingskleuren. De kamer is rond en erg luchtig. Hij heeft een gewelfd plafond dat gebogen ramen heeft en beschilderd is met sterren. Op een voetstuk staat een levensgroot beeld van Rowena Ravenklauw die haar diadem draagt (RD29).

Ravenklauw, Rowena

(c. 1000)

Een van de vier stichters van Zweinstein, 'het best bekend om haar intelligentie en creativiteit' (TK). Ze werd over het algemeen beschouwd als de briljantste heks uit haar tijd (JKR). Ravenklauw was goed bevriend met Helga Huffelpuf (OF11) en had één dochter, Helena (RD31). Haar motto was 'Wijsheid zonder grens is ieders liefste wens,' en daarop selecteerde ze leerlingen voor Ravenklauw (RD29). Ze vond ook het bewegende trappenhuis uit (TK). Ravenklauw stond bekend om haar diadeem, die wijsheid zou geven aan iedereen die hem droeg. Hij werd gestolen door haar dochter, Helena, en was duizend jaar zoek; tovenaars hebben zijn krachten lang begeerd (RD31).

Ravenklauw, Toren van

Gelegen aan de westzijde van het kasteel (OF18). De Toren van Ravenklauw is een van de hoogste torens van Zweinstein (HBP27, RD30). De ingang ligt boven een nauwe wenteltrap die vanaf de vijfde verdieping naar boven leidt. De deur heeft geen deurklink of sleutelgat maar een pratende bronzen deurklopper in de vorm van een adelaar. De deurklopper stelt een vraag in plaats van te vragen naar een gangbaar wachtwoord; wanneer deze correct wordt beantwoord, zal de klopper de persoon complimenteren met het antwoord en de deur zal openzwaaien (RD29).

Ravenwoud, Augustus

Pokdalige, gebochelde Dooddoener en Ministerietovenaar die in het Departement van Mystificatie werkt; vriend van de vader van Ludo Bazuyn (VB30, OF25, 35). Hij vocht in de Slag om Zweinstein (RD32, 36).

In de eerste Engelse edities van OF werd Ravenwouds naam foutief vermeld als Algernon.

Rechtshandvest van de Wikenweegschaar

Een van de rechten die hierin staan, stelt dat de verdachte 'getuigen à decharge op mag roepen' (OF8).

Rechtszalen van het Ministerie

De Rechtszalen van het Ministerie bevinden zich op de lagere verdiepingen van het Hoofdkwartier van het Ministerie in Londen. Het zijn intimiderende plekken. In sommige gevallen worden de verdachte personen naar binnen gebracht door Dementors en moeten op stoelen zitten met kettingen die hun armen vastbinden. De verschillende rechters en andere leden van de rechtbank zitten ver boven de verdachten aan de rand van de zalen met hun hoge plafonds. Ze werden onder andere gebruikt voor de Magische Wetsraad (VB30), de Wikenweegschaar (OF8), en de Registratiecommissie voor Dreuzeltelgen (RD13).

Reducio

(re-DU-sie-oo)

R

Zorgt ervoor dat een Vergroot object naar zijn normale grootte terugkeert; Bartho Krenck jr., vermomd als Dolleman, gebruikte dit na het demonstreren van de Onvergeeflijke vloeken op vergrote spinnen (VB14).
'redusen' = Oudengels voor 'verminderen', van 'reducere' = L. 'terugbrengen'

Reducto
(re-duk-to)
'Gruizelvloek'
Een spreuk om dingen op te blazen. Hij werd op verschillende momenten gebruikt om een gat in een heg te maken (VB31), planken vol met profetieën te vergruizelen (OF35) en een tafel tot stof te reduceren (OF19).
'redusen' = Oudengels 'verminderen', van 'reducere' = L. 'terugbrengen'

Regerminating Potion
Zie HERKIEMINGSDRANK

Register van Verboden Betoverbare Objecten
Dit definieert tapijten als Dreuzelvoorwerp, tenminste in Engeland; daardoor is het illegaal om er eentje te beheksen om te vliegen (VB7).

Registratiecommissie voor Dreuzeltelgen
Een commissie van het Ministerie van Toverkunst, met Dorothea Omber als hoofd, die als doel had om tovenaars en heksen met Dreuzelouders te vervolgen en op te sluiten (RD13; *zie ook* BLC).

Rejuicing Potion
Zie OPPEPDRANK

Rekvloek
Spreuk om iemand langer te maken. Mevrouw Wemel zei voordat hun zesde jaar begon dat Harry en Ron zoveel gegroeid waren dat het leek alsof iemand de Rekvloek over ze uit had gesproken (HBP5).

Relashio
(re-LA-sjie-oo)
Spreuk die een persoon of object dwingt om los te laten wat hij vasthoudt, of het nu een tovenaar is (HBP10), ketenen (RD13) of een Wierling (VB26).
'rilascio' = It. 'loslaten, ontspannen, uitdelen'

Relieken van de Dood, De
Drie legendarische krachtige magische voorwerpen: de Zegevlier, de Steen van Wederkeer en de Onzichtbaarheidmantel. In 'Het Verhaal van de Drie Gebroeders', dat in het boek *Vertelsels van Baker de Bard* staat, wordt gesproken over hun oorsprong (RD21). Harry's lot was verweven met het ongelooflijke verhaal over deze drie voorwerpen, op manieren die hij zich nooit voor had kunnen stellen (m.n. RD18).

Rembezwering
Bezwering die wordt gebruikt op een bezem om hem goed te kunnen laten remmen. De Vuurflits heeft een 'onverslijtbare rembezwering' (GA4).

Renervatio
(REE-ner-vaa-tsie-oo)
Spreuk die wordt gebruikt om iemand die door een Lamstraal is geraakt weer bij te brengen (VB9, 28, 35).
In vroege edities van VB werd deze spreuk als 'Enervatio' geschreven. Zie de notities bij die spreuk voor de details van de etymologie en de reden voor de verandering.
're= ' = L. 'terug, terugkeren naar de oorspronkelijke plaats' + 'nerves' = Eng. 'kracht', van 'nervus' = L. 'moed, durf'

Reparo
(ree-PAA-roo)
Een nuttige alledaagse spreuk die schade aan een object ongedaan maakt, en alles repareert, van hout (VB5) tot keramiek (OF15) en glas (VB11). Werkte echter niet zo goed toen Hagrid het zijspan van de vliegende motorfiets tijdens een gevecht probeerde te repareren (RD4).
'reparare' = L. 'repareren, herstellen'

Repello Dreuzelandus
(re-PEL-oh Dreu-zel-an-does)
Er zijn een aantal verschillende Dreuzelafwerende spreuken, waaronder diegene die over het WK Zwerkbalstadion (VB8) of over de toverscholen werden uitgesproken (VB11). Deze spreuk is waarschijnlijk een van de meest basale van dit soort bezweringen, hoewel het exacte effect op Dreuzels onbekend is. Hermelien sprak deze spreuk routinematig uit toen ze de kampeerplek van het trio beschermde (RD14).
'repello' = L. 'afstoten' + 'Dreuzelandus' = een 'verlatijnste' vorm van het woord 'Dreuzel'

Reuzen
Volgroeide reuzen zijn ongeveer 7 meter lang (VB24). Ze leven nu in afgelegen berggebieden in stammen, met een leider die de Oppur wordt genoemd. Ze zijn van nature agressief en erg wantrouwig tegenover tovenaars en toverkunst (OF20). In de jaren '70 sloten de reuzen zich aan bij Voldemort. Veel reuzen werden gedood door Schouwers en de rest vluchtte (JKR; *zie ook* RD31, 34, 36).
Zie ook GROEMP

Reuzeninktvis
Enorm wezen dat in het meer van Zweinstein leeft. Normaal gezien leven reuzeninktvissen diep in de oceaan, dus deze is zonder twijfel magisch; dit wordt bevestigd door het feit dat hij zijn tentakels door de leerlingen laat kietelen (SW16) en dat hij zich toast laat voeren (VB18).

De reuzeninktvis en zijn nog grotere neef de kolossale inktvis behoren tot de grootste organismes op aarde. De reuzeninktvis kan meer dan 12 meter lang worden. Ze leven over de hele wereld diep in de oceaan (er zijn in feite zelfs exemplaren gevonden in de buurt van Schotland). Deze dieren zijn moeilijk te onderzoeken en worden daarom nog slecht begrepen. Gelijksoortige beesten komen voor in legenden als verschrikkelijke monsters die boten aanvallen of met potvissen vechten. In de Noorse folklore stond het monster bekend als 'Krake' en werd verantwoordelijk gehouden voor het verdwijnen van schepen en het creëren van enorme draaikolken als ze onder water doken.

Revalideurs
Titel die wordt gegeven aan de werknemers van het Ministerie die Vergetelheidsspreuken over Dreuzels uitspreken om het Statuut van Geheimhouding intact te houden (VB7). Hun hoofdkwartier bevindt zich op de derde verdieping van het Ministerie van Toverkunst (OF7).

Re-Visibility Spectables
Zie ZICHTBAARHEIDSBRILLEN

Richtlijnen over het Welzijn van Huis-elfen
(Eng. 'Guidelines on House-Elf Welfare')
Een tovenaarswet die bestaat, maar niet wordt uitgevoerd (JKR).

Rictusempra
(Rik-tus-EM-pra)
'Kietelspreuk'
Zorgt ervoor dat iemand onbeheerst gaat lachen. Harry sprak deze spreuk over Draco uit bij de Duelleerclub (GK10).
'rictus' = L. 'wijde mond, grijns' + 'sempra' = L. 'altijd'

Ridderig, Montaque
(1506-1588)
Toverschaakkampioen; zie voor meer informatie de Tovenaarskaarten (TK)

Ridders van Walpurgis
(Eng. 'Knights of Walpurgis')
Oorspronkelijke naam van de Dooddoeners (HPM).
De naam komt van Walpurgisnacht, een feest in Centraal- en Noord-Europa dat wordt gevierd in de nacht van 30 april op 1 mei. Men dacht dat dat het een van de dagen was waarop de barrières tussen de werelden van de doden en levenden weggingen. De andere dag waarop dit ook zou gebeuren is Halloween, exact zes maanden na Walpurgisnacht. In Duitsland wordt Walpurgisnacht ook wel 'Hexennacht' genoemd. Dit zou de nacht zijn waarop heksen bij elkaar komen om de komst van de lente te vieren.

Ridiculus
(ri-di-KU-lus)
anti-Boemanspreuk
Een eenvoudige bezwering die wilskracht vereist. Om deze spreuk uit te spreken moet de uitspreker zijn ergste angst in een grappige vorm voor zich zien terwijl hij de spreuk uitspreekt. Als dit goed wordt gedaan, dwingt dit de Boeman om zijn vorm te veranderen zodat dat het diens ergste angst wordt, maar dan in een lachwekkende vorm. Dit vormt een effectieve verdediging tegen het wezen (GA7). De bezwering kwam terug op het Verweer Tegen de Zwarte Kunsten S.L.I.J.M.B.A.L.-examen (OF31).
'ridiculum' = L. 'grap', van 'ridere' = L. 'lachen'

Ridgebit, Harvey
(1881-1973)
Drakoloog die het Roemeense drakenreservaat oprichtte (JKR).

Rigeur, Albert
Een lange, bebaarde tovenaar die voor het Ministerie van Toverkunst werkt, een imposante vent die enkele andere medewerkers van het Ministerie terroriseert (RD12, 13).
Er is geen bewijs dat Rigeur een Dooddoener was. Het is waarschijnlijker dat hij, net zoals Omber, maar al te blij was om de leiding van de Dooddoeners te volgen toen ze de macht overnamen, en dat als excuus te gebruiken om andere mensen te intimideren. Hij lijkt op Peter Pippeling en Pieter Pulking, hoewel hij fysiek intimiderender overkomt dan de voorgaande personages.

Rinkelbom, Gustaaf
Hoofd van het Schouwershoofdkwartier van het Ministerie van Toverkunst. Hij volgde Rufus Schobbejak op toen hij Minister van Toverkunst werd (HBP15).

Rivers
Zweinsteinleerling in Harry's jaar.
Deze achternaam verschijnt op de kladversie van de klassenlijst van Harry's jaar die J.K. Rowling liet zien tijdens het 'Harry Potter and Me' TV interview (HPM). Deze naam kan echter niet als tot de canon behorend worden beschouwd omdat de notities op dit document in tegenspraak zijn met te veel feiten in de verhalen zoals ze uitgegeven zijn.

'Rivier'
De presentator van het tovenaarsradioprogramma *Met het Oog op Potter*. Rivier is eigenlijk een codenaam voor Leo Jordaan (RD22).
Leo's codenaam komt van de rivier de Jordaan, een van de beroemdste rivieren ter wereld, gelegen op de grens van de landen Israël en Jordanië, en uit mondend in de Dode Zee.

R

Riviertrol
Riviertrollen houden ervan om onder bruggen op de loer te liggen. Een Riviertrol veroorzaakte in de 16e eeuw problemen voor reizigers die de rivier de Wye probeerden over te steken (TK).

roeibootspreuk
Stuwt een roeiboot voort zonder roeiriemen (SW5). Dit is mogelijk de spreuk die de vloot kleine bootjes aandrijft, die van de haven in de buurt van station Zweinsveld naar kasteel Zweinstein varen (SW6).

R

Roemeense Langhoorndraak
Een drakensoort.

Roemeens Langhoorndrakenreservaat
Het grootste drakenreservaat ter wereld, midden 20e eeuw gesticht door Harvey Ridgebit (JKR). Charlie Wemel werkt in dit reservaat (SW6). Er leven meerdere drakensoorten in dit reservaat, niet alleen Langhoorns (VB19, RD7).
Het reservaat ligt bijna zeker in de Karpaten, een van de grootste bergruggen in Europa. Deze bergen domineren de centrale regio van Roemenië.

Roemenië
Een land in Centraal-Europa dat belangrijk is voor drakenliefhebbers. Het Karpatisch hooggebergte domineert de centrale regio van het land en het is erg waarschijnlijk dat daar het beroemde Roemeens Langhoorndrakenreservaat ligt. Charlie Wemel werkt in Roemenië met de draken die zich daar bevinden.

Roermeester
(Eng. 'Mortlake')
Een inval van het Ministerie in zijn huis in augustus 1992 leverde een aantal rare fretten op (GK3).
Mortlake is een gebied in Groot-Londen, gelegen op de zuidelijke oever van de Theems. In de periode van Elizabeth was de stad Mortlake de locatie van een van de meest indrukwekkende bibliotheken van Engeland, verzameld door Dr. John Dee, een geleerde en astroloog die geobsedeerd was door het occulte en die beweerde dat hij met engelen en geesten kon praten. Helaas werd de bibliotheek het doelwit van een menigte die bang van hem was omdat hij een magiër was. De menigte vernietigde een groot deel van de collectie en nam ook een deel mee.

Rolvink, familie
Een Dreuzelkampeerterreinbeheerder en zijn vrouw en twee kinderen die een paar hele bijzondere dagen meemaakten in augustus 1994, hoewel ze alles zijn vergeten (VB7, 9).

Romanian Longhorn dragon
Zie ROEMEENSE LANGHOORNDRAAK

Rommella, madame Irma

(Eng. 'Pince, Irma')

Gemene en onaardige bibliothecaresse op Zweinstein (GK10). Ze vertrouwt de leerlingen absoluut niet, waardoor ze onder andere spreuken over boeken uitspreekt om ervoor te zorgen dat ze op tijd teruggebracht worden (ZE/i). Ze ontsteekt in woede als de regels worden overtreden (OF29).

'pincer' = Fr. 'pinch'; gebruikt in de uitdrukking 'pince-nez' (letterlijk 'knijp neus'). Dit is een soort bril zonder pootjes die op de neusrug rust. Pince-nez worden veel gebruikt als leesbrillen; het is een soort bril die iemand als Madame Pince aan een ketting om haar nek zou hebben.

J.K. Rowling heeft haar excuses aangeboden aan bibliotheekmedewerkers, omdat ze Rommella zo stereotiep onbehulpzaam heeft afgebeeld. Ze zei dat ze dit moest doen omdat ze het trio zo vaak informatie moest laten zoeken. 'Als ze een aardige, behulpzame bibliothecaresse was geweest, zou de helft van mijn plots verdwenen zijn' (TCG).

'Romulus'

Dit was de codenaam voor Remus Lupos op *Met het Oog op Potter* (RD22).

Dit was geen moeilijke om te raden voor iedereen met kennis van de Dreuzelgeschiedenis. Romulus, volgens de legende de stichter van Rome, had een tweelingbroer die Remus heette. Gelukkig weten de meeste tovenaars heel weinig van Dreuzelgeschiedenis.

Ronan

Roodharige Centaur die in het Bos bij Zweinstein woont (SW15, OF30, RD36).

'ronan' = Keltisch 'klein zegel; eed', maar mogelijk van 'roan', wat de term is voor een bepaald type grijze vacht die sommige paarden hebben.

Roodkopjes

Kleine koboldachtige wezens die van bloedvergieten houden. Ze proberen Dreuzels die in donkere nachten verdwaald zijn in kerkers of slagvelden dood te knuppelen (GA8).

In de folklore wordt van Roodkopjes gezegd dat ze in de kastelen op de grens van Schotland en Engeland wonen, wachtend op reizigers om ze te doden. Roodkopjes dragen zware ijzeren laarzen en hebben enorme ijzeren picken, maar zelfs dan kunnen ze harder rennen dan een mens. De enige manier om te voorkomen dat je wordt afgeslacht, is stoppen en een Bijbelvers citeren tegen het kleine monster.

roomtoffees

Wachtwoord om de Toren van Griffoendor binnen te komen (HBP20).

Roper, S.

Zweinsteinleerling in Harry's jaar.

R

Deze achternaam verschijnt in de kladversie van de klassenlijst van Harry's jaar die J.K. Rowling liet zien tijdens het 'Harry Potter and Me' TV interview (HPM). Deze naam kan echter niet als tot de canon behorend worden beschouwd omdat de notities op dit document in tegenspraak zijn met te veel feiten in de verhalen zoals ze uitgegeven zijn.

Roselier
(Eng. 'Rosier')
Een van eerste leden van de Dooddoeners (1955 op zijn vroegst) samen met Noot, Vleeschhouwer en Dolochov (HBP20). Mogelijk verwant aan Edwin Roselier, een Dooddoenervriend van Sneep.
Volgens de traditie is Rosier een gevallen engel, de demon van de verleiding.

Roselier, Druella
Druella was de vrouw van Cygnus Zwarts en had drie dochters: Bellatrix van Detta, Andromeda Tops en Narcissa Malfidus (BFT).
Dit is een ander voorbeeld van de manier waarop J.K. Rowling de stamboom van de familie Zwarts gebruikt om de complexe relaties tussen de puurbloedfamilies te laten zien. Druella zou een verwant zijn van de Roseliers die Dooddoeners werden.

Roselier, Edwin
(geb. eind jaren '50 of vroeg in de jaren '60, † c. 1980; Zwadderich)
Ging naar Zweinstein ten tijde van Severus Sneep (VB27), dus hij was waarschijnlijk een kind van de oudere Roselier, die een jaargenoot was van Marten Vilijn op school (VB27,30).

Rosmerta, madame
Sinds op zijn minst de jaren '90 de uitbaatster van de Drie Bezemstelen in Zweinstein, hoewel ze er behoorlijk jong uitziet. Ze is overal bekend, ook bij de docenten van Zweinstein, groepjes luidruchtige heksenmeesters en kobolden en zelfs de Minister van Toverkunst (GA10). Ze wordt beschreven als een 'rondborstige vrouw' (GA10) en 'mooi' (VB19). Ron wordt een beetje rood als hij bij haar in de buurt komt (GA10), wat Hermelien er maar al te graag inwrijft (HBP12; *zie ook* HBP27).
Rosmerta is een laat-Romeinse godin van de vruchtbaarheid en overvloed. Haar symbool is de hoorn des overvloeds. Ze maakte geen deel uit van het klassieke Romeinse pantheon. Ze verscheen in de Gallo-Romeinse godsdienst die voortvloeide uit de samensmelting van Romeinse tradities met de godsdiensten uit Gallië (gebieden in het westen van Europa, met name wat nu Frankrijk is).

Rotmondcomplot
Een bizarre theorie die suggereert dat de Schouwers heimelijk

bezig zijn om het Ministerie van Toverkunst te vernietigen door het gebruik van Duistere Toverkunst en tandvleesaandoeningen (vandaar de naam 'rot mond'; HBP15).

Rovers, Demelza
(Griffoendor, jaren '90; Zwerkbal Jager 1996-?)
Een Jager van het Griffoendorteam met talent voor het ontwijken van Beukers, maakte deel uit van het team dat in 1996-1997 de Afdelingsbeker won (HBP11, 24).

Rozenoorlog, de
Een populaire historische theorie stelt dat deze oorlog eigenlijk begon vanwege een tovenaarsconflict – een stel buren dat ruzie had om een Getande Geranium (JKR).
De Rozenoorlog was een serie conflicten tussen 1455 en 1487 die uitgevochten werden tussen rivaliserende groepen mensen die zeiden dat ze recht hadden op de troon van Engeland.

Rufford, Grugwyn
Verbolgen lid van het nationale Fluimsteenteam van Wales dat zijn beklag deed bij de *Ochtendprofeet* omdat ze de overwinning van Wales op Hongarije niet hadden vermeld. De hoofdredacteur antwoordde dat dit kwam doordat mensen Fluimstenen 'extreem saai' vonden.

Runcorn
Zweinsteinleerling in Harry's jaar.
Deze achternaam verschijnt in de kladversie van de klassenlijst van Harry's jaar die J.K. Rowling liet zien tijdens het 'Harry Potter and Me' TV interview (HPM). Deze naam kan echter niet als tot de canon behorend worden beschouwd omdat de notities op dit document in tegenspraak zijn met teveel feiten in de verhalen zoals ze uitgegeven zijn.

runenwoordenboek
Een boek zonder titel dat Hermelien ronddraagt tijdens haar vierde jaar (VB20), mogelijk haar exemplaar van *Oude Runen Eenvoudig Verklaard.*

runenstenen
Een Waarzeggerijmethode waarbij stenen met diverse gegraveerde runen worden gebruikt (OF25).

Runespoor
Een magische driekoppige slang (JKR).

Runespoor (Rune)
Volgens *Oude Runen Eenvoudig Verklaard* is het runensymbool voor het getal 3 een afbeelding van een Runespoor, een driekoppige slang (JKR).

Rupsen
Toverdrankingrediënt. Gesneden

rupsen worden gebruikt in Slinksap (GA7).

Rusula, Mafalda
Een kleine grijsharige heks die voor het Ministerie van Toverkunst werkt. Ze is verantwoordelijk voor het verzenden van de waarschuwingen van de Taakeenheid Ongepast Spreukgebruik als er ergens gebruik van magie door minderjarigen ontdekt wordt (GK2, OF2; *zie ook* RD12, 13).

Ryan, Barry
Wachter van het Ierse nationale Zwerkbalteam (VB8). In 1995 verrichte hij een spectaculaire redding tegen Ladislaw Zamojski, een van de beste Jagers van Polen. (OF19).

'Sabbel'

Terwijl hij *Met het Oog op Potter* presenteerde, gebruikte Leo Jordaan deze naam in eerste instantie om naar Fred Wemel te verwijzen. Een snel achtergrondgesprek onthulde echter dat Fred eigenlijk 'Sabel' genoemd wilde worden, dus om het programma op gang te houden gaf Leo toe (RD22).

'Sabel'

De codenaam van Fred (of misschien George) Wemel toen hij verscheen in *Met het Oog op Potter*, hoewel Leo Jordaan hem eerst 'Sabbel' probeerde te noemen (RD22).

Sahara (woestijn)

Enorme woestijn in Afrika die een groot deel van de noordelijke helft van het continent bedekt. Scheidsrechters van Zwerkbalwedstrijden duiken er zo nu en dan op doordat boze fans hun bezemstelen in Viavia's veranderen (SW11).

salamander

Een kleine witte hagedis die in vuur leeft en bestudeerd wordt op Zweinstein (GK8).
De salamander is een legendarisch wezen dat volgens de geruchten vuur eet. Hij kan volgens de verhalen het fruit van een boom vergiftigen enkel door zich om de boomstam heen te wikkelen.

Salamander [rune]

Een icoon van de salamander vormt de rune voor het getal 6. Dit komt doordat salamanders maar zes uur buiten vuur kunnen overleven. Een afbeelding is te vinden in *Oude Runen Eenvoudig Verklaard* (JKR).

salie

Centauren verbranden dit kruid en observeren de rook en de vlammen om de resultaten van het lezen van de sterren te verfijnen (OF27).
Volgens de Indiaanse overlevering uit Noord-Amerika wordt salie verbrand als onderdeel van de vele rituelen om slechte invloeden of gedachten te verdrijven.

Salviastraat

Een Dreuzelstraat in Klein Zanikem, de straat kruist de Ligusterlaan. Mevrouw Vaals woont met haar katten en Kwistels in de Salviastraat (OF1).

Salvio Hexia
(SAL-vie-oh HEX-ie-ah)
Een van de vele defensieve en beschermende spreuken die Hermelien, en soms Harry, regelmatig over hun tent uitsprak (RD14, 22).
'salvia' = L. 'zonder te breken' + 'hexia' = L. 'spreuken'

Samsons, Patricia
(Zweinstein, 1989)
Een Zweinsteinleerling in het jaar van Fred en George. George vermeldde dat ze een kleine instorting had toen hun S.L.IJ.M.B.A.L.-len dichtbij kwamen (OF12).

Sanguini
Vampier die met zijn vriend Elias Mier te gast was op het kerstfeestje van Slakhoorn (HBP15).
'sanguineus' = L. 'van bloed, ook bloederig, bloeddorstig'

Sanguina, Dame Carmilla
(1561-1757)
Een vrouwelijke vampier die het bloed van haar slachtoffers gebruikte om in te baden; zie de Tovenaarskaarten voor meer informatie (TK).
'sanguineus' = L. 'van bloed, ook bloederig, bloeddorstig'

Sanitato
(SAA-nie-TAA-too)
Een schoonmaakspreuk (OF3, 28).

Sansevieriastraat
Een straat in Blinde Vlek. Doris Dreutel, een heks met een interessante en onwaarschijnlijke theorie wat de identiteit van Sirius Zwarts betreft, woont op nummer 18 (OF10).

Sappelaar (tovenaar)
(Huffelpuf, jaren '90; Zoeker Zwerkbal, 1995-?)
Het jaar na de dood van Carlo Kannewasser werd Sappelaar de Zoeker van het team van Huffelpuf (OF26).

Sardinië
Een groot eiland in de Middellandse Zee, nabij Italië. Professor Kist begon aan een lezing over een subcomité van tovenaars uit Sardinië toen Hermelien hem onderbrak om hem over de Geheime Kamer te vragen (GK9).
De term 'tovenaar' (Eng. 'sorcerer') verwijst in deze context naar Duistere Tovenaars.

Scalerot
Zie SCHAALROT

Scalperen in een wip
Deze spreuk komt voor in *Simpele Spreuken voor Momenten van Haast en Heethoofdigheid*, dat Harry raadpleegde om een spreuk te vinden die tegen draken werkte (VB20).

Scamander, Newton 'Newt' Artemis Fido
(1887-heden)
Auteur van *Fabeldieren en Waar Ze te Vinden* (SW5). Zijn succesvolle carrière op het Departement van Toezicht op Magische Wezens omvat de instelling van het Weerwolfregister en het Experimenteel Fokverbod. Een volledige biografie van deze tovenaar is te vinden in de inleiding van *Fabeldieren en Waar Ze te Vinden* (FD). Scamander verdeelt op dit moment zijn tijd tussen zijn huis in Dorset en veldexpedities om nieuwe soorten magische dieren te observeren.
Alle namen van Scamander houden verband met dieren en hun natuur. 'Scamander' lijkt op 'salamander'. 'Newt' is de Engelse naam van een kleine hagedis. 'Artemis' was de Griekse godin van zowel het bos en de heuvels als de jacht en was de tweelingzus van de god Apollo. 'Fido' is een naam die vaak aan honden gegeven wordt en komt van het Latijnse 'fidelis', wat 'trouw' betekent.

Scamander, Rolf
De kleinzoon van Newt Scamander, een natuuronderzoeker en de man van Loena Leeflang (BLC). Ze hebben twee kinderen, Lorcan en Lysander (ITV-YIL).

Scarpins Revelaspreuk
Zie SPECIALIS REVELIO

schaak, tovenaars
Zie TOVENAARSSCHAAK

schaalmodel
Ron kocht op het WK Zwerkbal een schaalmodel van Victor Kruml, de beroemde Bulgaarse Zoeker (VB9, 11, 27). Xenofilus Leeflang heeft bewegende modellen van bizarre wezens aan het plafond hangen (RD20).

Schaalrot
Volgens *Drakenfokken als Broodwinning en Tijdverdrijf* is Schaalrot een aandoening die draken kan treffen; hun schubben lijken schilferig en vallen af. Het kan tegengegaan worden door op het betreffende deel te wrijven met zeezout, teer en witte spiritus (JKR).

Schaveluin, Baldrick
Voorzitter van de Tovenaarsraad van 1448 tot 1450 (TK).
De data die op de Chocokikkerplaatjes staan kloppen niet met de verwijzing in Fabeldieren *die Schaveluin 'in de 14e eeuw' plaatst. J.K. Rowling kan de gebruikelijke fout gemaakt hebben om gebeurtenissen uit 1400 in de 14e eeuw te plaatsen.*

Schedel, de
Een van de tekens die je kunt zien in een kopje met theebladeren tijdens Waarzeggerij. Het betekent 'gevaar op je pad' (GA6).
De schedel komt niet voor op lijs-

S

ten van echte symbolen van de tasseografie. J.K. Rowling legt hier een voor de hand liggend verband, maar het lezen van theebladeren is niet altijd zo eenvoudig. Zo betekent het symbool 'de galg' volgens sommige gidsen eigenlijk 'geluk'.

scheermes, betoverd
Bill en Fleur gaven dit aan Harry voor zijn zeventiende verjaardag (RD7).

Scherpspreukers
Het Departement van Magische Wetshandhaving heeft ploegen van getrainde Scherpspreukers in dienst wier taak het is om gevaarlijke magische criminelen gevangen te nemen. Een groep van deze Scherpspreukers nam Sirius Zwarts gevangen nadat hij naar verluidt Peter Pippeling had vermoord (GA10). Voor de baan heb je vijf S.L.IJ.M.B.A.L.-len nodig, waaronder Verweer Tegen de Zwarte Kunsten, en je krijgt er 700 Galjoenen per maand voor – hoewel je er ook een privébed in het St. Holisto's bij krijgt (DP2).

Scheurbek
Een grijze Hippogrief die een rol speelde in Hagrids eerste les Verzorging van Fabeldieren in de herfst van 1993. Scheurbek was eens veroordeeld als een gevaarlijk beest (GA15), maar werd gered en kreeg uiteindelijk de naam Kortwiekje (HBP3).

Schildmantel, Schildhandschoenen en Schildhoeden
Hoewel Fred en George de Schildhoeden eigenlijk ontwikkelden als artikel voor in hun fopwinkel, kocht het Ministerie van Toverkunst onverwachts vijfhonderd van deze hoeden, bedoeld als bescherming voor hun werknemers. Daarom besloot de tweeling om deze serieuzere lijn uit te breiden met verdedigingsartikelen. Hoewel ze niet veel helpen tegen de ernstigere vloeken, houden ze wel de 'lichte tot middelzware vervloekingen of beheksingen' tegen (HBP6).

Schildspreuk
Zie PROTEGO

Schilfers, Kareltje
(Eng. 'Warty Harris')
Een tovenaar wiens padden gestolen werden door iemand met de naam Wil, die weer bestolen werd door Levinius Lorrebos, die ze terugverkocht aan Kareltje (OF5).
De naam houdt ongetwijfeld verband met het (incorrecte) bijgeloof dat je wratten krijgt van het aanraken van een pad.

Schip van Klammfels
De leerlingen van Klammfels arriveerden op Zweinstein op een groot magisch schip, dat uit de diepten van het meer van Zweinstein opdoemde. Blijkbaar was het schip door toverkunst van

het ene meer naar het andere verplaatst (VB15).

Schobbejak, Rufus
(Eng. 'Rufus Scrimgeour')
(† 1 augustus 1997; Minister van Toverkunst, juli 1996-augustus 1997)
Hoofd van het Schouwershoofdkwartier die gekozen werd om Droebel op te volgen als de Minister van Toverkunst. Schobbejak verving hem in een gevaarlijke tijd, maar hij was een strijder en nam de dreiging van de Duistere Heer uiterst serieus. Zijn aanpak verschilde echter niet erg met die van zijn voorganger (m.n. HBP3; *zie ook* RD11).
'rufus' = L. 'rood'; 'Scrimgeour' = de naam van een Schotse clan. De oorsprong is waarschijnlijk een bijnaam die 'skirmisher' ('schutter') betekent, wat weer lijkt op het Franse 'escrimeur' ('zwaardvechter').

Schokspreuktherapie
Spreuken die in St. Holisto's worden gebruikt om psychische ziekten te behandelen. Een lezer van *De Kibbelaar* schreef een brief aan Harry nadat zijn interview gepubliceerd was. Hierin zei hij dat Harry een Schokspreuktherapie nodig had in St. Holisto's, aangezien hij duidelijk gestoord was (OF26).
Dit is een verwijzing naar de elektroconvulsietherapie, een therapie die gebruikt wordt tegen psychische ziekten in de Dreuzelwereld. Sommigen zien het als barbaars, maar het leidt in sommige gevallen wel tot vooruitgang.

Schoolhoofd
De hoofdbestuurder van Zweinsteins Hogeschool voor Hekserij en Hocus-Pocus draagt de titel van Schoolhoofd. Deze heeft een hoge status in de tovenaarsgemeenschap aangezien hij of zij de meeste jonge heksen en tovenaars in de leeftijd elf tot en met zeventien jaar beïnvloedt. Recente Schoolhoofden zijn onder andere Albus Perkamentus (c. 1957-1997), Dorothea Omber (1996) en Severus Sneep (1997-1998) (SW4, OF28, RD12).

Schoolhoofd, kantoor en verblijfplaats van het
Een grote cirkelvormige kamer waar het Schoolhoofd verblijft. De ingang op de zevende verdieping wordt bewaakt door een standbeeld van een waterspuwer die om een wachtwoord vraagt. Daarachter bevindt zich een wenteltrap die naar een glanzende eikenhouten deur leidt (GK11). De muren zijn bedekt met schilderijen van voormalige Schoolhoofden die advies geven aan het huidige Schoolhoofd (VB30, RD15). In het midden van de kamer staat een enorm bureau met klauwpoten (GK12). Tijdens Perkamentus' ambtstermijn bevatte de kamer de Hersenpan,

S

de Sorteerhoed, het Zwaard van Griffoendor, Felix de Feniks en een verzameling vreemde magische apparaten (bijv. OF22).

schoollied van Zweinstein
Als hij in een bijzonder feestelijke stemming is, begeleidt Perkamentus het schoollied aan het einde van een feest waarin het einde van een periode wordt gevierd (JKR). De rest van het personeel lijkt de vreugde van Perkamentus over dit kleine ritueel niet te delen, maar hij leidt het zingen met enthousiasme en krijgt zelfs waterige ogen op het einde (SW7). Perkamentus laat dit lied enkel zingen als alles goed lijkt te gaan (JKR).

Schoonheidscrème
(Eng. 'Scintillation Solution')
Een heks die de Snelspreukcursus nuttig vond, schreef dat mensen haar nu smeekten voor het recept van haar schoonheidscrème (GK8).
'scintillatus' = een vorm van 'scintillare' = L. 'schitteren'

Schoonheidsdrankje
Toverdank om het uiterlijk van de drinker te verbeteren (TK).

Schoonheidsgewaden
Worden verkocht bij Madame Mallekin Gewaden voor Alle Gelegenheden (DP1).

schoonmaakmiddelen, magische
Schoonmaken en poetsen wordt meestal met magische middelen gedaan, onder andere met toverdranken. 'Madame Reina's Magische Multivlekkenverwijderaar' wordt regelmatig gebruikt (GK9, VB18). De twaalfde toepassing van drakenbloed is die van ovenreiniger (SFC).

Schoorvoet
(Eng. 'Mulciber')
De naam van twee Dooddoeners. De eerste ging rond dezelfde tijd als Voldemort naar school (HBP20). De tweede was ongeveer twintig jaar later een schoolvriend van Sneep en Arduin (RD33). Een van de Schoorvoeten was een specialist op het gebied van de Imperiusbezwering (VB30; *zie ook* OF35).
De twee Schoorvoeten, de oude en de jonge, worden in de boeken niet apart genoemd.
'Mulciber' = een andere naam voor de god Vulcanus in de Romeinse mythologie; Vulcanus verschijnt als demon in Miltons Paradise Lost *met de naam 'Mulciber'.*

Schotland
Land in het noordelijke deel van Groot-Brittannië. Zweinstein ligt in de Schotse Hooglanden (BN, etc.).

Schouwen der Stokken
Onderdeel van de officiële voor-

bereidingen voor het Toverschool Toernooi waarbij de toverstokken van de deelnemers door een expert worden onderzocht om te bepalen of ze in een acceptabele staat zijn voor de wedstrijd (VB18).

Schouwersopleiding

De opleiding tot Schouwer duurt na het verlaten van Zweinstein nog drie jaar; de Schouwers eisen een minimum van vijf P.U.I.S.T.-en, met niets onder een beoordeling van 'Boven Verwachting'. Naast Verweer Tegen de Zwarte Kunsten, zijn de aangeraden P.U.I.S.T.-en Bezweringen, Toverdranken (met name het bestuderen van vergiffen en tegengiffen) en Gedaanteverwisselingen (OF29). Kandidaten met de vereiste academische bekwaamheden moeten een onderzoek van hun antecedenten ondergaan en een 'reeks strenge geschiktheids- en persoonlijkheidstesten' halen om hun vaardigheden in praktische zelfverdediging, doorzettingsvermogen, toewijding en het vermogen om goed op stress te reageren te bewijzen (OF29).

Schouwers

(Eng. 'Aurors')

Een elitegroep van tovenaars en heksen die tegen de Zwarte Kunsten strijdt, soms als soldaten maar vaker als geheim agenten. Schouwers sporen Duistere Tovenaars op en verslaan ze, vaak in felle tovenaarsduels. De Schouwers waren er in de jaren '70 verantwoordelijk voor dat velen van de Duistere Tovenaars die Voldemort steunden voor het gerecht werden gebracht. Ze bestreden ook de reuzen, waarbij ze er velen doodden en de rest uit Engeland verdreven (*zie ook* BLC).

'aurora' = L. 'ochtendgloren'

De naam suggereert de komst van het licht om de duisternis van het kwaad te verslaan. De Schouwers staan echter onder de directe controle van het Ministerie en voeren dus de wil van de regering uit. Dit leidde er in sommige gevallen toe dat Schouwers zich bijna even slecht gedroegen als de Duistere Tovenaars die ze bestreden. Zo stonden de Schouwers in de jaren '70 onder leiding van Bartholomeus Krenck bijna boven de wet, waardoor ze de normale gerechtelijke procedures konden overslaan. In die tijd werd Sirius Zwarts als gevolg van dit beleid zonder rechtszaak gevangengezet (VB27). Onder Droebel en daarna onder de Dooddoeners werden de Schouwers de uitvoerende macht van een corrupt regime. Er vonden na de Tweede Tovenaars Oorlog echter hervormingen plaats onder leiding van de nieuwe Minister van Toverkunst, dus er is hoop (JKR).

Schouwershoofdkwartier

Het Schouwershoofdkwartier bevindt zich op de tweede verdieping van het Ministerie van Toverkunst. Het bestaat uit een serie

S

van open hokjes, elke Schouwer krijgt een werkruimte toegewezen. De hokjes zijn versierd met foto's van bekende Duistere Tovenaars, kaarten, knipsels uit de *Ochtendprofeet* en andere ditjes en datjes (OF7).

Schrabbelstomp

Een plant die het grootste deel van de tijd op een knoestige stomp lijkt maar stekelige takken heeft die aanvallen als de plant wordt aangeraakt. Hierin zitten een aantal kleine peulen die, als je ze met iets scherps prikt, vele krioelende knolletjes vrijlaten (HBP14, verg. RD30). Een van deze planten is in de tuin van de Leeflangs te vinden (RD20).

schrepelen

Een overtreding bij Zwerkbal; het met opzet tegen een andere speler botsen tijdens het vliegen (VB8).

Schriftelijke Lofuitingen wegens IJver, Magische Bekwaamheid en Algeheel Leervermogen (S.L.IJ.M.B.A.L.-len)

Examens die Zweinsteinleerlingen aan het einde van hun vijfde jaar voor elk vak dat zij gevolgd hebben moeten afleggen. Dit zijn gestandaardiseerde examens die afgenomen worden door de Toverexamenraad en de uitslagen kunnen zowel de vakken die de studenten in de toekomst mogen kiezen (HBP5) als hun potentiele carrièrekeuzes beïnvloeden (RD2). Elke S.L.IJ.M.B.A.L. heeft zijn eigen theorieonderdeel, zodat veel S.L.IJ.M.B.A.L.-len in twee delen gegeven worden (OF31).

Zie ook BEOORDELINGEN VAN EXAMENS

schrobspreuk

Nog een schoonmaakspreuk (VB14). Mogelijk dezelfde als *Sanitato*.

Schroeistaartige Skreeft

Een vreemd wezen dat door Hagrid is gefokt in de herfst van 1994 door het kruisen van manticores en vuurkrabben. Skreeften kunnen vuur opboeren en ze hebben magie-resistente bepantsering wanneer ze zijn volgroeid (VB13, 18, 21, 31).

Wat gebeurde er met de enige Skreeft die overbleef? We kunnen speculeren dat het laatste exemplaar, toen het eenmaal was hersteld van de vloek, werd losgelaten in het Verboden Bos, waar alle wilde wezens uiteindelijk worden losgelaten (BP).

Schurfie

Een ongewoon huisdier van Ron Wemel, die hem kreeg van zijn oudere broer Percy. Ron klaagde vaak over Schurfies nutteloosheid (SW6), hoewel Ron toch behoorlijk van streek raakte toen Hermeliens nieuwe kat, Knikkebeen, Schurfie graag op bleek te jagen (GA4; *zie ook* GA19, VB33).

Zie ook PIPPELING, PETER

schurftig hondsvot

(Eng. 'scurvy cur')

Een wachtwoord om de Toren van Griffoendor in te komen, bedacht door heer Palagon (GA11).

'scurvy' = Eng. 'minachtend; laf' + 'cur' = Eng. 'bastaardhond; verachtend iemand'

schuurtje

Het lichaam van Igor Karkarov werd in een schuurtje gevonden waarover de *Ochtendprofeet* zei dat het 'ergens in het noorden' lag. Het Duistere Teken zweefde in de lucht erboven (HBP6).

'secondant'

In een fatsoenlijk duel tussen tovenaars heeft iedere tovenaar een 'secondant' – een persoon die het duel overneemt als hij doodgaat (SW9).

Sectusempra

(sek-tu-SEM-pra)

Spreuk die door de Halfbloed Prins 'voor vijanden' is uitgevonden (HBP21). De spreuk veroorzaakt schuine sneeën (HBP24). Dit is Duistere Toverkunst; niets dat door deze spreuk van het lichaam van het doelwit af is gesneden kan volgens Molly Wemel teruggroeien met behulp van magie (RD5).

'sectus' = L. voltooid deelwoord van 'seco' = 'snijden' + 'sempra' = L. 'altijd'

Serpensortia

(ser-pen-SOR-sta)

Spreuk die ervoor zorgt dat er een grote slang uit het uiteinde van een toverstok komt (GK10).

'serpens' = L. 'serpent' + 'ortus' = L. voltooid deelwoord van 'ortir', 'komen te bestaan'

Sfinx

Afkomstig uit Egypte. Dit wezen met een mensenhoofd heeft het lichaam van een leeuw, het vermogen om mensentaal te spreken en een aangeboren liefde voor puzzels en raadsels (VB31, DP1).

De oude Egyptenaren kerfden sfinxen met verschillende combinaties van dierenlichamen en -hoofden als bewakers van tempels en tombes. Volgens de Grieken bestond er maar één sfinx, een angstaanjagende doodsdemon. Ze fungeerde ook als bewaakster en gaf een raadsel aan iedereen die wilde passeren, net als de Harry Potterboeken. Als degene het antwoord op het raadsel niet kon geven, wurgde ze hem en at hem vervolgens op. Volgens een van de verhalen wierp ze zich van de rots waarop ze plaatsgenomen had, waarna zij overleed nadat Oedipus haar raadsel correct had beantwoord.

Shrake

Een magische vis (JKR).

Sikkel

Een onderdeel van de tovenaarsvaluta. Er gaan zeventien Sikkels in een Galjoen en één zilveren Sikkel is negenentwintig Knoeten waard, wat neerkomt op ongeveer 0.29 pond.

Sikkel, Heer Herbert

(1858-1889)

Een Victoriaanse vampier die rond 1880 Londense vrouwen aanviel; zie voor meer informatie de Tovenaarskaarten (TK).

Dit moet waarschijnlijk impliceren dat de beruchte Britse seriemoordenaar Jack the Ripper eigenlijk een vampier was waarmee werd afgerekend door de Tovergemeenschap, hoewel de Dreuzels nooit hebben geweten wie hij was. De Rippermoorden vonden plaats in 1888.

S

Sikkepit, Sijmen

(Zwadderich, 1994)

Een leerling aan het begin van Harry's vierde jaar die in Zwadderich werd gesorteerd (VB12).

Silencio

(si-LEN-sie-oh)

'Monddoodbezwering'

Een spreuk die aan de vijfdejaars geleerd wordt (OF18, RD36).

'silens' = voltooid deelwoord van 'silere' = L. 'stil zijn'

Simon de Slegte

(Eng. 'Loxias')

Wordt beschreven als een 'vreselijke vent'. Simon bezat ooit de Zegevlier (RD21).

Simpele Spreuken voor Momenten van Haast en Heethoofdigheid

Harry en Hermelien keken in dit boek toen ze op zoek waren naar een simpele spreuk om met een draak om te kunnen gaan (VB20).

Simpling, Derwent

(geb. 1912)

Komediant die bekendstaat om zijn kaalheid en paarse huid; zie de Tovenaarskaarten voor meer informatie (TK).

Sinistra, Aurora

Professor Astronomie op Zweinstein (GK11).

'Aurora' staat op een vroege planningschets voor Gevangene van Azkaban *die in te zien is op de website van JKR. We kunnen dit echter niet als tot de canon behorend beschouwen omdat andere informatie op deze pagina gewijzigd werd toen het boek gepubliceerd werd (JKR). Aurora was de Romeinse godin voor de dageraad ('Eos' in het Grieks). 'Sinistra' = de naam van een ster in het sterrenbeeld Ophiuchus, de Slangendrager.*

Sint Walpurga's Gesloten Inrichting voor Onverbeterlijke Jonge Criminelen

Een Dreuzelkostschool. Herman Duffeling zegt in het openbaar dat dit de school is waar Harry op zit, zodat buren en familieleden zich niet verwonderen over zijn

vreemde gedrag of afwezigheid (GA2).
Voor zover wij weten, is Sint Walpurga's geheel verzonnen door oom Herman, wat vrij wonderbaarlijk is, aangezien hij 'tegen verbeelding' was (SW1).

Sippe, Jacques
(Griffoendor, jaren '90; Drijver van Zwerkbal, 1996)
Een leerling van Griffoendor in de jaren '90 en Drijver van het Zwerkbalteam van de afdeling nadat Fred en George voor het leven geschorst werden (OF26).

Sisselspraak
De taal van slangen; voor een mens die het niet kan verstaan of spreken, klinkt het als gesis zonder te ademen (VB1). Er zijn maar een paar tovenaars die Sisselspraak spreken, Zalazar Zwadderich stond hier om bekend (GK11; *zie ook* BLC).

Sisseltong
(Eng. 'Parselmouth')
Een tovenaar die de taal van slangen kan spreken (GK11, HBP13).
Volgens J.K. Rowling is de term 'parselmouth' een oud woord dat werd gebruikt om iemand met een misvormde mond te omschrijven, bijvoorbeeld iemand met een gespleten gehemelte.

skeletten, dansende
Volgens de geruchtenmolen op Zweinstein had Perkamentus een groep van dansende skeletten geboekt als entertainment voor het Halloweenfeest tijdens Harry's tweede jaar. Harry heeft dit gerucht nooit bekrachtigd, aangezien hij dat jaar niet naar het feest ging (GK8).

Skelettine
Toverdrank gebruikt door Helers om botten terug te laten groeien. Het effect kan acht uur duren en kan ook vrij pijnlijk zijn (GK10, RD24).

Skively, Harold
In een brief aan de *Ochtendprofeet* stelt de tovenaar met de passende naam Skively voor dat er in de toverwereld een feestdag moet komen om Merlijn te eren, aangezien hij zoals hij het stelt, 'wel een extra feestdag rond augustus nodig heeft' (DP1).
'skive' = Engelse straattaal voor 'vermijden om een opdracht of aan een verplichting te voldoen; spijbelen, zoals het spijbelen op school'

Slaapdrank
Toverdrank om iemand in een magische slaap te laten vallen (GK12, VB19, 36).

Slabber, Saartje
Schrijft wekelijks fanmail naar Smalhart, zelfs nu, al heeft hij geen idee waarom ze dat doet (GK7, OF23).

Slag om Zweinstein
(2 mei 1998)
De beslissende laatste krachtmeting tussen de goede zijde en de slechte zijde. De Dooddoeners hadden reuzen, Dementors en Acromantula's om voor hen te vechten, terwijl zich onder de verdedigers van Zweinstein onder andere centauren, huis-elfen, leerlingen en hun ouders, winkeliers uit Zweinsveld, betoverde harnassen, standbeelden en bureaus, en nog vele anderen bevonden. Het kasteel Zweinstein leed zware schade in deze strijd en veel mensen stierven tijdens de verdediging (RD31-36).

S

Slagader, Amarillo
(1776-1977)
(Eng. Lestoat, Amarillo')
Een Amerikaanse vampierenauteur.
'Lestoat' is een verwijzing naar de naam 'Lestat' de hoofdpersoon uit het vampierenboek Een interview met een Vampier *en de boeken die daarop volgden van Anne Rice. Het eerste boek werd in 1976 gepubliceerd, precies tweehonderd jaar nadat dit personage werd geboren, wat erop wijst dat J.K. Rowling er expres naar verwees.*

slakbraakspreuk
Zorgt ervoor dat het slachtoffer slakken gaat braken (GK7, OF19).
Er is geen letterlijke spreuk voor gegeven (en hij lijkt meer op een vloek dan op een bezwering). Interessant genoeg snauwde Ron Dracos vier dagen ervoor, op de eerste schooldag, af met de zin 'Eet slakken, Malfidus!' (GK6). Misschien had Ron dit in gedachten toen hij de volgende zaterdag de slakbraakspreuk uit probeerde te spreken op Malfidus (GK7).

Slakhoorn, Hildebrand E.F.
(Zwadderich; professor Toverdranken tot 1981 en toen weer vanaf 1996; Afdelingshoofd van Zwadderich)
Twintig jaar geleden Professor Toverdranken en Afdelingshoofd van Zwadderich. Gedurende die tijd richtte hij 'De Slakkers' op, een groep met zijn favoriete leerlingen waar hij potentie in zag of waarvan hij dacht dat hun connecties misschien nuttig voor hem zouden zijn (HBP7, etc.). Hij ging met pensioen na het schooljaar van 1980-1981 (HBP22). In 1996 keerde hij terug om les te geven op Zweinstein als gunst aan Perkamentus (HBP4, 8). Slakhoorn is een kleine, gezette man met een snor. Hij draagt overdadige kleding: vesten met gouden knopen en luxueuze fluwelen jasjes (HBP4, 7).

slakken
Er waren giftige oranje slakken te koop in de Betoverende Beestenbazaar (GA4).

Slakkers, de

Gedurende beide periodes dat Hildebrand Slakhoorn les gaf op Zweinstein, koos hij zijn favoriete leerlingen - degenen met invloedrijke ouders of degenen waarvan hij dacht dat ze ooit belangrijk zouden zijn – en nodigde ze uit voor sociale netwerkevenementen (HBP4, 7). Via deze club, vaak 'De Slakkers' genoemd, zorgde Slakhoorn ervoor dat hij vrienden op hoge plaatsen kreeg en dat hij zijn portie gulle geschenken zou krijgen (HBP4).

slang

Het dierensymbool van de afdeling Zwadderich (SW3, VB15).

Zie ook BOA CONSTRICTOR; NAGINI; SERPENSORTIA

Sleedoornhout

Een houtsoort waar toverstokken van worden gemaakt (RD20).

Sleedoornhout wordt volgens de traditie in verband gebracht met sterke invloeden van buitenaf die moeilijk tegen te gaan zijn, dus het is ook niet verwonderlijk dat een toverstok van sleedoornhout niet goed voor Harry kon werken.

Sleutelbewaarder en Terreinknecht

Hagrids functie op Zweinstein, net als Jachtopziener (SW4).

Sleutels

Een van de kamers die overgestoken moesten worden om de verbergplaats van de Steen der Wijzen te bereiken was gevuld met honderden felgekleurde vliegende sleutels (SW16). Sleutels worden ook behekst als een vorm van 'Dreuzeltjepesten' - tovenaars laten de sleutels krimpen zodat de Dreuzels ze niet kunnen vinden (GK3).

S.L.IJ.M.B.A.L.len

Zie SCHRIFTELIJKE LOFUITING WEGENS IJVER, MAGISCHE BEKWAAMHEID EN ALGEHEEL LEERVERMOGEN

Slimme Magie voor Magische Slimmerds

Een van de boeken die Harry, Ron en Hermelien bestudeerden tijdens de voorbereidingen op de Tweede Opdracht van het Toverschool Toernooi (VB26).

Slinksap

Een toverdrank die bestudeerd wordt tijdens Toverdranken (GA7). Harry moest een bijzonder naar opstel over Slinksap schrijven als een van zijn vakantieopdrachten voor Toverdranken in de zomer voor zijn derde jaar (GA1).

Slinksap

Een tegengif voor Zwelsap (GK11).

Slobbers Beste Bubbelgum

(Eng. 'Droobles Best Blowing Gum')

Dit Tovenaarssnoepje zal de ka-

mer vullen met bellen, waar ze dan dagenlang zonder kapot te gaan kunnen blijven hangen (SW6, GA5, 10, VB23, OF23).
Deze naam werd bij de herzieningen van de tekst in 2004 veranderd. De apostrof die toen in de naam zat werd verwijderd. In eerdere versies van de boeken heette dit snoepje Drooble's Best Blowing Gum.

Sluikwaters Haargel
Hermelien gebruikte dit om haar haar te doen voor het Kerstbal, hoewel ze het te veel moeite vindt kosten om het elke dag te doen (VB24).

S

Sluipsensorspreuk
Spreuk die ervoor zorgt dat er wordt waargenomen als iemand voorbij probeert te sluipen. Hij kan worden uitgesproken over fysieke objecten, zoals deuren (OF32).

Sluipvoet
De bijnaam die de 'Marauders' aan Sirius Zwarts gaven omdat zijn Faunatenvorm een grote hond is (GA18).

Sluipwegwijzer
Magische kaart van Zweinstein die door de 'Marauders' is gemaakt. Hij laat het kasteel, het terrein en de locatie van de mensen die zich daar bevinden zien (GA10). Wanneer hij niet wordt gebruikt, lijkt de kaart op een leeg stuk perkament (GA14; *zie ook* BLC).

Slurk
Een naadloze rode leren bal met een doorsnede van dertig centimeter die bij Zwerkbalwedstrijden wordt gebruikt. De Slurk is de bal waarmee Jagers doelpunten maken. Aangezien de speler tegelijkertijd zijn of haar bezemsteel onder controle moet houden, wordt de bal met één hand gegooid en gevangen (SW10).

Smak, Smekkie
(geb. 1935)
Uitvinder van Smekkies in Alle Smaken (TK).

Smalhart, Gladianus
(VTZK professor, 1992-1993)
Verweer Tegen de Zwarte Kunstenprofessor, een pompeuze botterik. Smalhart is geobsedeerd van zichzelf en zijn uiterlijk (m.n. GK7). In zijn boeken vertelt hij over zijn heldendaden waarbij hij diverse soorten fabeldieren bevocht, maar de waarheid is dat hij gewoon de mensen die echt met de fabeldieren hebben afgerekend interviewde, vervolgens een Geheugenspreuk over ze uitsprak en met de eer ging strijken (GK16).

Smeenk, Edith
Een heks en bewoonster van Goderics Eind rond dezelfde tijd als de familie Perkamentus. Ze werd geciteerd in *Het Leven en de Leugens van Albus Perkamentus*, waarin ze zei dat Desidirius Perkamentus telkens geitenkeutels

naar haar gooide en Mathilda Belladonna zo 'gek als een gedroogde geitenkeutel' is (RD18).

Smekkies in alle Smaken

Een van de bekendste snoepjes uit de Tovenaarswereld. Deze snoepjes zijn in essentie dezelfde als snoepjes met de naam 'Jelly beans' maar dan met smaken die Dreuzels nooit zouden verwachten, zoals oorsmeer en braaksel (SW6, 17). Smekkies in alle Smaken zijn per toeval uitgevonden door uitvinder Bertie Bott, toen hij per ongeluk een paar vieze sokken in de mix liet vallen op het moment dat hij snoep aan het maken was (TK). Studenten van Zweinstein kopen ze bij het lunchkarretje in de Zweinstein-express (SW6) en in Zacharinus' Zoetwarenhuis in Zweinsveld (GA10).

Smergelhout, Hippocrates

Leidinggevende Heler op de Dai Llewellynzaal in St. Holisto's toen Arthur Wemel er herstelde van een slangenbeet (OF22).

Hippocrates staat bekend als de 'vader van de geneeskunde'. Hij leefde in het oude Griekenland, waar hij pleitte voor het idee dat ziektes niet werden veroorzaakt door een goddelijke straf maar door omgevingsfactoren.

smetbroei

Een vervelende besmettelijke huidaandoening die voor kan komen bij tovenaars (OF23). Een tovenaar die getroffen is, wordt bedekt met pijnlijke, paarse zweren tot op het punt dat hij bijna niet meer te herkennen is. Wanneer de ziekte zijn huig bereikt heeft, verliest hij ook zijn vermogen tot spraak (RD6, 25).

Smetwijk, Leopoldina

(1829-1910)

Eerste Britse heks die scheidsrechter was bij een Zwerkbalwedstrijd (TK).

Smid, Orchidea

(geb. jaren '50)

Een hele rijke en hele dikke oude heks die antieke magische voorwerpen verzamelde. Ze was bevriend met Marten Asmodom Vilijn toen hij voor Odius & Oorlof werkte. Of beter gezegd: hij werd bevriend met haar om haar schatten af te troggelen. Ze woonde in een groot huis dat met zoveel eigendommen was gevuld dat het moeilijk was om door de kamers te lopen (HBP20).

Smid, meneer

De vader van Zweinsteinleerling Zacharias Smid; wordt beschreven als 'arrogant uitziend' (HBP30).

Smid, Zacharias

(Huffelpuf, 1990; Drijver van Zwerkbal 1996-1997; Strijders van Perkamentus)

Een irritante jongen die Ginny

vaak lijkt te ergeren (HBP7, 14). Werd lid van de Strijders van Perkamentus en maakte spottende opmerkingen over het idee dat ze de simpele spreuk *Expelliarmus* moesten leren, totdat Harry erop wees dat deze zijn leven had gered toen hij met Voldemort duelleerde (OF18).

Smulders (tovenaar)
(Huffelpuf, jaren '90)
Net als Fred en George probeerde hij een Verouderingsdrank te maken om zijn naam in de Vuurbeker te kunnen stoppen. Hij werd met een baard naar de Ziekenzaal gestuurd (VB16).

Smurry, Angus
Dreuzel die in Schotland woont en dacht dat hij een vliegende auto zag (GK5).

Smythe, Georgina
Heks die naar Tilden Toots' Kruidenkunde radioshow *'Toots, Shoots 'n' Roots'* schreef om een vraag over een zieke Fladderbloem te stellen (JKR).
De naam is alleen mondeling overgeleverd, niet op papier gezet, dus het zou ook als 'Smithe' gespeld kunnen worden.

Snaai
Een bal 'zo groot als een forse walnoot' met 'zilveren vleugeltjes', die in de 14[de] eeuw werd uitgevonden door Sijmen Hamerslag om tijdens Zwerkbal gebruikt te worden. Een Snaai is behekst om zo lang mogelijk te voorkomen dat hij gevangen wordt terwijl hij wel binnen de grenzen van het speelveld blijft. met het vangen van de Gouden Snaai eindigt het spel en krijgt het team wiens Zoeker hem gevangen heeft 150 punten, wat vaak bepaalt welk team het spel gewonnen heeft (SW10). Snaaien zijn ook behekst zodat ze unieke huidherinneringen hebben. Scheidsrechters kunnen zo alsnog bepalen wie de bal als eerste heeft gevangen in een wedstrijd waarbij het moeilijk te bepalen is wie er heeft gewonnen (RD7).

Snaterende Kraakbek
Een van de rare wezens waarvan Loena Leeflang denkt dat ze bestaan (OF12, 36).

Snaternix
(Eng. 'Langlock')
Een vloek die de tong van het doelwit tegen zijn verhemelte vast lijmt (HBP19).
'langue' = Fr. 'tong' + lock = Eng. 'vastmaken'

Sneep, kantoor en privévoorraadkamers van
Een flauw verlichte kamer in de kerkers (GK5). De muren staan vol met glazen potten die gevuld zijn met toverdranken in verschillende kleuren en slijmerige stukjes van planten en dieren (GK11, VB27, OF26, 30).

Sneep, Severus

(geb. 9 januari 1960, † mei 1998; Zwadderich 1971; Orde van de Feniks; professor Toverdranken 1981-1996; Afdelingshoofd Zwadderich; professor Verweer Tegen de Zwarte Kunsten, 1996-1997; Schoolhoofd 1997-1998)

(Eng. 'Snape, Severus')

Het enige kind van Tobias Sneep, een Dreuzel, en Ellen Prins Sneep, een heks (HBP30). Hij was een ongelukkig, verwaarloosd kind. Hij raakte bevriend met een meisje uit hetzelfde dorp, Lily Evers, en ze gingen samen naar Zweinstein. Sneep probeerde zijn vriendschap met Lily te onderhouden, zelfs al zaten ze in verschillende afdelingen en wist hij dat Lily zijn interesse in de Duistere Kunsten betreurde. James Potter was zijn vijand (SW17, OF28, 29). Nadat Sneep de school had verlaten, solliciteerde hij voor een functie op Zweinstein. In de zestien jaar die volgden, was Severus Sneep de professor Toverdranken van de school en werd hij Afdelingshoofd van Zwadderich. Zijn leerstijl was gebaseerd op intimidatie en pesterijen (bijv. GA7). Een noodlottig moment boven op de Toren van Astronomie leek zijn trouw aan de Duistere Zijde voorgoed te bezegelen (HBP27; *zie ook* RD32).

'Severus' heeft duidelijk connotaties met het Engelse 'severity', strengheid, en 'strictness', striktheid. Er zijn ook een aantal heiligen met de naam 'Severus'. 'Snape' is een dorpje in North Yorkshire, dicht bij de Muur van Hadrianus (ook wel bekend als de Muur van Severus) waar ook een 'kasteel van Snape' is. Snape' = Oudeng. 'hard zijn voor, berispen, afkatten' van 'sneypa' = Oudnoors voor 'woedend maken, schande, een slechte naam bezorgen'. 'sneap' = Eng. 'bijten; knijpen; neerhalen; onderdrukken; afstoten'. Er kan nog veel meer over dit fascinerende personage geschreven worden dan hier mogelijk is. Op veel manieren is het verhaal van Harry Potter ook het verhaal van Severus Sneep. Zijn verborgen ambities en geheime agenda zijn de drijvende kracht van het verhaal. Gebruik deze korte samenvatting van zijn complexe en tragische leven als wat klein voorproefje van alles wat zijn personage – en J.K. Rowlings geweldige verhaal over hem – te bieden heeft. Lees de serie nog een keer, waarbij je het personage Severus Sneep bekijkt en waardeert.

Sneep, Tobias

De Dreuzelvader van Severus Sneep en de man van Ellen Prins (OF26, HBP30).

sneeuw, betoverde

Magische imitatiesneeuw, die in tegenstelling tot echte sneeuw warm en droog is. Soms wordt het behekst om van het plafond van de Grote Zaal te dwarrelen als kerstversiering (GK12).

sneeuwbal, behekste
Sneeuwballen die behekst zijn om rond te vliegen en dingen te raken (SW12).

Snell, Barnaby
Een fan van de Cambridge Cannons die geciteerd werd in de *Ochtendprofeet* toen hij zijn ongeloof uitdrukte nadat het team de Wigtown Wanderers had verslagen, waardoor de reeks van zeventien verloren wedstrijden doorbroken werd (DP3).

Snelspreuk
'Een Schriftelijke Cursus Toveren voor Beginners' die geleverd wordt in een paarse enveloppe met zilveren letters. De Snelspreukcursus is bedoeld voor hen wier magische vermogens ongewoon laag zijn maar niet afwezig (of in elk geval voor hen die graag willen geloven dat dit zo is). Vilder, de conciërge op Zweinstein, is een Snul. Hij bestelde en ontving de Snelspreukcursus in oktober 1992 (GK9) alhoewel deze bij hem nooit heeft gewerkt (JKR).

Snelwisselbare Spiekmanchetten
Verboden voorwerpen bij de S.L.I.J.M.B.A.L.-examens, wat niet zo verwonderlijk is (OF31).

snoep en zoetigheid
Je weet nooit wat je tegen kan komen als je snoep koopt in de tovenaarswereld. Vreemde smaken, magische effecten en rare ingrediënten zijn normaal. Smekkies in alle Smaken verrassen je met smaken als peper en spruitjes (SW17). Zoutzuurtjes branden een gat in je tong. Kakkerlak Krunchies bevatten echte kakkerlakken en Slobbers Beste Bubbelgum vult de hele kamer met gekleurde bubbels die dagen blijven hangen. De beste plek om magisch snoep te kopen is Zacharinus' Zoetwarenhuis in Zweinsveld (GA10).

Snotwortel
Een groene plant die op een ui lijkt. Loena gebruikt deze om Boerende Plimpies af te weren (HBP20). Haar vader maakt een donkerpaarse en onaangename drank van Snotwortel om aan gasten te serveren (RD20).

Snuffel
Sirius vroeg Harry, Ron en Hermelien om met deze naam naar hem te verwijzen als ze over hem aan het praten waren, zodat niemand wist over wie ze het hadden als iemand hen zou afluisteren (VB27).

snuifdoos
Er bevond zich in de woonkamer van Grimboudplein 12 een zilveren snuifdoos die vol zat met Knapperkorstpoeder, die Sirius beet toen hij het huis schoon probeerde te maken (OF6).

Snul
(Eng. 'Squib')
Een niet-magisch persoon met toverouders. Snullen zijn een zeldzamer fenomeen dan een Dreuzeltelg. Snullen kunnen niet naar Zweinstein en zelfs geen volledig leven in de toverwereld hebben (JKR). Het werd lang als gênant beschouwd om een Snul als zoon of dochter te hebben, hoewel men het de afgelopen jaren wat makkelijker accepteert (RD8, 11, TK). Vandaag de dag kunnen Snullen hun plekje in de toverwereld wel vinden; Vilder werkt bijvoorbeeld op Zweinstein en mevrouw Vaals fokt en handelt in katten en Kwistels (JKR).
'squib' = een stuk vuurwerk dat niet fatsoenlijk ontbrandt

Snulrechten
Heksen en tovenaars die voorstander waren van rechten voor Snullen hielden eens een mars die felle puurbloedrellen tot gevolg hadden (JKR).

Sodejusboon
(Eng. 'Sopophorous bean')
Een 'verschrompelde boon' die een van de ingrediënten is van het Vocht van de Levende Dood. Het scheidt een sap af dat voor de toverdrank gebruikt wordt en geeft zelfs nog meer sap als het met de platte kant van een zilveren dolk wordt gekneusd in plaats van dat hij gesneden wordt (HBP9).
'sopor' = L. 'diepe slaap'

Somerset
Een provincie in het zuidwesten van het land. Het grenst aan Wiltshire, waar Villa Malfidus ligt. Er werd in de zomer van 1996 heel veel schade aangericht door een totaal onverwachte orkaan in Somerset (HBP1).

Sommeerspreuk
Zie ACCIO

Somnolens, Laetitia
Deze hatelijke middeleeuwse feeks was jaloers op de dochter van de koning en zorgde ervoor dat deze zich prikte aan een vergiftigd spinnewiel. Zie de Tovenaarskaarten voor meer informatie (TK).
'somnolentia' = L. 'slaperigheid'. Dit verhaal is een speelse verwijzing naar het sprookje 'Doornroosje'.

Sonnetten van een Tovenaar
Iedereen die dit vervloekte boek las, sprak de rest van zijn leven in rijm (GK13).

Sonorus
(So-NO-rus)
Tegenbezwering: Quietus
Spreuk die ervoor zorgt dat de stem van degene die de spreuk uitspreekt op grote afstand gehoord kan worden (VB31).
'sonorus' = L. 'weerklinkend'

Sorcerer's Stone
De naam die door de Amerikaanse uitgevers aan de Steen der Wijzen

S

werd gegeven. de titel van de Engelse uitgave is 'Philosopher's Stone'. Zie ook STEEN DER WIJZEN

Sorcerer's Saucepot

Gezelschap dat volgens een advertentie Celine halavaria's volgende concert in Exmoor sponsort.

In het Geruchtendeel van de website van J.K. Rowling, verklaart een advertentie voor kaartjes om Celine Halavaria te zien dat Sorcerer's Saucepot 'drie aanvullende tourdata aanbiedt op de 11de, 12de en de 13de van deze maand' (JKR).

Sorteerhoed

Oorspronkelijk de hoed van Goderic Griffoendor. De Sorteerhoed werd behekst door de oprichters van Zweinstein waardoor het hersenen en een vorm van persoonlijkheid kreeg (VB12) om te beslissen in welke van de vier afdelingen elke nieuwe leerling terecht zou komen. Dit doet hij aan het begin van het openingsfeest, waarbij hij de basiscriteria voor iedere afdeling uitlegt. Eerstejaars leerlingen zetten de Hoed dan op hun hoofd en vervolgens wordt hun afdeling aangekondigd (SW7, etc.; *zie ook* OF11, GK17, RD7, 36).

Spatski-Schijnbeweging

De Zoeker gaat in duikvlucht naar de grond en doet alsof hij de Snaai ziet, maar doet dit enkel om de Zoeker van de tegenstander achter zich aan te krijgen. Deze manoeuvre werd door Viktor Kruml succesvol gebruikt bij het WK van 1994 (VB8).

Spavin, Faris 'Spuitgat'

Minister van Toverkunst van 1895-1903.

Spavin werd genoemd in de derde W.O.M.B.A.T.-toets op de website van J.K. Rowling (JKR).

'spavin' = Eng. 'een zwelling van het enkelgewricht van een paard die tot verlamming leidt' + 'faris' = Arabische 'paardenman' of 'ridder'

Hoe Spavin zijn zonderlinge bijnaam kreeg, moet wel een interessant verhaal zijn.

Specialis Revelio

Deze spreuk – waarschijnlijk de woorden voor Scarpins Revelaspreuk – laat zien welke bezweringen over een object of toverdrank uit zijn gesproken (HBP9, 18).

'specialis' = L. 'afzonderlijk, individueel, gemarkeerd door iets unieks' + 'revelo' = L. 'blootstellen, onthullen'

speeldoos

Dit mysterieuze voorwerp stond op de planken op Grimboudplein nummer 12 en als het opgewonden was maakte het iedereen slaperig (OF6).

speelgoedbezemstelen

Twee kleine meisjes speelden op het WK Zwerkbal met speelgoedbezemstelen die hen nauwelijks hoog genoeg optilden om hun tenen het gras niet te laten raken (VB7). Harry had als kind een speelgoedbezemsteel (RD10).

speelkaarten, zelfschuddende
Ron had een spel van deze kaarten in zijn kamer in Het Nest (GK3).

Spelmans Complete Catalogus der Syllaben
(Eng. 'Spellman's Syllabary')
Een van de vele boeken die Hermelien raadpleegde terwijl ze in de leerlingenkamer aan huiswerk voor Oude Runen werkte (OF26).
Een set symbolen waarvan elk symbool een syllabe voorstelt. De Engelse titel van dit boek duidt erop dat de woorden die gebruikt worden om spreuken uit te spreken soms worden vertegenwoordigd door symbolen die niet in ons alfabet horen. Het Engels en Latijn zijn echter totaal niet geschikt voor deze zogenoemde 'syllabary', waardoor we kunnen aannemen dat dit boek misschien bedoeld is voor het gebruik bij een andere taal of misschien een aparte tovertaal die is samengesteld uit morfemen die aparte magische betekenissen hebben. Zie ook MAGISCHE HIËROGLIEFEN EN LOGOGRAMMEN

Spiegel van Neregeb
Een grote magische spiegel met een gouden lijst en twee klauwpoten. De inscriptie die rond de bovenkant is uitgesneden leest 'Neregeb jiz taw ra amneiz nesnem tawt einno otki', wat 'Ik toon niet wat mensen zien maar wat zij begeren' betekent, maar andersom geschreven (dat wil zeggen, in 'spiegelschrift'). Als iemand in de spiegel kijkt, ziet hij 'zijn diepste, meest brandende verlangens' (SW12). Perkamentus gebruikte deze kracht eens om iets veilig verborgen te houden (SW17, HBP23).
In de loop van de boeken introduceert J.K. Rowling meerdere magische voorwerpen die de innerlijke kwaliteiten van haar personages laat zien. De Spiegel van Neregeb is zo'n voorwerp. Volgens J.K. Rowling zou Voldemort 'zichzelf zien, machtig en onsterfelijk' (TLC). Perkamentus zou 'zijn familie levend zien, compleet en gelukkig – Ariana, Parcival en Kendra zijn allemaal naar hem teruggekeerd en zijn geschillen met Desiderius zijn bijgelegd' (BLC). Harry ziet zijn familie in de spiegel; Ron ziet zichzelf als Hoofdmonitor en Zwerkbalkampioen (SW12). Toen ze gevraagd werd wat Sneep zou zien, wilde J.K. Rowling geen antwoord geven. Dat interview werd vlak voor de verschijning van het laatste boek gehouden, dus er mag worden aangenomen dat ze niet wilde verraden dat Sneep zichzelf samen met Lily zou zien.

spiegels, pratende
Magische spiegels geven advies, of je dat nu wilt of niet. Harry kwam er een tegen in de keuken van het Nest (GK3) en nog een in kamer elf van de Lekke Ketel toen hij daar voor een paar weken verbleef (GA4).

spiegels, tweeweg-
Magische manier van communiceren, oorspronkelijk gebruikt door James en Sirius toen ze nog op school zaten. Sirius gaf er een aan Harry, hij had het pakketje zelfs nog nooit geopend, tot het te laat was (OF24, 38, RD23, 28, BLC).

S

Spijbelsmuldozen
Een van de populairste producten van de Tovertweelings Topfopshop. In de Spijbelsmuldozen zitten een aantal soorten snoepjes die de tovenaar die ze eet opzettelijk ziek maken. Elk snoepje bevat ook een tegengif, zodat de tovenaar zich net zo lang als nodig ziek kan voordoen en zichzelf daarna meteen kan genezen zodra hij uit het zicht is. Zoals de advertentie zegt, kun je je daarna 'wijden aan uw favoriete vrijetijdsbesteding, gedurende een uur dat anders gekenmerkt zou zijn door zinloze verveling' (OF6). In de Spijbelsmuldozen zitten Zwijmzuurtjes, Koortskrakelingen, Neusbloednoga's en Braakbabbelaars (OF6, 18).

Spinks
Zowel 'Spinks' als 'Spungen' waren namen die J.K. Rowling overwoog als de achternaam van Draco Malfidus. Ze staan samen op de schets van de klassenlijst van Harry's jaar die ze liet zien tijdens het televisie-interview 'Harry Potter and Me' (HPM). Deze namen zijn nooit in de boeken gebruikt.

Spinet, Alicia
(geb. 1978; Griffoendor, 1989; Zwerkbaljager, 1991-1996; Strijders van Perkamentus)
Maakte deel uit van het Zwerkbalteam van Griffoendor tijdens Harry's eerste vijf schooljaren. Alicia was een sterke jager wier talenten ontdekt werden door Olivier Plank (SW7, GA8).

Spleen, professor Helbert
Een Heler in St. Holisto's. Professor Spleen schrijft ook een adviescolumn voor de *Ochtendprofeet*. In één ervan geeft hij advies aan een man met Drakenpest (DP3).
'spleen' = Eng. 'milt', een orgaan in het lichaam dat helpt infecties te bestrijden en het bloed te filteren.

Splinter en Knars
Tweedehands bezemwinkel die in de *Ochtendprofeet* adverteerde (DP4).
De naam suggereert oud, vergaan hout, dat door de jaren heen 'versplinterd' en 'geknarst' is.

Splinters Supersteelglans
Een onderdeel van Harry's Luxe Onderhoudskit voor Uw Bezem (GA1).

Spoken
Semi-transparante, niet stoffelijke figuren. Hoewel ze dood zijn, leiden ze in veel opzichten een volwaardig leven. Er zijn echter wat verschillen: hun zintuigen lijken een beetje afgestompt te zijn na hun dood, te oordelen naar de muziek en versnaperingen op het Sterfdagfeestje (GK8). Ze eten niet (SW7). Het Ministerie van Toverkunst heeft enige mate van autoriteit over het gedrag van spoken (VB25). Alleen tovenaars kunnen spook worden en dan alleen als ze al voor hun dood besloten hebben dat ze dat pad willen volgen. Ze komen in een staat ergens tussen dood en leven terecht omdat ze bang zijn voor de dood (OF38, EBF). Er zijn minimaal twintig spoken op Zweinstein, waaronder de vier afdelingsspoken (SW7).

Sponsknieënbezwering
Tijdens de recente rellen die plaatsvonden tijdens de laatste Zwerkbalwedstrijd tussen Puddlemere en Holyhead gebruikte een aantal supporters van Puddlemere deze bezwering (DP4).

Spookrijders, De
(Eng. 'The Hobgoblins')
Een rockband, nu uit elkaar, waar de muzikant Stef Blinkers bij hoorde. De groep ging in 1980 uit elkaar nadat Blinkers door een suikerbiet op zijn oor werd geraakt tijdens een concert in het dorpshuis van Blinde Vlek (OF10).
In de folklore zijn dit typische vriendelijke versies van kobolden, waarmee soms een oppervlakkige of verbeelde angst wordt gesuggereerd.

Spork
Broer van Olivia Spork. Jammerende Jenny spookte bij zijn bruiloft in de jaren '40 rond (VB25).

Spork, D. J.
Een tovenaar, woonachtig in Didsbury, die erg te spreken was over de Snelspreukcursus en hier een vurig attest over schreef (GK8). Waarschijnlijk is hij dezelfde persoon als de overleden Demetrius J. Spork.

Spork, Demetrius J.
Hij is, volgens de *Ochtendprofeet*, 'nogal luidruchtig' overleden na een ruzie met zijn vrouw Elsie (DP2).

Spork, Elsie
Volgens de *Ochtendprofeet* de weduwe van Demetrius J. Prod (DP2).

Spork, Olivia
(Zweinsteinleerling, begin jaren '40)

S

Pestte Jenny om haar bril, maar kreeg hier later spijt van (GK16).

Spreukgebruik uit Noodweer
De Kamer van Hoge Nood bevatte een exemplaar van dit spreukenboek tijdens de eerste bijeenkomst van de SvP aldaar (OF18).

Spreuk voor Bezems die Dwarsliggen, een
Deze spreuk komt voor op pagina twaalf in Harry's *Handboek voor Bezemonderhoud* (GA2).

Spreuk voor Kleurverandering
Een spreuk die werd getoetst tijdens het praktische gedeelte van de Spreuken en Bezweringen S.L.I.J.M.B.A.L. Mogelijk hetzelfde als de flitsende verfspreuk (OF31).

Springdam, Gasperd
(geb. 1959)
Tovenaar en uitvinder; zie de Tovenaarskaarten voor meer informatie (TK).

Spungen
Zie SPINKS

Squabbs Syndroom
Volgens *Drakenfokken als Broodwinning en Tijdverdrijf* is een van de symptomen van deze drakenziekte dat ze hun vuur verliezen. Squabbs Syndroom kan behandeld worden met hete baden, chilipoeder en peper en dagelijks vier kratten rum (JKR).

Staartjes, Professor
Leraar Verzorging van Fabeldieren tot September 1993, tot hij met pensioen ging om meer tijd te kunnen doorbrengen met 'zijn resterende ledematen' zoals Perkamentus het bracht. Hagrid nam zijn positie over (GA5).

Staartsnoeier
Zilveren bezemsteelaccessoire, zit in de Luxe Onderhoudskit voor Uw Bezem die Hermelien Harry voor zijn dertiende verjaardag gaf (GA1).

stad in Ierland, Een
(Eng. Paisley)
Een stad in Schotland van gemiddelde grootte. Deze stad stond in de 18[de] eeuw bekend om haar textielproductie waardoor een bepaald kledingontwerp dezelfde naam kreeg. Een heks uit deze stad schreef kort na zijn interview met *De Kibbelaar* naar Harry (OF26).
In de Nederlandse vertaling wordt Paisley niet genoemd, maar simpelweg vertaald als een 'stad in Ierland'. Wat dus waarschijnlijk een foutje is, want Paisley ligt in Schotland.

Staf van het Lot
Nog een naam voor de Zegevlier (RD21).

Stainwright, Erica
(jaren '50)
Heks die een fortuin verdiende

door 'schoonmaak'-drankjes te verkopen, maar ze kwam in de problemen toen bleek dat ze eigenlijk dingen viezer maakten (JKR).
'stain' = Eng. 'vlek' + 'wright' = Eng. 'vakman, ambachtsman'

Stalpeert jr.
(Huffelpuf, jaren '90)
Sneep trok tien punten van Stalpeerts afdeling af nadat hij hem met een meisje van Ravenklauw tijdens het Kerstbal in de rozen had betrapt (VB23).

Stalpeert sr.
Een Zweinsteinleerling die in hetzelfde jaar zat als James Potter en zijn vrienden (OF28).

standbeelden
Stenen figuren van beroemde tovenaars, dieren, waterspuwers etc. Er zijn veel standbeelden te vinden in de hallen van Zweinstein (VB23, OF17). Andere standbeelden zijn bijvoorbeeld de Fontein van Magische Broederschap, die ooit in het Atrium van het Ministerie van Toverkunst stond (OF7, 36, verg. RD12) en een standbeeld van James, Lily en Harry Potter op het plein van Goderics Eind, dat enkel zichtbaar was voor tovenaars (RD16).

Standaard Spreukenboek door Miranda Wiggeluur
Serie boeken voor toveronderwijs met een andere uitgave voor ieder jaar op Zweinstein; ieder jaar staat er een van deze boeken op de lijst (SW5, GA4, VB10, OF9, HBP9).

Stavlov
(† 2 september 1997)
Europese toverstokmaker, een dikke kleine man met een witte baard en wit haar (RD14). Hij maakte Krumls toverstok (VB18). Hij was ooit eigenaar van de Zegevlier en schepte hierover op, maar Grindelwald stal het vroeg in de jaren '40 van hem. Stavlov ging eind 1980 met pensioen (RD8).

Stavrov, Dragomir
Een Jager die voor een recordbedrag de overstap maakte naar de Cambridge Cannons in 1995. Hij deed het echter niet zo goed; uiteindelijk liet hij een recordaantal Slurken vallen (RD7).

Stee-aan-de-Wee
(Eng. 'Mould-on-the-Wold')
Een plaats waar de familie van Perkamentus woonde toen hij jong was en waar Ariana aangevallen werd door Dreuzels (RD11).
Het woord 'wold' verwees oorspronkelijk naar een beboste heuvel, maar de betekenis verwees later naar glooiende heuvels. Het woord komt nu alleen nog voor als onderdeel van plaatsnamen, zoals 'Cotswolds'. Van de meer dan tweehonderd plaatsnamen in Engeland

waar het woord 'wold' in voorkomt, lijkt de naam van het stadje Stow-on-the-Wold dat in Gloucestershire ligt nog het meest op Mould-on-the-Wold.

Steen der Wijzen
(Eng. 'Philosopher's Stone')
Een fabelachtig magisch voorwerp en al eeuwenlang het doel van alchemisten. Deze steen verandert metaal in goud en kan ook gebruikt worden om het Levenselixer te maken, zodat het oneindige weelde en onsterfelijkheid verschaft. Er is maar één steen bekend. Nicolaas Flamel maakte hem in de 13de eeuw (SW14, 17). *De naam van de steen is door J.K. Rowling en de Amerikaanse uitgevers van het boek in de Amerikaanse editie veranderd in 'Sorcerer's Stone' (Tovenaarssteen). Deze naam zou mensen meer aanspreken. Hierdoor ging echter wel iets van de veelzijdigheid van J.K. Rowlings universum verloren. De Steen der Wijzen maakt al eeuwenlang onderdeel uit van de alchemistische theorieën en de beoefening ervan, het symboliseert zuivering en transformatie van de ziel. De 'Tovenaarssteen' is echter een zelfbedachte naam, en heeft geen enkele band met legenden of volksverhalen.*

Steen van Wederkeer
Een van de Relieken van de Dood; een steen die de doden terug zou brengen. Hij werd vanaf Cadmus Prosper doorgegeven aan de volgende generaties en in een ring verwerkt (HBP10; *zie ook* HBP17, 23, RD34, 36).

stekeltong
Een spreuk die behandeld wordt in het boek *Simpele Spreuken voor Momenten van Haast en Heethoofdigheid.* Harry kwam het tegen toen hij op zoek was naar een spreuk om tegen zijn draak te gebruiken, maar bedacht zich dat hij de draak dan enkel een extra wapen zou geven (VB20).

Sterfsignalen: Wat Te Doen Als Uw Dagen Geteld Zijn?
Een boek dat te koop is op de Waarzeggerijafdeling van Klieder en Vlek (GA4).

Sterfdagfeestje
Een feest dat op 31 oktober 1992 in de kerkers werd gegeven om de 500e sterfdag van Haast Onthoofde Henk te vieren. Harry, Ron en Hermelien gingen er heen, maar bleven niet lang (GK8).

Sterkum, Hesper
(1881-1973)
Beroemde heks die maanstanden en hun invloed op toverdranken onderzocht (TK).

St. Holisto's Hospitaal voor Magische Ziektes en Zwaktes
(Eng. 'St Mungo's')
Opgericht rond 1600 door Holisto Heiligman (TK). St. Holisto's Hospitaal is te vinden in

Londen en is vermomd als een verlaten winkel genaamd Lodder & De Krimp. Om er naar binnen te gaan, moet een tovenaar tegen de etalagepop praten en door het raam heenlopen als de pop knikt. Eenmaal binnen kan je wachtende patiënten in een receptieruimte zien die lijden aan vreemde (en vaak grappige) problemen, of je kunt meteen doorsnellen voor een behandeling. De Helers (gelijkwaardig aan de dokters en verpleegkundigen van Dreuzels) dragen lindegroene gewaden met een embleem met een toverstok en bot die elkaar kruisen. St. Holisto's heeft zes verdiepingen en elke verdieping is gewijd aan een ander type aandoening (OF22, 23).

De echte St. Mungo was een Schotse heilige die, naast andere dingen, de stad Glasgow stichtte. In Londen bestaat er een echte instelling met dezelfde naam die hulp biedt aan daklozen en andere kwetsbare mensen. St. Mungo's is gelegen in een groot gebouw met rode bakstenen aan Hammersmith Road. Het is echter verre van verwaarloosd; het is een heel nieuw en keurig kantoorblok.

Stichting Huis-elf voor Inburgering en Tolerantie

In 1994 opgericht door Hermelien Griffel als reactie op wat zij zag als uitgesproken onrechtvaardigheid in de behandeling van huis-elfen. De Stichting deed het niet echt goed onder de Zweinsteinleerlingen, maar ze bleef volhouden (VB15, OF14, 18).

Stichting voor de Steun aan Snullen (S.S.S.)

Deze stichting werd waarschijnlijk ergens aan het begin of halverwege de 20^e^ eeuw opgericht door Idris Oakby (JKR).

Stichting voor de Tolerantie van Vampiers (S.T.V.)

Deze stichting heeft een kantoor in Londen dat door kaarsen wordt verlicht. Ze adverteerden voor een leidinggevende en gaven aan dat hun voorkeur uitging naar sollicitanten met een knoflookallergie (DP2).

Stik-de-Moord

(Eng. 'Lethifold')

Franciscus Gasthuis werd in de 18de eeuw door dit zeer gevaarlijke fabeldier aangevallen maar wist deze aanval te overleven, de enige voor zover bekend die dat is gelukt (TK).

'lethe' = Gr. 'vergeetachtigheid, verhulling' of misschien eerder van 'lethal' Eng. 'dodelijk' + 'fold' = Eng. 'een kreukel of vouw in stof'

Stinkadoris de Slungelige

Een standbeeld van deze tovenaar staat op de zevende verdieping van Kasteel Zweinstein, aan de rechterkant van de trap die naar de verdieping eronder leidt, tussen de trap en het portret van de Dikke Dame (OF13).

Stinkkorrels

Fopartikel dat een smerige geur verspreidt als iemand het laat vallen. Duidelijk een product van Zonko's Fopmagazijn dat in Zweinsveld wordt verkocht en ook duidelijk een van de vele producten die Vilder niet graag in het kasteel heeft (GA8).

Stinksap

Een stinkende vloeistof. Als de *Mimbulus Mimbeltonia* geprikt wordt, wordt zijn afweermechanisme geactiveerd zodat er Stinksap over zijn omgeving gesproeid wordt (OF10).

S

Stoffer, Appolonius

(Eng. 'Pringle, Apollyon')

De conciërge van Zweinstein toen Arthur en Molly Wemel daar op school zaten (jaren '60), hij was de voorganger van Argus Vilder (VB31).

'Apollyon' = Gr. 'vernietiger', een naam die gebruikt wordt voor een van de verschrikkelijke beesten in het boek Openbaringen in de Bijbel.

Stoker, Magnus

(Mclaggen, Cormac)

(Griffoendor, 1990; Slakkers; Reserve Zwerkbal Zoeker, 1996)

Een potige Griffoendor, arrogant en roekeloos. Hij mocht bij 'de Slakkers' vanwege zijn oom Canisius, die een favoriete leerling was van Hildebrand Slakhoorn (HBP7). In zijn zevende jaar deed Magnus mee aan de selectietrainingen om Wachter van Griffoendor te worden (HBP11; *zie ook* HBP19).

J.K. Rowling sprak over de oorsprong van Stokers naam in een interview: 'Je moet oppassen als je met me omgaat want dan loop je risico in mijn boeken te komen, en als je me kwetst kom je erin als een naar personage. Laatst vond ik de naam McClaggen, wat ik een geweldige naam vind. Er is een McClaggen in deel zes omdat ik het een achternaam vond die te goed was niet te gebruiken (EBF)'.

Ze heeft nooit duidelijk gemaakt of ze de naam had van iemand die haar daadwerkelijk gekwetst heeft, maar ze heeft hem zeker aan een onaangenaam personage gegeven. In het boek laat Magnus de slechte kant van Griffoendor zien: moed en zelfverzekerdheid veranderden in arrogantie en lomp gedrag.

stokkenleer

Een uitermate mysterieuze en complexe oude magiesoort die het eigendomsrecht en de kracht van toverstokken regelt (m.n. RD24). Toverstokken hebben een affiniteit met specifieke tovenaars (SW5) en lijken op de een of andere manier een eigen wil te hebben (bijv. RD4).

strafwerk

Straf die gegeven wordt op Zweinstein wanneer je de regels overtreedt. Leraren hebben de vrijheid om de straf zelf te bepalen. Sommige leraren kiezen ervoor om de leerlingen strafwerk te laten schrijven, of om ze rotklusjes te laten doen, zoals schoonmaken zonder magie te gebruiken (bijv. GK7). Anderen gingen hierin echter te ver (bijv. VB13, OF12; *zie ook* RD29).

Straling, Oswald
(1850-1932)
Voorstander van koboldenrechten; zie voor meer informatie de Tovenaarskaarten (TK).

Stremspreuk
Zie IMPEDIMENTA

Stremvloek
Zie IMPEDIMENTA

Stricmvloek
Een vloek die ervoor zorgt dat het slachtoffer een stekende pijn voelt (OF24).

Strijd van het Departement van Mystificatie
(juni, 1996)
De Strijd vond plaats in de lagere verdiepingen van het Ministerie van Toverkunst tussen de Dooddoeners, Strijders van Perkamentus en de Orde van de Feniks. De strijd eindigde met een spectaculair duel in het Atrium van het Ministerie (OF35, 36).

Strijd van de Toren, de
(juni, 1997)
Leden van de Orde van de Feniks en van de Strijders van Perkamentus vochten tegen een groep Dooddoeners op de Astronomie Toren van Zweinstein en in de gangen eromheen. (HBP27, 28).

Strijd van de Zeven Potters, de
(27 juli, 1997)
Uitgevochten tussen de Orde van de Feniks en meer dan dertig Dooddoeners op bezems in het luchtruim van Zuid-Engeland (RD4).

Strijders van Perkamentus (SvP)
Een groep van leerlingen die samen optrokken om zich te bekwamen in Verweer Tegen de Zwarte Kunsten tijdens het schooljaar 1995-1996. Ze noemden zichzelf de SvP, wat voor Strijders van Perkamentus stond (OF18). Leden van de SvP hebben gevochten in de grote gevechten van de Tweede Tovenaarsoorlog, waarbij enkele slachtoffers vielen (HBP27, RD4, 31, 36).

Stroeve, Billy
Een Dreuzelwees uit het weeshuis van Marten Vilijn die de waterpokken had (HBP13).

Stronk, Pomona
(geb. 15 mei, jaar onbekend; Huffelpuf, Afdelingshoofd)
(Eng. 'Sprout, Pomona')
Een gedrongen, kleine heks met grijs haar die Kruidenkunde op

S

Zweinstein geeft. In de kassen heeft Stronk verschillende magische planten geplant, waarvan sommige vreemd en zelfs gevaarlijk zijn. Ze behandelt ze met zelfverzekerdheid, zelfs de Langdradige Weekbladen. Er zit vaak aarde op haar gewaad en onder haar vingernagels (GK6) en ze heeft een opgelapte hoed (HBP14). Professor Stronk is het Afdelingshoofd van Huffelpuf (VB36) en is aardig en zorgzaam voor haar leerlingen zoals het een echte Huffelpuf betaamt.
'sprout' = Eng. 'ontspruiten, zoals een zaad; ook een jonge plant' + 'Pomona' = Romeinse godin van fruitbomen en boomgaarden

S

Struif, Mirjam
Moederlijke, vrolijke Heler die ten tijde van de moord op Placidus Pais de leiding heeft over de Charles l'Atanzaal (een gesloten afdeling waar de patiënten lang blijven, aangezien zij permanente spreukschade hebben) in St. Holisto's (OF23, 25).

Struikelspreuk
Een spreuk die de benen van het doelwit verstrikt en hem laat struikelen (OF27).

Struiker, Edgar
(1703-1798)
Uitvinder van de Gluiposcoop (TK).

Strumpel, Meneer
Dreuzelbuurman van de Duffelingen (OF2).

Stuurman, Sjaak
(Eng. 'Shunpike, Stanley (Stan)')
Conducteur van de Collectebus, een jonge tovenaar met uitstekende oren, een groot aantal puistjes en het accent van iemand die uit Cockney komt. Hij draagt een paars uniform (GA3). Sjaak staat erom bekend dat hij zo nu en dan een aantal verhalen vertelt om indruk te maken (VB9, HBP11), waardoor hij behoorlijk in de problemen terechtkwam (RD4, 23).
'shunpike' = Engelse straattaal voor 'een zijweg die gebruikt wordt om wegenbelasting of de snelheid en het verkeer op een supersnelweg te vermijden' + Stan = vernoemd naar een van JKR's grootvaders, Stan Volant.

Substantieerspreuk
Simon Filister herhaalde de dag voordat Harry's jaar de eerste S.L.IJ.M.B.A.L zou hebben de definitie van deze spreuk hardop (OF31).

Suikerveren
Snoep dat in Zacharinus' Zoetwarenhuis wordt verkocht. Het is heel gemakkelijk om deze veren de les in te smokkelen, aangezien ze op normale veren lijken (GA5). Ergens rond 1996 werden er ook Suikerveren Deluxe ver-

kocht. 'Daar doe je uren mee!' was wat Hermelien erover zei (HBP12).

Summerbee, Felix

(1447-1508)

Uitvinder van de Gniffelspreuk (JKR).

'felix' = L. 'vrolijkheid'

Surrey

Een provincie in Engeland ten zuidwesten van Londen. Klein Zanikem ligt in Surrey en dat is dus de provincie waar Harry is opgegroeid (SW3).

S

Sussapje

Madame Plijster gaf dit aan Hannah Albedil tegen de stress van de S.L.I.J.M.B.A.L.-examens (OF27).

SvP, de

Een groep leerlingen die samen optrok om verdedigende spreuken te leren in de tijd dat Dorothea Omber op Zweinstein aanwezig was. De naam SvP staat voor Strijders van Perkamentus.

Zie STRIJDERS VAN PERKAMENTUS

Sylvanus, Mylor

Deze naam verscheen (samen met Oakden Hobday) op een vroege planningskaart voor Orde van de Feniks *op een lijst als de vijfde professor Verweer Tegen de Zwarte Kunsten, maar is uiteindelijk nooit in de canon terechtkomen.*

Taakeenheid Ongepast Spreukgebruik
Een kantoor dat zich op de tweede verdieping van het Ministerie van Toverkunst bevindt (OF7) dat onder andere toeziet op de naleving van de Wet op de Restrictie van Toverkunst door Minderjarigen (GK2) en Faunaten registreert (VB26). De onverantwoordelijke neef van Cornelius Droebel, Rufus Droebel, werkte voor dit kantoor, maar raakte verwikkeld in een schandaal toen hij een Dreuzelmetro liet verdwijnen om te kijken hoelang het zou duren voordat de Dreuzels het zouden merken (DP2).

Taboe
Wet en tegelijk ook een spreuk die het illegaal maakt om de naam 'Voldemort' uit te spreken en die het Ministerie in staat stelt om iedereen die het toch doet onmiddellijk op te sporen (RD20, 22, verg. RD9).
De naam voor dit effect is slim bedacht, evenals de magie die het oproept; voordat de spreuk ooit werd uitgesproken lag er al een sociaal taboe op het uitspreken van de naam, dus heel weinig mensen zouden dat doen. Degenen die het wél zouden doen, zouden de mensen die Voldemort het meest afwijzen zijn, zoals leden van de Orde van de Feniks.

Taiwanese Tegengiffen
Harry raadpleegde dit boek terwijl hij wat vijfdejaars Toverdrankenhuiswerk aan het maken was (OF16).

Talen
Koetervlaams – Koboldentaal (VB24, RD15).
Meermans – De taal van de Meermensen (VB21); het klinkt als krasserig gejammer als het boven water wordt gehoord.
Reuzen – spreken hun eigen taal, sommigen spreken geen Engels en mogelijk geen enkele mensentaal (OF20).
Sisselspraak – de taal van slangen, die klinkt als lang aangehouden gesis (HBP10).
Trols – De ruwe taalvorm die Trollen kennen, bestaat uit gegrom (uiteraard vanuit het perspectief van een menselijke luisteraar) hoewel sommigen getraind kunnen worden om een paar woordjes Engels te spreken (SW10, VB7).

In tegenstelling tot Tolkien doet J.K. Rowling geen poging om de talen uit haar wereld zelf te bedenken. Het enige woord dat in de boeken uit deze talen wordt gegeven is 'bladvak' wat 'pikhouweel' zou betekenen in Koetervlaams. In plaats daarvan hiervoor worden de geluiden en klanken van de talen van fabeldieren en magische rassen beschreven vanuit Harry's perspectief, die deze talen zelf niet spreekt.

talisman

Een klein object, vaak met magische symbolen erop, dat bescherming moet bieden of geluk moet brengen aan de persoon die het bezit. Tijdens Harry's tweede jaar kende Zweinstein een levendige handel in talismannen die de leerlingen die ze kochten moesten beschermen (GK11).

De term 'talisman' (van 'telesema' = Gr. 'inwijden in de mysteriën ') wordt soms gebruikt om te verwijzen naar een geluksvoorwerp dat bijvoorbeeld in een broekzak wordt gedragen in plaats van zoals je een sieraad zou dragen.

Tandsteen, Alberta

(1391-1483)

Heks die talent heeft voor de Dreunspreuk; zie voor meer informatie de Tovenaarskaarten (TK).

tapijt met de Stamboom van de Familie Zwarts, Het

Een tapijt dat aan de muur hangt van 'Grimboudplein 12' en al zeven eeuwen in de familie is, volgens Knijster (OF6). Op het tapijt staan geboorten, huwelijken en sterftes in de familie met gouddraad geweven; de naam van familieleden die zijn verstoten is van het tapijt geschroeid (waar hun naam zou moeten staan is een kleine schroeiplek te zien, zoals een sigaret die maakt).

Toen David Heyman, de producent van de Harry Potterfilms, zich realiseerde dat ze dit tapijt zouden moeten reproduceren voor op de set, vroeg hij J.K. Rowling om hulp. Volgens hem maakte zij een korte tijd later de gehele stamboom voor hem. J.K. Rowling maakte ook een handgetekende versie van de stamboom die kon worden geveild voor het goede doel, deze versie had ook het mooie bijschrift 'er zijn veel verhalen tussen de regels'. Die zijn er inderdaad. Er komen namen uit de hele boekenserie voor op de stamboom van de familie Zwarts, waarmee relaties en connecties tussen de personages worden gesuggereerd. Zulke heerlijke achtergrondinformatie is typerend voor J.K. Rowlings toewijding voor het maken van een zeer gedetailleerde wereld voor haar verhalen.

tarantula

Leo Jordaan had aan het begin van Harry's eerste jaar een tarantula op Perron 9¾ (SW6). Ze worden onder andere verkocht in de Verdonkeremaansteeg (GK4).

Tarantallegra

(TA-ran-ta-LEG-gra)

Een spreuk die de benen van het slachtoffer dwingt om een dolle dans uit te voeren (GK10, F35).

'Tarantella' verwijst eigenlijk naar twee hele verschillende dansen. Eén is een korte, romantische dans met heel specifieke pasjes en opgewekte muziek. De andere is een onstuimige, stuiptrekkerige dans die uren kan duren. Hij wordt meestal solo gedanst, naar verluidt om de danser van het gif van een spinnenbeet te genezen door transpiratie. Dit type van de tarantella is eigenlijk een vorm van volksmagie.

'tarantella' = It. 'een dans uit Taranto, een stad in Italië' + 'allegro' = It. 'snel'

Taxus

Een bomensoort waar de toverstok van Marten Vilijn van gemaakt is (SW5). Er groeien ook taxusbomen op het kerkhof van Klein Zanikem (VB32) en in het Verboden Bos vlak bij Zweinstein (OF21).

Taxusbomen staan symbool voor de dood en wederopstanding omdat het hout ervan erg goed tegen rotting kan. Ze staan vaak op begraafplaatsen in Groot-Brittannië. J.K. Rowling creëert hier een mooi contrast met hulst (de houtsoort van de toverstok van Harry). Beide zijn altijd groen en beide hebben rode bessen, maar Taxus is erg giftig.

Ted

Dreuzelnieuwslezer tijdens het avondjournaal van 1 november 1981, die geen idee had dat de vreemde gebeurtenissen waar hij grapjes over maakte, te maken hadden met de ondergang van een vreselijke Duistere Tovenaar (SW1).

teennagelgroeivloek

Een van de spreuken die door de Halfbloed Prins is uitgevonden; veroorzaakt snelle teennagelgroei (HBP12).

Tegenbezwering

Een spreuk die wordt uitgesproken om de effecten van een vervloeking teniet te doen of te blokkeren (GA12, OF9, HBP5).

Tegengif

Een substantie die de effecten van een vergif tegengaat. In de tovenaarswereld zijn er veel tegengiffen tegen vergiffen en toverdrankeffecten. De bezoar, die als tegengif voor de meeste vergiffen werkt, is wellicht het meest effectieve (SW8, HBP18,19). Mandragora's vormen een ingrediënt in de meeste tegengiffen (GK6).

telescoop, stompende

Redelijk gewelddadig fopartikel dat door Fred en George is bedacht (HBP5).

Tenebrus

Een van de Terzielers die in het

Verboden Bos wonen. Tenebrus was de eerste die daar werd geboren en is Hagrids favoriet (OF21).
'tenebrosus' L. = 'donker, grauw'

tent
De magische tenten die de Wemels op de camping van het WK Zwerkbal opzetten, zagen er van buiten normaal uit, maar waren van binnen behoorlijk groot, met een kleine keuken en stapelbedden. Andere mensen gebruikten tenten waar duidelijker aan te zien was dat ze magisch waren en hadden bijvoorbeeld schoorstenen (VB7, RD14).

ten zuiden van de Theems
(Eng. 'Elephant and Castle')
Een van de vele plaatsen waar Willy Windekind een grap met Dreuzels uithaalde met brakende toiletten (OF7).
Ten zuiden van de Theems is een gebied in Zuid-Londen dat enkele eeuwen geleden Newington heette. Dit was toen een vrij gebruikelijke plaatsnaam, waarna het aan het begin van de 18de eeuw werd veranderd in 'Elephant and Castle', naar een pub die daar stond.

Terreinknecht
Hagrids functie, net als Sleutelbewaarder (SW4).

Terrortours
Tovenaarsreisbureau. Gelegen op nr. 59 aan de Wegisweg. Terrortours regelt heel avontuurlijke (en gevaarlijke) vakanties naar plekken zoals de Bermudadriehoek en Transsylvanië (DP3).

Teruggummer
Gumachtig object dat onzichtbare inkt zichtbaar maakt. Hermelien bezit er een (GK13).
Er is een Teruggummer te vinden op J.K. Rowlings website. Deze kan worden gebruikt om wat geheime schrijfsels te onthullen (JKR).

Terzielers
Grote gevleugelde paarden met witte glanzende ogen en skeletachtige zwarte lichamen (OF11). Ze zijn onzichtbaar voor iedereen die de dood nog niet heeft gezien. In tegenstelling tot het bijgeloof dat ze ongeluk brengen, zijn het erg nuttige magische wezens (OF21). Ze hebben een ongelofelijk goed gevoel voor richting en bewegen magisch snel door de lucht (OF34, RD4). Zweinstein heeft een kudde Terzielers die de Zweinsteinkarretjes trekken (OF10).
Toen boek vijf uitkwam, zagen fans onmiddellijk een schijnbare inconsistentie in Harry's plotselinge vermogen om de Terzielers te zien. Hij was tenslotte getuige geweest van de dood van een medeleerling aan het einde van het vorige boek en toch worden de rijtuigen zonder paarden specifiek genoemd in dat boek, ze komen aanratelen over de oprit terwijl de leerlingen zich klaar

T

maken om te vertrekken (VB37). Had Harry de Terzielers niet toen al moeten zien, aangezien hij de dood al had gezien? J.K. Rowlings antwoord was dat hij de dood waar hij getuige van was, nog niet had verwerkt en daardoor de Terzielers nog niet kon zien.

Testcentrum Verschijnselen

Dit testcentrum bevindt zich op de zesde verdieping van het Ministerie van Toverkunst en maakt onderdeel uit van het Magisch Verkeersbureau (OF7). Een tovenaar moet volwassen zijn en een test succesvol afleggen om legaal te mogen Verschijnselen. Om te slagen voor deze test moet de kandidaat succesvol naar een specifieke bestemming Verschijnselen zonder zichzelf te Versprokkelen (VB6, HBP22). Het Ministerie van Toverkunst biedt een twaalfweekse serie lessen aan die op Zweinstein gegeven wordt door een Verschijnseldocent van het Ministerie. In Harry's zesde jaar kostten deze lessen twaalf Galjoenen (HBP17).

Teutel, familie

Tovenaarsfamilie die dicht bij Greenwitch woont (VB6).

Teutel, juffrouw S.

(geb. 1980; Ravenklauw, 1991)

Zweinsteinleerling, misschien een lid van de familie Teutel uit Greenwitch. Bezocht de Duelleerclub in 1992 (GK11) en het Kerstbal in 1994 (VB23). Ze had een tijdje een lange, witte baard, maar die verdween snel weer (VB16).

De Engelse en Amerikaanse edities van de Vuurbeker *verschillen van elkaar. In de eerste Engelse editie lezen we: 'Tien punten aftrek voor Huffelpuf, Teutel!' snauwde Sneep toen er een meisje langs rende (VB23). In de recentste Amerikaanse editie trekt Sneep punten van Ravenklauw af.*

Teutel, Madame

Een oudere heks die erg snel wagenziek lijkt te worden, maar toch zo moedig is om de Collectebus te nemen (GA3, OF24).

theebladeren

Een methode van Waarzeggerij waarbij een tovenaar of heks de thee uit een kopje drinkt en dan de betekenis van de droesem die op de bodem achterblijft interpreteert. Zwamdrift begon Harry's eerste Waarzeggerijles met het onderwijzen van deze methode. Onder haar favoriete symbolen bevinden zich de knots (fysiek geweld), de schedel (gevaren op je pad) en – natuurlijk – de Grim. Al deze symbolen staan in *Ontwasem de Toekomst* op pagina vijf en zes (GA6).

Het voorspellen van de toekomst waarbij theeblaadjes worden gebruikt, wordt 'tasseografie' genoemd. De procedure is behoorlijk standaard en komt aardig over-

heen met de beschrijving in GA. De interpretatie van de symbolen die in de theeblaadjes worden gezien is echter heel persoonlijk en neemt aan dat wat één persoon ziet, niet overeen zal komen met wat een ander ziet. Een symbool voor een 'vriendelijk iemand' kan bijvoorbeeld onmiddellijk een bepaald iemand voor de geest brengen, waardoor het lezen wordt beïnvloedt. Daarom zullen de beste resultaten worden geboekt als iemand zijn eigen theeblaadjes leest. Hoewel Zwamdrift de 'Grim' in Harry's kopje zag kan het net zo goed een ezel zijn, zoals Simon suggereert, als hij het niet op die manier ziet.

theeservies, betoverd
Toen een oude heks overleed en haar betoverde servies aan een paar Dreuzels was verkocht, raakte de theepot van de kook en viel de nieuwe eigenaren aan. Dit soort problemen wordt opgelost door de Afdeling Misbruikpreventie van Dreuzelvoorwerpen (GK3).

Theoretische Grondslagen der Magie
door Adalbert Zwatel
Verplicht lesboek voor eerstejaars, mogelijk voor Spreuken en Bezweringen (SW5).

Thomas, Daan
(Griffoendor, 1991; Reservejager, 1996-1997; Strijders van Perkamentus)
Een klasgenoot van Harry en beste vriend van Simon Filister (VB7). Hij is een zwarte Londenaar die als Dreuzel opgroeide; hij is fan van het West Ham United voetbalteam (SW9). Hij had tijdens zijn zesde jaar verkering met Ginny Wemel (OF38, HBP24; *zie ook* RD23, 29).

Thomas, familie
Daan Thomas groeide op met het idee dat hij een Dreuzeltelg was. Zijn echte vader vertelde echter nooit aan zijn familie dat hij een tovenaar was omdat hij voor hun veiligheid vreesde. Helaas kent zijn zoon de ware reden waarom zijn vader hen verliet niet, noch wie hij was (JKR, RD15).

tiara, door kobolden gesmeed
Molly Wemels tante Marga bezit deze tiara die wel iets weg heeft de diadeem van Ravenklauw.

Tijdkamer
Een van de interessantere kamers in het Departement van Mystificatie. De Tijdkamer staat vol met klokken en is gevuld met 'dansend, flonkerend licht'. Het licht komt uit een manshoge kristallen stop (OF34). De Tijdkamer bevat ook een vitrinekast vol zandlopers (OF35), de hele voorraad Tijdverdrijvers van het Ministerie (HBP11).

Tijdverdrijver
De Tijdverdrijver is een kleine

zilveren zandloper die aan een ketting om de hals wordt gedragen. Dit is een zeer krachtig en gevaarlijk magisch voorwerp dat de tijd letterlijk terugdraait voor de gebruiker, één keer per omkering van de zandloper. Ze worden streng gereguleerd door het Ministerie (GA21, OF35, HBP11).

Het is lastig om een Tijdverdrijver in een verhaal te verwerken omdat het veel plotproblemen veroorzaakt. Als de personages wanneer ze dat maar willen terug in de tijd kunnen gaan, kunnen ze het verleden veranderen en de gevaren die ze anders tegen zouden komen vermijden. Deze problemen werden opgelost doordat de Tijdverdrijvers in de strijd aan het eind van deel vijf werden vernietigd.

Tintel, Agaat

Eigenaresse van een palingkwekerij die een weddenschap aanging met Ludo Bazuyn tijdens een WK Zwerkbalwedstrijd (VB7).

Tippel, meneer

Een van de katten van mevrouw Vaals, Kwistel, waarvan Harry behoorlijk wat foto's heeft gezien (SW2). Hij hield ook een oogje op Levinius Lorrebos en waarschuwde mevrouw Vaals toen hij zijn post verliet (OF1, 2).

Toadstool Tales

Zie VLIEGENZWAMVERHAALTJES

Tobbers, Ken

(Zweinstein, 1989)

Een leerling die zijn S.L.I.J.M.-B.A.L.-len tegelijk met Fred en George had en die steenpuisten kreeg toen het examen dichterbij kwam (OF12).

Todd, Sidney

Een 83 jaar oude fan van de Montrose Magpies die het eens was met de beslissing om Alasdair Maddock, nadat hij zich had ingelaten met basketbal, voetbal en golf, vrij te laten (DP3).

Toezicht op Magische Wezens, Departement van

Een toezichthoudend departement van het Ministerie van Toverkunst met veel taken: dit is de groep die verantwoordelijk is voor het toezicht op alle magische niet-mensen, van kobolden en huis-elfen tot geesten. Hun verantwoordelijkheden omvatten het verbergen van magische wezens voor Dreuzels, zoals het Monster van Loch Ness, toezicht op het creeren van nieuwe magische soorten (VB24) en wezen-gerelateerde crises oplossen (HBP1). Het departement neemt de hele vierde verdieping van het Ministerie van Toverkunst in beslag (OF7) en Barend Kannewasser is één van zijn medewerkers (VB6).

Toiletruimte

Er zijn verscheidene toiletruimtes te vinden in Kasteel Zweinstein (SW10). Eén meisjestoilet is buiten gebruik, omdat het er spookt en het vaak overstroomt (GK9, 16). Er zijn tevens toiletruimtes op de vierde verdieping (OF28) en de zesde verdieping (HBP24) en een uitgebreide badkamer van de klassenoudsten op de vijfde verdieping (VB23). De Kamer van de Hoge Nood maakte een badkamer voor de leerlingen die zich gedurende het schooljaar 1997-1998 verstopten voor de Kragges. Deze badkamer verscheen echter pas 'toen er meisjes verschenen' (RD29).

toiletruimte, magische

Een mysterieuze kamer in Zweinstein, die per ongeluk ontdekt werd door Perkamentus; het kwam erg goed uit dat de kamer voorzien was van allerlei toiletten. Alhoewel hij dit niet besefte, was dit de Kamer van Hoge Nood (VB23).

Tom

Kale, tandeloze herbergier van de Lekke Ketel (SW5, GA3, 4).

Tondel, Quinten

Auteur van *De Zwarte Kunsten: Een Handboek voor Zelfbescherming* (SW5).

Tongopkrulvloek

Dwaaloog Dolleman installeerde deze vloek in Grimboudplein nummer twaalf om te voorkomen dat Sneep het huis zou betreden (RD6, 9, verg. BLC).

Ton-Tong Toffee

Doordrenkt met een Zwelbezwering. Deze snoepjes zorgen ervoor dat iemands tong tot tien keer zo groot als normaal wordt (VB4, 5).

Toorn, Tilly

(1903-1991)

Ontvanger van de Orde van Merlijn, Eerste Klasse, als gevolg van het Indicent van Ilfracombe in 1932 (TK). Zie voor meer informatie de Tovenaarskaarten (TK).

'Toots, Shoots 'n' Roots'

Een prijzenwinnend radioprogramma dat gepresenteerd wordt door Tilden Toots (JKR).

Het laatste stukje van een aflevering kan worden beluisterd op J.K. Rowlings website, waar Tilden een tip geeft om een Fladderbloem op te peppen voordat hij zijn programma afsluit. Dit is in feite een hint voor een van de verrassingen op de website (JKR).

Tops, Andromeda Zwarts

Zus van Bellatrix van Detta en Narcissa Malfidus (en lijkt erg op Bellatrix qua uiterlijk). Andromeda trouwde met een Dreuzeltelg (BFT, RD5). Ze kregen één dochter, Nymphadora (OF6; *zie ook* RD22, RD34). Ze bracht haar kleinzoon Teddy Lupos alleen groot, hoewel ze veel hulp van vrienden kreeg (BLV, RD/e).

Tops, Nymphadora
(1973-1998; Huffelpuf, 1984; Orde van de Feniks)
Een jonge Schouwer en lid van de Orde van de Feniks (OF3-9, 35). Ze is een Transformagiër en kan dus haar uiterlijk naar willekeur veranderen. Ze wil het liefst Tops genoemd worden, maar haar vader noemt haar 'Dora'. Ze is de dochter van Sirius Zwarts' favoriete nicht, Andromeda, die met een Dreuzeltelg trouwde, Ted Tops (OF6). Tops werd op Zweinstein geen klassenoudste omdat ze zich niet kon gedragen (OF9). Ze moet echter een hele goede leerling zijn geweest omdat je hoge cijfers voor veel vakken nodig hebt als je Schouwer wilt worden (HBP27, RD4, 31, 35).
In de Griekse mythologie zijn nymfen natuurgeesten. Het zijn godinnen die eruitzien als jonge, mooie meisjes en het zijn de beschermers van bronnen, bergen en rivieren (EM). Een nymf is ook een metamorfosestadium in de insectenwereld.

Tops, Ted
(† 1997)
Dreuzeltelg, vader van Nymphadora en echtgenoot van Andromeda (OF6). Hij wordt door zijn dochter omschreven als een 'wandelende vuilstort' in vergelijking met de Duffelingen, wier huis volgens Nymphadora onnatuurlijk schoon leek (OF3). Ted Tops had blond haar en een dikke buik (RD5, *zie ook* RD15, 22).

Topsham
Een klein dorp in Devon waar madame Z. Netel woont, een heks die Snelspreuk gebruikte om haar magische vermogens te verbeteren. Haar verklaring maakt onderdeel uit van het Snelspreukmateriaal dat Harry ooit in het kantoor van Vilder las (GK8).

Tornspreuk
Spreuk om iets te snijden (VB23).

Totale Verstijving
Zie PETRIFICUS TOTALUS

Totelaer
Dooddoener die verantwoordelijk was voor een aantal moorden in de jaren '70 (VB30). Tijdens de Tweede Tovenaarsoorlog sloot Totelaer zich aan bij het Ministerie van Toverkunst (RD13, *zie ook* RD26).

Tottenham Court Road
Winkelstraat in het centrum van Londen, erg dicht bij Charing Cross Road. Hermelien, Harry en Ron vluchtten tijdens een crisis naar de Tottenham Court Road en besloten toen om naar het relatief veiligere Grimboudplein te Verschijnselen (RD9).
Het is interessant dat deze plek bij Hermelien 'te binnen schoot'. Het Tottenham Court Road metrostation ligt naast Charing Cross Road waar de Lekke Ketel zich bevindt.

Het is mogelijk dat zij en haar ouders dit station gebruikten om de Wegisweg te bereiken (GK4).

'Toujours Pur'
Het motto op het familiewapen van de familie Zwarts. Het betekent 'altijd puur' in het Frans – een verwijzing naar de bloedstatus van de familie (OF6).

touwen, magische
Soms worden er touwen uit het niets getoverd om iemand vast te binden. Krinkel deed dit bijvoorbeeld met Harry voor de Spiegel van Neregeb (SW17), en Perkamentus deed het om Bartho Krenk jr. vast te binden na hem buiten bewustzijn gebracht te hebben (VB36). Wormstaart liet de touwen ook op memorabele wijze verschijnen om Harry in de begraafplaats vast te binden (VB32)
Zie ook BIND- EN VASTMAAKTOVERKUNST

'Tovenaar en de Hinkelpan, De'
Een van de sprookjes in *Vertelsels van Baker de Bard*, een verzameling verhalen die tot de klassiekers van de Tovenaarskinderliteratuur wordt gerekend. Het verhaal gaat over een domme tovenaar, wiens magische pan hem een lesje leert over het gebruiken van magie om anderen te helpen. Omdat Harry en Hermelien opgegroeid zijn in de Dreuzelwereld, hebben zij deze verhalen niet kunnen lezen voordat ze tieners waren (RD7, VBB).

Tovenaar & Toverdrank
Een van de wetenschappelijke tijdschriften uit de Tovenaarswereld; tenminste één artikel van Albus Perkamentus werd hierin gepubliceerd toen hij nog redelijk jong was (RD2).

Tovenaar met de Charmantste Glimlach
Een enigszins onzinnige prijs die door *Heks & Haard* wordt uitgereikt. Hij is vijf keer aan Gladianus Smalhart uitgereikt, wat waarschijnlijk zijn enige echte prestatie is (GK6).

Tovenaarsduel
Duelleren is qua sport zo ongeveer hetzelfde als schermen voor Dreuzels (SW9, GK11). Hoewel het een vriendschappelijke sport is, is het in essentie een manier van vechten. Het Tovenaarsduel als sport is aan regels gebonden en er bestaan competities voor. Maar dezelfde vaardigheden komen naar voren in gevechten op leven en dood (OF18, ev.)
Duelleren als een manier om geschillen op te lossen is door de hele geschiedenis van de mensheid heen gemeengoed geweest, hoewel het nu bijna overal verboden is. Een duel was altijd een erekwestie, en werd alleen tussen mensen van de hogere rangen bevochten. Zo ongeveer rond de 18[de] *eeuw werd er een stel-*

T

sel van duelleerregels opgesteld, de zogenaamde code duello. *Hierin stonden de exacte procedures voor het uitvechten van een duel, waaronder het uitkiezen van de wapens, de benoeming van secondanten, enzovoorts. De regels die er waren voor het oproepen tot een duel leken op de regels die Smalhart de leerlingen leerde in de Duelleerclub. In een echt gevecht hebben deze formaliteiten echter weinig nut; als Voldemort eist dat de formaliteiten inzake een duel gevolgd worden, gebruikt Harry deze tijd om achter beschutting te duiken (VB34).*

T

Tovenaarsoorlogen

Zie EERSTE TOVENAARSOORLOG *en* TWEEDE TOVENAARSOORLOG

Tovenaarsruimte

Hoewel het niet letterlijk genoemd wordt, zorgt dit veelvoorkomende effect ervoor dat magische voorwerpen meer kunnen bevatten dan ze normaal gezien zouden moeten kunnen (bijv. GK5, VB7). *Zie* ONNASPEURBARE ZWELSPREUK

'Tovenaarssuite, De'

Een onafgemaakt muziekstuk dat gecomponeerd werd door de beroemde tovenaar en componiste Musidora Blafstra. Dit muziekstuk werd in 1902 eenmalig uitgevoerd. De exploderende tuba blies toen het dak van het dorpshuis van Ackerly. Sindsdien mag het nooit meer gespeeld worden (TK).

toverdrank voor het ontwikkelen van foto's

Als je foto's in bepaalde toverdranken ontwikkelt, zullen de foto's die eruit komen bewegen (GK6).

toverdranken

Magische vloeistoffen die worden gemaakt door verschillende ingrediënten in een ketel volgens zeer specifieke regels te mengen. Je kunt enkel een toverdrank maken als je tovertalent hebt (TCG). Deze mengsels moeten gewoonlijk worden gedronken om hun uitwerking te kunnen hebben. De ingrediënten in toverdranken variëren van normale (rupsen, granaatappelsap) tot bizarre en fantasierijke (Aswindereieren, eenhoornhoorns) (GA7, OF17, FD, SW15). De procedures voor het maken van sommige toverdranken kunnen complex en tijdrovend zijn. Felix Fortunatis moet bijvoorbeeld zes maanden trekken (HBP24).

Toverdranken voor Gevorderden

Door Libatius Bernage

Het lesboek voor Toverdranken op P.U.I.S.T.-niveau tijdens Harry's zesde jaar (HBP9), dat nieuw negen Galjoenen kostte (HBP11). Het boek werd rond het jaar 1946 geschreven (HBP16). Het boek bevat instructies voor het maken van de Drank van de Levende Dood, op pagina 10 (HBP9).

Toverdranken (vak)
Dit is een van de zeven hoofdvakken op Zweinstein en wordt vanaf het eerste jaar gegeven (SW8). Severus Sneep was de leraar Toverdranken op Zweinstein van c. 1980 tot de herfst van 1996. Hildebrand Slakhoorn, een eerdere leraar Toverdranken, kwam de twee jaren die daarop volgden even terug, hoewel hij eigenlijk met pensioen was (OF15, HBP4, 8, RD30).
De lessen Toverdranken zijn een goed voorbeeld om te zien hoe de verschillende vakken op Zweinstein bij elkaar passen. Om de ingrediënten die nodig zijn voor een Toverdrank te verkrijgen, moet een tovenaar de magische wereld goed begrijpen. Kruidenkunde verschaft de tovenaar bijvoorbeeld de kennis over bepaalde planten, zoals Mandragora's, die gekweekt worden om bepaalde toverdranken te maken. Andere ingrediënten komen van magische wezens, en deze worden bestudeerd bij Verzorging van Fabeldieren. De kracht van sommige ingrediënten komt enkel tot uiting als het moment waarop ze geplukt worden juist is, bijvoorbeeld bij volle maan. Andere toverdranken krijgen pas hun volledige sterkte als ze worden gebrouwen onder speciale astronomische omstandigheden; dit is waarom de leerlingen Astronomie krijgen op Zweinstein. De wereld van Harry Potter is met veel zorg in elkaar gezet door J.K. Rowling, zodat deze geloofwaardig en consistent is. Dit is vooral duidelijk te zien aan de manier waarop het toveronderwijs wordt beschreven.

Toverdrankenlokaal
Een 'eng' lokaal in de kerkers van Zweinstein, hier worden de lessen Toverdranken gegeven (SW8). In de hoek staat een waterspuwer. Uit de mond komt water, dat in een bassin valt en kan worden gebruikt om de handen te wassen (GA7). Op planken aan de muren staat een grote verscheidenheid aan dode dieren in potten die waarschijnlijk worden gebruikt bij het maken van toverdranken. Het kan in de winter zo koud worden in dit lokaal dat de leerlingen hun eigen adem kunnen zien (SW12).

toverdrankset
Leerlingen op Zweinstein gebruiken deze (VB10), hoewel het vreemd genoeg niet wordt vermeld op de lijst met benodigdheden die naar alle eerstejaars wordt gezonden (SW5).

Toverexamenraad
Een afdeling van het Ministerie. De Toverexamenraad is verantwoordelijk voor het maken en het afnemen van de P.U.I.S.T.- en S.L.I.J.M.B.A.L.-examens op Zweinstein. De raad, met Griselda Koudstaal aan het hoofd, bestaat uit een 'kleine groep stokoude heksen en tovenaars' onder wie Professor Knufje (OF31). De

T

naam Toverexamenraad staat, samen met de naam van Professor Koudstaal, boven de drie W.O.M.B.A.T.-examens die Dreuzels af kunnen leggen. (JKR).

Tover in een Tel een Traktatie op Tafel

Een kookboek voor tovenaars. De Wemels hebben een exemplaar in hun keuken (GK3).

toverketel van kaas

Een slecht idee, ongeacht wat Hudibras Braakwater denkt (HBP10).

T

toverkunst

Toverkunst is de kern van de tovenaarscultuur zoals wetenschap en techniek dit zijn voor de Dreuzelcultuur. Waar Dreuzels een paal de grond in zouden slaan met een hamer (een simpele machine) zou een tovenaar een toverstok gebruiken (VB18). Zowel de Dreuzel als de tovenaar vindt hun keuze van hulpmiddel totaal logisch, hoewel de een het hulpmiddel van de ander fascinerend en zelfs mysterieus zou vinden. In de tovenaarswereld is toverkunst 'gewoon de manier waarop je dingen doet' en wordt zij systematisch bestudeerd, net als wetenschappelijke dingen bij de Dreuzels (bijv. HBP18, RD15).

Toverkunst, takken van

Er zijn vijf fundamentele takken van de toverkunst waar les in wordt gegeven op Zweinstein: Spreuken en Bezweringen, Gedaanteverwisselingen, Kruidenkunde, Toverdranken en Duistere Kunsten (op Zweinstein gegeven als 'Verweer Tegen de Zwarte Kunsten'). Andere takken van de toverkunst zijn Voorspellend Rekenen, Waarzeggerij, Stokkenleer, Legilimentie, Medische Magie, Magizoölogie en Occlumentie (SW8, OF31).

Niet alle vakken die op Zweinstein worden gegeven, behoren tot aparte takken. Zo lijken Astronomie en Geschiedenis van de Toverkunst bijvoorbeeld meer op informatieve vakken die de nodige achtergrondinformatie aanleren dan een tak van de toverkunst op zich.

'Toverkracht is Macht'

Slogan die het Ministerie van Toverkunst gebruikte om de onderdrukking van Dreuzels en Dreuzeltelgen te verantwoorden. Een enorm zwart stenen beeld in het Atrium huldigde dit idee; het stelde een heks en een tovenaar voor, gezeten op een troon gemaakt van lijdende, naakte Dreuzels 'op de plek waar ze thuishoren' (RD12).

Toverradio

Het equivalent van de Dreuzelradio. De Wemels hebben er een in de keuken. Er wordt in de tovenaarswereld veel naar de MOS (Magische Omroep Stichting) geluisterd. Tijdens de oorlog tegen

Voldemort konden tovenaars ook middels dit apparaat naar *Met het Oog op Potter* luisteren als ze het juiste wachtwoord uitspraken (RD22).

De toverradio is een uitstekend voorbeeld van de manier waarop tovenaars apparaten van de normale wereld namaken. De apparatuur werkt echter heel anders want het heeft een magisch effect. Het lijkt dan wel op een radioset van de Dreuzels, maar we zien dat Ron hem bedient door er met zijn toverstok op te tikken terwijl hij de juiste toverwoorden roept in plaats van aan de schijf te draaien om de juiste zender te kiezen.

Toverschaken

Een magische variant op het schaakspel. De stukken zijn hierbij levend en vechten onder aanvoering van de speler een duel uit voor elk vakje van het schaakbord. De verschillende schaakstukken hebben elk hun eigen persoonlijkheid. Sommige zijn gewelddadiger dan andere. De meeste zullen een onervaren speler pesten en met hem in discussie gaan wanneer hij probeert om hun bevelen te geven (SW12). Ron en Harry hebben dit spel in hun eerste jaar behoorlijk vaak gespeeld; Hermelien wat minder, omdat ze vaak verloor (SW13).

Toverschool Toernooi

Een beroemde wedstrijd tussen de scholen Zweinstein, Klammfells en Beauxbatons die ongeveer 700 jaar geleden begon als vriendschappelijke competitie tussen de drie scholen. De scholen waren om de beurt gastheer van het toernooi, dat elke vijf jaar plaatsvond, tot het werd stopgezet wegens een te hoog aantal doden. Het bestond uit een serie opdrachten die aan één kampioen van elke school werd gegeven, bedoeld om zijn magische en mentale capaciteiten te testen. Moderne tovenaars groeiden op met verhalen over deze grote toverwedstrijden van jaren geleden (VB16) en waren verheugd toen ze hoorden dat het Toernooi opnieuw zou worden gehouden.

Perkamentus doet zijn best om deze oude wedstrijd nieuw leven in te blazen om mensen samen te brengen. Zijn gepassioneerde toespraak aan het einde van het boek, waarin hij zei dat 'onze kracht even groot als onze eensgezindheid' is en leerlingen van alle drie de scholen verzocht om elkaar als vrienden te beschouwen, is een duidelijke aanwijzing waarom hij zo'n uitgebreide en ingewikkelde wedstrijd wilde houden terwijl de wereld in rep en roer was en er geruchten waren dat Voldemort terugkwam. Hij hoopt om een band van vriendschap en respect te smeden als reactie op Voldemorts pogingen om het vertrouwen tussen tovenaars te vernietigen (VB37).

De naam van de wedstrijd was oorspronkelijk 'The Doomspell Tournament' dat ook een deel was van

T

de werktitel van deel vier: Harry Potter and the Doomspell Tournament.

Toverschool Trofee

Wordt uitgereikt aan de winnaar van het Toverschool Toernooi en als eer door de winnende school bewaard tot het volgende toernooi. In het Toernooi van 1994-1995 werd de trofee in het midden van een gevaarlijk en moeilijk doolhof gezet (GF32).

toverstok

Een toverstok is de sleutel tot de kracht van een tovenaar, een 'vat' dat de toverkracht van de eigenaar bundelt (TCG); hoewel tovenaars ook zonder toverstok kunnen toveren, is dit veel minder beheerst (CR). Toverstokken worden gemaakt van hout, met een kern van een krachtige magische substantie, zoals de staarthaar van een eenhoorn en hartenbloed van een draak (SW5). Hoewel elke tovenaar bijna alles zou kunnen gebruiken om zijn toverkracht te bundelen, levert een toverstok die affiniteit heeft met zijn eigenaar - tenminste, als het magie samen met zijn eigenaar heeft leren beoefenen, een 'gezamenlijke zoektocht naar ervaring' - het beste resultaat op (RD24).

toverstokkenmeetapparaat

Hoewel dit instrument nooit letterlijk genoemd wordt, heeft de registratiebalie voor bezoekers in het Ministerie van Toverkunst er één van om toverstokken van bezoekers in te checken. Het instrument is gemaakt van koper en ziet eruit als een halve weegschaal. Het toont niet daadwerkelijk het gewicht van een toverstok, maar de lengte, de kern en hoe lang deze in gebruik is. Het Ministerie bewaart deze informatie en geeft de stok terug aan de tovenaar (OF17).
Hoofdstuk achttien van Harry Potter en de Vuurbeker *heet in het Engels 'The Weighing of the Wands' (letterlijk 'Het Wegen van de Stokken', in de Nederlandse editie vertaald met 'Het Schouwen van de Stokken') hoewel Olivander tijdens zijn controle van de stokken van de Toverschoolkampioenen geen gebruik lijkt te maken van enig weegapparaat, of überhaupt het gewicht ook maar meet (VB18).*

toverstokeffecten

Onbenoemde categorie van kleine spreuken. Tovenaars schijnen in staat te zijn om dingen naar keuze uit hun toverstok te laten komen, voor vieringen, decoratie of gewoon om de aandacht te trekken. Voorbeelden variëren van Perkamentus' paarse voetzoekers (SW10) en Olivanders rookkringen tot fontein van wijn (VB18) en Hermeliens slingers die de boel versierden voor Harry's verjaardag (RD7).

toverstokrechten
Heksen en Tovenaars kregen het 'recht om te allen tijde een toverstok te dragen' door een wet die in 1692 door het Internationaal Overlegorgaan van Heksenmeesters werd ingesteld. Dit basisrecht werd noodzakelijk geacht vanwege het constante gevaar van Dreuzelvervolging in die tijd. Toverstokrechten gelden niet voor wezens die geen tovenaar zijn (JKR). Ondanks deze wet nam het Ministerie de buitengewone stap van het innemen van toverstokken van toeschouwers die naar een risicovolle Harpies-Pullover United wedstrijd op Ilkley Moor gingen (DP3), maar er ontstonden toch problemen (DP4).

toverstokschrift
Laat een kronkelend lint uit de punt van de toverstok komen dat woorden spelt of nummers vormt; Perkamentus gebruikte dit effect om de woorden van het schoollied van Zweinstein te vormen zodat iedereen kon meezingen (SW7). De jury van het Toverschool Toernooi gebruikten toverstokschrift om de cijfers die ze gaven te laten zien(VB21; *zie ook* GK17).

Toverstokverbod van 1631
Op dit moment is het illegaal voor alle wezens behalve heksen en tovenaars om een toverstok te hebben, ten gevolge van het Toverstokverbod van 1631 (JKR). Vooral kobolden hebben gelobbyd om deze wet te veranderen, maar tot op de dag van vandaag blijft hij van kracht (DP3, RD24).

toverstokvonken
Een basisspreuk die groene of rode vonken uit een toverstok laat spuiten. Wordt gebruikt als signaal. Dit was een spreuk die eerstejaars leerden (SW15) en die zelfs door volwassen tovenaars als signaal werd gebruikt (VB31, OF3).

Tovertweelings Topfopshop
Bedrijf dat door Fred en George Wemel, terwijl ze nog op school zaten, werd opgericht om ingenieuze fopartikelen te verkopen die ze zelf uitgevonden hadden (VB4, 37). Ze openden een winkel op de Wegisweg 9 nadat ze van school af waren en deden er goede zaken. Onder hun populaire producten vielen Spijbelsmuldozen, Hangoren, Wemels Wonderbaarlijke Pyropakketten, Hoofdloze Hoeden, foptoverstokken en natuurlijk Poe-Pie-Nee (VB22, OF24, OF28, HBP6). De creativiteit en vindingrijkheid van hun producten bestond uit krachtige en gevorderde magie. Niet al hun producten waren fopartikelen; sommige artikelen waren erg nuttig.

Toverzorgers
Helers die bij het WK Zwerkbal aanwezig waren om verwondingen te behandelen; ze lijken van

andere Helers te verschillen zoals Dreuzelparamedici, of misschien sporttrainers, verschillen van artsen (VB8).

Trampolinetulpen

Vierdejaars Herpotten deze tijdens een les Kruidenkunde (VB18).

Transformagiër

(Eng. 'Metamorphmagus')

Heks of tovenaar die geboren is met het vermogen om het uiterlijk naar believen te veranderen. Nymphadora Tops is een Transformagiër (OF3), net als haar zoon Teddy Lupos (BLC).

'meta' = Gr. 'veranderd, aangepast' + 'morphe' = Gr. 'vorm' + 'magus' = Perzisch 'wijze, magiër'

Transsylvanië

Een gebied in het land Roemenië. Het nationale team van Transsylvanië versloeg Engeland in een wedstrijd voor het WK Zwerkbal in 1994 (VB5). Rond Kerst dat jaar stond Transsylvanië op het punt om het Internationale Duelleerverbod te ondertekenen (VB23).

Dit is een ander voorbeeld waarbij de Tovenaarswereld een beetje achterloopt bij de aardrijkskunde en politiek van de Dreuzelwereld. Transsylvanië is geen onafhankelijk land geweest en is dat gedurende zijn lange geschiedenis ook zelden geweest. Het heeft echter niet alleen zijn eigen Zwerkbalteam maar ondertekent ook internationale verdragen. Natuurlijk, aangezien Transsylvanië bekendstaat als de fictieve woonplaats van Dracula, roept het gebruik van deze naam voor een 'land' de associatie met mysterie en gevaar op. Dit verleent ook geloofwaardigheid aan het verhaal over het Transsylvanische Zwerkbalteam dat in 1473 bijzonder gewelddadig en achterbaks was. Toevalligerwijs was de 15de eeuw de periode van Vlad de Spietser, een vorst in Transsylvanië, waarvan sommigen denken dat hij de inspiratie was voor het Draculapersonage.

Traumateam voor Toverongevallen

Een team van tovenaars, inclusief Verbloemisten, dat ingrijpt wanneer Dreuzels zijn blootgesteld aan toverkunst of wanneer Toverkunst mislukt. De teamleden herstellen alle schade, maken elk magisch effect ongedaan en veranderen het geheugen van de getuigen zodat ze zich niet herinneren dat ze iets ongewoons hebben gezien (GA3). Ze lossen gevallen van Versprokkeling op (VB6). Het team heeft zijn hoofdkwartier op de derde verdieping van het Ministerie van Toverkunst, onderdeel van het Departement van Magische Rampen en Catastrofes (OF7).

In vroege edities van de Engelse versie van deel drie werd het team 'Accidental magic reversal de-

partment' genoemd in plaats van 'Accidental magic reversal squad' (GA3). J.K. Rowling zette de organisatie van het Ministerie van Toverkunst voor het eerst uiteen in Fabeldieren en Waar Ze te Vinden, *dat een paar jaar later werd uitgegeven. Het is aannemelijk dat ze tot op dat moment de details van het Ministerie niet had uitgewerkt, waardoor er een aantal continuiteitsfouten in eerder materiaal staan.*

Trekhout, Sacharissa

(1874-1966)

Heks die zich heeft gespecialiseerd in schoonheidsproducten; zie voor meer informatie de Tovenaarskaarten (TK).

'saccharine' = Eng. 'misselijkmakend zoet'

Tripjes met Trollen

door Gladianus Smalhart

Een van de vele niet zo bijzondere lesboeken die verplicht waren voor Verweer Tegen de Zwarte Kunsten in Harry's tweede jaar (GK4).

Trol

Grote, domme wezens, gewelddadig van aard en ze stinken erg (SW10). De intelligentere Trollensoorten nemen tot op zekere hoogte deel aan de tovenaarsmaatschappij, voornamelijk als bewakers (GA14, OF30). Ze worden echter niet als magische wezens erkend vanwege hun lage intelligentie. Dit veroorzaakte recentelijk enkele conflicten tussen de Trollenrechtenbeweging en tovenaars die er de voorkeur aan geven deze wezens te blijven onderdrukken (DP2).

Trollen komen uit de Noorse mythologie. Het zijn grote, lelijke, mensenetende wezens die alleen 's nachts tevoorschijn komen. Ze veranderen in steen als ze worden blootgesteld aan licht. Tolkien verwerkte een memorabele scène in De Hobbit *waarin Bilbo drie Trollen af kon leiden tot de zon opkwam en ze versteende. J.K. Rowling gebruikt dit aspect van de Trollenfolklore niet in haar boeken.*

Trollenrechtenbeweging

Een georganiseerde beweging die campagne voor Trollenrechten voert en door mejuffrouw Heliotrope Willis wordt geleid. Ze gebruiken vaak Trollen om vergaderingen van tovenaars die het niet met hun standpunt eens zijn op een gewelddadige manier te onderbreken. De leden van de beweging worden zelf echter ook wel eens in elkaar geslagen, Trollen blijven tenslotte wie ze zijn (DP2).

Trols

Dit is blijkbaar een echte taal aangezien Percy Wemel deze noemt als een van de tweehonderd talen die meneer Krenck kan spreken. Het is echter moeilijk om je voor te stellen dat deze zo moeilijk is om te leren, zoals Fred al aangeeft, aangezien trollen niet bijzonder intelligent zijn (VB7).

trompetterende narcissen
Professor Stronk heeft een paar van deze narcissen, waarover Belinda Broom zegt dat ze deze een stuk minder leuk vindt dan normale narcissen (OF27).

Troy
Ierse Jager, van het beroemde trio 'Troy, Mullet and Moran' (VB8).

T

tuba, exploderende
Dit interessante muziekinstrument speelde een belangrijke rol in *De Tovenaarssuite*, die door Musidora Blafstra werd gecomponeerd.

Tuinkabouter
(Gnomini Gardensi)
Algemeen voorkomend ongedierte in de tuin dat lijkt op een aardappel met benen. Kabouters leven in gaten in de grond, waar ze plantenwortels opgraven en een zooitje veroorzaken. Hun aanwezigheid is een duidelijke aanwijzing dat het huis van een tovenaar of heks is (Sch1). Knikkebeen is er gek op om achter kabouters aan te zitten, en de kabouters lijken het even leuk te vinden om opgejaagd te worden (VB5). Xeno Leeflang noemde ze 'Gnomini' en 'wijze kleine tuinkabouters' en dweepte met hun speciale magische eigenschappen (RD8).

Turk, Taddeus
(1632-1962)
Een tovenaar die problemen met zijn kinderen had; zie voor meer informatie de Tovenaarskaarten (TK).

Turkije
Een groot land dat op de grens tussen Azië en Europa ligt, met de verscheidenheid aan tradities en culturen die daarbij passen. Het nationale Zwerkbalteam van Turkije werd in het begin van de jaren '80 door Engeland in een wedstrijd verslagen, wat gedeeltelijk te danken was aan de prestatie van Ludo Bazuyn (VB30)

Turpijn, Lisa
Een meisje dat samen met de rest van Harry's jaar werd gesorteerd, vlak voor Ron (SW7).

Tutshill Tornado's
Zwerkbalteam dat uit het kleine dorpje Tutshill in het Forest of Dean op de grens tussen Engeland en Wales komt. Cho Chang is sinds haar zesde fan, hoewel het team volgens Ron recentelijk een aantal mooiweerfans aantrok (OF12). Brevis Birch was kortgeleden de Aanvoerder en Merwyn Finwich Wachter. Volgens de *Ochtendprofeet* gaat hun geschiedenis 900 jaar terug (DP2).
J.K. Rowling woonde als kind een paar jaar in Tutshill.

Twaalf Feilloze Manieren om Heksen te Versieren

Een boek dat volgens Ron 'alles wat je over meisjes weten moet' uitlegt. Hij kreeg een exemplaar van Fred en George en gaf Harry een exemplaar voor zijn zeventiende verjaardag (RD7). Te oordelen naar zijn gedrag, bevat het advies over het geven van complimenten en belangstelling tonen voor de gevoelens van het meisje.

Tweede Tovenaarsoorlog

(1995-1998)

Voldemorts tweede poging om de macht te grijpen, die begon toen hij weer opdook na het Toverschool Toernooi in 1995, en eindigde met een gevecht in de lente van 1998 (m.n. VB2, 33, OF35-6, HBP27, RD4, 31-16).

tweedehands gewadenwinkel

Mevrouw Wemel nam Ginny hier mee naartoe om gewaden te kopen voor Zweinstein; de winkel is te vinden op de Wegisweg (GK4).

Tweehoorn

(Eng. 'Bicorn')

De hoorn van dit dier wordt gebruikt als een toverdrankingredient. Gemalen Tweehoornhoorn wordt bijvoorbeeld gebruikt in Wisseldrank (GK10).

'bi' = L. 'twee' + 'cornus' = L. 'hoorn'

De Tweehoorn is een demonisch wezen dat mensenvlees eet en voorkomt in Engelse en Franse volksverhalen. Hij eet alleen mannen die zijn getiranniseerd door hun vrouw, en daarom zijn ze volgens de verhalen altijd goed doorvoed en vet.

tweestaartige salamander

Als Hermelien Knikkebeen gaat kopen in de Betoverende Beestenbazaar, wordt een tovenaar bij de toonbank geadviseerd over tweestaartige salamanders (GA4).

Twiddle, Malfidus

Schreef een brief naar de *Ochtendprofeet* waarin hij klaagde dat Goudgrijp Sfinxen gebruikte om zijn extra beveiligde kluizen te bewaken (DP1).

Typische Tantaliserende Toverproblemen en hun Oplossingen

Een van de boeken die Harry, Ron en Hermelien bestudeerden tijdens de voorbereidingen op de Tweede Opdracht van het Toverschool Toernooi. Het boek heeft het over een spreuk waarbij iemands neushaar in lange krullen groeit, hoewel het niet vermeld of dat het probleem of de oplossing was (VB26).

T

U

uil

Een magische vogel (JKR), heel bekwaam en intelligent. Uilen begrijpen Engelse instructies en kunnen de namen lezen die op berichten zijn geschreven (OF14). Ze weten bij wie de berichten bezorgd moeten worden en waar diegene zich bevindt (VB18). De emoties van uilen kunnen van tijd tot tijd erg menselijk zijn (bijv. SW8, GK7, GA1, VB18, OF2).

Er bestaan over de hele wereld volksverhalen over uilen, aangezien deze vogels op ieder continent behalve Antarctica voorkomen. Hoewel sommige culturen de uilen als een symbool van wijsheid zagen, wordt de uil ook vaak beschouwd als een symbool van het kwaad of van tovenarij; het krassen van de uil werd vaak aangeduid als een voorteken van de dood. De oude Romeinen dachten dat het ongeluk bracht om overdag een uil te zien. Natuurlijk was het eigenlijk heel erg goed om alle uilen over te zien vliegen na de eerste val van Voldemort, hoewel de Dreuzels dat niet konden weten. In sommige culturen hebben verschillende soorten uilen ook verschillende betekenissen. Een witte uil wordt bijvoorbeeld in India beschouwd als een vriend en metgezel, terwijl in het Hindi het woord voor uil, 'ulloo', straattaal is voor een stom iemand.

uilennootjes

Snoepjes die Harry en Ron op voorraad houden voor hun uilen. Uilennootjes worden verkocht in de Betoverende Beestenbazaar (HBP6).

Dit kunnen geen echte nootjes zijn, ondanks de naam. Uilen zijn namelijk carnivoren.

uilenpost

Het systeem waardoor tovenaars berichten en pakjes naar iemand kunnen sturen door ze aan de poot van een uil, of soms aan de poot van een andere grote vogel te binden (GA1, VB3). De uilen gebruiken toverkracht om degene te vinden aan wie ze iets moeten bezorgen (bijv. GA2, 22, OF17).

Uilenvleugel, de

De grote ruimte waar de schooluilen van Zweinstein en de uilen van de studenten leven, boven in de Westertoren. Het is een ronde, stenen kamer met overwelfde doorgangen in plaats van ramen en stokken waar honderden uilen op zitten (VB15).

uitdragerijtje

Een winkel aan de Wegisweg (GK4).

Uitsteker

Een klein magisch voorwerp dat eruitziet als een aansteker. Als je erop klikt, zal de Uitsteker al het licht dat zich op een bepaalde plek bevindt in zich opnemen. Wanneer je er nog een keer op klikt, zullen er lichtballen uit de Uitsteker vliegen om het licht dat gedoofd was weer aan te steken (SW1, OF3). Volgens Rufus Schobbejak heeft Perkamentus de Uitsteker zelf bedacht en ontworpen en is hij waardevol en zeldzaam (RD7). Het heeft de verborgen eigenschap om iemand te verplaatsen. De persoon wordt dan verplaatst naar de plaats waar iemand die zijn of haar naam zegt zich bevindt (RD19).

Veel fans hebben overeenkomsten gevonden tussen de Uitsteker en een multifunctioneel apparaat uit de Doctor Who *televisieserie, de 'Sonic Screwdriver'.*

In de Engelse versie van de boeken heeft de Uitsteker twee verschillende namen. In deel 1 tot en met 6 heet het een 'Put-Outer', terwijl het in deel 7 een Deluminator genoemd wordt.

Ukkepulk

Een 'mini-Pulkerik'. Ze worden gefokt en verkocht in Tovertweelings Topfopshop. De verkoop gaat zo snel dat Fred en George ze 'ze niet snel genoeg kunnen fokken' (HBP6). Ginny haalde haar moeder over om er een voor haar te kopen en ze noemde hem Arnold. Arnold rijdt vaak mee op de schouder van Ginny in de leerlingenkamer van Griffoendor, en Knikkebeen loopt er vaak nieuwsgierig achteraan (HBP14).

Ulric het Warhoofd

Een middeleeuwse tovenaar die bekendstond om zijn rare en schijnbaar gestoorde gedrag (TK). Hoewel hij ogenschijnlijk niks belangrijks heeft gedaan, werd hij wel besproken bij Geschiedenis van de Toverkunst in het eerste jaar (SW8).

Urnveld

(Zwadderich, jaren '90; Zwerkbal Jager en Aanvoerder, 1996-?)
(Eng. 'Urquhart')

Aanvoerder van het Zwerkbalteam van Zwadderich in Harry's zesde jaar (HBP14).

Urquhart is de naam van zowel een Schotse clan als een kasteel dat aan Loch Ness ligt.

Vaalhaar, Fenrir

Weerwolf, laaggeplaatste Dooddoener. Hij moordde voor zijn plezier en genoot vooral van het vermoorden van kinderen. Vaalhaar was op zijn minst sinds 1970 een aanhanger van Voldemort. Overigens meer om makkelijker bij zijn slachtoffers te kunnen komen dan vanwege ideologische doeleinden (HBP16, 27, RD23, 32, 36).

Fenrir is afkomstig van 'Fenriswolf' (Fenrisulv, Fenrisulf), de gigantische wolf van de god Loki in de Scandinavische mythologie.

Vaals, Arabella Doralina (mevr.)

Lid van de Orde van de Feniks, een Snul die dicht bij de Duffelingen in Klein Zanikem woont. Ze is een excentrieke oude vrouw die altijd pantoffels draagt. Ze paste op Harry toen hij opgroeide (SW2, VB36, OF1, 2) en leek er meer dan gemiddeld geïnteresseerd in te zijn hoe het met hem ging (SW3). Ze fokt Kwistels (OF1, 2, JKR).

Vablatsky, Cassandra

(1894-1997)

Gevierd Zieneres en auteur van *Ontwasem de Toekomst* (GA4).

Cassandra was in de mythologie de dochter van Priamus en Hecuba. Van Apollo ontving zij de gave om de toekomst te voorspellen. Toen ze hem afwees voegde hij er de vloek aan toe dat haar profetieën nooit geloofd zou worden. 'Vablatsky' komt van Madame Helena Blavatsky (1831-1891), die Oosterse filosofische ideeën naar het Westen bracht en de theosofische beweging oprichtte.

Vakanties met Vampiers

door Gladianus Smalhart

Een van de vele boeken die nodig waren voor Verweer Tegen de Zwarte Kunsten in Harry's tweede jaar (GK4).

vakken op Zweinstein

Vakken op Zweinstein zijn bedoeld om een jonge tovenaar of heks zo op te leiden dat ze een competent, capabel en wijs onderdeel van de Tovenaarssamenleving zullen vormen. Ze leren de basistheorie en praktijk van de standaardonderdelen van de toverkunst: Transfiguratie, Spreuken en Bezweringen, Toverdranken en Kruidenkunde. Ze leren ook het verschil te herkennen tussen goed en slecht gebruik van toverkunst, en om om te gaan met de duistere kanten van de toverkunst, zoals Duistere Wezens en vloeken.

De volgende vakken worden op Zweinstein gegeven:
- Astronomie
- Dreuzelkunde
- Geschiedenis van de Toverkunst
- Kruidenkunde
- oude Runen
- Spreuken en Bezweringen
- Toverdranken
- Transfiguratie
- Verweer Tegen de Zwarte Kunsten
- Verzorging van Fabeldieren
- Voorspellend Rekenen
- Waarzeggerij

Extra vakken:
- Duelleren
- Verschijnselen (zesde jaar)
- Vliegen (eerste jaar)

Valburg, Mirabella

(geb. 1839)

Beroemd omdat ze verliefd werd op een meerman in Loch Lomond. Zie voor meer informatie de Tovenaarskaarten (TK).

valentijn, zingende

Smalharts idee van een Valentijnsverrassing bestond uit rondwalende dwergen die verkleed als cupido's kaarten bezorgden en die liefdesberichten zongen voor verschillende leerlingen (GK13).

Valentijnsdag

Feestdag op 14 februari waarbij de romantische liefde wordt gevierd. Sommige Valentijnsdagen speelden een belangrijke rol in Harry's leven. De eerste was tijdens Harry's tweede jaar, toen Gladianus Smalhart Valentijnsdag als een 'oppepper' gebruikte waarbij hij de Grote Zaal walgelijk roze kleurde en dwergen de school rondstuurde met valentijnskaartjes (GK13). Drie jaar later had Harry op Valentijnsdag zijn eerste afspraakje ooit (OF25).

Valk, de

Een symbool dat wordt gebruikt bij het waarzeggen met theebladeren, dat wordt besproken op pagina 5 en 6 in *Ontwasem de Toekomst*. De Valk wijst op 'een doodsvijand' (GA6).

Vallei

(Eng. 'glen')

Een schotse term voor vallei of dal. Volgens het lied van de Sorteerhoed komt Rowena Ravenklauw van de 'glen', wat erop wijst dat ze waarschijnlijk uit Schotland komt – en dat ze daarmee de oprichter was die het dichtst bij Zweinsteins huidige locatie woonde (VB12). Ze was tenslotte degene die de locatie van de school gekozen heeft (JKR).

Vallende Ster

Ron had een oude Vallende Sterbezem, waarvan Harry opmerkte dat hij 'vaak werd ingehaald door voorbijfladderende vlinders' (GK4). Een aantal van de schoolbezems zijn Vallende Sterren (GA10).

Valom

(Zwadderich, jaren '90; Zwerkbal Jager, 1996-?)

Een Zwerkbalspeler van Zwadderich die in 1996 door Ron beschreven werd als hun topscorer. Hij werd net voor de wedstrijd met Griffoendor van dat jaar door een Beuker geraakt en kon niet meespelen (HBP14).

Valster, Regina

(Griffoendor, 1993)

Een Griffoendor met donkere ogen en lang donker haar. Regina was een beetje jongensgek en deed vrijwel alles om de jongen die ze leuk vond te pakken te krijgen (HBP7, 11, 18).

vampier

Hoewel ze zelf geen tovenaars zijn, zijn vampiers enigszins in staat om zich in de Tovenaarswereld te mengen – ze gaan af en toe naar sociale gebeurtenissen (HBP16) en er worden producten als lolly's met bloedsmaak voor hen op de markt gebracht (GA10) – er moet wel een oogje op hen worden gehouden om te voorkomen dat ze iemand aanvallen (HBP16, RD2, 3, 4). Over het algemeen lijkt het erop dat tovenaars hen vrezen. Smalhart schepte in een van zijn boeken bijvoorbeeld op over het temmen van een vampier (GK10) en ze werden ook behandeld in de Verweer Tegen de Zwarte Kunsten lessen van Lupos (GA14).

Van Beest

(Zwadderich, c. 1989; Zwerkbal Jager c. 1992-1996; Inquisitiekorps)

Lid van Ombers Inquisitiekorps die de fout maakte om zonder ooggetuigen te proberen om afdelingspunten van de Wemeltweeling af te trekken (OF19, 28, 30).

'van een bezem gevallen'

Een uitdrukking die synoniem is met de Dreuzeluitdrukking 'van de vrachtwagen gevallen' om aan te geven dat goederen van een onbetrouwbare bron komen (OF2).

Vanvelden, Perpetua

(1900-1991)

Heks en uitvinder (TK). Zie de Tovenaarskaarten voor meer informatie.

Vargot

(† 1792)

Een koboldenrebel, hoewel er een onbevestigde historische theorie de ronde gaat dat na zijn dood bleek dat Vargot een afvallige huis-elf was (JKR).

Varicosus, Wilhelmina

Invalkracht die na de kerstvakantie inviel voor Hagrid toen hij niet in staat was om les te geven (januari 1995) en nogmaals toen hij weg was om te onderhandelen met de reuzen (OF11). Varicosus wist erg veel van eenhoorns en voor Belinda Broom en anderen van Harry's jaar scheen ze een uitermate goede leerkracht te zijn, in vergelijking met Hagrid, die de meeste lessen besteedde aan het verzorgen van Skreeften (VB24). Ze verzorgde Hedwig tot ze weer beter was, toen ze gewond was geraakt na het bezorgen van post. Varicosus is een oudere vrouw met kortgeknipt haar, die een pijp rookt (OF17).

varkensgras

Een ingrediënt van de Wisseldrank (GK10) dat in de voorraadkast van de leerlingen wordt bewaard. Het groeit ook in het Verboden Bos (OF30).

Culpeper's Complete Herbal, *een beroemd boek over kruidenkunde uit de 17*[e] *eeuw dat J.K. Rowling als een van haar bronnen heeft aangeduid, geeft veel toepassingen voor varkensgras waaronder verlichting bij galstenen en ontstekingen. Er wordt echter niets gezegd over het veranderen van de ene persoon in de andere.*

varkenssnuit

Wachtwoord om de Toren van Griffoendor in te komen (SW9).

Vastmaakspreuk

Spreuk die op een magische wijze iets vastmaakt aan iets anders (DP3).

Vauxhall Road

Een straat in Londen, de locatie van een kantoorboekhandel waar Marten Vilijn zijn dagboek heeft gekocht (GK13).

Vauxhall is een gebied in het zuiden van Londen dat lange tijd verwaarloosd en vervallen was. Veel van het gebied werd in de Tweede Wereldoorlog verwoest tijdens luchtaanvallen, wat een verklaring zou kunnen zijn voor het feit dat het er niet meer is als Harry, Ron en Hermelien naar het Weeshuis gaan. In Londen is er geen straat die specifiek Vauxhall Road heet, maar er is wel een brug die Vauxhall heet in dat gebied.

Vector, Septima

Lerares Voorspellend Rekenen op Zweinstein (GA12, VB13, HBP24).

De voornaam van professor Vector komt voor op een lijst die J.K. Rowling maakte toen ze Gevangene van Azkaban *plande; haar voornaam kan echter niet als tot de canon behorend worden beschouwd omdat andere informatie van deze pagina was veranderd tegen de tijd dat het boek daadwerkelijk gepubliceerd werd (JKR).*

V

Veel Voorkomende Magische Kwalen en Kwellingen
Een standaard boek met medische informatie voor tovenaars (VB2).

veer
Mensen uit de toverwereld gebruiken veren en perkament om te schrijven in plaats van de moderne pen en papier van de Dreuzels. Er kunnen veren van verschillende vogels worden gebruikt, variërend van adelaars (VB2) tot fazanten (OF16) en feniksen (OF37). Er worden veren verkocht in de Pluimplukkers Verenwinkel in Zweinsveld (OF16).

veer, magische
Een magische veer in Zweinstein detecteert de geboorte van elk magisch kind en schrijft de naam op in een groot perkamenten boek. Professor Anderling bekijkt dit boek jaarlijks om te zien welke kinderen een uil moeten krijgen als ze hun elfde verjaardag bereiken (Sch1). Andere types van magische veren zijn onder andere de Zelfantwoordende veer (OF31), de Fantaciteer-veer (VB18), de Zelfdopende veer, de Slimschrijvende veer en de Superspellende veer (HBP6).

veer, Ombers
Omber had een veer die ze gebruikte voor nablijvers. Hij schreef met bloed en kerfde de zin tegelijkertijd in de rug van de hand van de schrijver (OF13).

Vendelier, Hendrik
Revalideur bij het Traumateam voor Toverongevallen (VB7) en een getrainde Scherpspreuker (DP3).

Verbergende Mist
Een van de methodes die worden gebruikt om Zwerkbalvelden voor Dreuzels te verbergen (DP2).

Verblindingsvloek
Een mantel waar deze spreuk over uitgesproken is, kan dienen als een Onzichtbaarheidsmantel (RD21).

Verbloemisten
Tovenaars, waaronder Ravenwoud (VB30), Placidus Pais (OF25) en Vreedeling (VB7) die werken op het Departement van Mystificatie. Het is hun verboden om te zeggen wat ze doen (OF24).

Verboden Afdeling
Afdeling van de Zweinsteinbibliotheek, aan de achterkant, afgezet met een touw. Jongere leerlingen hebben een ondertekend briefje van een docent nodig om in deze afdeling van de bibliotheek door te neuzen; deze bevat boeken over Duistere Magie die alleen door oudere leerlingen worden gebruikt, zoals degenen die Verweer Tegen de Zwarte

Kunsten voor Gevorderden studeren (SW12, GK9, 10, VB26, HBP18).

Verboden Bos

Een groot, donker bos ten oosten van Zweinstein dat strikt verboden is voor de leerlingen, behalve als er lessen Verzorging van Fabeldieren zijn (OF21) of er strafwerk gedaan moet worden (SW15). Vaak wordt er naar verwezen als 'het Bos'. Het Verboden Bos staat vol met bomen; buiten de paden is het bijna onbegaanbaar (GK15). Er huizen veel wezens in het bos, zoals eenhoorns, Terzielers, Acromantula's, centauren en de turkooizen Ford Anglia van de Wemels; alles wat wild en gevaarlijk is en een plaats nodig heeft om te leven krijgt daar een plek (BP).

verdedigende schok

Een magisch effect zonder naam dat blijkbaar onvrijwillig wordt uitgevoerd. Het brengt een soort van elektrische schok teweeg om een tovenaar te beschermen (OF1).

Verdonkeremaansteeg

(Eng. 'Knockturn Ally')

Een groezelig steegje dat aansluit op de Wegisweg nabij Goudgrijp en dat gevuld is met slecht bekendstaande winkeltjes die gewijd zijn aan de Duistere Kunsten. Er zijn winkels die verschrompelde hoofden verkopen, enorme levende spinnen en giftige kaarsen. Onder de straatventers is een oude heks met een schaal vol met menselijke vingernagels (GK4). Odius & Oorlof is prominent aanwezig in de Verdonkeremaansteeg. Dit is een winkel voor Duistere voorwerpen waar Marten Asmodom Vilijn ooit werkte en waar nu regelmatig de familie Malfidus te vinden is (GK4, HBP6, 20).

Dit is een woordspeling. Knockturn is een homofoon van 'nocturnally' wat 'nachtelijke' betekent.

Verdraaide Granen

Een categorie in de Jaarlijkse Internationale Tovertuinierwedstrijd die verwarring veroorzaakt bij Dreuzels, die deze verschijnsels 'graancirkels' noemen (DP1).

Verdwazingsdrank

Ingrediënten: lepelblad, lavas en wilde bertram

Een toverdrank die door de vijfdejaars studenten aan Zweinstein wordt bestudeerd (OF18). Staat ook bekend als een Verwarrings- en Verdwazingsdrank, het effect is vergelijkbaar met een Benevelingsbrouwsel.

Verdwijnkast

Een magisch toestel, zeer waardevol en zeldzaam. Ze worden per twee gemaakt en ze zorgen dat iemand via de kasten heen en weer kan reizen (GK8, OF28, HBP27).

V

verdwijnkoorts
Een tovenaarsziekte die op de wegwijzer in de wachtruimte van St. Holisto's Hospitaal, onder magische kwalen, wordt genoemd als iets dat behandeld moet worden op de tweede verdieping. Drakenpest en vlekzucht worden daar ook genoemd (OF22).

Verdwijnspreuk
Zie EVANESCO

Verdwijnselen
(Eng. 'Disapparate')
Verschijning, zoals je deze ziet vanaf de plek waar de tovenaar vanaf vertrekt.
'dis' = L. 'gescheiden, tegenovergestelde', 'appareo' = L. 'verschijnen'

D

Vereniging voor Depressieve Heksen
Werd in de 19e eeuw opgericht door Dirkje Zeergelieft (TK).

Vergetelheidsdrank
Toverdrank die aan eerstejaars wordt onderwezen (SW16).
J.K. Rowling heeft een subtiel woordspel in het verhaal verwerkt; de eerstejaars 'probeerden zich te herinneren' hoe ze een Vergetelheidsdrank moesten brouwen op hun tentamen.

Vergetelheidsspreuk
Misschien hetzelfde als *Amnesia Completa*. Het is mogelijk dat je hier Dreuzels mee schaadt als je de spreuk verkeerd over ze uitspreekt (JKR).

Vergrotingsspreuk
Een spreuk die iets groter maakt (OF26).

Verhaal van de Drie Gebroeders, Het
Tovenaarssprookje uit de *Vertelsels van Baker de Bard* dat de achtergrond van de Relieken van de Dood onthult. In dit verhaal ontsnappen drie broers aan de Dood, die van elk een wens vervult en zo de drie Relieken van de Dood creëert. De eerste twee broers overlijden door de objecten waar ze om vroegen terwijl de derde de Mantel gebruikt om aan de Dood te ontkomen tot hij op hoge leeftijd is (RD21, VBB).

Veritaserum
De krachtigste Waarheidsdrank die er is. Deze 'kleurloze, geurloze toverdrank' (die eruitziet als normaal water) dwingt de drinker om de waarheid te vertellen (VB35, OF37, HBP9). Het Ministerie stelt 'strenge voorwaarden' aan het gebruik van Veritaserum (OF27).
'veritas' = L. 'waarheid'

Verlammingsspreuk (Lamstraal)
Zie PARALITIS

Vernuftscherpende Toverdrank
Vierdejaars leren bij Toverdran-

ken om dit te maken (VB27).

Verouderingsdrank
Zorgt ervoor dat de persoon die het inneemt ouder wordt. Hoe meer Verouderingsdrank iemand drinkt, hoe ouder hij wordt. In een poging zich ouder voor te doen, namen Fred Wemel, George Wemel en Leo Jordaan een paar druppels Verouderingsdrank in. Het werkte niet (VB16).

Verplaatsbaar Moeras
Een van de uitvindingen van Fred en George die ze in een gang in Zweinstein hadden geplaatst om Omber te pesten (OF29, 30, 38).

Verschijnselen
Spreuk die wordt gebruikt om op de ene plaats te verdwijnen en bijna meteen ergens anders te verschijnen. Het voelt alsof je wordt samengeknepen. Verschijnselen is moeilijke toverkunst; sommige tovenaars kiezen ervoor om hun bezemsteel te blijven gebruiken als zij zich willen verplaatsen. Als men op een verkeerde manier Verschijnselt, kan de persoon 'versprokkeld' worden; hij laat een deel van zijn lichaam achter (VB5, RD14, 19). Naarmate de afstand toeneemt wordt het moeilijker om te Verschijnselen; zelfs Voldemort probeerde niet om intercontinentaal te Verschijnselen (RD3). Het wordt als onbeleefd beschouwd om direct in iemands huis te Verschijnselen (HBP4). Het is onmogelijk om iemand die Verschijnselt te traceren, maar als iemand een tovenaar vastgrijpt terwijl hij Verschijnselt, wordt deze persoon meegenomen door Bijverschijnselen (RD11).
van 'appareo' = L. 'verschijnen'

Versprokkelen
Niet geheel Verschijnselen waardoor een deel van het lichaam achterblijft. Dit gebeurt als de geest niet compleet geconcentreerd is op de verlangde bestemming (HBP18). In sommige gevallen kan het komisch zijn (HBP22), maar extremere zaken kunnen heel ernstig zijn, zelfs levensbedreigend (VB6, RD14).

Verstening
(Eng. 'Petrification')
Niet zozeer een spreuk, maar meer een magisch effect dat wordt veroorzaakt door het zien van de weerspiegeling van de ogen van een Basilisk (het is dodelijk om hem recht in de ogen te kijken). In essentie verandert de persoon die dit overkomt in een standbeeld tot hij of zij weer tot leven wordt gewekt met Vitaliserende Alruindrank (GK9).
'petrificare' = L. 'van steen maken' komt van 'petra' = L. 'rots'

Verstijvingsspreuk
Volgens Slakhoorn kan je met een simpele Verstijvingsspreuk het inbraakalarm van een Dreuzel onklaar maken (HBP4).

Verstijvingsvloek
Een andere naam voor de Totale Verstijving, *Petrificus Totalus* (SW17).

Vertelsels van Baker de Bard
Perkamentus liet dit boek na aan Hermelien Griffel. Het boek bevat een aantal kindersprookjes die geschreven zijn in oude runen (RD7, 21, 35, VBB).
De verhalen in dit boek zijn zoals de meeste sprookjes bedoeld om een les te leren. Aangezien ze voor kinderen van tovenaarsfamillies zijn geschreven, omvatten deze lessen ook het idee dat magie niet altijd de beste oplossing is voor de problemen die iemand kan hebben ('De Fontein van het Fantastische Fortuin'). In 2007 maakte J.K. Rowling zeven handgeschreven exemplaren van Vertelsels van Baker de Bard *en gaf er zes aan vrienden. Het zevende exemplaar werd geveild voor een goed doel en gekocht door de Amerikaanse online boekhandel Amazon.com.*

Vervloekingen en Tegenvervloekingen (Betover uw Vrienden en Verwar uw Vijanden met de Nieuwste Wraaknemingen: Haaruitval, Knikknieën, Stotterstuipen en nog veel, veel meer)
Door Veninus Viridiaan
Een boek met een verleidelijke (en erg lange) titel dat Harry zag in Klieder & Vlek bij zijn eerste bezoek aan de Wegisweg (SW5).

Verwarrings- en Verdwazingsdrank
Ingrediënten: lepelblad, wilde bertram en lavas
Harry moest deze ingrediënten en hun effecten in zijn vijfde jaar bestuderen (OF18).

Verweerspreuk
Vorm van toverkunst die voor zelfverdediging wordt gebruikt (TK). De training voor het Magisch Arrestatieteam omvat het leren van de recentste Verweerspreuken (DP2).

Verweer Tegen de Zwarte Kunsten
Een van de belangrijkste vakken die aan Zweinstein wordt gegeven. Leerlingen leren bij dit vak om Zwarte Magie te herkennen en hoe ermee om te gaan. Ze krijgen les over Duistere spreuken en wezens en hoe ze aanvallende en verdedigende spreuken moeten gebruiken. Sinds de jaren '50 heeft Zweinstein elk jaar een nieuwe docent Verweer Tegen de Zwarte Kunsten gehad (HBP20). Hierdoor verschilden de lesinhoud en het niveau van de lessen van jaar tot jaar, hoewel het Ministerie wel de basale lesinhoud voorschreef (VB14).

Verweer Tegen de Zwarte Kunsten, kamer van de leraar
Het kantoor en de kamer van de leraar Verweer Tegen de Zwarte Kunsten. Omdat er elk jaar een

nieuwe leraar was, moest het kantoor elk jaar in september een herindeling ondergaan (GK6, GA8, VB20, OF13).

Hoewel het klaslokaal op de eerste verdieping ligt, is het kantoor van de leraar Verweer Tegen de Zwarte Kunsten op de tweede verdieping (GK6). Dit was goed te zien in de tweede film, omdat in deze film Smalhart het klaslokaal in komt via een trap die, vanuit zijn kantoor, door het plafond, het klaslokaal in komt.

Verweer Tegen de Zwarte Kunstenlokaal

Een klaslokaal dat op de eerste verdieping is gelegen. Vanuit het lokaal waar Verweer Tegen de Zwarte Kunsten gedoceerd wordt kijk je uit op het terrein van Zweinstein. Er hangt een ijzeren kroonluchter aan het plafond (GK6).

verzorgende spreuken

Kleine spreuken voor persoonlijke verzorging. Voorbeelden zijn onder andere spreuken waarbij Parvati haar wimpers om haar toverstok krulde (OF27) en Molly Wemels 'Normale haardrachten' waar ze haar toverstok voor gebruikte (VB5, RD7). Toverkunst is echter niet altijd de juiste oplossing voor sommige verzorgingstaken. Herpine Zoster probeerde haar puistjes weg te vervloeken, maar dit had niet het resultaat dat ze wilde. Madame Plijster wist echter uiteindelijk haar neus terug te zetten (VB13).

Verzorging van Fabeldieren

Een vak dat op Zweinstein gegeven wordt. Leerlingen beginnen in hun derde jaar met Verzorging van Fabeldieren (GA6). Ze bestuderen de levenscyclus van verschillende fabeldieren, waarvan een aantal behoorlijk gevaarlijk kunnen zijn. Ze leren de wezens te verzorgen, eten te geven, hoe met ze om te gaan en hoe ze de wezens (of delen ervan) voor magische doeleinden kunnen gebruiken (VB24, GA6, OF13, etc.). Het vak werd tot aan juni 1993 gegeven door professor Staartjes, die werd opgevolgd door Hagrid. Af en toe viel professor Varicosus in voor Hagrid (VB24, OF11). De boeken die worden gebruikt zijn *Fabeldieren en Waar Ze te Vinden* (OF27) en *Het Monsterlijke Monsterboek* (GA4).

Viavia

Een betoverd voorwerp, meestal iets dat eruit ziet als waardeloze rommel. De persoon die het object aanraakt zal naar een vooraf ingestelde plek getransporteerd worden (VB6). Een voorwerp kan in een Viavia worden veranderd door de Portusspreuk (OF36). De Viavia Alarmcentrale, een onderdeel van het Magisch Verkeersbureau op het Ministerie van Toverkunst, houdt toezicht op het maken van Viavia's (OF7).

Vijandvizier
(Eng. 'Foe-Glass')
Een Duisterdetector die op een spiegel lijkt maar niet reflecteert wat ervoor staat, maar de vijanden van de eigenaar laat zien. Het laat schaduwachtige, wazige figuren zien die duidelijker worden wanneer de vijand dichterbij komt (VB20).
Een leuke woordspeling. 'Foe' betekent vijand, maar het is ook een homoniem voor het Franse 'faux', wat 'vals' betekent – een goede term voor een kijkglas dat geen werkelijke spiegel is.

V

Viridiaan, Veninus
(Eng. 'Vindictus, Viridian ')
Auteur van het boek *Vervloekingen en Tegenvervloekingen (Betover uw Vrienden en Verwar uw Vijanden met de Nieuwste Wraaknemingen: Haaruitval, Knikknieen, Stotterstuipen en nog veel, veel meer)* (SW5).
'viridius' = L. 'groen' (wat het idee opwekt van 'groen van jaloezie') + 'vindictive' = Eng. 'wraaklustig'

Vilder, Argus
(Eng, 'Filch, Argus)
De conciërge van Zweinstein, een ruziezoekende, wraakzuchtige man die de leerlingen veracht. Vilders vreselijke houding komt deels voort uit de frustratie dat hij een Snul is. Vilder heeft een kat die Mevrouw Norks heet, waarmee hij haast een helderziende verbinding heeft. Ze dwaalt net zoals hij door de gangen van het kasteel en als ze iemand opmerkt die een regel overtreedt, is Vilder er binnen enkele minuten. Hij kent de geheime doorgangen en verborgen deuren beter dan wie dan ook (behalve misschien de Wemeltweeling) (GA9). Vilder is misschien op een romantische manier betrokken bij Madame Rommella (HBP15, HBP30).
Argus was een reus in de Griekse mythologie, een bewaker met honderd ogen; filch' = Eng. straattaal 'stelen'

Vilders kantoor
Bevindt zich op de begane grond; het kantoor bevat een rommelig bureau waar een olielamp boven hangt. De kamer ruikt naar gebakken vis. Vilder bewaart hier alle dossierkasten vol met details over de overtredingen van generaties van studenten (verg. HBP24). Aan het plafond hangen kettingen en handboeien voor het geval hij ze nog eens voor studenten kan gebruiken (GK8, GA10).

Vilijn, familie
Een onaardige, arrogante Dreuzelfamilie die vijftig jaar geleden in Havermouth in een grote villa op een heuvel woonde (VB1). Merope Mergel werd verliefd op de zoon, Tom, en ze brouwde een liefdesdrank en zorgde ervoor dat hij met haar trouwde. Ze kregen samen een zoon – Marten Asmodom Vilijn (BLC).

Vilijn, Marten Asmodom

(geb. 31 december 1926; Zwadderich, 1938; Klassenoudste, 1942; Slakkers?; Hoofdmonitor, 1944)
(Eng. 'Riddle, Tom Marvolo')
Een jongen die op 31 december 1926 in een weeshuis werd geboren. Merope Mergel was zijn moeder en die vernoemde hem naar zijn grootvader en vader en stierf toen. Hij ontdekte dat hij kon toveren en hij was enthousiast toen Perkamentus hem op elfjarige leeftijd benaderde om naar Zweinstein te komen (HBP13). Op Zweinstein deed hij zich voor als een modelleerling. Na het verlaten van de school werkte hij een tijdje voor Odius en Oorlof en verdween toen (HBP20).
Zie VOLDEMORT, HEER
'Tom' was de voornaam van zijn Dreuzelvader, 'Marvolo' was de naam van zijn grootvader van moeders kant. 'Riddle' betekent 'een moeilijk probleem', of, 'met veel gaten doorboren'.

Villa Vilijn

Grote villa op een heuvel die uitkijkt op Havermouth. Het huis was van Voldemorts grootouders van vaderskant en zijn vader, Marten Vilijn. Op een zomerdag in 1943 stierf de hele familie onder verdachte omstandigheden. Het huis werd kort bewoond en raakte toen in een staat van verval, bewaakt door de oude tuinier, Frank Braam (VB, HBP7).

Vincent de Bevreesde

(1014-1097)
Een heel nerveuze en bange tovenaar; zie de Tovenaarskaarten voor meer informatie (TK).

violierwater

(Eng. 'Gillywater')
Een favoriet drankje van Anderling bij de Drie Bezemstelen (GA10).
De naam van dit drankje komt van de gillyflower, de anjer, maar ook andere bloemen worden zo genoemd. Anjers werden volgens een recept uit Cornwall uit 1753 gebruikt om anjerwijn te maken.

Virus

De oom van Ron Wemels, Virus, zag een 'Grim' en stierf 24 uur later, zoals het familieverhaal gaat (GA3); Fred zei dat oom Virus altijd een van de gangmakers was (RD8). Virus is de tweede naam van Ron (RD7).

Vleddervleervloek

(Eng. 'Bat-Bogey Hex')
Vergroot de 'snotjes' van de tegenstander tot de grootte van een vleermuis, die daarna het gezicht van hem of haar aanvallen (OF6, 33, HBP7)
'bogey' = Eng. straattaal 'booger', 'neusslijm'

Vleeschhouwer, Walter

Dooddoener (OF20, 38, RD36) die een zwarte snor heeft. Vleeschhouwer werkte als beul van

V

gevaarlijke wezens voor het Ministerie van Toverkunst (GA16, 21, VB33).
Volgens een niet tot de canon behorende planning voor de Orde van de Feniks was Vleeschhouwer degene die Pais op kerstavond bezocht (JKR). Het is dan ook aannemelijk dat Vleeschhouwer de 'vriend' was die Pais een Duivelsstrik stuurde (OF25).

vleesetende slak
Kennelijk een angstaanjagend wezen, aangezien iemand er bang genoeg voor was om er een Boeman in te laten veranderen (GA7, GK4).

vlekzucht
(Eng. 'scrofungulus')
Magische ziekte die op de wegwijzer geschreven staat in de wachtkamer van St. Holisto's (OF22).
De details van deze ziekte worden niet gegeven in de boeken, maar de naam klinkt in ieder geval als iets onplezierigs. De naam klinkt als 'fungus' (schimmel), die bij mensen een aantal aandoeningen kan veroorzaken, waaronder zwemmerseczeem.

Vliegen (vak)
Dit vak leert vroeg in het schooljaar de basisbeginselen van het vliegen op een bezemsteel aan de eerstejaars. Madame Hooch geeft dit vak, een taak waarbij het soms nodig is om slachtoffers die daaruit voortvloeien naar de ziekenzaal te begeleiden (SW9).

vliegende tapijten
Vliegende tapijten zijn, in plaats van bezems, de standaard magische vervoersmiddelen in Azië en het Midden-Oosten. In Engeland zijn vliegende tapijten al vele jaren verboden, aangezien ze in het Register van Verboden Betoverbare Objecten staan gedefinieerd als Dreuzelvoorwerpen, waarvan het illegaal is om ze te betoveren; daarom is het ook illegaal om ze te importeren (VB7).

Vliegenzwamverhaaltjes
door Beatrix Blox
Een serie kinderboeken die nu verboden is in de Tovenaarswereld omdat ze zo zoetsappig is dat ze letterlijk misselijkmakend is (TK).
Te oordelen naar de naam van de auteur is dit een verwijzing naar Beatrix Potter, wier bekendste werk The Tale of Peter Rabbit *is. Aangezien kinderboeken met enge of grove verhaallijnen vaak bekritiseerd of verboden worden door volwassenen die kinderen proberen te 'beschermen', heeft J.K. Rowling een tegenovergestelde serie in het Potteruniversum gecreëerd.*

vliegmagie
Over het algemeen kunnen tovenaars niet vliegen zonder magische middelen, zoals bezems of vliegende tapijten. Spreuken kunnen echter effecten hebben

die ervoor zorgen dat iets vliegt. *Wingardium Leviosa* laat bijvoorbeeld objecten zweven (SW10, verg. GK2; *zie ook* RD4, 5, 30).

Vloek van Beentjeplak

Zie LOCOMOTOR MORTIS

Vloek des Doods

Zie AVADA KEDAVRA

Vloek van de Druipneus

(Eng. 'Curse of the Bogies')

Een vloek die Ron op een gegeven moment dreigt te leren om over zijn vrienden uit te spreken, maar dit is waarschijnlijk alleen maar stoere praat (SW9).

'bogey' zou kunnen komen van: 'Old Bogey' = Eng. 'De Duivel' (c. 1836)' of 'bogle' = Eng. 'Schotse geest' of 'kobold' (c. 1505) of zelfs van 'Bogge' = Eng. 'verschrikking', mogelijk van 'bwg' = Welsh 'spook' en 'bwgwl' = Welsh 'angst' Ja, vast. Maar waarschijnlijk: 'bogey' = Eng. straattaal ' snot, neusslijm'

Vloekafwering

Vloekafwering was een onderwerp in de lessen Verweer Tegen de Zwarte Kunsten uit Harry's vierde jaar (VB28).

Vloekbreker van Goudgrijp

Een zeer avontuurlijke baan waarbij je in oude tombes in moet breken en goud moet zoeken (GA1, OF29, HBP5).

Vloeken

Spreuken die gebruikt worden voor kwaadaardige doeleinden (JKR).

Vloeken voor Vervloekten

Een boek dat in de Kamer van Hoge Nood was toen de SvP daar voor het eerst bijeenkwam (OF18).

Voddeleurs Couture

Een tovenaarskledingwinkel in Zweinsveld die ook vestigingen heeft in Londen en Parijs (VB8, 27).

Vogelwichelarij

Een tak van Waarzeggerij (OF25).

(Eng. 'Ornithomancy')

Vogelwichelarij werd door de oude Grieken en Romeinen beoefend. Het is het voorspellen van de toekomst door het gedrag van vogels te bekijken.

'ornis' = L. 'vogel' + 'mancy' = 'waarzeggerij door de betekenis van' van 'manteia' = Gr. 'orakel, waarzeggerij'

Voldemort, Heer

(31 december 1926 – 2 mei 1998)

De grootste Duistere Tovenaar uit deze eeuw. Voldemort greep de macht in de Tovenaarswereld door de ronddwalende vooroordelen in de Tovenaarswereld te manipuleren. Voldemort dook diep in de duisterste toverkunst om een manier te vinden om zichzelf onverslaanbaar en onsterfelijk te

maken. Hij stal de legendarische Zegevlier om het ultieme wapen tegen zijn vijanden te hebben (RD14, 23, 24) en maakte Gruzielementen om ervoor te zorgen dat hij niet gedood kon worden (m.n. HBP23). Uiteindelijk leidde zijn onvermogen om liefde te begrijpen of berouw te hebben tot zijn val (m.n. RD36).
Zie VILIJN, MARTEN ASMODOM, EERSTE TOVENAARSOORLOG en TWEEDE TOVENAARSOORLOG
'Voldemort' = Fr. 'vlucht voor de dood', wordt uitgesproken als VOL-de-mor (de laatste 't' wordt volgens J.K. Rowling niet uitgesproken). In de film wordt hij echter uitgesproken als VOL-de-mort.

Voldemorts toverdranken
Voldemort liet Wormstaart twee toverdranken maken om zijn lichaam terug te krijgen. De eerste, bestaande uit eenhoornbloed en slangengif dat gemolken werd van Nagini, verzorgde hem tot hij weer gezond was; de tweede, waar bot van zijn vader, bloed van Harry en de hand van Pippeling in zat, gaf hem zijn lichaam terug (VB32).

Volkers, Vicky
(Griffoendor, rond 1990)
Zweinsteinleerling die bij veel activiteiten betrokken is, vooral bij de Bezweringenclub. Ze deed mee aan de selectietraining voor de Wachter van Griffoendor in de herfst van 1995 en was beter dan Ron Wemel; ze werd echter afgewezen omdat ze aangegeven had dat haar Bezweringenclub hogere prioriteiten had dan het Zwerkbal als de trainingen gelijk zouden vallen (OF13).

Volkov
Lid van het bulgaarse nationale team, Drijver tijdens het WK van 1994 (VB8).

Vonk, Emmeline
(† 1996; Orde van de Feniks)
Lid van de Orde van de Feniks, zowel in de jaren '70 als in de jaren '90. Ze maakte deel uit van de Voorhoede die Harry van de Ligusterlaan 4 naar Grimboudplein 12 begeleidde (OF3, 9). Ze wordt beschreven als een 'statige heks' die een groene omslagdoek droeg (*zie ook* HBP1, 2).

Vonkeveen
(Eng. 'Tinworth')
Een dorp in Cornwall waar een groot aantal heksen en tovenaars woont, hoewel het een Dreuzeldorp is (RD16). Huize de Schelp, waar Bill en Fleur wonen, ligt een eindje buiten Vonkeveen (RD23).
In Engeland bestaat er geen dorp of stad die Tinworth heet. J.K. Rowling zou misschien verwezen kunnen hebben naar Tintagel, aan de westkust van Cornwall, dat banden heeft met de Arthurlegenden. De tinwinning is belangrijk in de geschiedenis van Cornwall, mis-

schien heeft J.K. Rowling daar de naam wel van afgeleid.

Voorburg, Dymphna
(1612-1698)
Heks die werd aangevallen door Aardmannetjes; zie de Tovenaarskaarten voor meer informatie (TK).

Voorspel het Onvoorspelbare: Bescherm Uzelf Tegen Vervelende Verrassingen
Een boek dat te koop is op de Waarzeggerijafdeling van Klieder en Vlek.

Voorspellend Rekenen
Een tak van de toverkunst die zich bezighoudt met de magische eigenschappen van getallen; iemand die zich bezighoudt met Voorspellend Rekenen wordt een Voorspellend Rekenaar genoemd. Er zijn beroemde Voorspellend Rekenaars die in het verleden hebben bijgedragen aan de magische wetenschap. Zo ontdekte Brenda Wendekind, een beroemde Voorspellend Rekenaar, bijvoorbeeld de magische eigenschappen van het getal zeven (TK). Om te kunnen solliciteren voor een baan als Vloekbreker voor Goudgrijp is een S.L.I.J.M.B.A.L. vereist. (OF29). Op Zweinstein wordt Voorspellend Rekenen door professor Vector gedoceerd. Van leerlingen die haar vak volgen, wordt verwacht dat ze opstellen schrijven en ingewikkelde diagrammen die onderdeel zijn van hun huiswerk begrijpen. (GA12). Hermeliens favoriete vak is Voorspellend Rekenen (GA12, 16).
J.K. Rowling beschreef Voorspellend Rekenen als 'het voorspellen van de toekomst met getallen,' en voegde er aan toe: 'Ik heb besloten dat er ook een beetje numerologie in zit…' (RAH). Het is daarom verrassend dat Hermelien zo op dit vak is gesteld. Ze kijkt normaal gesproken neer op Waarzeggerijtechnieken. Het is, ondanks wat J.K. Rowling in dat interview zei, onwaarschijnlijk dat Voorspellend Rekenen zoals dat op Zweinstein wordt gegeven net zoveel nadruk legt op het voorspellen van de toekomst als het begrijpen van de inherente magische aard van zaken. Getallen hebben tenslotte magische effecten en symboliek, zoals we bijvoorbeeld zien aan Voldemorts obsessie met het splitsen van zijn ziel in zeven delen.

Vreedeling
Arthur Wemel vertelde dat deze tovenaar een Verbloemist was, iemand die voor het Departement van Mystificatie werkt (VB7).

Vreeschwekkendste Toverdranken, De
Geïllustreerd boek over zeer krachtige en gevaarlijke toverdranken, dat op de Verboden Afdeling van de bibliotheek van Zweinstein staat. Het bevat (onder andere) de instructies voor

het maken van Wisseldrank (GK9).

Vrolijk, Ellen
(Ravenklauw, 1994)
Zweinsteinleerlinge (VB12).

VTZK
Deze afkorting wordt in het fandom en door J.K. Rowling zelf veel gebruikt om het vak Verweer Tegen de Zwarte Kunsten aan te duiden.

Vulkanov
Drijver die voor het Bulgaarse nationale team speelde tijdens het WK Zwerkbal van 1994 (VB8).

V

Vunzelaer, kolonel
Een gepensioneerde Dreuzelbuurman van Margot Duffeling die op haar bulldogs past als zij van huis is (GA2).

Vuurbeker
Een grote, houten, magische beker, die bewaard werd in een grote houten kist die ingelegd was met edelstenen. De Vuurbeker is een krachtig betoverd voorwerp. Om de selectie van de Toverschool Kampioenen helemaal eerlijk te maken, werd de keuze overgelaten aan de Vuurbeker, die zich voor die gelegenheid vulde met blauwe vlammen. Leerlingen die zich op wilden geven deden hun naam in de beker, die vervolgens de namen van de gekozen Toverschool Kampioenen weer uitspuwde. Zodra de namen gekozen waren, doofden de vlammen van de Vuurbeker, in afwachting van het volgende Toernooi (VB16).

Vuurflits
Kwam uit in de zomer van 1993; de Vuurflits was toen de snelste racebezem ter wereld (GA4). Hoewel Harry de verleiding kon weerstaan om er een te kopen, kreeg hij tot zijn verbazing met Kerst een Vuurflits van een anonieme gever (GA11). Het Ierse nationale Zwerkbalteam vloog op Vuurflitsen tijdens het WK Zwerkbal in 1994 (VB8).

Vuurkrab
Een magisch wezen waaruit Hagrid Schroeistaartige Skreeften creëerde door ze te kruisen met Mantichores (VB24).

VvF
Veel gebruikte afkorting voor Verzorging van Fabeldieren.

Waanzichtsspreuk
Zie CONFUNDO

Waar een Wil Is, Is een Spreuk
Een van de boeken die Harry bestudeerde tijdens de voorbereidingen voor de Tweede Opdracht van het Toverschool Toernooi; hij viel in de nacht voor de opdracht in de bibliotheek tijdens het lezen in slaap (VB26).

Waarheidsdrank en -serum
'Waarheidsdrank' (VB27), 'Waarheidsserum' (FD) en 'Veritaserum' (VB27) zijn allemaal namen voor toverdranken die de drinker ervan dwingen om de waarheid te vertellen.

Waarzeggerij
Een onderdeel van de toverkunst waarin geprobeerd wordt om toekomstige gebeurtenissen te voorspellen. Er zijn verschillende soorten waarzeggerij. Een veelgebruikte vorm is wat we gewoon 'waarzeggen' noemen; hierbij worden gebeurtenissen voorspeld met behulp van bijvoorbeeld kristallen bollen of theebladeren. De tweede soort wordt door de centauren beoefend. Zij observeren de sterren om grote en langdurige gebeurtenissen te voorspellen (OF27). Velen binnen de tovenaarswereld noemen deze vorm van magie op zijn minst zeer onnauwkeurig (GA6).

Waarzeggerij (vak)
Een keuzevak dat op Zweinstein vanaf het derde leerjaar (GK14) wordt gegeven door Professor Zwamdrift, en, sinds een paar jaar, ook door de centaur Firenze. Zwamdrifts lessen bestaan uit het leren handlezen, kijken in kristallen bollen, het uitzoeken van de betekenis van dromen en het interpreteren van theebladeren (GA6). Ze besteden ook nogal wat tijd aan Astrologie (VB29). In Firenzes lessen moeten ze salie en malve verbranden en de bewegingen van sterren en planeten observeren, omdat deze indicatoren zouden zijn voor grote gebeurtenissen op aarde (OF27).

Waarzeggerij (klaslokalen)
Er werden twee klaslokalen gebruikt voor de lessen waarzeggerij. Zwamdrift gaf les in een rond klaslokaal bovenin de Noordertoren, verwarmd door een gepar-

fumeerd haardvuur en helemaal vol stond met zacht meubilair en kleine tafeltjes. Er hingen planken aan de muren en op deze planken stonden theekopjes en kristallen bollen, naast andere zaken (GA6). Firenze gaf les in lokaal nummer elf, op de begane grond, dat magisch veranderd was zodat het op een open plek in het bos leek (OF27).

Wachter

Zwerkbalspeler die de doelringen bewaakt. Olivier Plank (SW10) en later Ron Wemel (OF13) speelden op deze positie voor het team van Griffoendor.

Wafelaar, Armando

Oud-schoolhoofd van Zweinstein (tot medio jaren '50). Wafelaar was bijna kaal en een beetje bleekjes (GK13). Zijn portret hangt in het kantoor van Perkamentus (OF37, TK).

Wagga Wagga, de Weerwolf van

Het onderwerp van een van Smalharts avonturen, als je Smalharts versie van het verhaal gelooft (GK10).

Wagga Wagga is een stad in Australië. Het is grappig om te zien hoeveel van Smalharts 'overwinningen' ver van Engeland plaatsvonden.

Wagstaff, 'Honest Willy'

Straatventer die door het Ministerie werd beschuldigd van het verkopen van kapotte toverstokken en ketels met losse bodems in de Wegisweg. De toverstokken veroorzaakten brandwonden bij meerdere mensen (DP1).

Wakanda

Een 'wat oudere heks' met blond haar 'dat op een mierenhoop lijkt'. Ze werkt voor het Ministerie van Toverkunst (RD13).

Wales

Een land, deel van het Verenigd Koninkrijk, gelegen in het westen van Groot-Brittannië. Het nationale Zwerkbalteam van Wales werd tijdens het WK van 1994 verslagen door Oeganda (VB5). Hun Fluimstenenteam kreeg het wel voor elkaar Hongarije te verslaan (DP1).

Walgvloek

Een spreuk die een persoon van de uitspreker vandaan drijft; de spreuk veroorzaakt een paarse lichtflits (RD13, RD14).

walnoot

Een toverstokkenhout dat Olivander gebruikte om een onbuigzame toverstok voor Bellatrix van Detta te maken (RD24).

Wat de oude leer van houtsoorten vertelt, past bij de soort toverstok die Olivander maakte. Walnoot zou ontoegeeflijk, agressief en stug zijn. Het staat ook voor grote ambitie, jaloezie en passie. Klinkt alsof het perfect bij Bella past.

Wandelingen Met Weerwolven
door Gladianus Smalhart
Een van de vele, vele boeken die in Harry's tweede jaar nodig waren voor Verweer Tegen de Zwarte Kunsten (GK4).

Wanders, Wilbert en Monica
Hermelien veranderde de herinneringen van haar ouders. Ze veranderde hun namen en deed hun geloven dat ze naar Australië moesten emigreren. Hun nieuwe namen waren Wilbert en Monica, die helaas geen enkel idee hadden dat ze een dochter hadden (RD6, BLC).

Wapenaar, Vincent
(Huffelpuf, 1994)
Een nieuwe Zweinsteinleerling die tijdens Harry's vierde jaar werd gesorteerd (VB12).

Warmtebestendige ijspegels
Een kerstversiersing die in Zweinstein vaak in bomen en aan trapleuningen gehangen wordt (SW12, VB22).

Warrel, (C.)
(geb. 1977; Zwadderich, 1988; Zwerkbal Jager 1993-1996; Inquisitiekorps)
Wordt door Daan Thomas beschreven als een 'vleesklomp van een Zwadderich die op een gorilla lijkt' (VB16). Toen hij lid was van het Inquisitiekorps, werd Warrel (toevallig vlak voor een belangrijke wedstrijd tegen Griffoendor) aangevallen. Hij hield er een weerzinwekkende huidaandoening aan over (OF30).

Wartels, Erik
Een Dreuzelwees in het weeshuis van Marten Vilijn die de waterpokken kreeg toen Perkamentus Vilijn voor het eerst ontmoette (HBP13).

Waterspuwer
Groteske gevleugelde wezens, meestal gemaakt van steen. De bewegende wenteltrap die leidt naar de kamer van het schoolhoofd wordt bewaakt door een standbeeld van een waterspuwer (GK11 etc., OF28). Er staan twee stenen waterspuwers aan weerszijden van de leraarskamer die hatelijke opmerkingen maken tegen leerlingen die het wagen om te proberen om er binnen te komen (OF17, RD31). Op het dak van het kasteel staan ook waterspuwers (RD31).
Technisch gezien verwijst de naam Waterspuwer naar een stenen waterspuiter, ongeacht op welk wezen het lijkt. Er staat een waterspuwer op de kathedraal in Washington die eruitziet als de Star Wars-figuur Darth Vader (alhoewel dat beeld eigenlijk geen waterspuwer wordt genoemd, maar een chimera omdat het regenwater uitwaaiert in plaats van in een straal spuit via zijn mond). Waterspuwers werden echter niet alleen als extravagante waterafvoer op een gebouw geplaatst.

W

Ze dienden ook als beschermers van het gebouw, weerden boze geesten af en beschermden de mensen die binnen waren. De waterspuwers die buiten de leraarskamer staan doen dit ook, ze weren niet het kwaad, maar leerlingen met hun gevatte opmerkingen. Waterspuwers worden meestal afgebeeld als een demon met hoorns en een staart, naar de bekende waterspuwers van de Notre Dame in Parijs.

Watkins, Fabius
(1940-1975)
Aanvoerder en Jager van de Montrose Magpies (JKR.)

'uw Webel'
Dobby's bijnaam voor Ron, wanneer hij met Harry praat (VB26).

Weeklagende Weduwe
Een spook uit Kent dat naar het 500ste sterfdagfeestje van Haast Onthoofde Henk kwam (GK8).

'Weer-Wijzigspreuken'
Het Comité voor Experimentele Spreuken deed hier onderzoek naar, met als vraag of ze 'gereguleerd moesten worden vanwege hun effect op het milieu' (JKR).

weerwolf
Een mens die bij volle maan in een heel gevaarlijk wolfachtig wezen verandert. Je wordt een weerwolf als je door een weerwolf gebeten bent (GA18); er is geen remedie (OF22). Recent is echter wel de Wolfsworteldrank door de oom van Alfons Gasthuis, Damocles (HBP7), uitgevonden. Hoewel deze niet de gehele transformatie tegengaat, helpt het wel tegen een paar van de ergste verschijnselen (GA18). Weerwolven staan onder zwaar toezicht van het Ministerie, met behulp van bijvoorbeeld de Gedragscode voor Weerwolven uit 1637 en de wetgeving van Dorothea Omber, waardoor het voor weerwolven moeilijk werd om een baan te vinden (OF14).
Zie VAALHAAR, FENRIR *en* LUPOS, REMUS

weeshuis
Marten Asmodom Vilijn bracht de eerste elf jaar van zijn leven door in een Londens weeshuis. Het weeshuis stond onder leiding van mevrouw Koort die de plaats schoonhield en haar best leek te doen voor de kinderen die onder haar zorg stonden (HBP13, RD15).

Wegisweg
Een lange, geplaveide, hoofdstraat voor tovenaars in Londen, waar een groot aantal vreemde en interessante winkels en restaurants aan gelegen zijn. De Wegisweg is enkel te bereiken via café de Lekke Ketel aan Charing Cross Road. De winkels die hier gevestigd zijn, zijn onder andere Klieder & Vlek, Madame Mallekins Gewaden Voor Alle Gelegenheden,

Zwik & Zwachtels Zwerkbalpaleis, Braakbals Uilenboetiek, Olivanders Toverstokkenwinkel en Goudgrijp, de tovenaarsbank. Heksen en tovenaars vanuit heel Engeland komen naar de Wegisweg om te winkelen (GK4, GA4, HBP6, etc). Vlakbij Goudgrijp ligt een zijstraat die de Verdonkerdemaansteeg heet. Hier zijn alle winkels te vinden waar spullen voor gebruik bij de Zwarte Kunsten worden verkocht (GK4).

Wemel, Arthur

(geb. 6 februari ± 1950; Griffoendor; Orde van de Feniks)

Een ontspannen tovenaar van middelbare leeftijd met een passie voor Dreuzels. Arthur is een dunne kalende man die een bril en lange gewaden draagt (GK3). Arthur ontmoette Molly Protser op Zweinstein en werd verliefd; ze trouwden kort na hun eindexamen en kregen uiteindelijk zeven kinderen (HBP6). Hij droeg zijn familie op om met trots de naam 'bloedverrader' te dragen (RD24). Arthur werkte jaren voor het Ministerie van Toverkunst (VB11). Hij is uitermate gefascineerd door Dreuzeltechnologie (VB4). Hij vindt het ook leuk om Dreuzelobjecten te betoveren, zoals een Ford Anglia die hij zo betoverde dat hij kon vliegen (GK5). Arthur was een erg actief lid van de Orde van de Feniks (OF6) en stierf in 1995 bijna tijdens een aanval (OF23, 24). Hij vocht ook in de Slag om Zweinstein (RD31).

J.K. Rowling heeft verteld dat ze eigenlijk van plan was om Arthur dood te laten gaan toen hij werd aangevallen door Nagini, maar ze veranderde van gedachten (BLC).

'Wemel, Barny'

Hoewel hij geen echt personage is, gebruikte Harry de naam 'Barny' soms als pseudoniem tijdens de oorlog tegen Voldemort (RD8, 23).

Wemel, Bill

Zie WEMEL, William Arthur

Wemel, Charlie

(geb. 12 december 1978; Griffoendor 1984; Zwerkbal Zoeker en Aanvoerder; Klassenoudste, 1988; Orde van de Feniks)

Een 'type dat vaak buiten is', gedrongen en met sproeten (VB5), die zijn hele volwassen leven met draken in Roemenië doorgebracht heeft (GK4, 14). Hij is lid van de Orde van de Feniks, ook al woont hij in Roemenië; hij helpt voornamelijk bij het rekruteren van buitenlandse leden (OF4). Toen hij op Zweinstein zat, was Charlie een uitstekende Zoeker voor het Zwerkbalteam van Griffoendor en hij leidde zijn team naar de Zwerkbalcup; Olivier Plank zegt dat 'die voor Engeland had kunnen spelen' als hij er niet voor had gekozen om in plaats daarvan met draken te werken (SW10).

Wemel, Fred en George
(geb. 1 april 1978; Griffoendor, 1989; Drijvers van Zwerkbal, 1990-1996; Strijders van Perkamentus; Orde van de Feniks; Fred † mei, 1998)
Tovenaarstweeling die vooral bekend stond om hun gevoel voor humor. In hun vierde jaar op Zweinstein was er een hele la van een archiefkast in het kantoor van Vilder aan hun overtredingen gewijd (GK8). Beiden waren klein en gedrongen, met de sproeten en het rode haar van een Wemel (VB5). Fred en George wilden altijd een eigen fopwinkel hebben; vanaf jonge leeftijd kon men explosies uit hun slaapkamer horen doordat ze producten aan het creëren en testen waren (VB5). Nadat ze Zweinstein verlaten hadden (OF29), openden ze een winkel op de Wegisweg (HBP6). Fred en George wilden graag bij de Orde van de Feniks horen en vochten heldhaftig tegen de Dooddoeners (RD4, 31).

Wemel, Ginevra Molly 'Ginny'
(geb. 11 augustus 1981; Griffoendor, 1992; Zoeker/Jager van Zwerkbal, 1995-?; Strijders van Perkamentus; De Slakkers)
Het jongste kind en de enige dochter van Arthur en Molly Wemel (GK3), en het eerste meisje in vele generaties dat in de familie werd geboren (JKR). Hoewel ze constant onderschat wordt door haar familie, is ze een krachtige heks (OF6) en ook vrij populair (HBP24). Vanaf de eerste ontmoeting met hem, vond Ginny Harry behoorlijk leuk (GK2) en volgens haar was het een verliefdheid die ze nooit verloren is (HBP30). Ginny is slim, bijdehand en zelfverzekerd. Ze vertelde Harry eens dat ze denkt dat bijna alles mogelijk is, 'als je maar genoeg lef hebt' (OF29; *zie ook* OF16, HBP6, 25, 30, RD/e, BLC).

Wemel, Hugo
(Zweinstein c. 2019)
De jongste van de twee kinderen van Ron en Hermelien. Hugo lijkt goed bevriend te zijn met Lily Potter (RD/e).
In de epiloog van Harry Potter en de Relieken van de Dood *was Hugo nog niet oud genoeg om naar Zweinstein te gaan, maar hij hing wel lachend met Lily rond op Perron 9¾ terwijl zijn oudere zus, Roos, op het punt stond om voor haar eerste jaar naar Zweinstein te gaan. We weten zijn precieze leeftijd niet, maar Lily was destijds negen en het is waarschijnlijk dat ze ongeveer een jaar met elkaar verschillen. Dit zou Hugo's geboortejaar ongeveer tussen 2006 en 2009 plaatsen (RD/e).*

Wemel, Molly Protser
(geb. 30 oktober c. 1950; Griffoendor; Orde van de Feniks)
Een heks van middelbare leeftijd, vrouw van Arthur en moeder van zeven kinderen. Ze zet

haar familie in alles wat ze doet op de eerste plaats. Molly is een erg aardig iemand en nam Harry graag op als een soort van adoptiezoon (OF5). Als ze onder druk staat kan ze echter vrij overheersend zijn en ontploft ze wel eens (GK3, OF24). Dit komt voort uit haar gevoel voor bescherming; ze verloor beide broers aan Dooddoeners tijdens de Eerste Oorlog en haar grootste angst is dat ze iemand van haar eigen gezin verliest (OF9). Molly leerde Arthur (die haar als ze alleen zijn 'Molliebollie' noemt) op Zweinstein kennen en ze trouwden snel na hun eindexamen (HBP5, 6). Ze gaf haar kinderen thuis les (WBD), ze kookte en maakte schoon terwijl haar man op het Ministerie werkte (GK3). Molly is een kundige heks op haar eigen manier, is heel loyaal aan Perkamentus en een waardevol lid van de Orde van de Feniks (RD36).

Wemel, Percy Ignatius

(geb. 22 augustus 1976; Griffoendor, 1987; Klassenoudste, 1991; Hoofdmonitor, 1993)

Een ambitieuze en vrij pompeuze jonge man, de derde zoon van Arthur en Molly Wemel. Percy is altijd toegewijd geweest aan regels en procedures (VB5). Na Zweinstein kreeg hij een baan (VB3) op het Ministerie van Toverkunst. Ondanks zijn jonge leeftijd en gebrek aan ervaring kreeg Percy in 1995 onverwachts een positie aangeboden in het team van Droebel en hij nam dit aanbod met trots aan. Zijn ouders spraken hun zorgen uit dat Droebel enkel hun familie wilde bespioneren. Dit maakte Percy zo van streek dat hij de contacten met de Wemels verbrak en naar Londen verhuisde (OF4; *zie ook* RD30).

Wemel, Ronald Virus 'Ron'

(geb. 1 maart 1980; Griffoendor, 1991; Klassenoudste, 1995; Wachter van Zwerkbal, 1995-1997; Strijders van Perkamentus)

Harry's beste vriend en de jongste zoon van Arthur en Molly Wemel. Ron werd constant overschaduwd door zijn familie en vrienden en toch was het het hart van Ron dat de vriendschappen verstevigde en diegenen om hem heen de steun gaf die ze nodig hadden om door te gaan (BLC). Ron is lang en slungelig en heeft felrode haren en sproeten (SW6). Hij ontmoette Harry in 1991 in de Zweinsteinexpress en ze werden al snel vrienden. Er bestond een grappig soort jaloezie tussen hen: Harry die ontzag had voor de familie van Ron en zijn kennis van de tovenaarswereld en Ron die ontzag had voor Harry's geld en bekendheid (SW6, 12). Ron was een enthousiaste Zwerkbalfan, vooral van de Cambridge Cannons (GK3). Ron speelde een centrale rol in het gevecht tegen Voldemort en de Dooddoeners (RD36; *zie ook* RD19, 31, /e, Today1, BLC).

Wemel, Roos
(geb. 2006; Zweinstein, 2017)
De oudste van de twee kinderen van Ron en Hermelien en ook hun enige dochter. Op 1 september 2017 maakte Roos zich klaar om met de Zweinsteinexpress te gaan voor haar eerste jaar op school en ze was behoorlijk nerveus of ze wel in Griffoendor gesorteerd zou worden (RD/e).

Wemel, Septimus
De man van Cedrella Zwarts (geboren tussen 1912 en 1917). Cedrella's huwelijk met Septimus zorgde ervoor dat ze van de stamboom van de familie Zwarts 'geblazen' werd (BFT). Septimus was Arthurs vader en kan de grootvader zijn die Ron de Toverschaakset gaf (SW12).

Wemel, Victoire
(Zweinstein, c. 2011)
Waarschijnlijk geboren in 1999 of 2000. Victoire is de dochter van Bill en Fleur en daardoor een nicht van de kinderen van Harry, Ginny, Ron en Hermelien (RD/e).

Wemel, William Arthur 'Bill'
(geb. 29 november 1970; Griffoendor, 1982; Klassenoudste, 1986; Hoofdmonitor, 1988; Orde van de Feniks)
Oudste Wemelzoon. Nadat hij van Zweinstein was gegaan, vertrok Bill naar Egypte om voor Goudgrijp te werken (GK4). Hij werd later overgeplaatst naar Londen om een actieve rol te spelen in de Orde van de Feniks en het gevecht tegen Voldemort (OF4, HBP29, RD24, 25; *zie ook* OF6, HBP5, RD8, 23-25, /e, BLC).

Wemels Wonderbaarlijke Pyropakketten
Dit magische vuurwerk werd op Zweinstein ontstoken op de eerste dag dat Omber schoolhoofd was. De leraren van Zweinstein weigerden te helpen om het vuurwerk te verwijderen en aangezien Omber noch Vilder wist hoe ze het konden wegtoveren, verstoorde het vuurwerk de lessen de hele dag en een deel van de avond. Het vuurwerk omvatte onder andere knallende draken, vuurpijlen met lange, fonkelende zilveren staarten en sterretjes die vulgaire woorden schreven, zoals 'POEP' (OF28). Het probleem verergerde toen Omber het vuurwerk probeerde te Verlammen waardoor het explodeerde. De problemen vertienvoudigden toen hij een Verdwijnspreuk uitsprak (OF28).

Wendekind, Brenda
(1202-1285)
Een beroemde Voorspellend Rekenaar; zie de Tovenaarskaarten voor meer informatie (TK, JKR).

Wereldbond voor Toverlieden
Andere naam voor het Internationaal Overlegorgaan van Heksenmeesters.

Wereldkampioenschap

Zie WK ZWERKBAL

wereldreis

Rond het jaar 1900 maakten jonge tovenaars traditiegetrouw een wereldreis na Zweinstein verlaten te hebben. Hierbij bezochten ze tovenaarsgebieden en buitenlandse tovenaars (RD2, 18).

Van de 17e tot de 19e eeuw was het voor jonge Britse aristocraten in de mode om een 'Grand Tour' te maken, een reis van ongeveer twee jaar door Europa als afsluiting van hun opleiding. Ze bezochten steden als Parijs en Rome en dompelden zich onder in de kunst en antieke zaken en leerden over de cultuur en politiek van Europa. Deze vorm van reizen – om persoonlijke nieuwsgierigheid te bevredigen en over andere plaatsen te leren – is in zekere zin een voorloper van het moderne toerisme.

Werkgroep Experimentele Bezweringen

Een comité van het Ministerie dat zich bezighoudt met ongewone en mogelijk gevaarlijke nieuwe spreuken (GK3). Het comité werd rond 1600 opgericht door Barend van Bladel (TK). Een van de huidige medewerkers, Max Knelbreuk, heeft op het moment hoorntjes, waarschijnlijk gekregen doordat hij wat risicovolle toverkunst uitprobeerde (VB7).

Wervelwormen

Worden verkocht in Zweinstein, waarschijnlijk door Zonko's fopmagazijn en zijn blijkbaar een van de vele dingen die Vilder niet in Zweinstein wil hebben (GA8).

West Ham (voetbalteam)

Een Dreuzelvoetbalteam dat uit Londen komt. Daan Tomas, die in een Dreuzelgezin opgroeide, is lang fan geweest van dit team (SW9).

Westertoren

Een van de torens van Zweinstein; hier ligt de Uilenvleugel (VB15).

Wet op de Restrictie van Toverkunst door Minderjarigen

En wet waarin staat dat het voor minderjarige tovenaars verboden is om buiten school te toveren, wegens een gebrek aan volledige training, en soms ook aan gezond verstand (HBP19) (GK5, GA3, etc.). Het Decreet dat hier een wet van maakte, werd in 1875 uitgevaardigd (OF8). Deze wet wordt gebruikt om leerlingen en hun families te beschermen. Tevens wordt de wet gebruikt om te voorkomen dat de belangrijkste wet in de tovenaarswereld wordt geschonden, de Code van Magische Geheimhouding. Er zijn uitzonderingen op deze wet, in het geval de jonge heks of tovenaar zich in direct levensgevaar bevindt (OF7). Het Ministerie houdt het gebruik van magie door minderjarigen in de gaten door over elke leerling de Merkspreuk uit te spreken (RD4).

Wet op het Toverstokgebruik
Artikel drie van deze Wet verklaart dat het geen enkel niet-menselijk wezen toegestaan is een toverstok te gebruiken (VB9). Het doorvoeren in 1631 van deze wet door het Ministerie, de Toverstokverbod genaamd, leidde tot koboldenopstanden (JKR). Dit is nog steeds een belangrijk strijdpunt met de kobolden (RD4).

w

Wetsontwerp voor Koboldenrechten
Onderwerp van een vergadering tussen het Ministerie van Toverkunst en 'B.D.K.' aan het begin van de jaren '90. Het liep niet goed af (DP3).

Weverseind
Weverseind is een straat in een onbenoemd industrieel Dreuzeldorp, dat waarschijnlijk ergens in het noorden van Engeland ligt. Severus Sneep groeide op in een huis uit deze straat (HBP2, RD33).

'Wezel'
(Eng. 'Weatherby')
Toen Percy voor Barto Krenck sr. werkte, verwees hij met deze naam naar Percy, wat aangeeft dat Percy misschien niet zo'n grote indruk had gemaakt als hij zou willen (VB7).

Whisp, Kennilworthy
Tovenaar die in Nottinghamshire woont en de auteur is van een aantal Zwerkbalboeken, waarvan *Zwerkbal door de Eeuwen Heen* het bekendste is (ZE).

Whopperwear
Volgens een advertentie voor Madame Mallekins Gewadenwinkel is Whopperwear een serie gewaden voor stevig gebouwde heksen en tovenaars (JKR).

Wiebel, Samson
(c. 15de eeuw)
Duellist die in 1430 de favoriet was om het Engelse Duelleerkampioenschap te winnen. Hij werd echter door Alberta Tandsteen met een Dreunspreuk verslagen (TK).

Wierling
Een bleekgroen wezen dat in de wiervelden op de bodems van meren in Groot-Brittannië leeft. Hij staat ook bekend als waterduivel. Wierlingen hebben lange broze vingers, die ze gebruiken om hun prooi te grijpen, scherpe horentjes en groene tanden. Lupos gaf zijn derdejaars leerlingen les over ze (GA8). Sommige Wierlingen zijn blijkbaar getemd door Meermensen (VB26).
De Wierling is een waterwezen uit de folklore. Hij komt voor in verhaaltjes die gebruikt worden om kinderen bang te maken zodat ze uit de buurt van diep water blijven.

Wiggelaar, Miranda
(Eng. 'Miranda Goshawk')
Auteur van de schoolboekenserie *Het Standaard Spreukenboek* (*Niveau 1, Niveau 2, etc.*). De boeken zijn verplicht voor leerlingen op Zweinstein (SW5, GA4, VB10, OF10, HBP9).
'miranda' = L. 'een wonder waardig'; een 'goshawk' is een roofvogel.

Wiggenweldrank
Een kus van iemand wiens lippen met deze toverdrank ingesmeerd zijn maakt het effect van de Drank van de Levende Dood ongedaan. Een jonge tovenaar gebruikte deze truc ooit eens om met een prinses te trouwen die zich had geprikt aan de naald van een spinnewiel waar de Drank aan zat.
Dit is een verwijzing naar het Dreuzelsprookje Doornroosje. Wiggenweldrank werd voor het eerst genoemd in de computerspellen van Electronic Arts, en dook daarna op op een Tovenaarskaart. Daardoor ging het deel uitmaken van de canon.

Wiggleswade, Dempster
Schrijver voor de problemenpagina van de *Ochtendprofeet* (DP3).

Wight, eiland
Een eiland ten zuiden van Engeland. Tante Margot was hier op vakantie en stuurde een kaart naar de Duffelingen, die tegelijk met de brief voor Harry van Zweinstein aankwam (SW3).
Het eiland Wight is sinds de victoriaanse tijd een vakantiebestemming. Koningin Victoria en Prins Albert hadden daar een huis, Osbourne House. Tijdens de Tweede Wereldoorlog zei Hitler dat Osbourne House niet gebombardeerd mocht worden, want hij stelde zich voor dat het een van zijn vakantieplekjes zou worden zodra hij Engeland had veroverd.

Wigtown Wanderers
Een Zwerkbalteam in de Ierse competitie (DP1-4).

Wijnand de Weemoedige
Er staat een standbeeld van deze tovenaar in een gang op Zweinstein (OF14).

Wijs Mij de Weg
'Windroosbezwering'
Een simpele spreuk die wordt uitgesproken terwijl de toverstok plat op de handpalm ligt van degene die hem uitspreekt. Tijdens het uitspreken van de woorden draait de toverstok rond om het noorden aan te wijzen (VB31).

'Wijsheid zonder grens is ieders liefste wens'
Het motto van Ravenklauw. Het wordt toegeschreven aan Rowena Ravenklauw. Deze zin was ook in haar beroemde diadeem gekerfd (RD29, 31).

Wikenweegschaar
(Eng. 'Wizengamot')

w

Het hooggerechtshof voor tovenaars in Groot-Brittannië. Het telt ongeveer vijftig leden (OF8), en de leeftijd van die leden is gemiddeld 87 jaar (JKR). De leden van de Wikenweegschaar dragen als ze bij elkaar komen paarse gewaden met een zilveren W aan de linkerkant (OF8). Het hoofd van de Wikenweegschaar is de Hoofdbewindwijzer (OF5). Andere medewerkers zijn onder anderen de Raadsleden, die de hoorzitting voorzitten, een Griffier, die alles wat er gezegd wordt opschrijft (OF8), en Speciale Adviseurs, waar Engelbert Dop op een zeker moment toe behoorde (RD2).
De naam Wizengamot komt van de Witan, ook wel de Witenagemot genaamd, uit de Angelsaksische periode. De Witan was een samenkomst van invloedrijke mensen, waaronder afgevaardigden van de geestelijken en hoge adel, die de koning adviseerden over zaken van nationaal en sociaal belang.

Wil
Een tovenaar die een aantal padden stal van Kareltje Schilfers. Vervolgens werden de padden hem op listige wijze ontnomen door Levinius Lorrebos (OF5).

Wildeling
Een werknemer van het Ministerie van Toverkunst in wiens kantoor het 'regende' (RD13).

Wildeling, Maarten
(Zwadderaar, c. 1989; Zwerkbal Wachter c. 1991-1996)
Zwerkbalspeler voor Zwadderich die Alica Spinet in de herfst van 1995 vóór de wedstrijd Griffoendor tegen Zwadderich van achteren vervloekte (OF19).

wildeman
Een monsterlijk magisch wezen, maar het is er wel eentje die relatief veilig in de buurt kan komen van heksen en tovenaars, aangezien Ron en Hermelien dachten dat ze een wildeman zagen bij de Drie Bezemstelen (GA8).
In volksverhalen zijn wildemannen verschrikkelijke, groteske en mensenetende wezens die niet echt passen bij het beeld van het wezen dat Ron en Hermelien zagen. Geen enkele wildeman uit de folklore zou bij een kroeg rondhangen. Het is, gezien de context, heel goed mogelijk dat Ron en Hermelien helemaal geen wildeman zagen. In het Engels heten de wildemannen 'ogres'; dit woord heeft dezelfde herkomst als het woord 'orc', in het Nederlands 'ork', dat gebruikt werd door Tolkien voor de groteske wezens die de Duistere Heer dienden.

Wildsmid, Iganatia
(1227-1320)
(Eng. Ignatia Wildsmith)
Uitvindster van Brandstof (TK).
'ignatia' (ig-NEJ-sja) komt van het woord 'ignis' = L. 'vuur'

wilg

(Eng. 'Willow')

Een toverstokkenhout. Olivander heeft deze houtsoort gebruikt voor de toverstok van Lily Potter (SW5).

De wilg heeft veel verschillende eigenschappen, van helende krachten tot het vervullen van wensen. Hij heeft er zoveel dat de boom soms de Heksenboom genoemd wordt. Wilgen geven ook magische bescherming; als je een wilg dicht bij je huis zet wordt dat huis beschermd en wilgentakken beschermen tegen kwade toverij. Het hout van de wilg is goed te gebruiken om toverstokken van te maken (aangenomen dat de persoon de boom om toestemming vraagt voor hij of zij een tak pakt); het hout is erg goed te vervormen. In het Engels heet een wilg een 'willow' en dit komt van het Angelsaksische woord 'wellig' wat 'buigzaam' betekent.

Willemse

Een Schouwer die een scharlaken gewaad draagt; hij heeft lang haar dat hij in een paardenstaart draagt (OF7, 36).

Williams, Benjy

Zoeker voor Pullover United (DP4).

Willibrord

De pad van Marcel Lubbermans. Willibrord raakte steeds zoek (SW6). Marcel bracht Willibrord ten minste een keer mee naar de Toverdrankenles, wat niet zo'n succes was (GA7).

Willis, Heliotrope

De Aanvoerder van de Trollenrechtenbeweging. Sommigen zeggen dat hij misschien wel een paar klappen te veel heeft gehad van trollenknuppels die hem per ongeluk raakten (DP2).

Wiltshire

Een graafschap ten westen van Londen. De belangrijkste plek hier is Salisbury Plain, waar Stonehenge staat. De Villa van de familie Malfidus bevindt zich in Wiltshire (OF15, m.n. RD1, 23).

In de Nederlandse edities wordt dit graafschap niet bij naam genoemd, maar simpelweg vertaald als 'het zuiden des lands'.

Wimbledon

Een van de plekken waar de brakende toiletten van Willy Windekind aangetroffen werden die Arthur Wemel onderzocht voor het Ministerie van Toverkunst (OF7).

Windekind, Willy

(Eng. 'Widdershins, Willy')

Een vent die nergens goed voor is en die een aantal brakende toiletten installeerde om Dreuzels in de war te brengen. Het kostte Arthur Wemel een tijdje om hem op te sporen en Willy werd uiteindelijk betrapt nadat een van de toiletten was geëxplodeerd (OF22). Hij

raakte redelijk zwaar gewond en zat een tijdje dik in het verband. Willy bevond zich in de Zwijnskop en luisterde de eerste bijeenkomst van de SvP af (OF27).
'widdershins' = Eng. 'linkshandig of in een tegengestelde richting; tegen de klok in'

Windhoud, Horus
Hoofd van de Kobold-Contactgroep (VB7).

Windringer, Herman
(geb. 1974)
Luitspeler in de band De Witte Wieven (TK).

W

Windroosbezwering
Zie WIJS ME DE WEG

Wingardium Leviosa
(win-GAR-die-oem lev-ie-OO-saa)
'Zweefspreuk'
Een standaard zweefspreuk, een van de eerste spreuken die eerstejaars leren bij Bezweringen (SW10).
'wing' + 'arduus' = L. 'hoog, steil' + 'levo' = L. 'verhogen, laten zweven'
Een uitstekend voorbeeld hoe doelgerichtheid magie kan beïnvloeden, is wanneer Ron deze spreuk kan gebruiken op een knuppel, terwijl het 'wing'-gedeelte van de spreuk specifiek voor veren bedoeld lijkt te zijn (SW10).

wingerd
Het hout waarvan de toverstok van Hermelien Griffel is gemaakt (JKR, verg. RD36).
Nadat ze Harry een toverstok van hulst had gegeven, kwam J.K. Rowling erachter dat ze hem onbedoeld hout had gegeven dat volgens de Keltische traditie bij zijn geboortedatum paste. Ze besloot om hetzelfde te doen voor Ron en Hermelien. Het hout voor september, de maand waarin Hermelien is geboren, is wingerd (JKR). Wingerd (vine in het Engels) verwijst waarschijnlijk naar 'grapevine', Vitis vinifera *(Europese wilde druif).*

Winky
Een vrouwelijke huis-elf die tot 1994 werkte voor de familie Krenck (VB8). Ze zorgde jarenlang voor Barto Krenck jr, tot ze werd ontslagen (VB35). Winky ging op Zweinstein werken, maar ze werd door de andere huis-elfen als een schande gezien. Ze zat veel op de stoel naast de schouw in de keuken en werd vaak dronken van Boterbier (VB21). Helaas was het een verslaving waar ze nooit helemaal vanaf gekomen is (WBD, BLC).

Winterpayne Wasps
Een Zwerkbalteam met zwart met gele gewaden. Ludo Bazuyn was ooit een beroemde Drijver in dit team. Hij draagt het gewaad nog steeds van tijd tot tijd, hoewel het hem nu wel een beetje strak rond zijn middel zit (DP1-4, VB7).

Wipschoten, Govert
(1742-1805)
(Eng. 'Hipworth, Glover')
Tovenaar die de Peperdrank heeft uitgevonden waarmee je verkoudheid kunt genezen (TK).
Goverts achternaam in het Engels, Hipworth, doet denken aan 'rose hip' (rozenbottels), een kruidenremedie met veel vitamine C, een vitamine waarvan men algemeen aanneemt dat hij verkoudheid voorkomt.

Wisbezwering
Spreuk waarmee je voetafdrukken in de sneeuw kan laten verdwijnen (OF20).

Wisseldrank
(Eng. 'Polyjuice Potion')
Een modderige bruingekleurde toverdrank (HBP9). Hij wordt omschreven als 'ingewikkeld' (GK10). De toverdrank laat de drinker precies lijken op iemand anders, en het enige wat je daarvoor nodig hebt, is een stukje van die persoon om dit toe te voegen aan de toverdrank. Normaal gesproken wordt hier haar voor gebruikt (GK12, HBP21, RD4, 26). De toverdrank werkt echter maar een uur nadat het is ingenomen (VB35). Uiteraard kan Wisseldrank grote problemen wat betreft beveiliging veroorzaken (HBP3).
'poly' = Gr. 'veel' + 'juice' (sap)
Wisseldrank is, net als de Tijdverdrijver, een erg lastig voorwerp wat betreft het plot om in een verhaal te verstoppen. J.K. Rowling heeft een aantal beperkingen aangebracht toen ze de toverdrank in het tweede boek voor het eerst ter sprake bracht. Het duurt een maand om de toverdrank te maken, de ingrediënten zijn lastig te verkrijgen, het is maar een uur werkzaam, enzovoorts. In het vierde boek liet J.K. Rowling Barto Krenck er echter elk uur, elke dag, de hele dag door, negen maanden lang een slok van nemen, zodat zijn vermomming als Dwaaloog gehandhaafd bleef. Hoe je het ook bekijkt het blijft een grote hoeveelheid toverdrank. Hoe kan zijn lichaam tegen zo'n behandeling? Waar heeft hij alle ingrediënten voor liters en liters van het spul vandaan weten te halen? Brouwde hij de drank in zijn kantoor? Hij moet wel continu bezig zijn geweest het te maken, omdat het een maand duurt voordat het klaar is. Tegen de tijd dat we bij boek zeven komen, wordt Wisseldrank gebruikt alsof het water is. De beperkte werking van een uur wordt volledig genegeerd. Denk maar eens na over de impact die een dergelijke toverdrank zou hebben op de samenleving, in het speciaal op de beveiliging. Met al die Wisseldrank die er is, hoe kan het dat de Dooddoeners voor de gek werden gehouden door Harry, Ron en Hermelien toen zij inbraken in het Ministerie en in Goudgrijp, alleen omdat ze eruitzagen als iemand anders? Ze zouden zeker alert geweest zijn op dat soort zaken. Om

W

een positievere noot te geven, Wisseldrank heeft wel voor enkele memorabele momenten gezorgd. Denk aan Korzel en Kwast die eruitzagen als meisjes, of Hermelien die probeert om net zo gemeen te zijn als Bellatrix als zij in haar verandert.

Wisselspreuken

Een categorie van spreuken die bij Transfiguratie gebruikt worden om het ene om te wisselen voor het andere (VB15).

witch-doctor

Zie HEKSENDOKTER

W

Withoorn, Dirk

(geb. 1945)

Richtte in 1967 de Nimbus Bezemfabrieken op, waardoor hij een revolutie ontketende in Zwerkbal (TK).

Witje

Een van de katten (of misschien Kwistels) van mevrouw Vaals. Harry werd tijdens Dirks verjaardagen als hij in haar huis verbleef gedwongen om naar foto's van onder andere Witje te kijken (SW2).

Witlov Manoeuvre

Een ingewikkelde Zwerkbalmanoeuvre waarbij meerdere Jagers betrokken zijn (VB8).

Witte Wieven

(Eng. 'The Weird Sisters')

Een muziekgroep, heel populair op de MOS. Wordt gevormd door acht muzikanten die zingen en spelen op de drums, verschillende gitaren, een luit, een cello en doedelzakken (TK). Ze waren vrij harig en droegen artistiek gescheurde zwarte gewaden toen Harry ze op het kerstfeest zag (VB23).

'The Weird Sisters' is een term uit Macbeth *van Shakespeare die verwijst naar de drie heksen die Macbeth aanklampen en de toekomst voorspellen waarbij ze hem als 'koning vanaf nu' erkennen. Ook in de Noorse mythologie zijn er drie zuster-godinnen van het lot – de Nornen – die ook de 'Wyrd Sisters' genoemd worden. De archaïsche term 'wyrd' betekent 'lot' of 'bestemming'.*

Wizards' Ordinary Magic and Basic Aptitude Test (W.O.M.B.A.T.)

Verschillende toetsen die de basiskennis van de tovenaarswereld toetsen. Ze worden net als de P.U.I.S.T-en en S.L.I.J.M.B.A.L.-en gegeven door de Toverexamenraad. Voor Dreuzels waren er gedurende korte tijd ook drie van deze toetsen op verschillende niveaus beschikbaar (JKR).

WK Zwerkbal

Een enorm populair internationaal sportevenement. In 1994 werd het op een verlaten heide in Engeland gehouden, waar Harry, Hermelien en de Wemels naartoe gingen voor een spectaculaire wedstrijd tussen Ierland en Bulgarije (VB8).

WK Zwerkbalstadion

Het Ministerie van Toverkunst heeft er het hele jaar voorafgaand aan het evenement over gedaan om een enorm stadion te bouwen voor het WK Zwerkbal. Het ligt op een verlaten veld, dicht bij een bos en was een indrukwekkende plaats met gouden muren en zitplaatsen voor honderdduizend toeschouwers. Het stadion werd beschermd door Dreuzelafwerende en andere spreuken (VB8).

Woekervloek

Een spreuk die meerdere waardeloze kopieën maakt van een voorwerp. Over de voorwerpen in de zwaar beveiligde kluis van de van Detta's waren door kobolden van Goudgrijp Woekervloeken uitgesproken. Als deze objecten werden aangeraakt, maakte de spreuk heel veel identieke kopieën ervan, waardoor de originelen onvindbaar waren. Volgens Grijphaak zou een dief die de schat aan bleef raken uiteindelijk doodgedrukt worden door het gewicht van het uitdijende 'goud' (RD26).

Zie DUPLICATUS

wolfshond

Een groot hondenras dat werd gebruikt voor de zwijnenjacht. Wolfshond is een andere naam voor de Duitse Dog. Hagrids huisdier Muil is een zwarte wolfshond. Net als Hagrid ziet Muil er veel gewelddadiger uit dan hij eigenlijk is (SW8).

In de films is Muil een Mastino Napoletano, maar in de boeken is hij een wolfshond.

Wolfsworteldrank

Deze drank is geen geneesmiddel tegen lykantropie, maar gaat wel het extreem gevaarlijke verlies van mentale capaciteiten tegen die transformatie normaal tot gevolg heeft. De drank werd uitgevonden (GA17) door de oom van Alfons Gasthuis, Damocles. Hiervoor ontving hij de Orde van Merlijn (HBP7). Het is erg moeilijk om het te brouwen en het smaakt afschuwelijk (GA8).

Wolkenveldt, Romeo

(Orde van de Feniks)

(Eng. 'Kingsley Shacklebolt')

Lange, kale, donkere tovenaar met een diepe stem die een gouden oorringetje draagt. Wolkenveldt is een Schouwer voor het Ministerie van Toverkunst en een waardevol lid van de Orde van de Feniks (OF3, 4-9, 35, HBP1; *zie ook* RD36, BLC).

Shacklebolt = 'bout die door de ogen van een ketting kan'. In de heraldiek symboliseert de shacklebolt 'overwinning; iemand die gevangenen heeft genomen of gevangenen van de oorlog heeft bevrijd'.

w

Wombel, Renald
Een naam voor Ron die per ongeluk ontstond. Acht maanden nadat hij een Superspellende veer had gekocht van Fred en George, merkte hij dat de spreuk uitgewerkt raakte. Het spelde 'consolidatie' met K-O-N-T en 'agressie' met O-R-G-I-E en zijn eigen naam als Renald Wombel (HBP21).

Wordt U Bewust Van Uw Onvermoede Krachten En Doe Er Iets Mee Nu U Weet Dat U Ze Heeft
Een van de boeken die Harry, Ron en Hermelien raadpleegden toen ze zich voorbereidden op de Tweede Opdracht van het Toverschool Toernooi (VB26).

w

Worggas
Onzichtbaar gas dat mensen flauw laat vallen (OF32).
Een worgtouw is een simpel maar erg dodelijk wapen. Meestal bestaat het uit een koord of draad dat om de hals van een slachtoffer wordt gelegd, waarna die overlijdt door verstikking. Omdat het zeer onwaarschijnlijk is dat Fred en George iets dodelijks zouden verspreiden, gaan we ervan uit dat Worggas niet dodelijk is, maar dat het de slachtoffers alleen bewusteloos maakt.

'Wormstaart'
De bijnaam die de Marauders aan Peter Pippeling gaven (GA18). Hij werd zo genoemd door de Dooddoeners, die hem nooit bij zijn echte naam noemden.
Zie PIPPELING, PETER

Wrakking
(geb. 1977; Zwadderich, 1988; Zwerkbal Drijver c. 1993-1995)
Een Drijver in het Zwerkbalteam van Zwadderich (GA15, OF19).

wroeging
Als een tovenaar eenmaal zijn ziel heeft gespleten, kan die ziel alleen door oprecht berouw weer bij elkaar worden gebracht. Volgens *Geheimen van de Zwartste Kunsten* 'moet je tot in het diepst van je ziel voelen wat je hebt gedaan.' Dit is een vreselijk pijnlijk proces maar het is de enige manier (RD6, m.n. RD36).
Wat een interessante wending. Het maakt niet uit hoeveel iemand heeft gedaan of hoe afschuwelijk dat was, écht berouw is altijd mogelijk en door dat berouw zal rehabilitatie volgen. Dit is een zeer religieus thema dat meerdere religies en levensovertuigingen gemeen hebben. Wat zou er gebeurd zijn als Voldemort de kans om zijn opvatting te veranderen had aangenomen toen Harry hem die aanbood? Misschien zien we hier een toespeling op Grindelwald, wiens laatste daden in de toren van Normengard laten zien dat hij een veranderd mens was. Hij offerde zichzelf op in plaats van Voldemort te vertellen wat hij wist. Misschien zullen Gellert Grindelwald en Albus Perkamentus elkaar als vrienden weerzien, ergens aan de andere kant van het Gordijn.

Wye (rivier)

Een Trol terroriseerde de mensen die deze rivier probeerden over te steken, tot hij in de 16[de] eeuw werd vermoord door Almerick Zaagbrug (TK).

Deze rivier stroomt van Wales naar de Severn Estuary, vlak bij Chepstow, waar J.K. Rowling als kind woonde.

W

Yeti

(verschrikkelijke sneeuwman, bigfoot)

Een trolachtig, wit, harig wezen dat in Tibet leeft. De Yeti's werden in Harry's tweede jaar besproken bij de lessen Verweer Tegen de Zwarte Kunsten (GK10), aangezien een van de boeken van Smalhart *Een Jaar met de Yeti* heette.

De yeti is de naam van een mensachtig wezen waarvan men geloofde dat ze in de bergen van Tibet wonen. Hoewel hij lijkt op de bigfoot uit Noord-Amerika, wordt niet verondersteld dat dit hetzelfde wezen is. In het Harry Potteruniversum worden de namen echter door elkaar gebruikt.

Yorkshire Heideveld

Hier bevindt zich een professioneel Zwerkbalveld. Voorafgaand aan een wedstrijd tussen de Wigtown Wanderers en Pullover United staat er een mededeling in de *Ochtendprofeet* aan de fans om niet te hard te juichen. Er waren namelijk Dreuzels komen kijken naar de bron van alle lawaai dat ze hoorden tijdens de vorige wedstrijden (DP1).

Zie HEIDEVELD

'You Went and Stole my Cauldron but You Can't have My Heart'

Een album gemaakt door Celine Malvaria; ze wilde graag een concert geven om dit album te promoten tijdens Halloween (DP4).

Yvonne

Een vriendin van Petunia Duffeling die op de elfde verjaardag van Dirk op vakantie was op Majorca, zodat ze die dag niet op Harry kon passen (SW2).

Zaagbrug, Almerick
(1602-1699)
Vocht tegen een Riviertrol die voor ophef zorgde langs de rivier de Wye (TK).
De naam van deze tovenaar verwijst naar het feit dat Riviertrollen graag onder bruggen liggen terwijl ze op onvoorzichtige reizigers wachten.

Zabini
De moeder van Benno Zabini. Deze heks stond bekend om haar schoonheid. Ze heeft zeven echtgenoten gehad, die allemaal op mysterieuze wijze om het leven zijn gekomen en haar bergen goud nalieten (HBP7).

Zabini, Benno
(geb. 1980; Zwadderich 1991; de Slakkers)
Een lange, knappe en een beetje verwaande zwarte jongen uit hetzelfde jaar als Harry. Benno heeft net als Draco een afkeer van heksen en tovenaars die Dreuzelouders hebben. Ginny noemt hem een 'aansteller' (HBP7).

Zacharinus' Zoetwarenhuis
Een snoepwinkel in Zweinsveld van Ambrosius Flier (HBP4) en zijn vrouw. Ze wonen boven de winkel; in de kelder onder de trap bevindt zich de ingang van een geheime tunnel naar Zweinstein (GA10). Er worden veel verschillende soorten snoep in Zacharinus' Zoetwarenhuis verkocht, evenals karamel en enorme brokken chocola, die in de winkel gemaakt worden (GA8, VB28).

Zagrijn
Een Dooddoener die voor het Ministerie werkt (RD4, 21). Zagrijn is een heel oude puurbloedfamilienaam (RD13).

Zalver, Augustus
Een aankomend Heler op de Dai Llewellynzaal van het St. Holisto's. Hij probeerde in december 1995 de slangenbeet van Arthur Wemel te helen. Hij heeft veel interesse in 'alternatieve geneeswijzen' zoals het gebruik van Dreuzeltechnieken en -medicijnen naast magische middelen (OF23).

Zakgluiposcoop
Zie GLUIPOSCOOP

Z

zakhorloge
Het is een traditie in de Tovenaarswereld om je zoon een zakhorloge cadeau te doen wanneer hij zeventien jaar oud wordt (RD7; *zie ook* RD/e).

zakmes, magisch
Een cadeau dat Sirius in 1994 met Kerst aan Harry gaf. Dit handige zakmes heeft gereedschappen waarmee je elk slot kunt openen en elke knoop kunt ontwarren (VB23, OF29, 32, 34).

Z

Zamojski, Ladislaw
Een van de beste Jagers van Polen (OF19).

zandlopers
Tegenover de voordeuren van de hal op Zweinstein staan vier gigantische zandlopers, een voor elke afdeling (SW15). In elke van deze zandlopers zitten edelstenen met de kleur van de afdeling om de afdelingspunten bij te houden (OF28). Die van Griffoendor is gevuld met robijnen, die van Ravenklauw met saffieren (OF38), en die van Zwadderich met smaragden (RD32).
De edelstenen die voor Huffelpuf gebruikt worden, worden niet genoemd in de boeken.

Zebedeüs Pieper Penning voor Uitzonderlijk Spreukspreken
Albus Perkamentus won deze prijs tijdens zijn jaren aan Zweinstein (RD18).

Zeergelieft, Dirkje
(1812-1904)
Richtte een hulpvereniging op voor heksen; zie de Tovenaarskaarten voor meer informatie (TK).

zeeslang
Een gigantische waterslang (FD).

Zegevlier
Een toverstok die alle andere kan verslaan; de krachtigste en dodelijkste reliek van de Relieken van de Dood. De Zegevlier heeft onder verschillende namen een spoor in de geschiedenis achtergelaten in verhalen over geweld en moord (RD21).
In volksverhalen wordt vlierhout in verband gebracht met de dood en de kracht om iemand tot leven te wekken, voornamelijk omdat de vlierboom een beschadigde tak gemakkelijk kan laten aangroeien. Men dacht dat heksen in de Middeleeuwen in vlierbomen leefden en het is de traditionele houtsoort om bezemstelen en toverstokken van te maken. Meubels die van de vlierhout gemaakt werden zouden voor pech zorgen, wat interessant is aangezien Ron tegen Harry en Hermelien vertelt dat een Tovenaarsbijgeloof zegt: 'Vlierhouten toverstokken brengen tegenspoed en brokken' (RD21).

Zegges, Ronald
(geb. 1903)
Voorzitter van het Engelse Fluimsteenteam (TK).

Zeller, Rosa
(geb. 1984; Huffelpuf 1995)
Zweinsteinleerlinge (OF11).

Zelf Kaas Maken zonder Heksentoeren
Door Grijpkerker, Greta (TK), ook bekend onder de naam Gerda Curd (JKR).
De familie Wemel heeft een exemplaar van dit kookboek in hun keuken (GK3).

zelfbevruchtende struiken
Magische planten. Harry en andere vijfdejaars moesten van professor Stronk een verslag schrijven over zelfbevruchtende struiken (OF14).

Zelfcorrigerende inkt
Een van de vele voorwerpen die verboden zijn tijdens de examens op Zweinstein (OF31).

zelfroerende ketel
Een ketel die zelf roert, wat heel handig zou zijn voor het maken van toverdranken. Veel ketels lijken in ieder geval deels magisch te zijn; er zijn bijvoorbeeld zelfroerende, opvouwbare en andere ketels te koop in een winkel op de Wegisweg (SW5).

Zemel, Veronica
Een van de vele heksen die fanmail naar Gladianus Smalhart stuurden (GK7).

Zengbezwering
Zorgt ervoor dat iedereen die het met deze bezwering betoverde object aanraakt zich brandt (RD26).

zeven
Zie HEPTOMOLOGIE

Zichtbaarheidsbrillen
Het Ministerie van Magie deelde deze uit aan toeschouwers van een Zwerkbalwedstrijd tussen de Falmouth Falcons en Pride of Portree omdat er een Onzichtbaarheidsbezwering over het stadion was uitgesproken (DP1).

ziekenzaal
Het kasteel van Zweinstein heeft een ziekenzaal waar gewonde of zieke studenten verzorgd worden door madame Plijster, de verpleegster. De ziekenzaal heeft een afdeling met een aantal bedden en een kantoor voor Plijster (SW17 etc.). Als de patiënt meer zorg nodig heeft dan hij kan krijgen in de ziekenzaal, wordt hij naar St. Holisto's gestuurd (HBP13, OF32).

Ziener
Een tovenaar die het Innerlijke Oog heeft, het vermogen om te profeteren. Zwamdrift is de achterachterkleindochter van een heel beroemde en heel getalenteerde Ziener, Cassandra Zwamdrift (OF15). Gezien de enorme hoeveelheid profetieën die opge-

Z

slagen ligt in de Hal der Profetieen, zijn er door de geschiedenis heen nogal wat Zieners geweest (OF34).

zijkamer
Een kleine kamer naast een grotere ruimte. Er is een zijkamer verbonden met de Grote Zaal, door een deur achter de lerarentafel. De kamer bevat een haard en er hangen veel portretten waaronder het portret van Beatrijs, de vriendin van de Dikke Dame (VB17, 31).

Zijstraat tussen de Magnoliastraat en de Magnolialaan
Gelegen in Klein Zanikem, een paar blokken van de Ligusterlaan verwijderd. Hier vonden twee van de grootste verstoringen van Harry's Dreuzelleven plaats: in 1993 toen er onverwacht een Collectebus opdook (GA4) en de verschijning van een aantal Dementors in 1995 (OF1).

Zilveren Pijl
Een type racebezemsteel. Madame Hooch had er ooit eentje en denkt daar graag aan terug (GA13).

'Z'n ogen zijn groen als een pad op sterk water'
Valentijnsgedicht dat Ginny Wemel in 1993 schreef voor Harry Potter (GK13).

Zoeker
Zwerkbalspeler wiens opdracht het is om de Gouden Snaai te vinden en te vangen, waarmee zijn of haar team 150 punten verdient en de wedstrijd afgelopen is. Harry bekleedt deze positie in het Zwerkbalteam van Griffoendor (SW10, etc.).

Zoetwaterplimpy's
Vissen in de beek bij het huis van de Leeflangs (RD20).

Zograv
De Wachter van het nationale team van Bulgarije tijdens het WK in 1994 (VB8).

Zolder, Rosalina Antigone
Hermelien kwam deze naam tegen toen ze op zoek was naar iemand met de initialen 'R.A.Z' (HBP30).

Zombiepad
Een van de hoofdattracties van Terrortours, naast reizen naar Transsylvanië en de Bermudadriehoek. Het Zombiepad wordt aangeprezen als de mogelijkheid voor vakantievierende tovenaars om de 'levende doden' met eigen ogen te zien (DP3).
Hoewel dit niet gezegd wordt, is het mogelijk dat de zombies die hier genoemd worden eigenlijk Necroten zijn. Als dat zo is, zal dit inderdaad een gevaarlijke vakantie zijn.

Zombie Trail
Zie ZOMBIEPAD

Zombie van Zanzibar, de
Een Duister Wezen dat door Gladianus Smalhart zou zijn verslagen (GK6), maar eigenlijk verslagen werd door een heks met een harige kin (GK16).
In de oorspronkelijke tekst stond 'heks met een hazenlip', maar dit is in een latere versie veranderd in 'harige kin'.

Zompelaar
(Eng. 'Hinkypunk')
Een klein wezentje met één been dat zo te zien voornamelijk uit sliertjes rook bestaat; de Zompelaar draagt een lichtje waarmee hij reizigers in moerassen lokt (GA10).
Een 'hinky punk' is in volksverhalen uit Somerset en Devon een naam voor spookachtige lichten die soms 's nachts boven moerassen gezien worden. Aangezien dit wezentje wordt bestudeerd tijdens de lessen Verweer Tegen de Zwarte Kunsten, kunnen we ervan uitgaan dat het niet zomaar een magisch wezentje is, maar een dat probeert om schade aan te richten.

zompig mos
Moerassig land, dat in Engeland voornamelijk aan de oostkust voorkomt. Volgens een van de liedjes van de Sorteerhoed (VB11), komt Salazar Zwadderich van 'zompig mos', wat suggereert dat hij misschien uit dit gebied komt.

Zon, de
Een van de symbolen die volgens *Ontwasem de Toekomst* gelezen kunnen worden in een kopje met theebladeren. Het betekent 'gelukzaligheid' (GA6).
In de echte tasseografie staan theebladeren in de vorm van een zon voor 'een nieuw begin'.

Zonderland, Severijn
(Orde van de Feniks)
Tovenaar met een vierkante kaak en dik stroblond haar. Hij was lid van de Orde van de Feniks, en maakte deel uit van de Voorhoede (OF3, 14).

Zonko's Fopmagazijn
De lievelingswinkel van Zweinsteinleerlingen als ze winkelen in Zweinsveld. Ze hebben hier onder andere Mestbommen, Hikgum, Kikkerdrilzeep en Neusbijtende Theekopjes (GA14). Tijdens de duistere tijd van 1996 en 1997 werd Zonko's Fopmagazijn gesloten en dichtgetimmerd. Fred en George gingen naar Zweinsveld om te kijken of ze het pand konden kopen en er een filiaal van Tovertweelings Topfopshop konden openen (HBP18).

Zoster, Herpine
(Zweinstein, vroege jaren '90)
Probeerde haar puisten weg te toveren en moest haar neus terug

Z

laten zetten door Madame Plijster toen dat mislukte (VB13). Tot de dag van vandaag gebruiken Harry, Ron en Hermelien haar als standaard waarmee een hoeveelheid puisten gemeten moet worden. Herpine zou een Huffelpuf kunnen zijn, aangezien de Huffelpufs tijdens Kruidenkunde over haar spraken alsof ze haar kenden (VB13).

Zoutzuurtjes

Magisch snoep dat wordt verkocht bij Zacharinas' Zoetwarenhuis. Het brandt een gat in je tong (GA10). Tevens een van de wachtwoorden voor het kantoor van Perkamentus (HBP10).

zuurtje

Dreuzelsnoepje waar Perkamentus dol op is (SW1). 'Zak met zuurtjes' was een van de wachtwoorden om het kantoor van het schoolhoofd in te komen (GK11, VB28).

In de Engelse edities worden zuurtjes 'sherbet lemons' genoemd, in de Amerikaanse 'lemon drops'. Deze twee snoepjes verschillen echter erg van elkaar. Lemon drops zijn harde, zure citroensnoepjes met een binnenste van verpulverde suiker. Sherbet lemons zijn ook harde snoepjes met een citroensmaak, maar ze zijn gevuld met bruispoeder dat in je mond sist. De sherbet lemon is echter niet bekend in Amerika, dus de redacteur koos voor een snoepje dat bekend zou zijn zodat het logischer zou passen bij de omschrijving van een simpel Dreuzelsnoepje.

Zwaard van Griffoendor

Een door kobolden gemaakt magisch zwaard. Het is van zilver met grote robijnen in het handvat (GK17). Het was ooit eigendom van Goderic Griffoendor. Ragnok de Eerste, een Koboldenkoning, beschuldigde Griffoendor ervan dat hij het van hem gestolen had (RD25, JKR; *zie ook* GK18, RD6, 19, 36).

Zwaardman, Roderik 'Afhakker'

Hermelien kwam deze naam tegen toen ze op zoek was naar iemand met de initialen R.A.Z. (HBP30).

Zwadderich (afdeling)

Een van de vier afdelingen van Zweinstein. Hecht boven alles waarde aan sluwheid en het gebruik van alle middelen om iets te bereiken (SW7). Professor Sneep was tot het voorjaar van 1997 (HBP29) het Afdelingshoofd van Zwadderich (VB36), waarna professor Slakhoorn Afdelingshoofd werd (RD30). Het afdelingsspook is de Bloederige Baron (GK8). Hun wapen is groen en zilver en beeldt een slang uit (VB15). Zwadderich heeft de onmiskenbare reputatie dat de tovenaars die er vandaan komen geneigd zijn om de Duistere Kunsten te gebruiken (SW5) en dat ze veelal aanhangers zijn van de denkbeelden over de superioriteit van puurbloeden (OF7). Beroemde Zwadderaars zijn onder anderen Marten Vilijn, Lucius en Draco Malfidus, Firminus Nigellus, Regulus Zwarts en Bellatrix Zwarts van Detta.

Zwadderich, leerlingenkamer

Ligt in de kerkers onder het meer (TLC). De ingang is een glijdende stenen deur die verborgen is in de muur. Het wachtwoord is *puurbloed* (of dit was in ieder geval zo in december 1992). (GK12, RD23).

Zwadderich, Zalazar

(10de eeuw n. Chr.)

Een van de vier oprichters van Zweinstein. Zwadderich had vele unieke vaardigheden. Hij was een Sisseltong en bekwaam Legilimens. Volgens het lied van de Sorteerhoed kwam hij uit zompig mos, wat te vinden is in het oostelijke deel van Engeland. Hij vond dat alleen puurbloed heksen en tovenaars aangenomen mochten worden op Zweinstein; hij kreeg hier ruzie over met Goderic Griffoendor en verliet uiteindelijk de school. Er is een legende dat Zwadderich ergens in Zweinstein een geheime kamer had gebouwd die alleen geopend kon worden door zijn ware erfgenaam. Deze kamer, die de Geheime Kamer wordt genoemd, bevat een monster dat zijn 'nobele doelen' zou afronden door alle Dreuzeltelgen op Zweinstein te doden.

In het Engels is Zwadderich 'Slytherin', wat in feite 'slithering' (glibberen) zonder de 'g' is; zeker een slangachtig woord. Er is echter niets slangachtig aan de naam Zalazar. Antonio Salazar was de dictator van Portugal van 1932 tot 1968. Aangezien J.K. Rowling een tijdje in Portugal woonde, zou ze die naam daar zeker gehoord kunnen hebben. Maar waarom specifiek Salazar? Waarschijnlijk omdat ze een ongewone naam wilde hebben met de s-klank, aangezien alle oprichters (en veel van de huidige leraren) allitererende namen hebben.

Zelfs in de 20e eeuw leeft het conflict tussen Griffoendor en Zwadderich voort in de opkomst van Voldemort, Zwadderichs erfgenaam, en diens nederlaag tegen Harry Potter, een 'ware Griffoendor'.

Zwalp, Gerrit

(1770-1884)

Tussen 1811 en 1819 een zeer populaire Minister van Toverkunst (TK).

Zwam, Philippa

(Eng. 'Spore, Philippa')

Auteur van *Duizend Magische Kruiden en Paddenstoelen* (SW5).

'spore' = voortplantende gedeelte van schimmels, bijv. paddenstoelen

Zwamdrift, Cassandra

De over-overgrootmoeder van Sybilla Zwamdrift. Cassandra was

een 'beroemde en begaafde Zieneres' in haar tijd (OF37).
In de mythologie is Cassandra een Trojaanse Zieneres die ware profetieën uitsprak maar (door Apollo) was vervloekt zodat niemand haar ooit zou geloven. De Trojanen negeerden haar waarschuwingen om het Trojaanse paard binnen de stadsmuren toe te laten, een fout waardoor de Grieken Troje konden veroveren. Zwamdrift overkomt dit ook regelmatig. Ze zwerft bijvoorbeeld door de gangen van Zweinstein en trekt kaarten die naderend gevaar en moeilijkheden voorspellen, maar niemand schenkt daar enige aandacht aan.

Z

Zwamdrift, Sybilla Patricia
Waarzeggerijprofessor op Zweinstein en de achter-achterkleindochter van Cassandra Zwamdrift, een beroemde en begaafde Zieneres (OF37). Hermelien beschouwt haar als niets anders dan een 'ouwe oplichtster', een visie die door velen op Zweinstein wordt gedeeld. Zwamdrift vermijdt het gezelschap van de overigen op school en brengt haar tijd door in haar torenkamers (GA11). Haar versie van Waarzeggerij bestaat uit het voorspellen van de toekomst: bijvoorbeeld het lezen van handen en theebladeren, het interpreteren van astrologische kaarten en het kijken in kristallen bollen (GA9).
In de Oudheid was een Sibille een profetes die in een staat van extase en onder invloed van Apollo profetieën uitsprak. Zwamdrifts voornaam wordt in de Britse versie anders gespeld dan in de Amerikaanse. De Britse versie geeft 'Sybill' terwijl de Amerikaanse versie 'Sibyll' geeft.

Zwarte Kunsten
Toverkunst met enkel kwade bedoelingen.
Wat maakt toverkunst 'Zwart'? Onder fans is dit een onderwerp van veel discussie. Gebruikt Harry de Zwarte Kunsten wanneer hij de Imperiusvloek gebruikt om Bogrod en Totelaer in bedwang te houden terwijl hij in de Tovenaarsbank-Goudgrijp inbreekt? Uiteraard is het zo dat hij niemand kwaad wil berokkenen terwijl hij dit doet. Maar hoe zit het dan wanneer hij de Cruciatusvloek uitspreekt? En hoe zit het met Ginny? Wanneer ze haar Vleddervleervloek uitspreekt doet ze dat zeer duidelijk met het voornemen om de mensen die ze vervloekt pijn te doen. Gebruikt ze daarmee Zwarte magie? Het is lastig om dit onderscheid te maken, maar wel een dat van fundamenteel belang is voor heksen en tovenaars in wording. Daarom is Verweer Tegen De Zwarte Kunsten zo'n belangrijk vak voor leerlingen op Zweinstein en heeft Voldemort het leraarschap van dit vak dan ook vervloekt, in zijn poging dit vak te misbruiken.

Zwarte Kunsten: Een Handboek Voor Zelfbescherming, De

Door Quentin Tondel

Het boek dat eerstejaars gebruiken bij de lessen Verweer Tegen de Zwarte Kunsten op Zweinstein (SW5).

Zwarte Kunsten te Slim Af, De

Een boek dat gevonden werd in de Kamer van Hoge Nood toen deze gebruikt werd door de SvP om er te oefenen (OF18).

Zwarts, Alvoleus

(† c. 1976-77)

(Eng. 'Alphard Black')

Oom van Sirius en Regulus. Alvoleus was de broer van hun moeder; maar hij is van het tapijt verwijderd omdat hij 'goud gaf aan zijn weggelopen neefje' (Sirius), en daarom is er op de plek waar zijn naam stond een brandgat in de stamboom van de familie Zwarts (OF6, BFT).

'Alphard' = de helderste ster in het sterrenbeeld Waterslang

Zwarts, Annis

(Eng. 'Black Annis')

Een feeks die in een grot woont in een gebied dat Deadmarsh heet. Zij protesteerde tegen wat zij als oneerlijke kritiek beschouwde als feeksen 'monsters' werden genoemd (DP1).

'Black Annis' is de naam van een legendarische feeks die in een grot nabij de Dane Hills in Leicestershire woonde. De grot had ze zelf uitgegraven met klauwen die zo hard als staal waren. Van Black Annis wordt gezegd dat ze kinderen at en hun huiden aan de muur van haar grot hing.

Zwarts, Arcturus

(1901-1991)

De grootvader van Sirius Zwarts (BFT), misschien degene die de Orde van Merlijn, Eerste Klasse, heeft gekregen voor 'Bewezen Diensten' aan het Ministerie. Sirius zegt dat het waarschijnlijk alleen maar kwam om hij ze goud gaf (OF6).

Arcturus – de helderste ster in het sterrenbeeld Ossenhoeder, de op drie na helderste ster aan de hemel

Zwarts, Cygnus

(1929-1979)

Vader van Bellatrix, Andromeda en Narcissa; de oom van Sirius Zwarts (BFT).

Cygnus = het sterrenbeeld Zwaan

Zwarts, Elladora

(1850-1931)

Dit is waarschijnlijk de Tante Elladora die Sirius noemde, die de familietraditie begon om huiselfen to onthoofden wanneer ze 'te oud werden om dienbladen te kunnen dragen' (OF6, BFT).

Zwarts (familie)

De familie Zwarts is een van de meeste prominente puurbloed tovenaarsfamilies. Ze noemen zichzelf 'het Nobele en Aloude

Geslacht Zwarts'. De familiespreuk is *'Toujours Pur'*, wat Frans is voor 'altijd puur' (OF6, BFT). Het was dus niet verbazingwekkend dat veel van de familieleden aanhangers waren van het idee dat puurbloeden superieur waren.

Zwarts, Firminus
(Eng. 'Black, Phineas')
Hij werd verstoten omdat hij voor Dreuzelrechten was (BFT).
Phineas = misschien Oudegyptisch 'Nubiër, donkere huid'

Zwarts, Firminus Nigellus
(1847-1925; Zwadderaar, c.1858; later schoolhoofd)
(Eng. 'Phineas Niggellus Black')
Over-over-overgrootvader van Sirius Zwarts, die soms wordt genoemd als het minst populaire schoolhoofd dat Zweinstein ooit heeft gehad (OF6). Zijn portret hangt in het kantoor van het schoolhoofd en hij hielp Perkamentus met tegenzin als hij ertoe werd gedwongen. Zijn portret hangt ook op 'Grimboudplein 12' (OF37). Firminus was een gemene en sarcastische man met weinig gevoelens voor de problemen van anderen, vooral jonge mensen, die hij erg vervelend en zelfingenomen vond (OF23, RD12, 15).
Phineas = misschien Oudegyptisch 'Nubiër, donkere huid' + 'Nigellus' = een verlatijnste vorm van het woord 'zwart'

Zwarts, Marius
(20e eeuw)
Lid van de familie Zwarts die werd verstoten omdat hij een Snul was (BFT).

Zwarts, Orion
(1929-1979)
Vader van Sirius en Regulus: hij heeft het familiehuis op Grimboudplein nummer 12 in Londen zwaar versterkt. Hij trouwde zijn tweede nicht, Walburga Zwarts (BFT).
Orion = sterrenbeeld Jager, een van de prominentste en bekendste sterrenbeelden aan de hemel

Zwarts, Pollux
(1912-1990)
De grootvader van Sirius Zwarts (BFT).
Pollux = de helderste ster in het sterrenbeeld 'Gemini' (Tweeling); een van de helderste sterren aan de nachtelijke hemel
Zie ZWARTS, ARCTURUS

Zwarts, Regulus Arcturus
(1961-1979; Zwadderaar, 1972; Zwerkbal Zoeker; Dooddoener)
Regulus was de jongere broer van Sirius Zwarts. In tegenstelling tot zijn broer was Regulus de lieveling van zijn ouders omdat hij hun vooroordelen over puurbloed deelde. Kort nadat hij Zweinstein had verlaten werd hij een Dooddoener (OF6, RD10). De huis-elf van de familie, Knijster, was erg verzot op Regulus, omdat de jon-

gen de enige was die hem goed behandelde (RD10).
Regulus = L. 'de kleine koning' en de helderste ster in het sterrenbeeld Leo (Leeuw). Regulus was ook de familienaam van Marcus Atilius Regulus, een Romeinse zeecommandant die legendarisch was om zijn heldhaftige zelfopoffering.
Arcturus = de helderste ster in het sterrenbeeld Ossenhoeder, de op drie na helderste ster aan de hemel

Zwarts, Sirius
(1960-1996; Griffoendor, 1971; Orde van de Feniks)
De beste vriend van James Potter, de peetvader van Harry Potter, en een Faunaat. Sirius verwierp de puurbloedfilosofie van zijn familie (OF6). Op Zweinstein was hij een Griffoendor en maakte hij onderdeel uit van de vriendenkring waar ook James Potter en Remus Lupos deel van uitmaakten. Na Zweinstein werkte Sirius voor de Orde van de Feniks. Na de dood van zijn beste vrienden (GA18) werd hij vals beschuldigd van moord en gevangengezet in Azkaban (GA10). Na jaren in Azkaban, ontsnapte hij en ondersteunde Harry en de Orde van de Feniks op elke mogelijke manier (OF6, vooral OF35).
Sirus = De 'Hondenster'; de helderste ster in het sterrenbeeld Canis Major (Grote Hond)

Zwarts, Walburga
(1925-1985)
Moeder van Sirius en Regulus, getrouwd met Orion Zwarts. Zij was erg fanatiek over de puurheid van bloed. Nu dat ze dood is, hangt haar portret op Grimboudplein 12 vanwaar ze gilt en schreeuwt over 'bloedverraders en modderbloedjes' die in haar huis zijn (BFT, OF4 etc.).

Zwatel, Adalbert
(1899-1981)
(Eng. 'Adalbert Waffling')
Adalbert was de auteur van *Theoretische Grondslagen der Magie* (SW5, TK).
Zijn naam is een van J.K. Rowlings sluwe grapjes. Deze pientere geleerde is 'addled' (verward) en heeft de neiging 'to waffle' (door blijven praten zonder tot een conclusie te komen). Ik wed dat hij het stukje theorie bij 'Gommibommi' amusant zou hebben gevonden. De data die bij Zwatel zijn gegeven kloppen niet als we er in RD achter komen dat Perkamentus met hem correspondeerde terwijl hij op school zat. Volgens de data op de Tovenaarskaart had Perkamentus Zweinstein al verlaten tegen de tijd dat Zwatel werd geboren.

Zweden
Scandinavisch land in het noorden van Europa. Loena Leeflang en haar vader gingen in 1996 op reis naar Zweden om de Kreukelhoornige Snottifant te zoeken, maar ze konden hem niet vinden (OF38).

Zweedse Stompsnuit
Een zilverblauwe drakensoort (VB19 e.v.).

Zweefspreuk
Een eenvoudige spreuk (OF31) waardoor het doelwit tot anderhalve meter boven de grond gaat zweven.
Mogelijk dezelfde als de spreuk 'Wingardium Leviosa'

Zweinstein, kasteel van
Een enorm, magisch kasteel dat op een klif staat boven een meer (SW6) in de hooglanden van Schotland (BN2). De basisstructuur telt acht verdiepingen met daarboven nog torens. Het kasteel bevat klaslokalen, een enorme hal met een verheven marmeren trap, een Grote Zaal, een bibliotheek, een ziekenzaal en vele andere kamers en gangen. Onder het kasteel bevinden zich hele grote kelders, waar je het koude, donkere klaslokaal van Toverdranken en de leerlingenkamer van Zwadderich kan vinden. Geheime doorgangen, verborgen gangen en deuren en onverwachtse kamers maken het een uitdaging om door het kasteel te navigeren (m.n. SW8). Slimme studenten vinden echter al snel hun eigen sluipwegen (VB23). Het terrein van het kasteel omvat een groot meer, een bos, een oefenveld voor Zwerkbal, een vreemde oude bewegende boom die de Beukwilg heet (GK5) en kassen waar de Kruidenkundelessen plaatsvinden (SW8, etc.). Het kasteel van Zweinstein is door een aantal bezweringen voor Dreuzelogen verborgen. Dreuzels zien alleen een vervallen ruïne met een waarschuwingsbord dat ze er niet te dichtbij moeten komen als ze ervoorbij wandelen (SN). Andere spreuken beschermen het kasteel tegen magische indringers; het is bijvoorbeeld onmogelijk om ergens op het terrein van Zweinstein te Verschijnselen (HBP4).
Volgens J.K. Rowling leende ze de naam van de school van een soort bloemen die ze in de Kew Gardens zag (SMH). Ze besloot toen, als verklaring, dat Rowena Ravenklauw van een wrattig zwijn droomde dat haar naar de plaats bij het meer leidde waar Zweinstein later gesticht werd (JKR).

Zweinsteinexpress
Een passagierstrein die op 1 september tussen Londen en het station van Zweinsveld rijdt. Hij vertrekt om elf uur 's ochtends van Perron 9¾ en komt vroeg in de avond aan op het station van Zweinsveld (SW6); deze ritten worden ook gemaakt met Kerstmis, Pasen en tijdens de zomervakanties (SW17, GK12). Er worden tijdens de rit geen maaltijden verstrekt, maar wel duwt een heks halverwege de rit een karretje door de trein en verkoopt verschillende soorten snoepgoed en gekoeld pompoensap (SW6).

Er zijn gewoonlijk geen volwassenen die met de trein reizen, behalve de bestuurder en de heks met het karretje (GA5).

Zweinsteins Hogeschool voor Hekserij en Hocus-Pocus

Zweinsteins Hogeschool, gevestigd in het kasteel van Zweinstein, werd duizenden jaren geleden opgericht door de vier oprichters Rowena Ravenklauw, Helga Huffelpuf, Zalazar Zwadderich en Goderic Griffoendor, grootse heksen en tovenaars van die tijd die een plaats wilden waar ze jonge mensen konden leren hun magie op een goede manier te gebruiken (GK9). De leerlingen van Zweinstein worden in vier afdelingen gesorteerd. Deze afdelingen rivaliseren voor afdelingspunten en strijden op het Zwerkbalveld (m.n. SW7). Studenten komen voor een leertraject van zeven jaar op Zweinstein. Ze beginnen als ze elf jaar oud zijn en gaan weer weg als ze zeventien zijn, waarna ze als volleerde tovenaars worden beschouwd.

Zweinsteins Hoog-Inquisiteur

Als reactie op bezorgdheden over de gang van zaken op Zweinstein en meer om Albus Perkamentus in de gaten te houden, riep Cornelis Droebel op 8 september 1995 Onderwijsdecreet nummer 23 in het leven, waardoor Dorothea Omber de eerste 'Hoog-Inquisiteur van Zweinstein' ooit werd. Hiermee kreeg ze de macht om toezicht te houden, te inspecteren en zelfs andere leraren te ontslaan als ze dit wilde (OF15, 26, 31).

Zweinsteins rooster

Het schooljaar van Zweinstein begint op 1 september met het Openingsfeest en eindigt eind juni met het Eindfeest, waarbij de Afdelingsbeker uitgereikt wordt aan de afdeling die de meeste afdelingspunten binnengesleept heeft. Het eerste semester eindigt in december met twee weken vrij voor Kerstmis en het tweede semester eindigt met twee weken vakantie voor Pasen rond 1 april. Het zomersemester omvat de rest van het jaar. Aan het begin van de maand juni worden er examens gehouden (bijv. SW5, 7, 12, 17, GA16, HBP29).

Zweinsveld

(Eng. 'Hogsmeade')

Het enige dorp in heel Engeland waar enkel tovenaars leven. Het is een schilderachtig dorpje met kleine huisjes met strodaken en winkels met een lange, legendarische geschiedenis (GA5). Volgens de legende werd Zweinsveld door Hengist de Heksenziener gesticht, die op de vlucht was voor Dreuzels (TK). Een van de Koboldenrellen vond in 1612 plaats in dit gebied (GA5). De inwoners van Zweinsveld schoten in mei 1998 te hulp bij de verdediging

Z

van Zweinstein (RD36). Derdejaars en hoger mogen Zweinsveld in bepaalde weekenden bezoeken als ze een getekend toestemmingsformulier hebben (GA1). Tijdens de kerstdagen hangen er betoverde kaarsen in de bomen (GA10).
'hog' = Eng. 'zwijn' + 'meade' = Eng. 'weide'
Volgens de legenden komt de naam uit een droom van Rowena Ravenklauw waarin ze een wrattig zwijn zag die dat naar de klif bij het meer leidde waar het kasteel uiteindelijk is gebouwd (JKR).

Z

Zweinsveld, Station
Een station met een vrij klein perron waar de Zweinsteinexpress zijn reis vanaf King's Cross naar het noorden beëindigt. Het ligt dicht bij het meer en een kleine aanlegsteiger voor de boten. Van het treinstation loopt een weg naar het kasteel van Zweinstein die om het meer heen gaat (SW6, GA5, VB11). Het station ligt eigenlijk vrij ver van het dorpje verwijderd, aangezien het aan de andere kant van het terrein van Zweinstein staat (GA/dvd).

Zwelbezwering
Zie ENGORGIO

Zwelsap
De tweedejaarsstudenten maakten dit toen Harry een stuk Vleermans Vuurwerk in de ketel van Kwast gooide om te zorgen voor afleiding. Op de plaatsen waar het sap terechtkwam, werden armen, neuzen, ogen en andere lichaamsdelen op groteske wijze vergroot. Het tegengif was Slinksap (GK11).

Zwerenheeldrank
Ingrediënten: gedroogde brandnetels, gestampte slangentanden, gekookte gehoornde slakken, stekelvarkenstekels (pas erbij doen als de toverketel van het vuur is gehaald)
Een erg simpele toverdrank om zweren mee te genezen, die wordt onderwezen aan eerstejaars tijdens hun eerste Toverdrankenles met Sneep (SW8).
Maar wanneer deze toverdrank niet goed wordt gemengd is hij erg gevaarlijk. Het is heel typisch dat Sneep zijn eerstejaarslessen met deze toverdrank begint, want als ze maar één foutje maken, dan zullen ze zelf pijnlijke zweren krijgen en zal hun toverketel smelten, waarna het brouwsel door hun schoenen heen brandt. Banning wachtte, in tegenstelling tot Sneep, verscheidene weken voordat hij de eerstejaars echt liet toveren, en zelfs toen was het alleen maar simpel een veer laten zweven.

Zwerkbal
(Eng. 'Quidditch')
Zwerkbal is de belangrijkste sport uit de tovenaarswereld. Het is een snel, gevaarlijk en spannend spel waarbij twee teams op bezemstelen vliegen en strijden

om punten die ze verdienen door ballen door hoepels te gooien die aan de uiteinden van een groot grasveld staan (SW10). Zwerkbal wordt door kinderen in een boomgaard gespeeld (HBP6), door leerlingenteams in het stadion van Zweinstein en door professionele atleten wier prestaties in de hele wereld op de voet worden gevolgd. De wedstrijden voor de Wereldbeker trekken honderdduizenden fans (VB8).

Na een ruzie met haar vriend ging J.K. Rowling naar een hotel en werkte daar een tijdje aan de regels voor de sport die ze voor haar boeken aan het uitvinden was. Ze wist dat ze wilde dat de naam begon met een Q, dus schreef ze een hoop namen in een schrijfblok en zocht naar eentje die 'werkte'. Toen ze 'Quidditch' opschreef, wist ze dat ze hem gevonden had. Hoewel het woord verzonnen is, kan het goed zijn dat een echte plaatsnaam als inspiratie diende. Nabij Exeter, waar haar universiteit was, ligt een klein stadje met de naam Quoditch. Misschien kende ze deze plaatsnaam en heeft ze deze onbewust gebruikt voor de naam van deze tovenaarssport. De kleurrijke geschiedenis van deze duizend jaar oude sport wordt gedetailleerd beschreven in het magnifieke boek Zwerkbal door de Eeuwen Heen *dat door J.K. Rowling is geschreven onder het pseudoniem Kennilworthy Whisp en verkrijgbaar is in Dreuzelboekwinkels.*

Zwerkbal door de Eeuwen Heen
door Kennilworthy Whisp
Een algemeen naslagwerk over Zwerkbal. Harry leende het in zijn eerste jaar van Hermelien (SW11), die het las voor tips voordat ze naar hun eerste vlieglessen moesten (SW9). Sindsdien wordt het ook voor Dreuzels geproduceerd en het wordt zeer aanbevolen door onder andere Perkamentus (ZE/i).

Het boek Zwerkbal door de Eeuwen Heen *is verkrijgbaar in Dreuzelboekhandels. In het boek staan lijsten met teams en overtredingen en andere informatie die je in encyclopedieën tegen kan komen. We zetten deze informatie hier niet neer; je kunt natuurlijk zelf proberen een exemplaar van* Zwerkbal door de Eeuwen Heen *te vinden om zelf meer te weten te komen.*

Zwerkbal Wetgeving en Toezicht Stichting (Z.W.E.T.S.)
Een organisatie die het professionele Zwerkbal in Engeland ondersteunt. Het hoofd van deze organisatie is David Ogenstein (TK).

Zwerkbalcup
Wordt elk jaar uitgereikt aan het beste Zwerkbalteam van Zweinstein (m.n. GA15, OF30, HBP24).

Zwerkbalstadions
Teams in Engeland hebben geen eigen thuisveld voor wedstrijden. In plaats daarvan zijn er Zwerk-

balstadions opgericht op een paar verlaten heidevelden waar spelers en fans vanuit heel Engeland heengaan voor de wedstrijden. Er zijn verschillende spreuken en magische effecten om te voorkomen dat Dreuzels deze stadions per ongeluk ontdekken, maar deze worden met wisselend succes toegepast (DP1-4).

Zwerkbalteams van Groot-Brittannië en Ierland

Hermelien gaf Harry tijdens hun vierde jaar een exemplaar van dit boek als kerstcadeau (VB23); het is een van de boeken die hij ter afleiding probeerde te lezen terwijl hij opgesloten zat op Ligusterlaan nummer 4 voor zijn vijfde jaar (OF3).

Zwerven met Zombies

Door Gladianus Smalhart

Een van de vele verplichte leerboeken voor Verweer Tegen de Zwarte Kunsten in Harry's tweede jaar (GK4).

Z.W.E.T.S.

Acroniem voor de 'Zwerkbal Wetgeving en Toezicht Stichting' (TK).

Zwiepbeheksing

Een nare vervloeking die over een bezem uitgesproken kan worden (GA12).

Zwijmzuurtjes

Magische snoepjes, uitgevonden door Fred en George, die ervoor zorgen dat de eter buiten bewustzijn raakt.

Zwijnenstandbeelden

Aan elke kant van de smeedijzeren hekken van het terrein van Zweinstein staan pilaren met daarbovenop een standbeeld van een gevleugeld zwijn (GA5, RD31). Deze symbolen van Zweinstein hebben waarschijnlijk te maken met de legende dat Rowena Ravenklauw de locatie van het kasteel koos nadat ze had gedroomd dat ze ernaartoe werd geleid door een wrattig zwijn (JKR)

Zwijnskop, de

Een kroeg in een zijstraat van Zweinsveld. Hij staat bekend om zijn lage prijzen en 'interessante' klanten (OF37). Desiderius Perkamentus is al meer dan twintig jaar de barman (OF17, RD28). De kroeg is klein en vies en ruikt sterk naar geiten (OF16).

Zwik & Zwachtels Zwerkbalpaleis

Harry Potters favoriete winkel op de Wegisweg. Hij kwam er vaak toen hij in 1993 drie weken in de Lekke Ketel verbleef, aangezien die zomer de nieuwe racebezem de Vuurflits in de verkoop ging en de winkel er eentje uitgestald had (GA4). Zwik & Zwachtels Zwerkbalpaleis toonde ook een complete uitrusting van de Cambridge Cannons in de etalage (GK4).

'zwoegen als huis-elfen'
Ron gebruikt (tot Hermeliens afgrijzen) dit spreekwoord. Hermelien neemt aanstoot aan Rons lichtvoetige referentie naar wat zij als een verschrikkelijke wandaad ziet (VB14).

Z

Bronnen

A Highland Seer, *Tea-Cup Reading and Fortune-Telling by Tea Leaves*, Project Gutenberg, www.gutenberg.org/files/18241/18241-h/18241-h.htm

Behind the Name – The Etymology and History of First Names, www.behindthename.com

Bunker, Lisa, *Accio Quote!* The Largest Archive of J.K. Rowling quotes on the web, www.accio-quote.org

Conley, Craig, *Magic Words: A Dictionary*, www.mysteryarts.com/magic/words/Ed.3

Culpeper, Nicholas. *Culpepers Color Herbal*, New York: Sterling Publishing, 1987

'Did you know the Great British map has some quirky, romantic, eccentric and funny place names?' *Ordnance Survey*, Britain's national mapping agency, www.ordnancesurvey.co.uk/oswebsite/freefun/didyouknow

Duckworth, Ted, *Dictionary of English slang and colloquialisms of the UK*, www.peevish.co.uk/slang

Ekwall, Eilert, *The Oxford Dictionary of English Place Names*, Oxford: Clarendon Press, 1936

Encyclopedia Mythica: mythology, folklore, and religion, www.pantheon.org

Evans, Ivor H., *Brewer's Dictionary of Phrase and Fable*, New York: Harper & Row, 1989

Forthright. 'Compendium of Lost Words.' The Phrontistery: Obscure Words and Vocabulary Resources. phrontistery.info/clw.html

Gay, Marcus, *Occultopedia: The Occult and Unexplained Encyclopedia*, www.occultopedia.com

Hall, James, *Dictionary of Subjects and Symbols in Art*, New York: HarperCollins, 1974

Hill, Tara, *Sacred Woods and the Lore of Trees*, Tara Hill Designs, www.tarahill.com/treelore/trees.html

Hine, Phil, 'The Magical Use of the Sixteen Figures of Geomancy', in: Phil Hine, *Magic, sorcery, ritual, tantra*, www.philhine.org.uk/writings/rit_geomancy.html.

Learn about the family history of your surname,
www.ancestry.com/learn/facts/default.aspx
Leeflang, Tracy, *Celtic Tree Lore*,
www.dutchie.org/Tracy/tree.html
Mackillop, James, *A Dictionary of Celtic Mythology*, New York: Oxford University Press, 2004
Martin, Gary, *The Phrase Finder: The meanings and origins of sayings and phrases,*
www.phrases.org.uk/
Notre Dame University, *Latin Dictionary and Grammar Aid*,
archives.nd.edu/latgramm.htm
Ogilvie, John en Charles Annandale, *The Imperial Dictionary of the English Language: A Complete Encyclopaedic Lexicon, Literary, Scientific, and Technological*, London: Blackie & Son, 1883
Online Etymology Dictionary
www.etymonline.com
Parkinson, Danny en Ian Topham, *Mysterious Britain, a guide to the legends, folklore, myths and mysterious places of Britain*,
www.mysteriousbritain.co.uk
Probert, Matt and Leela Probert, *Encyclopaedia of Celtic Mythology*,
www.probertencyclopaedia.com/
Symbols
www.symbols.com.
Tufts University, *Latin Lexicon*,
www.perseus.tufts.edu/cgi-bin/resolveform?lang=Latin
Undiscovered Scotland,
www.undiscoveredscotland.co.uk
Wikipedia, the free encyclopedia,
en.wikipedia.org/wiki/Main_Page

Over de auteur

Steve Vander Ark groeide op in het stadje Grand Rapids in de staat Michigan (VS). Hij studeerde bibliotheekwetenschappen en mediamanagement aan de Grand Valley State University en werkte vele jaren als schoolmediaspecialist. In 2000 richtte Vander Ark de Harry Potter Lexiconwebsite op. Deze website trekt jaarlijks meer dan 25 miljoen bezoekers en is een van de meest geciteerde en gebruikte informatiebronnen over Harry Potter. *Het Lexicon* is door de Association for Library Services for Children van de American Library Association tot een van de beste vijftien websites voor kinderen uitgeroepen. Vander Ark is hoofdspreker geweest op veel belangrijke conferenties over de Harry Potterboeken, waaronder Sectus in Londen, Patronus in Kopenhagen, Lumos in Las Vegas en Prophecy in Toronto. Hij is onder meer door de *BBC*, de *Today Show*, de *New York Times*, *Time Magazine*, *Associated Press*, de *New Yorker* en de *Guardian* geïnterviewd over de Harry Potterboeken. Zijn interview voor een A&E televisiespecial verscheen als onderdeel van de extra's op de DVD van de film *Harry Potter en de Orde van de Feniks*. Vander Ark is tevens auteur van het boek *In Search Of Harry Potter* (Methuen Publishing).